МАСТЕРА
ФАНТАСТИКИ

МАСТЕРА ФАНТАСТИКИ

УРСУЛА ЛЕ ГУИН

ВСЕГДА ВОЗВРАЩАЯСЬ ДОМОЙ

МОСКВА
"ЭКСМО"
2005

УДК 82(1-87)
ББК 84(7США)
Л 33

URSULA K. LE GUIN

ALWAYS COMING HOME

Copyright © 1985 by Ursula K. Le Guin

Публикуется с разрешения автора и ее литературного агента
Virginia Kidd Agency (США)

Оформление серии художника *Е. Савченко*

Серия основана в 2001 году

Ле Гуин У.

Л 33   Всегда возвращаясь домой: Фантастический роман/Пер. с англ. И. Тогоевой. — М.: Изд-во Эксмо, 2005.— 672 с., ил. — (Мастера фантастики).

ISBN 5-699-08632-3

Необычайный мир открывается перед нами в этой книге — «опыте археологии будущего». Много веков прошло с тех пор, как человечество, оглянувшись на искореженную землю, отказалось от высоких технологий и, больше того, — от образа мыслей, что едва не уничтожил род людской. Мириады местных культур, связанных лишь Пунктами обмена Информацией, существуют в бывшей Калифорнийской долине. И когда воины Кондора — реликт прежних времен — сталкиваются с народом Кеш, они оказываются не в силах понять, что движет этими людьми. Как и сами Кеш не могут понять, что заставляет детей Кондора стремиться подчинить всех своей воле...

УДК 82(1-87)
ББК 84(7США)

ISBN 5-699-08632-3

КНИГА ПЕРВАЯ

ПРИМЕЧАНИЕ ПЕРВОЕ

Люди, описанные в этой книге, возможно, будут жить через много-много лет в Северной Калифорнии.

Основа книги — их живые голоса; они рассказывают легенды и истории, разыгрывают спектакли и поют песни. Если читатель постарается смириться с некоторыми незнакомыми словами, то все они в итоге станут ему ясны. Будучи автором романов, я, приступая к этой работе, решила, что лучше все пояснения и примечания поместить отдельно, в последней части книги, которая называется «Приложения», тогда те, кого больше интересует сюжет, смогут не обращать на примечания особого внимания, а те, кто любит всяческие комментарии, получат их. Глоссарий также может оказаться для кого-то весьма полезным, а для кого-то просто любопытным.

Существенными представляются проблемы перевода с языка, которого пока еще нет в действительности, однако не следует их преувеличивать. В конце концов, прошлое может быть не менее туманно, чем будущее. Древняя китайская книга «Дао Дэ Цзин» десятки раз переводилась на другие языки, и, конечно же, сами китайцы тоже бесконечное число раз переводили ее с более старого китайского на более новый, но ни в одном из этих переводов нет того, что мы могли бы прочесть у самого Лао Цзы (которого, возможно, и на свете никогда не было). Мы имеем возможность читать только сегодняшнюю «Дао Дэ Цзин». То же самое и с переводами литературы отдаленного будущего. Тот факт, что эти произведения пока еще даже не написаны, то есть в природе нет текста, который нужно перевести, вовсе не делает различие между переводом литературы далекого прошлого и отдаленного будущего столь значительным. То, что уже было, и то, что еще только будет, объято молчанием и подобно лицам не рожденных еще детей, которых мы увидеть не можем. В действительности же нам доступно только одно: то, что существует сегодня, сейчас.

ПЕСНЬ ПЕРЕПЕЛКИ ИЗ ТАНЦА ЛЕТА

Тропою, берегом реки,
из заливных лугов,
из дальних полей,
тропою, берегом реки
спешат две перепелки.

Спешат две перепелки,
взлетают, поспешают.
Бегут две перепелки,
взлетают, поспешают
из заливных лугов.

ПО ПОВОДУ АРХЕОЛОГИИ БУДУЩЕГО

Сколь велик восторг ученого, когда бесформенные кочки и канавы, заросшие чертополохом и кустарником, начинают вдруг приобретать некие конкретные формы: ура! здесь был внешний крепостной вал — вот ворота, а вот и амбар для хранения зерна! Сперва мы будем копать здесь и здесь, а потом я бы хотел еще взглянуть, что это там, под тем бугорком на склоне...

Ах, как хорошо им ведом настоящий восторг, когда вдруг вместе с просеиваемой землей проскользнет маленькая металлическая пластинка, а потом — одно прикосновение большого пальца, и перед вами изящная чеканка по бронзе: рогатый бог! Как я завидую им, их лопатам и ситам, их рулеткам и прочим их инструментам, а также — их мудрым умелым рукам, которые могут коснуться того, что находят! Но им недолго удается подержать свои находки в ладонях; они, разумеется, отдают их в музеи; и все-таки какое-то время они действительно держат в своих руках Прошлое...

В конце концов и я отыскала тот город, который столько времени не давал мне покоя. После целого года раскопок в нескольких неверно выбранных местах и упорного следования разным дурацким идеям — например, той, что город должен быть окружен стеной с единственными воротами, — меня, когда я в очередной раз изучала его возможные очертания на карте Долины, вдруг осенило, как если бы из-за туч внезапно ударило солнце, озарив землю вокруг: этот город должен быть именно здесь, у слияния многочисленных ручьев и речек, буквально у меня под ногами. И никакой стены вокруг него нет и не может быть; да и зачем им какие-то стены?

То, что я в воображении своем приняла за ворота, было просто мостом над местом слияния ручьев. А храмы и специальная площадь для танцев оказались вовсе не в центре города, ибо Центром считается Священный Стержень, а значительно дальше, и располагались они по одному из витков двойной спирали — разумеется, по правому — прямо среди лугов, что начинаются сразу за главным зернохранилищем города. Ну и так далее...

Но у меня нет возможности, подобно археологам, начать здесь раскопки и надеяться при этом найти осколок черепицы с крыши, переливчатое стеклышко — ножку бокала для вина, или керамическое блюдце от солнечной батареи, или маленькую золотую монетку из Калифорнии, точно такую же (ибо золото не ржавеет), как была отчеканена где-нибудь в городке золотоискателей и потрачена на шлюх или земельный участок в Сан-Франциско, а потом, возможно, была переплавлена и какое-то время служила обручальным кольцом, а потом спряталась где-то в глубоком подземелье, что, возможно, даже глубже шахты, в которой некогда было добыто то золото, и никто, никакая полиция не смогли его отыскать, а потом, побыв колечком, оно превратилось в солнышко с золотыми кудряшками лучей и было подарено искусному ремесленнику в честь его великого мастерства... Нет, ничего подобного я там, увы, не найду! Его там просто еще нет. Нет там этого маленького золотого солнышка — как они говорят, оно не живет в Домах Земли. Оно — там, в воздушных высях, в неведомых просторах, что лежат за пределами сегодняшних дней и ночей, в Домах Неба. Мое золотое украшение прячется среди черепков разбитого кухонного горшка на том конце радуги. Копайте там! Интересно, что вы обнаружите? Ну, конечно, семена! Семена дикого овса.

Я могу пройти через поля, заросшие диким овсом и чертополохом, между домами того маленького городка, который так долго искала и который называется Синшан. Потом миную городскую площадь и Стержень и окажусь прямо на площади для танцев. Вон там, к северо-востоку, где сейчас растет этот могучий дуб, будет находиться хеймас Обсидиана, а совсем рядом — хеймас Синей Глины, покопайте-ка там, на северо-западном склоне горы; чуть ближе ко мне и ближе к Стержню расположена хеймас Змеевика; потом обе хеймас Красного и Желтого Кирпича — на юго-восток и юго-запад у тропы, ведущей к ручью. Им придется осушать это поле, если они захотят построить там хеймас, что они, по-моему, и сделают: построят под землей свои храмы, и только их пирамидальные крыши с окнами фонарем будут видны отсюда да украшенные орнаментом входы на лестницы. Это я способна видеть довольно ясно. Здесь мне позволено видеть внутренним взором все, что угодно. Я могу стоять посреди пастбища, где пока что нет еще ничего, кроме солнца и дождя, дикого овса и чертополоха да диких зарослей козлобородника; здесь не пасутся тучные стада, только мелькнет порой дикий олень, но я могу стоять здесь и видеть, закрыв глаза: площадь для танцев, ступенчатые крыши хеймас, луну, словно выкованную из меди, прямо над хеймас Обсидиана. Ну а если я прислушаюсь, то неужели не смогу услышать их голоса своим внутренним слухом? А вы, Шлиман, слышали голоса на улицах Трои? Если да, то и вы тоже были сумасшедшим. Все тро-

10

янцы давным-давно умерли, три тысячи лет тому назад! Но кто из них дальше от нас, кто более недостижим, кого труднее услышать — мертвых или еще не рожденных? Тех, чьи кости истлели в зарослях чертополоха под землей, под надгробиями Прошлого? Или тех, кто скользит невесомо в мире молекул и атомов, там, где столетия пролетают как день, — прекрасных людей, живущих у подножия огромной, похожей на колокол Горы Вероятного?

До них не доберешься, сколько ни копай. У них еще нет костей. Единственные человеческие кости, которые можно было бы найти на этом лугу, — это кости первых здешних поселенцев, однако они никогда никого не хоронили здесь и, к сожалению, не оставили ни гробниц, ни хотя бы черепицы с крыши или осколка глиняного горшка; нет здесь ни старинных стен, ни монет. Если у них когда-то и был здесь город, то он должен был быть построен из того же, из чего сделаны леса и луга, и теперь совершенно исчез, растворившись в них. Можно сколько угодно прислушиваться, но ничего не услышишь: все слова их языка тоже исчезли, исчезли полностью. Они обрабатывали обсидиан, и это осталось; там, в долине, на краю частного аэропорта, принадлежащего одному богачу, была мастерская, и вы можете отыскать там сколько угодно осколков, но за все эти годы ни разу не попалось ни одного изделия целиком. Больше никаких следов не найти. Они владели своей Долиной очень легко, едва прикасаясь к ее миру, растворяясь в нем. Ступали по земле мягко. Так будут ступать и те, будущие, кого ищу я.

Единственный способ найти их, на мой взгляд, таков: возьмите на руки своего сынишку или внука, в крайнем случае «займите» у кого-нибудь из друзей ребенка месяцев десяти, но не старше года, и прогуляйтесь с ним среди дикого овса, которого много в поле за амбаром. Потом постойте под дубом в низине, внимательно глядя на бегущий ручей. Стойте, почти не дыша: вдруг ваш малыш увидит что-нибудь, или услышит чей-нибудь голос, или даже заговорит с кем-нибудь, явившимся из его далекого Дома.

11

Винодельня в Синшане

ЧАСТЬ I

ГОВОРЯЩИЙ КАМЕНЬ

Говорящий Камень — это мое последнее имя. Я его получила по собственному выбору, потому что мне непременно нужно было рассказать о том, где я побывала в молодости; теперь-то я нигде не бываю, а просто сижу, неподвижная как камень, у нашего дома, в Долине. Я уже добралась до своей конечной цели.

Я из Дома Синей Глины, а живу вместе со всей семьей в Синшане, в доме под названием Высокое Крыльцо.

Мою мать в детстве звали Зяблик, потом — Ива, а потом она получила имя Пепел. Имя моего отца было Абхао, что на языке жителей Долины значит «убийца».

В Синшане детям часто дают имена по названиям птиц, ибо птицы считаются вестниками. За месяц до моего рождения на дуб, что рос под окном нашего дома Высокое Крыльцо, каждую ночь прилетала сова. Дубы, растущие с северной стороны нашего дома, называются Гаирга. И вот на один из них постоянно прилетала сова и пела там свою совиную песню; так что первым моим именем стало Северная Сова.

Высокое Крыльцо — дом очень старый, с крепкими стенами и просторными комнатами; потолочные балки и рамы там сделаны из секвойи, древесина которой имеет красноватый оттенок, а стены — из кирпича и оштукатурены; половицы дубовые; в окнах — прозрачные стекла в тесных переплетах. Веранды и балконы в доме широкие и красивые. Первой хозяйкой здесь была еще прабабка моей бабушки. Она жила в наших теперешних комнатах на втором этаже. Когда семья большая, ей обычно нужен целый этаж, но в нашей семье из старшего поколения была лишь моя бабушка, и мы втроем занимали только две западные комнаты. Мы немногое могли дать в общий котел. У нас был десяток диких олив и еще несколько плодовых деревьев на склонах холмов; нам принадлежал также небольшой питомник садовых деревьев на восточном склоне горы, ну и, конечно, мы сажали картошку, кукурузу и овощи на огороде у ручья, но урожай собирали небольшой и чаще брали кукурузу и бобы из общего хранилища, чем сами клали туда. Моя бабушка по имени Бесстрашная была ткачихой. Я помню, что, когда я была маленькой, мы никаких овец не держали и бабушке приходилось отдавать большую часть уже готовой ткани в обмен на овечью шерсть, из которой она снова ткала ткань, и так без конца. Первые мои детские воспоминания — это руки бабушки, которые мелькают туда-сюда над основой, натянутой на раму станка, и серебряный полумесяц браслета, что поблескивает у нее на запястье чуть ниже красного рукава рубахи.

Еще вспоминается, как я ходила в горы к роднику туманным зимним утром. Я тогда впервые отправилась за водой для празднования новой луны как дочь Дома Синей Глины. Я так замерзла, что даже заплакала. Другие дети стали надо мной смеяться и кричать, что я испортила священную воду, потому что накапала в нее слезами, но моя бабушка, которая руководила всей церемонией, сказала, что ничего я не портила, и разрешила именно мне весь обратный путь нести лунный кувшин; но я все равно без конца ныла и хлюпала носом: я замерзла, мне было стыдно, да и кувшин с родниковой водой оказался ужасно тяжелым. Даже и сейчас, став старухой, я хорошо помню и тяжесть кувшина, и промозглый холод зимнего утра, и плеск воды, и голые черные ветки дикой вишни — манзаниты в тумане; слышу голоса детей, что идут впереди и позади меня по крутой тропинке вдоль ручья, болтают и смеются.

Иду туда, иду туда,
Иду туда, куда путь мой,
И плачу над водой.
И он туда, и он туда,
Следом за мной
Туман над водой.

Впрочем, я вовсе не была плаксой, скорее даже наоборот. Мой дедушка со стороны матери говорил: «Сперва посмейся, потом поплачь, или сперва поплачь, а потом обязательно посмейся». Он был из Дома Змеевика и родом из города Чумо. И уже немолодым снова вернулся в этот город и стал жить в доме своей матери. Бабушка моя к этому отнеслась спокойно. Она как-то сказала: «С моим мужем жить — все равно что желуди несоленые жевать». Однако время от времени она все-таки навещала его, да и он тоже приходил к нам летом, когда Чумо в жаркой низине пекся, как пирог в духовке, и жил с нами в летней хижине в горах. Его сестра по имени Зеленый Барабан была знаменитой танцовщицей, особенно славились ее Летние танцы, но семья их всегда отличалась скупостью. Дед говорил, что они бедные, потому что в свое время его мать и бабка отдали все, что имели, устраивая Танец Лета в Чумо. А моя бабушка говорила, что бедные они потому, что никогда не любили работать. Возможно, правы были оба.

Все остальные наши родственники жили в Мадидину. Сестра бабушки поселилась там уже давно, и ее сын женился на тамошней женщине из Дома Красного Кирпича. Мы часто бывали у них в гостях, и я играла со своим троюродным братом Хмелем и его сестрой по имени Пеликан.

Когда я была маленькой, непосредственно нашей семье принадлежали химпи, домашняя птица и кошка. Кошка у нас была совершенно черная, без единого белого волоска, очень красивая и воспитанная. К тому же отличная охотница. Мы обменивали ее котят на химпи, так что для химпи вскоре при-

шлось построить отдельную клетку. Я присматривала за химпи, за курами и старательно отгоняла котят подальше от загонов и клеток, размещенных под окружавшей дом верандой. Когда мне поручили заботу о домашней живности, я была еще так мала, что страшно боялась петуха с зеленым хвостом. Он это прекрасно понимал и вечно налетал на меня, тряся гребнем и бормоча какие-то свои угрозы, и тогда я кубарем перекатывалась через заборчик, отделявший загон для кур от загона для химпи, чтобы спастись. Химпи тут же вылезали из своих клеток и, посвистывая, рассаживались вокруг меня. С ними было даже лучше играть, чем с котятами. Я быстро поняла, что не стоит давать химпи имена и выменивать их на продукты или отдавать на убой живыми, а научилась сама одним ударом убивать их — ведь некоторые люди убивают животных небрежно и неумело, пугая их и заставляя страдать от боли. В ту ночь, когда одна из пастушьих собак вдруг взбесилась, забралась в загон и перерезала всех наших химпи, кроме нескольких малышей, я столько плакала, что даже мой дедушка остался доволен. После случившегося я несколько месяцев видеть не могла эту собаку. Однако само несчастье обернулось для нашей семьи неожиданной удачей: люди, которым принадлежала собака, дали нам в уплату за убитых химпи молодую ярочку. Овечка выросла и вскоре принесла двоих ягнят; так, через некоторое время моя мать стала пасти своих собственных овец, а бабушка ткала теперь ткани из их шерсти.

Я не помню, когда начала учиться читать и танцевать; бабушка говорила, что еще до того, как стала ходить и говорить. С пяти лет я по утрам ходила вместе с другими детьми из Дома Синей Глины в нашу хеймас, а когда подросла, занималась там с учителями; еще я посещала занятия в Обществе Крови, в Союзе Дуба и в Союзе Крота; там я узнала, например, про Путешествие за Солью; еще я немного занималась с поэтессой по имени Ярость и довольно часто бывала в гончарной мастерской у Глиняного Солнышка. Я быстро все схватывала, но мне и в голову не приходило отправиться учиться в один из больших городов, хотя некоторые из детей у нас в Синшане так делали. Мне нравились уроки в хеймас, нравилось принимать участие в чем-то большом, общем, куда более интересном, чем все то, что я знала до сих пор, и в этом я находила спасение от одолевавших меня страхов и еще — от странных вспышек гнева, которых сама я без чьей-либо помощи не могла ни понять, ни преодолеть. И все-таки училась я, конечно же, мало, можно было бы получить куда больше знаний, а я вечно упрямилась, чего-то опасалась, твердила: «Нет, этого я не сумею!»

Некоторые из детей, по злобе или по недомыслию, звали меня викмас — «бездомная», «полукровка». А еще я слышала о себе такое: «Она человек только наполовину». Понимала я это по-своему и, разумеется, неправильно, поскольку дома мне ничего не объясняли. У меня никогда не хватало храбрости задать этот вопрос в хеймас или сходить куда-нибудь еще, где я могла бы узнать, что происходит за пределами нашего маленького городка, и начать воспринимать Долину как часть чего-то гораздо большего, чем она сама, и в то же время как нечто целостное, включающее в себя и Синшан, и множество других городов. Поскольку ни мать моя, ни бабушка о моем отце совсем не говорили, то в детстве я знала о нем только, что сам он родом не из Долины, был здесь недолго и снова уехал. Для меня это значило только то, например, что у меня нет бабушки по отцу, нет отцовского Дома, — потому я и считаюсь человеком только наполовину. В детстве я даже не слышала о народе Кондора. Я прожила на свете целых восемь лет, и только когда мы отправились на горячие источники близ города Кастоха, чтобы бабушка могла полечиться от мучившего ее ревматизма, то там, на центральной площади Кастохи, я увидела наконец людей из племени Кондора.

Я расскажу об этом небольшом путешествии, совершенном много лет тому назад. Это было путешествие в Дом Безветрия.

В тот день, примерно через месяц после Танца Вселенной, мы поднялись рано, еще в сумерках. Я несколько дней откладывала свою порцию мяса и перед уходом скормила его нашей черной кошке Сиди, которая уже заметно постарела. Я опасалась, что она непременно будет голодать, оставшись одна, и мысль об этом не давала мне покоя несколько дней. Мать, заметив мои припасы, сказала: «Съешь-ка это лучше сама. А кошка отлично сумеет прокормиться, охотиться будет!» Мать у меня была женщина суровая и разумная. Но бабушка возразила: «Девочка старается насытить свою душу, а не кошку накормить. Оставь ее в покое».

Мы погасили огонь в очаге и ненадолго открыли двери настежь, чтобы в дом могли войти кошка и ветер. А потом спустились со своего высокого крыльца под последними, еще светившими на небе звездами; дома в сумерках были похожи на темные холмы. На открытых местах, например на городской площади, было значительно светлее. Мы миновали Стержень и двинулись к хеймас Синей Глины. Там нас уже поджидала Ракушка; она была из Общества Целителей и всегда лечила мою бабушку; к тому же они были старинными подругами. Они наполнили водой бассейн возле хеймас и вместе спели песню Возвращения. Когда мы добрались до площади для танцев, уже совсем рассвело. Ракушка вместе с нами прошла через центр города до самых его окраин, а перейдя по мосту Ручей Синшан, мы все дружно присели на корточки и со словами: «Счастливого пути! Счастливо оставаться!» помочились, а потом дружно рассмеялись. Раньше у жителей Нижней Долины существовал такой обычай, когда они отправлялись путешествовать; теперь-то о нем помнят разве что старики. Потом Ракушка пошла назад, а мы двинулись дальше мимо амбаров, между многочисленными ручьями, через поля Синшана. Небо над холмами по ту сторону Долины начало желтеть, потом по нему разлился красный свет; когда мы почти миновали рощу, холмы впереди стали совершенно зелеными; зато у нас за спиной Гора Синшан казалась то синей, то черной. Так мы и шли по руке жизни. Воздух вокруг наполнился птичьим щебетом; птицы распевали в роще и в полях. Когда мы подошли к тропе Амиу и повернули на северо-запад, к Ама Кулкун, Горе-Прародительнице, из-за юго-восточного хребта уже показался белый краешек солнца. Я и сейчас будто снова иду там, в этом утреннем свете.

В то утро бабушка чувствовала себя хорошо, шла довольно бодро и предложила нам навестить родственников в Мадидину. И мы направились прямо к солнышку вдоль Ручья Синшан и вышли туда, где паслись дикие и домашние гуси и утки, которых в заболоченном устье ручья водилось несметное множество. Конечно же, я бывала в Мадидину много раз, но все же в тот день город показался мне совершенно иным, видимо, в предвкушении дальней дороги. Ощущая серьезность и важность нашего путешествия, я даже не хотела играть со своими троюродными братом и сестрой из Дома Красного Кирпича, хотя именно их я любила больше всех остальных родственников. Бабушка ненадолго заглянула к своей невестке, чей муж, сын бабушки, умер еще до моего рождения, к своим внукам и их отчиму, а потом мы пошли дальше через сливовые и абрикосовые сады к Старой Прямой Дороге.

Химпи

Я не раз раньше видела и саму Старую Дорогу и за ней тоже бывала со своими здешними сестрою и братом, но теперь мне предстояло идти прямо по ней. Я чувствовала важность момента, и одновременно чего-то побаивалась, и даже успела прошептать Дороге несколько слов из священной хейи, делая первые девять шагов. Люди говорили, что Дорога — старейшее творение рук человеческих во всей Долине; никто не знал точно, сколько ей лет. Некоторые ее участки были совершенно прямыми, зато другие изгибались, спускаясь к берегу Реки На, но потом Дорога возвращалась вновь к прежней оси. В пыли виднелись следы человеческих ног, копыт овец и ослов, отпечатки собачьих лап; здесь прошло множество обутых и босых людей — так много, что мне показалось, здесь есть следы всех тех, кто прошел по Дороге за минувшие пятьдесят тысяч лет. Огромные дубы высились вдоль нее, давая тень и защищая от ветра; порой они перемежались вязами, или тополями, или гигантскими белоствольными эвкалиптами, такими раскидистыми и неохватными, что они казались старше самой Дороги; но и Дорога была настолько широкой, что даже утренние длинные тени не могли пересечь ее от одного края до другого. Я думала, дорога такая широкая именно потому, что она такая старая, но мать объяснила: такой широкой Дорога стала потому, что большие стада овец из Верхней Долины здесь совершают переход к прериям с соленой травой в устье Великой Реки На сразу после Танца Вселенной, а потом возвращаются обратно, а в некоторых отарах овец больше тысячи. Теперь овцы уже все прошли, и мы видели только несколько тележек сборщиков помета, что всегда следуют за отарами. В тележках сидели подростки из Телины, все перепачканные дерьмом и орущие хриплыми голосами. Они собирали лопатами навоз и развозили на поля. На нас они обрушили кучу всяких дурацких шуточек, и мать, смеясь, отвечала им, а я спрятала от них лицо. На Дороге нам встречались и другие путешественники, и когда они здоровались с нами, я поскорее старалась спрятать лицо; но стоило им пройти, как я оборачивалась и, глядя им вслед, задавала целую кучу вопросов: кто они? откуда идут? куда? В конце концов бабушка начала смеяться надо мной и тоже меня поддразнивать.

Из-за бабушкиных больных ног шли мы медленно; а поскольку я все это видела впервые, то путь показался мне невероятно долгим. Однако уже к полудню мы подошли к виноградникам Телины, раскинувшимся на берегу реки. И за рекой я увидела поднимавшийся к небу город — огромные амбары, стены и окна домов, обсаженных дубами, желтые и красные крыши хеймас, крутые, ступенчатые, вокруг украшенной флажками площади для танцев. Этот город был похож на гроздь винограда или на яркого фазана — богатый, с причудливой архитектурой, удивительно прекрасный.

Сын сводной сестры моей бабушки жил в Телине в семействе своей жены из Дома Красного Кирпича, и эта семья пригласила нас немного отдохнуть у них. Телина была настолько больше Синшана, что мне она показалась просто бесконечной, и дом у этих наших родственников был значительно больше нашего, и, по-моему, людей там жило тоже бесчисленное множество. На самом-то деле там проживали всего семь или восемь человек, и все они разместились на первом этаже. Но все время приходили и уходили еще какие-то люди, знакомые и родственники, и вокруг было так много всякой суеты, разговоров, кухонной возни, так часто кто-то что-то приносил или уносил, что я решила: этот дом самый зажиточный и благополучный в мире. Когда старшие услышали, как я шепчу бабушке: «Гляди-ка, у них целых семь больших котлов для готовки!», они стали над этим смеяться. Сперва я смутилась, но они так добродушно повторяли мои слова и смеялись, что я стала болтать вовсю уже без стеснения, чтобы они еще посмеялись. Когда я заявила: «Этот домище большой, как гора!», моя не совсем, правда, родная тетя по имени Виноградная Лоза сказала: «А ты останься и поживи с нами немного, раз наш дом так тебе нравится, Северная Сова. У нас действительно целых семь котлов для готовки, но ни одной дочки у нас нет. А нам бы очень хотелось хотя бы одну!» Она приглашала меня от всего сердца, видно, она действительно так думала; и она была здесь как бы центром, средоточием всего этого бесконечного движения, всей этой суеты, связанной с чередой отдаваний и одалживаний, и человек она была очень щедрый. Но моя мать застыла, будто и не слышала ее слов, а бабушка только улыбнулась, но ничего не сказала.

В тот вечер мои троюродные братья, сыновья Виноградной Лозы, и еще несколько детей из их дома повели меня по Телине. Их дом был из тех, что расположены на внутренней стороне левой спирали города, близ одной из городских площадей. А на центральной площади в тот день были скачки на настоящих лошадях — просто чудо для меня, ведь я никогда и представить себе не могла городской площади такой величины. Да и такого количества лошадей я никогда не видела; в Синшане тоже бывали скачки, но на ослах, и устраивали их на пастбище. А здесь для скачек была проложена специальная дорожка. Она начиналась слева от центральной площади, огибала ее по линии хейийя-иф и выходила справа. Люди вылезли на балконы, забрались на крыши, зажгли масляные и электрические фонари; они делали ставки, шумно спорили, пили вино, кричали, а лошади мелькали во вспышках света и тени, поворачивая быстро, как ласточки; наездники подскакивали в седлах и что-то выкрикивали. В правой же части города на некоторых балконах люди пели, готовясь к Летним танцам:

> Бегут две перепелки,
> взлетают, поспешают...

Еще дальше, на площади для танцев и возле хеймас Змеевика тоже пели, но здесь мы не задержались и прошли мимо, к реке. Там, среди ив, на воде светились отраженные огни города, а в зарослях, ища уединения, скрывались парочки. Мы, дети, выслеживали их, ползая в зарослях ивняка, и, обнаружив, начинали вопить: «Эй, смотри, святой крот! В нору-то песок попадет!» Особенно отличались мои братцы, они издавали всякие неприличные звуки и поднимали такой шум, что парочке приходилось с бранью скрываться; некоторые гнались за нами, а мы бросались врассыпную и удирали. Я вам скажу вот что: если мои братья развлекались так каждую теплую ночь, то в Телине, пожалуй, особой нужды в контрацептивах не было. Наконец, устав, мы отправились домой, поели холодных тушеных бобов и улеглись спать на балконах и верандах. И всю ночь сквозь сон слышали Песнь перепелки.

На следующее утро бабушка, мать и я вышли из дому рано, хотя уже рассвело и мы как следует позавтракали перед дорогой. Пока мы шли по горбатому каменному мосту над Рекой На, мать упорно держала меня за руку. Она нечасто это делала. Мне казалось, она ведет себя так потому, что в прохождении над Великой Рекой есть нечто священное. Однако теперь я считаю, что она просто боялась меня потерять. Наверно, она думала, что ей следовало бы позволить мне остаться в том богатом доме.

Когда мы уже отошли от Телины достаточно далеко, бабушка вдруг спросила: «Может, все-таки стоило хоть на зиму-то, Ивушка?»

Мать не ответила.

Я тогда вообще на это внимания не обратила. Я была счастлива и весь путь до Чумо болтала о тех чудесных вещах, которые видела, слышала и делала в Телине. И все время, пока я болтала, мать не выпускала моей руки.

Мы пришли в Чумо и не заметили, что идем уже по городу, так редко там стояли дома, скрывавшиеся в зелени деревьев. Ночевать мы должны были в хеймас нашего Дома, но сперва пошли проведать бабушкиного мужа, отца моей матери. Он жил в отдельной комнате у каких-то своих родственников из Дома Желтого Кирпича в очень красивом месте — под дубами на берегу ручья. Его комната на первом этаже служила ему также и мастерской; она была довольно большой, но несколько сыроватой. До сих пор я считала, что моего деда зовут Гончар, это было его среднее имя, но теперь он свое имя переменил: сказал, чтоб мы его называли Порча.

По-моему, это было совершенно идиотское имя. К тому же я все еще пыжилась от гордости после своего «успеха» у родственников в Телине, а потому спросила у матери довольно громко:

— А что, разве от него воняет?

Бабушка услышала и нахмурилась:

— Помолчи-ка. Шутить тут не над чем.

Мне стало очень не по себе, и я, конечно же, почувствовала себя полной дурой, однако бабушка, похоже, вовсе на меня не рассердилась. Когда остальные обитатели дома разошлись по своим комнатам, оставив нас наедине с дедом, бабушка спросила:

— Что это за имя ты себе взял?

— Это мое подлинное имя, — ответил дед.

Он выглядел иначе, чем прошлым летом в Синшане. Вообще-то он всегда был занудой и вечно на что-нибудь жаловался. Все всегда у него было не так, все всегда все делали неправильно, и только он один знал, как надо, хотя сам, собственно, ничего никогда и не делал, но, по его словам, это потому, что время еще не пришло. Сейчас он по-прежнему выглядел мрачным, смотрел на нас кисло, однако держался с нескрываемым достоинством. Он сказал бабушке, что ей вовсе не нужно идти лечиться на Горячие Источники, а лучше остаться дома и поучиться думать.

— А ты откуда знаешь, что для меня лучше? — спросила бабушка.

— Главное — понять, что все твои недуги и хворости лишь следствие неправильного мышления, — важно заявил дед. — Тело твое ведь ненастоящее.

— А по-моему, самое настоящее, — возразила Бесстрашная, засмеялась и шлепнула себя по бедрам.

— Ты уверена? — каким-то странным тоном спросил ее мой дед по имени Порча. Он держал в руках деревянную лопатку, которой гончары выглаживают поверхность больших глиняных кувшинов для хранения продуктов. Лопатка, вырезанная из оливы, была длиной примерно с мою руку и шириной — с ладонь. Дед взял лопатку в правую руку, поднес ее к левой руке и протащил прямо сквозь плоть — лопатка легко прошла сквозь кости и мышцы, как нож сквозь воду.

Бабушка и мать уставились на лопатку и на руку деда. Он знаком показал им, что может и с ними проделать то же самое. Но они ему своих рук не дали; а вот я не смогла сдержать любопытства. И еще мне ужасно хотелось по-прежнему быть в центре внимания, так что я смело протянула ему свою правую руку. Порча коснулся меня лопаткой, и она прошла сквозь мою руку где-то между запястьем и локтем. Я чувствовала, как легко она входит в мою плоть; нечто похожее — быстрое горячее прикосновение — испытываешь, когда пальцем проводишь прямо над пламенем свечи. От удивления я засмеялась. Дед внимательно посмотрел на меня и промолвил:

— А ведь Северная Сова может стать одной из Воительниц.

Тогда я впервые и услышала это слово.

И тут заговорила моя бабушка Бесстрашная; сразу можно было догадаться, что она сердится:

— Даже и думать об этом нечего! Твои Воители — все сплошь мужчины.

— Но она же может выйти за одного из них замуж, — возразил дед. — Когда придет время, она может, например, выйти замуж за сына Мертвой Овцы.

— Иди-ка ты знаешь куда со своей дохлой овцой, дурень этакий! — сказала бабушка, и мне опять стало смешно, а мать ласково коснулась ее руки, желая успокоить. Не знаю, то ли моя мать была напугана силой, которую продемонстрировал дед, то ли ее огорчила ссора между родителями, но, так или иначе, она сделала все, чтобы оба старика успокоились. Мы выпили с дедом по стакану вина, а потом с ним вместе пошли через площадь для танцев к хеймас Синей Глины, где остались ночевать в гостевой комнате. Я впервые спала под землей, и мне понравилась царившая там тишина, понравилось и отсутствие сквозняков, однако все это было для меня непривычно, и я без конца просыпалась и прислушивалась и, лишь услышав рядом дыхание матери, снова успокаивалась и засыпала.

В Чумо бабушка еще со многими хотела повидаться из тех семей, у которых она когда-то жила и училась прясть, ткать, делать ковры и гобелены, так что из города мы вышли только около полудня и двинулись дальше по северо-восточному берегу Великой Реки На, протекавшей через всю нашу Долину. Вокруг были бесконечные сады, где росли оливы, сливовые деревья, гладкие персики, а подальше, на холмах, террасами раскинулись виноградники. Я никогда не бывала так близко к Горе-Прародительнице; казалось, она заслоняет весь мир. Оглянувшись, я не увидела своей родной Горы Синшан: то ли не сумела на расстоянии отличить ее от других, то ли она спряталась за горами юго-западной части Долины. Мне стало не по себе, я не выдержала и сказала об этом матери; и та, отлично поняв мои страхи, уверила меня, что, когда мы вернемся в Синшан, наша гора непременно будет на своем месте.

Когда мы пересекли Валухов Ручей, впереди завиднелся город Чукулмас, что на самом краю Долины. Первой мы увидели его Огненную Башню, высившуюся отдельно от прочих строений и сложенную из цветных камней — красных, оранжевых и желтовато-белых; прихотливый и тонкий рисунок ее стен напоминал пеструю, нарядную корзинку сложного плетения или узор на спинке змеи. На огромных желтоватых холмистых лугах у подножия горы, со всех сторон окруженных лесом, пасся и тучнел скот. Ниже, на почти совершенно плоской равнине, виднелись винокурни и сараи для сушки фруктов; садоводы Чукулмаса как раз строили летние хижины. На берегу Реки На среди дубов крутились крылья темных мельниц, издалека был слышен громкий скрип их колес. Слышался тройной посвист перепелов, над полями пели жаворонки, высоко в небесах парили хищные канюки. Солнце светило вовсю, стояло полнейшее безветрие.

— Настоящий праздник Девятого Дома! — сказала мать.

Бабушка откликнулась сдержанно:

— Хоть бы поскорее до Кастохи добраться.

С тех пор как мы вышли из Чумо, она почти все время молчала и сильно прихрамывала. Тут матери моей прямо под ноги на дорогу слетело перо — перо из крыла сойки, серое по краям и синее в середине. Это и было ответом на только что сказанные ею слова о Доме Воздуха. Она подобрала перышко и понесла его в руке. Мать моя была маленького роста, круглолицая, с изящными руками и ногами. В тот день она шла босиком, в старых штанах из телячьей кожи и рубашке без рукавов; за плечами — маленький рюкзак; волосы искусно заплетены и аккуратно уложены. В руках она держала голубое перо сойки. Я и сейчас вижу, как она идет в лучах солнца по Дому Безветрия.

Со стороны западных холмов уже протянулись длинные тени, когда мы добрались наконец до Кастохи. Бесстрашная, увидев крыши над садами, проговорила:

— Ага, вот и Бабкин Передник!

Старики часто называли так Кастоху, потому что город раскинулся как раз между отрогами Ама Кулкун, Горы-Прародительницы. При этих словах я представила себе город среди густого леса с высоченными елями и секвойями, расположенный в огромной пещере, темной и загадочной, из которой вытекает Великая Река На. Когда мы взошли на мост, чтобы перебраться на тот берег, я увидела, какой это большой город, куда больше Телины, и там сотни домов и целый мир незнакомых людей, и заплакала. Может быть, от стыда: я поняла, насколько глупой была моя выдумка, что город может разместиться в пещере; а может быть, меня, усталую после долгого путешествия, просто ошеломило увиденное. Бабушка взяла мою правую руку, крепко сжала ее обеими руками и внимательно осмотрела. С тех пор как мой дед с новым именем Порча пропустил мне сквозь руку свою лопатку, ни мать, ни бабушка не сказали об этом ни слова.

— Старый он дурак! — вырвалось у бабушки, когда она рассматривала мою руку. — Да и я тоже хороша. — Она сняла свой серебряный, в форме полумесяца, браслет, который всегда носила, и легко надела мне его на правую руку. — Ну вот, — сказала она удовлетворенно. — Не бойся, Северная Сова, ты его не потеряешь.

Бабушка была такая худенькая, что браслет-полумесяц оказался мне лишь чуточку великоват, хотя рука у меня была еще совсем тонкая, детская; но бабушка имела в виду вовсе не то, что браслет может свалиться. Я тут же перестала плакать. И в гостинице у Горячих Источников в ту ночь я спала крепко, но и во сне чувствовала, что на руке у меня серебрится месяц, прямо под моею щекою.

На следующий день я впервые увидела людей Кондора. Все в Кастохе было для меня необычным, все было новым, все было иным, чем дома; но стоило мне увидеть этих людей, и я поняла, что Синшан и Кастоха — это, в общем, примерно одно и то же, а вот люди Кондора совсем из другого мира.

Наверное, в этот миг я была похожа на кота, учуявшего гремучую змею, или на собаку, которая видит привидение. Ноги у меня стали как ватные, а волосы поднялись дыбом. Я резко остановилась и прошептала:

— А это кто такие?

— Это люди Кондора. Они не принадлежат ни к одному Дому, — ответила бабушка.

Мать, которая шла рядом со мной, вдруг неожиданно быстро прошла вперед и заговорила с четырьмя высокими мужчинами, которые тут же обернулись к ней. У них были клювы и крылья; на нее они смотрели сверху вниз. Тут ноги мои совсем подкосились, и мне вдруг страшно захотелось в уборную. Я видела, как эти черные стервятники пристально глядят на мою мать своими глазами, обведенными белыми кругами, вытягивают красные шеи, а потом, конечно же, своими острыми клювами расклюют ей рот, горло, вытащат из живота кишки...

Однако мать, живая и невредимая, вернулась к нам и по дороге к Горячим Источникам сказала бабушке:

— Он был на севере, в Стране Вулканов. Эти четверо говорят, что люди Кондора возвращаются сюда. Когда я назвала его имя, они сказали, что он у них важный начальник. Нет, ты видела, как внимательно они меня слушали, стоило мне назвать его имя? — Мать засмеялась. Я никогда прежде не слышала, чтобы она так смеялась.

— Чье имя? — спросила бабушка.

— Имя моего мужа! — ответила мать.

И они остановились, глядя друг другу в глаза.

Потом бабушка пожала плечами и отвернулась.

— Я же говорила: он непременно вернется! — сказала мать.

А я вдруг заметила, что вокруг ее лица так и вьются белые огненные искры, похожие на светящихся мушек. Я громко закричала, согнулась пополам, и меня вырвало.

— Не хочу, чтоб они тебя съели! — все время повторяла я.

Мать на руках отнесла меня обратно в гостиницу. Я немного поспала, а в полдень мы с бабушкой отправились на Горячие Источники и долго лежали в целебной воде. Вода была какого-то коричневато-синего цвета — даже не вода, а просто жидкая грязь — и пахла серой. Сперва показалось не очень-то приятно, но стоило недолго в этой воде побыть, и начинало казаться, что можно проплавать в ней вечно. Бассейн был неглубоким, но довольно широким и длинным и выложен голубовато-зелеными изразцовыми плитками. Стен вокруг него не было, только высокая деревянная крыша; впрочем, можно было поставить ширмы, если хотелось укрыться от ветра. Очень хорошее место! И все люди пришли туда специально, чтобы лечиться; они разговаривали друг с другом вполголоса или лежали поодиночке в воде и пели тихие исцеляющие песни. Сине-коричневая вода скрывала их тела, так что если смотреть на бассейн сверху, то видны были лишь головы, спокойно плававшие на поверхности бассейна или прислонившиеся затылками к изразцовым бортикам. Некоторые люди лежали, закрыв глаза, некоторые тихонько пели, полускрытые туманной пеленой, что висела над этим местом.

> Лежу и лежу,
> Лежу неподвижно
> На мелководье в теплой воде.
> Плывет и плывет,
> Плывет непрерывно
> Над теплой водою легкий туман.

В гостинице на Горячих Источниках мы прожили целый месяц. Бабушка принимала целебные ванны и каждый день ходила к Целителям и учила Песнь Щитомордника. Мать ходила одна на Гору-Прародительницу, к истокам Великой Реки На, а еще — в Вакваху и к перевалу тропой пумы. Ребенку трудно целый день торчать в горячем бассейне или у Целителей, но я боялась людных площадей большого города, а родственников среди здешних жителей у нас не было, так что я почти все время проводила на Источниках и помогала тем, кто работал там. Когда я узнала, где находится Большой Гейзер, то стала часто ходить туда, а старик, который там жил, водил посетителей по святым местам и пел им песни, посвященные истории Подземных Рек, охотно беседовал со мной и даже разрешал мне ему помогать. Он научил меня Грязевой Вакве — первой священной песне, которую я узнала сама. Даже тогда очень немногие знали эту лечебную песню, и, должно быть, она была очень древней. Она сложена по старинному образцу, ее поют только в сопровождении барабана, выбивающего простой ритм, и большая часть ее слов связана с праязыком, так что записывать ее не имеет смысла. Тот старик говорил мне:

— Может быть, жители Небесных Домов тоже поют эту песню, когда приходят сюда принимать грязевые ванны, а?

А в одном месте этой песни вдруг откуда-то выныривали совсем другие, понятные слова:

Там, где горы, как чаша,
Склоняют края к середине,
Все сюда поспешают,
Как всегда приходили...

Я думаю, тот старик был прав: это песнь о рождении Земли. Таков был самый первый серьезный дар, который я получила в жизни; а уж потом я сама передала его многим.

Держась подальше от города, я больше ни разу не встречала людей Кондора и позабыла о них. Через месяц мы отправились домой, в Синшан, чтобы успеть к Летним танцам. Бабушка чувствовала себя хорошо, и мы за одно утро успели спуститься вниз, в Телину, и уже к вечеру добрались до Синшана. Когда мы проходили по нашему мосту, мне казалось, что я вроде бы воспринимаю все как-то наоборот: северные холмы почему-то оказались там, где должны были быть южные, дома Правой Руки оказались слева, и даже внутри наше-

го дома все тоже выглядело иначе. Я повсюду обнаруживала такие странности, будто предметы были перевернуты с ног на голову. Но мне это нравилось; хотя я надеялась, что особенно долго это не продлится. Утром, когда я проснулась от мурлыканья кошки Сиди, свернувшейся у меня на подушке, все уже вернулось на свои прежние места: север был на севере, левая сторона слева, и больше уже ни разу даже на мгновение не видела я, чтобы мир вот так переворачивался с ног на голову.

Когда закончился последний из Летних танцев, мы переселились в нашу летнюю хижину в горах, и там бабушка сказала мне:

— Северная Сова, уже года через два ты станешь женщиной, и, как у взрослой женщины, у тебя будут месячные, а ведь всего год назад ты казалась длинноногим кузнечиком. Теперь ты на середине пути, это очень хорошее время, самые ясные годы. Что бы ты хотела совершить сейчас?

Я целый день думала над ее словами, а потом пришла к ней и сказала:

— Я бы хотела пойти в горы тропой пумы.

— Хорошо, — кивнула головой бабушка.

Моя мать ничего у меня не спросила и ничего мне не сказала. С тех пор как мы вернулись из Кастохи, она все время к чему-то, замирая, прислушивалась, словно ждала какой-то весточки издалека.

Так что готовила меня к походу бабушка. В течение девяти дней я совсем не ела мяса, а последние четыре дня из этих девяти мне давали только сырую пищу и всего один раз, в полдень, а еще четыре раза давали выпить воды — по четыре глотка зараз. В назначенный день я поднялась еще до рассвета и взяла приготовленную заранее сумку с дарами. Бабушка спала, но, по-моему, мать моя притворялась и просто лежала с закрытыми глазами. Я пожелала им счастливо оставаться, тихонько пробормотала хейю за них и за наш дом и ушла.

Наша летняя хижина стояла на лугу, на склоне горы, чуть выше того места, где начинался Ручей Каменного Ущелья, то есть что-нибудь в миле от Синшана. Мы всегда, сколько я себя помню, переселялись туда на лето и жили там в соседстве с семьей из Дома Обсидиана. Мы вместе пасли своих овец, там для них было вдоволь травы, и ручей бежал совсем неподалеку и почти во все годы был полон воды, благодаря обильным дождям. В северо-западной части луга возвышалась большая Священная Скала. Я прошла мимо этой скалы. Вообще-то я собиралась остановиться и поговорить с ней, но скала сама со мной заговорила и велела мне:

— Не останавливайся. Иди дальше, поднимись высоко в горы еще до восхода солнца.

И я пошла дальше, все выше и выше по холмам. Сперва, пока еще не рассвело, я просто шла, а когда начало светать, побежала и добралась до вершины Горы Синшан, как раз когда из-за горизонта выглянул краешек солнца. Я увидела, как осветились горы и как тьма отступила в сторону моря.

Там, на вершине горы, я пропела священную хейю и двинулась по самому гребню на юго-восток — по козьим тропам, сквозь чапараль, а где кустарник не был особенно густым, я шла просто так, без дороги, особенно в лесу, где росли сосны и ели. Шла я, никуда не торопясь, все время останавливаясь и прислушиваясь, старательно выбирая направление, присматриваясь к разным знакам и приметам. Весь день меня не покидала мысль о грядущем ночлеге в горах. Тропа вилась то вверх, то вниз, а я все думала: «Нужно найти подходящее место для ночлега, нужно непременно его найти до наступления темноты». Но ни одно место не казалось мне подходящим. Я сказала себе: «Это наверняка будет особенное, святое место. Ты его сразу узнаешь, когда подойдешь ближе!» Но на самом деле — хоть я и старалась об этом не думать — меня преследовали страхи: я боялась горного льва и медведя, боялась диких собак и мужчин с побережья. Так что, если честно, то искала я не «святое место», а убежище, где можно было бы спрятаться. Чтобы не очень бояться, я весь день шла без отдыха, ибо стоило мне остановиться, как я тут же начинала дрожать от страха.

Поскольку я уже поднялась выше тех мест, где били ключи, то к вечеру очень захотела пить. Я достала из своей сумки четыре маковые головки, полные семян, и, вытряхнув мак на ладонь, съела его, но после этого мне только больше захотелось пить да к тому же начало подташнивать. Сумерки окутали гору, прежде чем я успела найти то место, какое искала, так что пришлось ночевать там, где меня застигла темнота, — в ложбинке среди низкорослой манзаниты. Мне показалось, что здесь будет вполне безопасно, а эти деревца я приняла просто как святой дар. Я довольно долго сидела там, скорчившись. Хотела спеть хейю, но мне был неприятен даже звук собственного голоса. В конце концов я легла. Но стоило мне хоть капельку пошевелиться, сухие листья подо мной словно начинали кричать, оповещая всех кругом: «Слушайте! Вот она! Она шевельнулась!» А если я пробовала лежать неподвижно, то моментально замерзала, так что приходилось без конца ворочаться и поджимать под себя ноги; ночь действительно была холодной, да еще ветер зачем-то принес с моря туман и окутал им горную вершину. Туман и ночная тьма мешали мне что-либо разглядеть, но я упорно продолжала смотреть во тьму. Одно было ясно: я на самом деле хотела подняться в горы и пройти тропой пумы, однако ничего у меня не получилось; весь день я только и делала, что пыталась от пумы спрятаться. А все потому, что я явилась сюда не из желания самой стать похожей на бесстрашную пуму, а всего лишь мечтая доказать детям, которые называли меня полукровкой, что я лучше всех, что я самая смелая и почти что святая. И что мне уже целых восемь лет. От этих мыслей я горько заплакала, уткнувшись лицом в грязные листья, и, честное слово, наплакала целую грязную лужицу с соленой водой на холодной щеке горы. И тут я вдруг вспомнила старинную лечебную песню, которой меня научил старик с Гейзеров, и про себя пропела ее. Это немного помогло. Я успокоилась, и ночь потекла дальше. Однако жажда и холод мешали мне уснуть, а усталость никак не оставляла меня.

Чуть стало светать, я напролом сквозь густой кустарник спустилась в одно из ущелий, чтобы найти воду. Искать родник пришлось довольно долго. Ущелья разветвлялись подобно лабиринту, и я совсем заблудилась, так что, снова поднявшись наверх, обнаружила, что стою где-то между Горой Синшан и Горой-Сторожихой. Я полезла еще выше и наконец выбралась, только вершина оказалась совершенно лысой, а Гора Синшан, оставшаяся позади, теперь почему-то была об-

31

ращена ко мне своей внешней, «дикой», стороной. То есть я сейчас находилась вне Долины!

Дальше весь день, как и вчера, я шла очень медленно, все время останавливалась и прислушивалась, однако мысли мои совершенно переменились. Собственно, даже не мысли, ибо я ни о чем не думала; просто голова вдруг стала ясной. Я приказала себе: «Постарайся идти все время так, чтобы обойти Гору-Сторожиху, и не слишком отклоняйся от этого курса, тогда снова придешь на ту плешивую вершину холма». Мне очень хотелось опять попасть туда, там я чувствовала себя хорошо среди бледно-желтого от солнечных лучей дикого овса. Я была уверена, что непременно снова выйду на это место, и продолжала идти вперед. Все, что попадалось мне навстречу, я называла вслух подлинными именами или приветствовала молитвой-хейя — ели и карликовые сосны, конские каштаны и секвойи, заросли дикой вишни и земляничные деревья и, конечно, дубы, а еще птиц — соек, синиц, дятлов, горлинок, ястребов, — и какие-то незнакомые травы, и цветущие колючие кусты, и череп горной козы, и кроличьи катышки, и ветер, дующий с моря.

Там, на охотничьей стороне горы, олени не слишком стремились попадаться человеку на глаза. Я видела их раз пять, а один раз — самку койота. Оленям я говорила: «Благословляю вас, как умею, о Молчаливые! Благословите же и вы меня!» А ту койотиху я назвала Певицей. Я и раньше видела, как койоты подкрадываются к отарам овец во время окота и как они воруют еду из летних хижин, видела и мертвых койотов, лежавших на земле комком грязноватой шерсти — таких я видела часто, но никогда за всю свою жизнь не видела я самки койота в ее собственном Доме.

Она стояла между двумя невысокими сосенками примерно в десяти шагах от меня, потом еще чуточку приблизилась, чтобы получше меня рассмотреть. Потом села, обвив хвостом лапы, и уставилась как на чудо. По-моему, она никак не могла понять, что я такое. Может, она никогда человеческих детей не видела? Может, она совсем молодая и вообще никогда не видела людей? Мне она нравилась — чистая, аккуратная, с шерстью цвета дикого овса в зимнее время, со светлыми глазами. Я сказала ей: «Певица! Я ведь все равно пойду по твоей тропе!» Она сидела, по-прежнему внимательно глядя на меня и словно улыбаясь, потому что у койотов пасть так устроена, потом встала, немного потянулась и... исчезла — как тень. Я не успела заметить, куда она исчезла и исчезла ли, так что по ее тропе я пойти все-таки не решилась. Но в ту ночь она со своим семейством пела мне койотские песни совсем рядом со мной почти до рассвета. В ту ночь туман не принесло: небо было ясным, и звезды ярко светили в вышине. Я лежала с легким сердцем на краю небольшой поляны под старыми лаврами и рассматривала созвездия и отдельные звезды; я словно плыла по этому бескрайнему звездному небу, будто принадлежала ему целиком. Так Койотиха позволила мне войти в ее Дом.

На следующий день я успешно выбралась на тот заросший диким овсом лысый холм, откуда была видна оборотная сторона Горы Синшан, и там, вытряхнув все из своей сумки, принесла этому священному месту дары. Я не стала перебираться через холм, чтобы не замыкать круг полностью, а просто спустилась по ущелью вниз, намереваясь обойти Гору Синшан с юго-востока и тем самым завершить свое путешествие по хейийя-иф. Однако в лабиринте ущелий я вновь заблудилась и дальше пошла по течению какого-то ручья; идти по его берегу было несложно, однако все вокруг заросло ядовитым дубком, а стены ущелья были очень крутыми. Я все шла и шла вдоль ручья и понятия не имела, куда наконец попаду. Этот лабиринт называется Лощиной Старого Лиса, однако никто, кого я потом ни спрашивала, ни охотники, ни члены Общества Благородного Лавра никогда в этом месте не бывали и того ручья не видели. Наконец ручей влился в какое-то продолговатое озерцо с темной водой. Вокруг озера росли невиданные мною прежде деревья с гладкими стволами и ветвями и с треугольными чуть желтоватыми листьями. На темной воде виднелось множество желтых пятнышек — упавшие листья. Я опустила руку в воду и спросила у нее, куда мне идти дальше. Я почувствовала ее силу, и сила эта немного меня напугала. Вода была почти черная и какая-то неподвижная. Это была не та вода, какую я знала, — незнакомая, страшная и тяжелая, как кровь. Я не стала пить из этого озера. Присела на корточки в жаркой тени под голыми деревьями и стала ждать какого-нибудь знака, пытаясь понять, что со мной происходит. Потом что-то появилось на поверхности воды и направилось ко мне — водомерка. Очень крупная, она легко мчалась по сверкающей темной глади. Я сказала: «Благословляю тебя, как умею, о Молчаливая! Благослови же и ты меня!» Насекомое на мгновение застыло как бы между водой и воздухом — там, где воздух и вода соприкасаются друг с другом, там, где и существуют водомерки, — а потом скользнуло прочь, в тень крутого озерного берега. И все. Пропало. Я встала, напевая хейю застывшей воде, и тут же обнаружила путь наверх: тропа вела мимо зарослей ядовитого дубка, через Лощину Старого Лиса на обратную сторону горы, откуда я через ущелье вышла прямо на склон, глядящий в Долину, освещенную палящими лучами летнего полуденного солнца; кузнечики звенели, точно тысяча колокольчиков; пестрые, с черно-голубым оперением сойки кричали и ругались мне вслед, когда я проходила по лесу. В ту ночь я спала крепко, улегшись под огромными дубами на своей родной стороне горы. На следующий день, четвертый день моего путешествия, я связала пучками перья, подобранные в пути, в зарослях, и привязала их к дубовым веткам, а потом на берегу крошечного ручейка, пробивавшегося среди камней и могучих корней деревьев, спела столько песен Речек и Ручьев, сколько знала. Совершив этот маленький обряд, я отправилась домой и добралась до нашей летней хижины уже на закате. Матери дома не было; бабушка пряла шерсть перед хижиной у земляного очага.

— Ну вот и хорошо! — сказала она. — Только, по-моему, тебе сперва нужно вымыться как следует, а?

Я понимала: она ужасно рада, что я вернулась домой живой и невредимой, но не может не посмеяться надо мной — ведь я забыла вымыться после того, как пела священные песни на берегу ручья, потому что очень спешила поскорее попасть домой и поесть. Так что я с ног до головы была в поту и в грязи.

Спускаясь к ручью в Каменном Ущелье, я чувствовала себя ужасно повзрослевшей, словно меня не было дома не четыре дня, и даже не месяц (столько мы провели в Кастохе), и не восемь лет (столько я прожила на свете), а гораздо дольше. Я вымылась в ручье и вернулась обратно уже в сумерках. Священная Скала была на месте, и я подошла к ней. Она сказала: «А теперь коснись меня». И я коснулась ее и почувствовала, что действительно вернулась домой. Я чувствовала, что в душу мою вошло нечто мне еще непонятное и, может быть, даже вовсе нежелательное — что-то из того странного места, из того черного озера и от той водомерки, но вершиной моего путешествия все-таки был золотой от солнца холм и та ночь, когда койотиха пела для меня свои песни; и пока я касалась Священной Скалы, я понимала, что шла по верному пути, несмотря даже на то, что первоначальной цели так и не достигла.

Поскольку у меня во всей Долине были только одна бабушка и один дедушка, человек из Дома Синей Глины по прозвищу Девять Целых попросил разрешения быть моим побочным дедом. Так как мне вот-вот должно было исполниться девять лет, он перебрался к нам из своей летней хижины в Ущелье Медвежьего Ручья, чтобы научить меня песням наших предков. Вскоре после этого мы все вместе вернулись в Синшан — готовиться к Танцу Воды, а наши соседи из Дома Обсидиана остались пасти овец. В тот год я впервые вернулась в город летом. Там почти никого не было, кроме некоторых людей из Дома Синей Глины. Целые дни проводя в пении и молитвах в опустевшем городе, я постепенно почувствовала, как душа моя раскрывается, становится шире, стремится соединиться с душами других танцоров, чтобы заполнить царящую вокруг пустоту. Выливаемая в бассейн хейимас вода из сосуда синей глины и песни, которые мы исполняли, казались мне ручьями и реками среди великого летнего зноя. Постепенно стали возвращаться люди других Домов, а потом мы все праздновали Танец Воды. В Тачас Тучас ручей, снабжавший этот город водой, совершенно пересох, так что его жители перебрались к нам и праздновали вместе с нами; те, у кого были родственники в Синшане, поселились в их домах, остальные на скорую руку построили себе шалаши в полях Синшана или спали на чьих-то балконах и верандах. Собралось так много народу, что Танец как бы вовсе и не думал кончаться, а хейимас Синей Глины была так полна громким пением и священным могуществом, что крыша ее, казалось, вибрировала, дрожала, точно шкура пумы, напрягшейся перед прыжком. Да, это был большой праздник! На третий и четвертый день даже жители Телины и Мадидину услышали о Танце Воды в Синшане и стали приходить и танцевать с нами. В последнюю ночь балконы всех домов были прямо-таки

Летняя хижина о пяти шестах

забиты народом, а площадь для танцев полна танцующими; в жарких небесах сверкали-танцевали молнии — казалось, по всему горизонту, — и невозможно было отличить грохот барабана от далеких еще громовых раскатов; а мы все танцевали и танцевали, то устремляясь к морю, то поднимаясь в гору, к темнеющим облакам.

Как-то раз между Танцами Воды и Вина я встретилась со своими троюродными братом и сестрой из Дома Красного Кирпича, которые жили в Мадидину; мы собирались вместе пойти за черной смородиной к Скале Перепелки. В кустах уже повсюду были протоптаны тропинки, и ягод осталось не так уж много, и в итоге мы перестали собирать смородину, а принялись играть. Пеликан и я изображали диких собак, а Хмель — охотника, и мы охотились друг на друга, ползая среди густых и довольно колючих кустов. Я поджидала, пока Хмель пройдет мимо того места, где я притаилась, и нападала на него сзади, громко рыча и лая, и сбивала его с ног. От неожиданности он охал и некоторое время лежал совершенно неподвижно, пока я не начинала поскуливать и лизать ему руку. Наигравшись, мы втроем уселись и долго болтали на разные темы. Вдруг Хмель сказал:

— А вчера в нашем городе появились люди с птичьими головами.

— Ты хочешь сказать, собиратели перьев? — спросила я.

36

— Нет, — сказал он, — у них самих были настоящие птичьи головы — головы хищных птиц, стервятников, такие черные с красным.

Пеликан раскричалась: «И вовсе это не он их видел, а я!», но мне почему-то стало грустно и нехорошо на душе. Я сказала:

— Мне теперь домой надо, — и пошла прочь. Им пришлось догонять меня, потому что я даже забыла взять корзинку с собранными ягодами.

Потом они отправились к себе в Мадидину, а я побрела куда глаза глядят, через луг, через ручей, и была уже недалеко от винокурен, когда, подняв голову, увидела в небе, на юго-западе, высоко парившую птицу. Я решила, что это канюк, но потом разглядела, что птица гораздо крупней канюка, прямо-таки огромная. Девять раз она описала круг над моим городом, а потом, словно завершив в воздухе какой-то священный танец, медленно заскользила на северо-восток прямо у меня над головой. Крылья ее, каждое из которых было длиной со взрослого человека, казалось, совершенно не двигались; чуть шевелились только маховые перья на концах крыльев, направляя полет по ветру. Когда эта птица пролетала над Холмом Рыжей Коровы, я бегом бросилась в город. Повсюду на балконах было полно народу, а на городской площади несколько человек из Дома Обсидиана били в барабаны, чтобы придать людям мужества. Я пошла прямо в наш дом Высокое Крыльцо и спряталась в дальней комнате, в самом темном углу за свернутыми постелями. Я была уверена: этот кондор высматривал именно меня.

Вскоре пришли мои мать и бабушка и, не подозревая о моем присутствии, продолжали сердито спорить.

— Я же говорила тебе, что он вернется! — сказала моя мать. — Он непременно придет и найдет нас здесь! — Она говорила одновременно и сердито, и радостно; я никогда прежде не слышала, чтобы она разговаривала таким тоном.

— Лучше б этого не было никогда! — сказала моя бабушка тоже сердито, но совсем не радостно.

И тут я вылезла из своего темного угла и бросилась к бабушке со слезами:

— Не позволяй ему приходить сюда! Пусть он нас никогда не найдет!

Но мать сурово сказала:

— Подойди сейчас же ко мне, дочь Кондора.

Я сделала шаг, остановилась и осталась стоять меж ними, повторяя:

— Это не мое имя! Меня совсем не так зовут!

Мать, несколько опешив, умолкла, но потом тихонько проговорила:

— Не бойся. Ты сама увидишь. — И как ни в чем не бывало принялась готовить ужин. Бабушка взяла свой праздничный барабан и удалилась в нашу хейимас. В тот вечер изо всех хейимас доносился барабанный бой.

Стояли последние жаркие дни лета, и все высыпали на балконы и веранды, надеясь на прохладу, что приходила вместе с сумерками. Я слышала разговоры людей об огромном кондоре. Агат, библиотекарь из Общества Земляничного Дерева, начал декламировать отрывок из старинных записей, хранившихся в библиотеке, под названием «Полет Великого», который он сам перевел на язык кеш. Там говорилось о Внутреннем Море и Горах Света, об Оморнском Море и Райских Горах, о солончаковых пустошах и о прериях, заросших травами, о Северной Горе и о Южной — обо всем, что видит во время своего полета кондор. Голос у Агата был очень красивый, и когда он читал что-то или рассказывал, невозможно было не подпасть под его очарование. Вот было б здорово, подумала я, притихнув, как и все остальные, если б он рассказывал всю ночь! Когда же повествование Агата было закончено, сначала вокруг царила полная тишина; лишь спустя некоторое время люди начали снова тихонько переговариваться. Среди них я не нашла ни бабушки, ни матери. Люди меня не замечали и свободно говорили о народе Кондора, чего никогда не стали бы делать в присутствии членов моей семьи.

Я увидела Ракушку, которая ждала, когда моя бабушка поднимется наверх из хейимас.

— Если эти люди действительно возвращаются, то на этот раз мы ни в коем случае не должны позволить им долго оставаться в Долине, — сказала она.

— Они уже в Долине, — возразил ей Гончий Пес. — И скоро отсюда не уйдут. Они явились, чтобы воевать.

— Ерунда, — сказала Ракушка. — Ты старик, а рассуждаешь как мальчишка!

Гончий Пес, как и Агат, был человеком образованным, он часто бывал в Кастохе и Ваквахе, читал там разные умные книги и беседовал с учеными людьми. Он сказал Ракушке:

— Слушай, женщина Синей Глины, я говорю так потому, что уже беседовал с людьми из Общества Воителей из Верхней Долины, а кто такие, по-твоему, воители, как не люди, которые воюют? А ведь это люди из нашего племени, из Долины Великой Реки На, из Пяти Земных Домов. Но в тех городах они уже лет десять как принимают советы народа Кондора и делятся с ним своей мудростью.

Женщина по имени Старая Пещера (это имя она получила, когда совсем ослепла) проговорила:

— Неужели, Гончий Пес, ты хочешь сказать, что люди этого Кондора больны? Что у них с головами не все в порядке?

— Да, именно это я и хочу сказать, — ответил он.

Кто-то с дальнего конца веранды спросил:

— А что, правду говорят, что у них в племени одни только мужчины?

Гончий Пес ответил:

— Сюда приходят только мужчины. Вооруженные мужчины.

— Но послушайте! — воскликнула Ракушка. — Не могут же они все время только слоняться без дела да курить табак, и так год за годом! Это же полная чепуха! Ну а если кто-то из жителей больших городов Верхней Долины хочет вести себя как пятнадцатилетний мальчишка, бегать и играть в войну, нам-то что за дело? Мы-то ведь здесь живем, не там. Нам только и нужно сказать этим чужеземцам: ступайте себе мимо.

Танцующая Мышь, спикер нашей хеймас, возразил ей:

— Они не могут причинить нам зла. Мы ходим по одним и тем же кругам спирали.

— А они наш круг раскручивают! — заявил Гончий Пес.

— И все равно держитесь своего круга спирали, — сказал Танцующая Мышь. Это был добрый сильный человек. Мне хотелось слушать его, а не Гончего Пса. Я сидела, привалившись спиной к стене дома, и боялась выползти из-под крыши, потому что открытое небо пугало меня. Вдруг я заметила что-то у самых своих ног на полу; в лунном свете это было похоже на щепку или обрывок ленты. Я подняла его с пола. Это было оно. Темное, твердое, тонкое и длинное. Я все поняла: это было то самое слово, которое я должна была научиться выговаривать.

Я встала и отнесла его Старой Пещере, сунув ей в руку со словами:

— Возьми, пожалуйста, это для тебя.

Мне хотелось поскорей от него избавиться, но Старая Пещера, хоть и была очень дряхлая и слабая, отличалась удивительной мудростью.

Она ощупала перо, а потом протянула его мне и сказала:

— Ты храни его, Северная Сова. Это слово сказано для тебя. — Ее глаза в лунном свете смотрели прямо сквозь меня; для нее я была словно внутренностью той, видимой ей одной «пещеры». Пришлось взять перо обратно.

Тогда она сказала уже добрее:

— Не бойся. Твои руки — руки ребенка, они гонят воду сквозь круги спирали и ничего не задерживают, все выпускают. Они очищают. — Потом Старая Пещера начала раскачиваться всем телом, закрыла свои слепые глаза и лишь спустя некоторое время проговорила: — Ах, дочь Кондора, когда-нибудь в пустыне вспомни о бегущих ручьях! Ах, дочь Кондора, в темном доме вспомни о священном сосуде из синей глины.

— Я не дочь Кондора! — возмутилась я.

Но старуха лишь открыла глаза, засмеялась и сказала:

— А сам Кондор, похоже, утверждает обратное.

Я повернулась и хотела убежать, расстроенная и пристыженная, но Старая Пещера остановила меня:

— Сохрани это перо, детка, пока не сможешь вернуть его владельцу.

Я пошла домой и сунула черное перо в корзинку с крышкой, которую сплела для меня мать, чтобы я хранила там всякие свои драгоценности и «секреты». Рассмотрев перо при свете лампы — черное, как смерть, длиннее, чем у орла, — я вдруг почувствовала некоторую гордость оттого, что перо попало именно в мои руки. Если так уж обязательно быть не такой, как все остальные, то пусть отличие это будет исполнено благородства, подумала я.

Моя мать ушла в Общество Крови, бабушка до сих пор была в хеймас. За юго-западными окнами слышался дробный, словно падающий с небес дождь, перестук барабанов. За окнами, выходившими на северо-восток, где-то на дубах гукала маленькая сова: у-угу-угу. Я так и уснула в одиночестве, думая о кондоре и слушая сову.

В первый же день праздника Вина в Синшан пришли жители Мадидину и сообщили, что много людей Кондора спускаются в Долину со стороны Чистого Озера. Перед Танцем Вина мой побочный дед Девять Целых отправился на сбор винограда, и я пошла вместе с его семьей. Когда мы собирали виноград, к нам все время подходили люди и рассказывали, что люди Кондора движутся сюда по Старой Прямой Дороге, и мы пошли посмотреть, как они идут. Я еще помнила, насколько впечатляюще они выглядят, однако то, что предстало перед моими глазами в тот раз, было похоже на фреску, выполненную яркими красками и чрезвычайно насыщенную персонажами: рядами — черно-красные головы Кондоров, подковы огромных лошадей, ружья, колеса повозок. Причем на той «фреске», что до сих пор сохранилась в моей памяти, колеса не вращались.

Когда мы вернулись в Синшан, праздник уже начался, и к вечерней заре пили уже все и вовсю. Люди из Дома Желтого Кирпича смеялись и танцевали на площади и уже начали выбивать в пыли кнутами изображение хейийя-иф, а люди из других Домов тоже пили, стремясь поскорее нагнать их. Кое-кто из детей присоединился было к танцующим, однако Танец вскоре стал похож на большую свару, так что детей, еще не сменивших свои первые имена, отправили по домам, и все мы устроились на балконах и верандах — любоваться тем, как взрослые утрачивают разум. Полоумный Дада из Старого Красного дома хоть и считался уже взрослым, но тоже пошел вместе с нами. Раньше я никогда так долго не смотрела, как празднуют Танец Вина: мне всегда было страшно и противно. Теперь же, когда мне исполнилось девять, я вполне могла смотреть на все это. И я увидела настоящее Превращение. Все, кого я хорошо знала раньше, превратились в совершенно неведомые мне существа. Городская площадь была залита белым лунным светом и светом костров и прожекторов и битком забита танцующими и кривляющимися взрослыми людьми. Многие взрослые играли в «достань палочку» и лазили вверх и вниз по приставным лестницам на крыши домов и балконы, даже залезали на деревья; их тени мелькали в темноте, они громко смеялись и кого-то звали. Целитель из Дома Обсидиана по имени Пик, застенчивый мрачноватый человек, сходил в свою хеймас, принес оттуда один из тех больших пенисов, которыми Кровавые Клоуны пользуются во время Танца Луны, нацепил на себя и бегал так повсюду, с самым непристойным видом набрасываясь сзади на каждую встречную женщину. Когда он сунулся было к Кукурузной Метелке, она, зажав ужасный предмет между ногами, резко прыгнула вперед, и веревка, которой он был привязан, оборвалась. Пик с размаху упал лицом в грязь, а она убежала, держа его игрушку в руке и вопя в полном восторге:

— А я докторское лекарство заполучила!

Я видела орущего что-то Агата и всегда такую важную и достойную Ракушку, теперь совершенно перепачканную, явно после падения на землю, и свою бабушку Бесстрашную я тоже видела — танцующей с бутылкой вина.

Потом из хеймас Желтого Кирпича появился первый из Доумиаду Охве, который пересек центральную площадь, все раскручиваясь и раскручиваясь, пока его крылатая голова не закачалась где-то над прожекторами и кострами на высоте в три человеческих роста. Все застыли, когда Доумиаду Охве начал плести свой сложный танец, а потом разом заговорили барабаны, запели люди, следуя за Доумиаду Охве, который, извиваясь, тянулся между домами по тропам, от одного жилища к другому. В тот вечер я выпила намного больше вина, чем когда-либо прежде, и понимала, что мне следует крепче держаться за перила балкона, если я не хочу потерять равновесие и свалиться. Доумиаду Охве, свиваясь в кольца, спустился между деревьями от Дома На Холме, все ближе подбираясь к нашему дому Высокое Крыльцо. Его желтая голова немного повисела в воздухе у нашего балкона, глаза поглядели на каждого из нас поочередно, и внутри каждого огромного его глаза словно горел в глубине еще один, яркий и маленький. Потом Доумиаду Охве проследовал дальше, весь извиваясь и раскачиваясь в такт барабанному бою. Дада скрючился на полу, спрятав лицо. Маленький мальчик из нашего дома по имени Утренний Жаворонок расплакался от страха, и пока я его успокаивала, другой малыш сказал:

— Посмотри, а это еще кто такие?

Какие-то люди перешли по мосту через ручей и стояли в дубовой роще на холме. Одетые в черное, высокие и неподвижные, они были похожи на стервятников, глядящих вниз с ветвей дерева.

Люди смотрели на них и продолжали веселиться. Доумиаду Охве уже возвращался назад, к площади для танцев, и флейтисты возглавляли толпу танцующих, исполнявших особый танец с притопываниями. Какая-то женщина из Дома Желтого Кирпича поднялась к тем людям в черном и о чем-то заговорила с ними, размахивая руками, а потом увлекла их вниз, на городскую площадь, где на козлах были установлены бочки с вином. Четверо из них остались на площади и стали пить вино, а пятый вернулся, прошагав через всю площадь, мимо пылающих костров, сквозь толпу танцующих, к дому Высокое Крыльцо. Глядя вниз с балкона, я вдруг увидела свою мать Ивушку: она шла прямо навстречу этому человеку через центральную площадь, и у нижней ступеньки нашего крыльца они встретились.

Я бросилась в дальнюю комнату. Вскоре я услышала на лестнице шаги, и они вошли в гостиную, где у нас был камин. Мать окликнула меня. Пришлось выходить. Он стоял посреди комнаты. Его черные крылья свисали до полу, а красная голова с клювом касалась потолка.

Мать сказала:

— Северная Сова, твой отец голоден. У нас в доме найдется какая-нибудь пристойная еда?

Так всегда говорили у нас в Синшане, когда в дом приходили гости, а гостю в этом случае полагалось отвечать: «Лишь сердце мое изголодалось от желания видеть вас!», ну а потом накрывали на стол, садились и ели все вместе. Но мой отец не знал, что нужно ответить. Он молча стоял и смотрел на меня сверху вниз. Мать быстро шепнула, чтобы я разогрела кукурузу и фасоль, что стояли на плите. Занимаясь ужином, я все время украдкой поглядывала на нашего гостя и в конце концов поняла, что лицо-то у него человеческое. Я ведь тогда еще не совсем была уверена, действительно ли у него голова кондора или это такой особый головной убор. Оказалось, что это шлем, и когда он его снял, я снова осторожно посмотрела на него. Он оказался очень красивым мужчиной, с длинным носом, высокими скулами и удлиненными глазами. Он все время смотрел на мою мать Иву. Она зажгла масляную лампу, которую мы обычно ставили на стол во время трапезы, и вдруг стала такой красивой, что я даже не сразу поверила, что вижу перед собой именно ее, а не какую-то прекрасную незнакомку из Четырех Небесных Домов, что несет в своих руках свет. Они немного поговорили, насколько это было возможно, ибо отец мой знал только отдельные слова и выражения нашего языка. Не так уж много чужестранцев приходило в Синшан за мою недолгую жизнь, однако я слышала речь торговцев с северного побережья и людей из народа Амарант с берегов Внутреннего Моря, и все они говорили примерно так же, как мой отец, — пытаясь носить воду решетом, как говорится в пословице. То, как он ощупью пробирался сквозь дебри нашего языка, теряя при этом смысл сказанного, было довольно смешно, и я увидела, что он обыкновенный человек, каким бы необычным ни было его обличье.

Мать налила нам троим вина, и мы вместе сели за стол. Мой отец оказался таким огромным и длинноногим, что наш стол рядом с ним представлялся игрушечным.

Он съел всю кукурузу и всю фасоль, которые я разогрела, и похвалил меня:

— Очень хорошо! Хорошо готовишь!

— Северная Сова у нас и хорошо готовит, и хорошо пасет овец, а еще она умеет читать и уже совершила одно восхождение на Гору, — сказала моя мать. Поскольку хвалила она меня редко, голова у меня от гордости закружилась так, словно я в одиночку осушила целый кувшин вина. А она между тем продолжала: — Если ты вполне насытился, муж мой, то выходи из-за стола и выпей еще вина. Мы все сегодня пьем вино и танцуем. Сегодня праздник Вина, и я хочу, чтобы все в нашем городе тебя видели! — Она говорила и смеялась. Он посмотрел на нее, похоже, не совсем понимая, что она говорит, однако с такой любовью и восхищением, что у меня на сердце потеплело и я стала смотреть на него ласковее. Мать ответила на его взгляд улыбкой и сказала: — Пока тебя здесь не было, многие твердили мне, что ты ушел навсегда. А теперь, когда ты здесь, я хочу показать им всем, что ты вернулся.

— Да, я вернулся, — сказал он.

— Ну так пошли, — сказала она. — И ты тоже, Северная Сова.

— Как ты называешь ребенка? — спросил мой отец.

Мать повторила мое имя.

— Я не ребенок, — сказала я.

— Девочка, — сказала моя мать.

— Девочка, — повторил он, и все мы рассмеялись.

— А что такое «сова»? — спросил он.

Я объяснила, что это такая птица и что маленькая сова кричит так: у-угу-угу!

— Ага! — сказал он. — Сова. Ну пошли, Сова. — И он протянул мне свою руку. Я никогда даже не видела такой огромной руки. Но взяла его за руку, и мы — мать впереди, а мы следом за ней — пошли вниз и присоединились к танцующим.

В ту ночь моя мать Ива была просто воплощением красоты и очарования. Она была горда, она была великолепна! Она пила вино, однако не вино делало ее такой великолепной, такой величественной, просто наружу вырвалась та сила, что в течение девяти лет была заперта в ней.

> Она танцует, танцует, танцует,
> Пришла — и танцует,
> Улыбается людям,
> И смех ее вспыхивает и гаснет,
> Как свет костров на речных берегах.

Бабушка в ту ночь напилась пьяной и выглядела очень неопрятно. Она провела ночь где-то в амбаре, играя в азартные игры. Когда я устала и решила лечь спать, я вытащила свою постель на балкон, чтобы мать и отец могли остаться в комнатах одни. Мне приятно было думать об этом, засыпая, и шум, царивший во всем городе, совершенно мне не мешал. Дети в других семьях всегда спали на балконе или в соседском доме, когда их родители хотели остаться наедине, и вот теперь я тоже была как все. Подобно тому как котенок подражает остальным котятам, ребенок тоже стремится поступать, как все дети, причем желание это столь же сильно, сколь и неосознанно. Поскольку нам, людям, всему в жизни нужно учиться, мы должны начинать именно с подражания, однако настоящий разум пробуждается в человеке только тогда, когда исчезает это детское желание быть как все.

Примерно за год до того, как я начала писать эту историю — люди из Общества Земляничного Дерева попросили меня об этом, — я пошла к Щедрой, дочери Ярости, которая пишет всякие истории, и спросила, не может ли она научить меня, как их писать, потому что я понятия не имела, как за это взяться. Помимо всяких разных вещей, которые Щедрая мне посоветовала, она сказала, что когда я буду писать свою историю, надо постараться представить себя такой, какой я была в те времена, о которых пишу. Это оказалось гораздо легче, чем я думала, пока я не дошла до этого вот места, вот до этого самого, когда мой отец появился в нашем доме.

Трудно уже вспомнить, как мало я тогда понимала. И все-таки совет Щедрой был очень хорош; ибо теперь, когда мне известно, кто был мой отец, почему он оказался в нашем городе и зачем пришел туда, кто такие люди Кондора и чем они занимаются, теперь, когда я обладаю всем этим знанием, именно мое детское невежество, само по себе никакой особой цены не имеющее, представляется бесценным, полезным и даже могущественным. Мы должны учиться всему, что можем узнать, но должны все время помнить, что наши знания не замыкают круг, а лишь прикрывают бездонную пропасть незнания, так что мы забываем о том, что неведомое безгранично, не имеет ни пределов, ни дна, а то, что мы знаем сейчас, вполне возможно, будет опровергнуто теми новыми знаниями, которые мы получим. То, что видишь одним лишь глазом, должной глубины не имеет.

Печальнее всего в жизни моих родителей то, что они всегда могли видеть только одним глазом.

Меня же печалило вот что: я была как бы наполовину одно существо, а наполовину другое, но в целом ни то ни другое. Это больше всего угнетало меня в детстве, однако, когда я стала взрослой, именно это неожиданно пробудило во мне неведомые новые силы.

Одним глазом я видела Ивушку, дочь Бесстрашной из Дома Синей Глины, живущую в Синшане и ставшую женой «человека, не имеющего Дома», у которой была дочь и восемь овец, несколько плодовых деревьев и небольшой питомник саженцев. Если бы у нее в семье был мужчина, работник, можно было бы посадить большой сад и собрать куда больший урожай и, разумеется, куда больше давать, чем брать из общего хранилища, ибо давать — само по себе уже огромное удовольствие. И тогда можно было бы жить, будучи всеми уважаемыми и без всякого стыда.

Другим глазом я видела Тертера Абхао, Подлинного Кондора, командующего Южной Армией, который вместе со своими войсками на осень и зиму получил отпуск в ожидании распоряжений относительно грядущей весенней кампании. Он привел триста своих воинов в Долину Великой Реки На, потому что знал, что жители здесь сговорчивые, живут в достатке и хорошо примут его людей, и еще потому, что здесь, в одном из небольших городков, девять лет назад он оставил любимую девушку — он тогда командовал всего лишь пятью десятками воинов, и это был его первый поход на Юг, — но девушки той он не забыл. Девять лет — срок долгий, и девушка та, без сомнения, уже вышла замуж за какого-нибудь местного земледельца и родила целый выводок малышей, однако, несмотря на это, он непременно хотел зайти в тот городок и повидать ее.

Итак, он явился и обнаружил, что у него есть дом, где

приветливо пылает очаг, готов обед, а жена и дочь рады его видеть.

Вот уж чего он не знал, так не знал!

И с первой ночи Танца Вина отец стал жить в нашем доме. Жители Синшана не желали ему зла, поскольку он был мужем Ивушки и все-таки к ней вернулся, но ни один из Домов Земли его не принял. Хотя у нас в Синшане жил один такой человек, что был родом даже не из Долины; звали его Путешественник, и он поселился в доме Синие Стены давно, лет тридцать назад, когда пришел сюда с северного побережья вместе с торговцами, да так и остался в Долине, женившись на Дикой Розе из Дома Желтого Кирпича; и его пускали даже в хеймас Змеевика. Ну а в больших городах, разумеется, таких людей много. Вот в Тачас Тучас, говорят, вообще все жители пришлые, откуда-то с севера, в принципе тоже «не имеющие Дома», хоть и явились сюда неведомо сколько сотен лет назад. Не знаю, почему моего отца не принимали ни в один Дом, но догадываюсь, что так было решено на советах в хеймас. Ему приходилось много учиться, учить все то, что знал в Долине любой ребенок, а он ни за что не желал с этим мириться, он был уверен, что и так знает все, что ему необходимо. Дверь редко сама открывается навстречу человеку, который сердито ее захлопнул. А может, он даже и не знал, что такая дверь существует. Слишком был занят.

Через советы Домов и Общество Сажальщиков четырех городов Нижней Долины он отлично разместил три сотни своих людей. Для устройства лагеря и выпаса лошадей им были переданы Эвкалиптовые Пастбища на северо-восточном берегу Реки На, ниже Унмалина. Четыре города согласились выделить из своих запасов и отдать им некоторое количество зерна, картофеля и бобов и позволили охотиться повсюду от северо-восточного хребта до Соленых Болот, ловить рыбу в Реке ниже впадения в нее Ручья Кими, а также собирать раковины на восточном берегу На ближе к ее устью. Это было немало, но, как говорится у нас в Долине, нет большего удовольствия, чем дарить, так что, хотя прокормить три сотни человек было нелегко, все относились к этому спокойно, считая, что воины покинут Долину после Танца Солнца и еще до Танца Вселенной.

Мне и в голову никогда не приходило, что и отец мой тоже уйдет с ними вместе. Он наконец жил с нами, дома, наша семья стала целой, настоящей; теперь все было так, как и должно быть, все пришло в равновесие, все стало на свои места и ни за что не должно было измениться.

Кроме того, отец разительно отличался от всех пришельцев, что жили в лагере. Он говорил на языке кеш, жил в семье и имел здесь родную дочь.

Когда он впервые взял меня с собой на Эвкалиптовые Пастбища, я не была уверена, что эти воины действительно люди. Они были одеты совершенно одинаково и выглядели тоже одинаково, словно стадо каких-то животных, и они не говорили ни слова на том языке, который знала я. А стоило им подойти к моему отцу, как они либо шлепали себя рукой по лбу, либо, но не всегда, даже падали перед ним ниц, словно хотели рассмотреть пальцы у него на ногах. Я думала, что, может, они сумасшедшие или просто дураки какие-то и что единственный настоящий человек среди них всех — это мой отец.

Однако среди жителей Синшана глупым как раз порой казался именно он, хотя мне ужасно не хотелось в это верить. Он не умел ни читать, ни писать, ни готовить еду, ни танцевать, а если и знал какие-то песни, то слов в них не понимал никто; он не работал ни в мастерских, ни на винокурнях, ни в зернохранилищах и ни разу даже не прошел по полям; и хотя он весьма часто выражал желание пойти на охоту вместе с другими, лишь самые беспечные из охотников соглашались на это, потому что он никогда не пел хейю оленю и не обращался к Смерти с подобающими случаю словами. Сперва охотники приписывали это его неведению и делали все за него сами, но когда увидели, что он упорно не желает учиться вести себя должным образом, они совсем перестали брать его с собой. Лишь однажды он оказал нашему городу сколько-нибудь заметную услугу — когда потребовался ремонт хеймас Красного Кирпича. Их спикер был человеком суровым и не любил прибегать к помощи обитателей других Домов, а поскольку мой отец вообще не имел Дома, то как бы не было причин не принять его помощь, а помощь он мог оказать немалую, ибо был очень силен. Но эта работа не принесла ему радости, а люди, увидев, как он может и умеет работать, стали без конца приставать к нему с вопросами, почему это он до сих пор делал так мало и плохо.

Моя мать старалась держать язык за зубами, однако не могла полностью скрыть своего презрения к мужчине, который не желал ни пасти скот, ни возделывать землю, ни даже просто рубить дрова. А отец, несмотря на то что сам открыто презирал и пастухов, и земледельцев, и дровосеков, обнаружил вдруг, что презрение Ивушки его задевает. Однажды он сказал ей:

— У твоей матери ревматизм. Ей не следует возиться в этой грязи, под дождем, копая картошку. Оставь ее дома, пусть прядет в тепле. Я заплачу какому-нибудь молодому парню, и он мигом выкопает на вашем участке всю картошку.

Мать только рассмеялась. Я тоже: это уж просто ни на что не было похоже!

— Вы ведь такими деньгами пользуетесь, верно? Я такие здесь видел, — сказал отец, протягивая на ладони целую горсть самых различных монеток с обоих побережий.

— Да, конечно, мы тоже пользуемся деньгами. Но для того, чтобы давать их людям, которые ставят для нас спектакли, танцуют, или декламируют стихи, или готовят для нас большие праздники. И ты это прекрасно знаешь! А ты хоть раз в жизни сделал что-нибудь такое, чтобы тебе за это заплатили? — спросила моя мать и снова засмеялась.

Он не знал, что ответить.

— Деньги — это особая почесть, это знак того, что ты богат. — Мать пыталась объяснить ему, но он ничего не понимал, и она в итоге сказала: — Ну, довольно о деньгах, поговорим лучше о нашем саде. Видишь ли, у нас слишком маленький участок, чтобы просить кого-то разделить с нами наши труды. Мне, во всяком случае, было бы стыдно.

— Тогда я приведу кого-нибудь из своих людей, — пожал плечами отец.

— Чтобы они работали в нашем саду? — удивилась мать. — Но ведь эти земли принадлежат Дому Синей Глины!

Отец выругался. Нехороших слов он почему-то набрался в первую очередь и ругался отменно.

— Синяя глина, красная глина — какая разница! — заорал он. — Любой дурак сумеет копаться в черной грязи!

Мать некоторое время молча пряла, а потом проговорила:

— Нет, так разговаривать невозможно! — Она снова засмеялась. — Если копаться в земле может каждый дурак, то почему этого не можешь ты, мой дорогой?

— Я не *тьон*, — сухо сказал отец.

— А что это такое?

— Человек, который копается в земле.

— Земледелец?

— Я не земледелец, Ивушка. Я командующий войском, тремя сотнями людей, я... Существуют такие вещи, которые мужчина может делать, и такие, каких он делать *не может*. Ты, конечно же, понимаешь это!

— Конечно, — сказала мать, глядя на него с восхищением. Так что никто из них друг друга так и не понял, но все-таки ни злобы, ни обид не последовало: их любовь и удивительная схожесть характеров не давали злу укорениться меж ними и все время гнали его прочь, точно мельничные колеса воду.

Когда воины строили мост через Великую Реку, отец брал меня с собой на Эвкалиптовые Пастбища каждый день. Его бурый мерин был примерно в два с половиной раза выше любой самой крупной лошади в Долине. Сидя верхом на этом коне, да еще в седле с высокой лукой, да еще перед таким великаном в шлеме кондора, я чувствовала себя не просто девочкой, а совсем иным существом, редким и куда более замечательным, чем обычные люди. Я внимательно слушала и смотрела, как отец разговаривает со своими воинами: каждое его слово воспринималось как приказ, которому следовало беспрекословно подчиняться. Здесь никто никогда ни о чем не спорил. Отец просто отдавал приказ, и тот, кому он его отдавал, шлепал себя ладонью по глазам и по лбу и бросался исполнять, что бы ему ни велели. Мне было приятно видеть это. Я все еще побаивалась людей Кондора. Все они были мужчины, все очень высокие, в странных одеяниях, пахнувших тоже непривычно, все были вооружены, и ни один не говорил на моем родном языке; когда они мне улыбались или заговаривали со мной, я вся съеживалась от страха и смотрела в землю, но не отвечала.

Однажды, еще в самом начале работ по строительству моста, отец научил меня одному слову из своего языка — пайз, что означало «давай». Когда он подавал знак, я должна была крикнуть «Пайз!» изо всех сил, и воины роняли копер на очередную сваю. Я слышала свой тонкий пронзительный голос и видела, как десять сильных мужчин снова и снова подчиняются моему приказанию. Так что сперва я испытывала только невообразимый восторг от того, что повелеваю силой, во много раз превосходящей мою собственную. Согласитесь, это приятно не только при работе с копром, но и при решении совсем иных вопросов. И вот, будучи, так сказать, копром, а не забиваемой в землю сваей, я считала, что это восхитительно.

Однако по поводу строительства моста возникли серьезные разногласия с жителями Долины. С тех пор как воины Кондора разбили лагерь на Эвкалиптовых Пастбищах, в Синшан стали постоянно приходить люди из Верхней Долины; они прогуливались мимо лагеря или просто стояли неподалеку на холмах, над виноградниками Унмалина — не охотились, а просто слонялись поблизости. Все они были членами Общества Воителей. Люди в Синшане говорили о них неохотно, однако с затаенным восхищением — например, некоторые восхищались тем, что Воители каждый день курят табак и у каждого из них есть собственное ружье. Мой троюродный брат Хмель, который недавно вступил в Общество Благородного Лавра, больше уже не позволял Пеликану и мне быть дикими собаками, когда мы играли; мы должны были быть людьми Кондора, а он — Воителем. Но я сказала, что Пеликан не может быть Кондором, потому что она не Кондор, а Пеликан, а я — могу, хотя я только отчасти Кондор. Моя сестра на это сказала, что она и так не желает быть никаким Кондором, что это глупая игра, и отправилась домой. А мы с Хмелем целый день охотились друг за другом в холмах с палками, заменявшими нам ружья, и с воплями: «Пух! Ты убит!» Как раз в такую игру, видимо, и хотели поиграть те взрослые люди, что бродили и стояли без дела вокруг Эвкалиптовых Пастбищ. Хмель и я прямо с ума по этой игре сходили и играли в нее целыми днями, вовлекая и других детей, пока моя бабушка не заметила, чем мы занимаемся. Она очень рассердилась. О самой игре, правда, она ничего не сказала, но заставила меня колоть и чистить грецкие орехи и миндаль, пока у меня уже руки не начали отваливаться. Она мне сказала, что если я еще хоть раз пропущу занятия в хеймас до наступления каникул, то уж точно вырасту суеверной, злой, тупоумной, вредной и трусливой девчонкой; впрочем, прибавила она, если мне действительно хочется стать такой, то это дело мое. Я понимала, что наша игра ей ужасно не нравится, так что играть в нее, конечно, перестала; мне и в голову не приходило, как ей не хочется, чтобы я ходила на Эвкалиптовые Пастбища с отцом и любовалась, как люди Кондора строят мост.

В следующий раз, когда я отправилась с ним туда, его солдаты не работали: какие-то Воители из Чумо и Кастохи разбили лагерь прямо между сваями будущего моста на берегу Реки. Некоторые из людей Кондора очень сердились, сразу было видно: они просили моего отца разрешить им силой выгнать жителей Долины с этого места. Но он не разрешил и пошел разговаривать с этими Воителями. Я было двинулась следом, но он меня отослал и велел присмотреть за его конем, так что понятия не имею, что они там ему сказали, но вид у него, когда он вернулся, был прямо-таки свирепый, и он еще довольно долго говорил о чем-то со своими офицерами.

В ту же ночь Воители сняли лагерь, работа на мосту пошла своим чередом и продолжалась вполне мирно еще дня два, так что отец снова согласился взять меня с собой на Пастбища. Но когда мы туда приехали, нас уже поджидали представители городов Долины. Они собрались под крайними эвкалиптами в двойном ряду этих деревьев, окружавших пастбище. Несколько человек подошли к нам и начали переговоры с моим отцом. Они сказали, что сожалеют, если несколько невоспитанных юношей вели себя здесь грубо или даже нарывались на ссору; они надеются, что впредь такого не повторится; однако, сказали они, поразмыслив хорошенько, большая часть жителей Долины пришла к выводу, что решение строить мост над Рекой было ошибкой, ибо его приняли, не посоветовавшись ни с самой Рекой, ни с людьми, что живут на ее берегах.

Отец ответил, что людям Кондора нужен этот мост, чтобы перевозить свои припасы через Реку.

— Есть ведь и другие мосты — в Мадидину и Унмалине, например; есть и паромы — близ Голубой Скалы и Круглого Дуба, — сказал кто-то из жителей Долины.

— Они не выдержат тяжести наших грузов.

— В Телине и Кастохе есть каменные мосты.

— Слишком большой крюк придется делать.

— Твои люди могут переправить свой груз через Реку на паромах, — сказал Солнечный Ткач из Кастохи.

— Солдаты не должны носить грузы на собственных спинах, — сказал мой отец.

Солнечный Ткач некоторое время обдумывал его слова, потом сказал:

— Ну что ж, если они захотят есть, то, может быть, научатся хотя бы пищу для себя приносить на спине.

— Мои солдаты здесь отдыхают. А для доставки пищи существуют повозки. Если наши повозки не смогут переправиться через Реку, ваши люди должны будут снабжать нас едой.

— Обойдетесь! — сказал какой-то незнакомец из Тачас Тучас.

Солнечный Ткач и остальные уставились на него. Воцарилось молчание.

— Мы строили мосты во многих местах. Люди Кондора — не только храбрые воины, но и великие инженеры. Дороги и мосты вокруг Столицы Кондора — чудо нашего века.

— Если бы в этом месте требовался мост, он бы уже непременно был здесь построен, — сказала Белый Персик из Унмалина. Отцу явно было неприятно, что женщина в присутствии его солдат заговорила с ним первой, и он промолчал. Снова повисла напряженная тишина.

— По нашему общему мнению, — вежливо сказал Солнечный Ткач, — этот мост здесь никак не на месте.

— Но вас связывает с Югом лишь ваша жалкая рельсовая дорога с шестью деревянными вагончиками! — сказал мой отец. — А мост откроет вам путь прямо к... — Он не договорил.

Солнечный Ткач кивнул.

Отец мой крепко подумал и сказал:

— Послушайте. Моя армия здесь вовсе не для того, чтобы как-либо вредить жителям Долины. Мы с вами воевать не собираемся. — При этом он раза два растерянно оглянулся на меня, потому что все свои силы тратил на то, чтобы подыскать нужные слова. — Но вы должны понять, что народ Кондора правит всем Севером и что теперь вы живете под сенью Его крыла. Повторяю: я не вестник войны. Я пришел лишь для того, чтобы расширить и улучшить ваши дороги и построить всего один мост, хороший, широкий мост, а не такой, по которому с трудом может пройти какая-нибудь здешняя толстуха! Видите, я строю его вдали от ваших городов, где он мешать вам не будет. Но и вы не должны стоять у нас на пути. Вы должны идти с нами вместе, рука об руку.

— Мы ведь люди оседлые, а не какие-то перекати-поле, — сказал Землекоп из Телины, спикер тамошней хеймас Синей Глины, человек всеми уважаемый, спокойный, один из лучших в Долине ораторов. — Человеку не нужны ни широкие дороги, ни мосты, чтобы перейти из одной комнаты своего родного дома в другую, верно ведь? А эта Долина и есть наш дом, здесь мы живем, здесь мы рады принять гостей, чей дом находится вдали от нашего, если они по пути заглядывают к нам.

Отец некоторое время переваривал его ответ, потом громко и отчетливо провозгласил:

— Я от всей души желаю быть вашим гостем. Вы знаете, что здесь и мой дом! Но я служу Великому Кондору. Я получил от него приказ. Так что это решение не мое и не ваше, не нам его и менять. Вы должны понять меня.

Тот нахальный тип из Тачас Тучас только покрутил головой, потом ухмыльнулся и отошел в сторону, показывая, что считает бессмысленным продолжать подобный разговор. И еще двое-трое последовали его примеру; но тут вперед выступила Обсидиан из Унмалина. Она тогда была единственным человеком во всех девяти городах Долины, которого назвали именем собственного Дома. Обсидиан лучше всех исполняла Танец Луны и Танец Крови; она была не замужем, занималась любовью с женщинами; считалось, что она наделена большой властью. Она сказала:

— Послушай меня, детка. По-моему, ты не ведаешь, что творишь. Но я думаю, ты еще сумел бы научиться кое-что понимать, если бы сперва выучился читать.

Этого, да еще в присутствии своих солдат, мой отец вынести не смог. И хотя они по большей части не поняли, что говорила Обсидиан, но насмешку в ее голосе уловили, как и ее повелительный тон. И отец не сдержался:

— Помолчи-ка, женщина! — рявкнул он и, глядя мимо нее на Солнечного Ткача, прибавил: — На этот раз я велю пока что прекратить работы на мосту, поскольку не хочу никаких раздоров. Мы сделаем только деревянный настил, чтобы переправить повозки, и снимем его, когда будем уходить отсюда. Но мы вернемся! И, возможно, куда большая армия, по крайней мере, тысяча человек, пройдет тогда через Долину. И дороги здесь будут расширены, а мосты построены. Не будите же гнев Кондора! Позвольте его народу... позвольте Кондору свободно летать над Долиной, подобно тому как вода протекает меж лопастями мельницы.

Отец даже головы в мою сторону не повернул. Всего за несколько месяцев он уже почти постиг образ Воды. Ах, если б только он родился здесь, в Долине, если б он остался здесь и жил с нами! Но, как говорится, он был что вода под мостом: не удержишь.

Обсидиан в гневе пошла прочь, и все жители Унмалина последовали за ней, осталась только Белый Персик, которая, набравшись мужества, вышла вперед и заговорила снова:

— Но в таком случае, по-моему, жители наших городов должны помочь этим людям перевезти еду, которую мы им даем; странно ставить какие-то условия, если даришь что-то.

— Это верно, — поддержал ее Землекоп; к нему присоединились еще несколько человек из Мадидину и один из Тачас Тучас. И Землекоп прибавил с улыбкой из «Песни Воды»: — Мосты падают, а Река бежит... — и протянул моему отцу свои руки ладонями вверх, снова улыбнулся и отступил назад. Те, кто стоял с ним рядом, сделали то же самое.

— Вот и хорошо, — сказал отец. Быстро повернулся и пошел прочь.

Я стояла, не зная, в какую же сторону пойти мне самой: то ли с отцом, то ли с жителями Синшана. Я отлично понимала, что, хоть приличия были соблюдены, обе стороны едва сдерживали гнев и ни о чем в общем-то так и не договорились. Слабого ведет за собой слабость, а я была всего лишь ребенком; и я последовала за своим отцом, но при этом зажмурилась — так мне казалось, что меня никто не видит.

Строительство стали сворачивать на скорую руку. Солдаты быстро делали деревянный настил, способный выдержать их повозки, а жители Долины доставляли припасы — по нескольку мешков или корзин сразу — и складывали их в сарае для сушки фруктов, куда легко можно было подъехать, чтобы перевезти продукты на тот берег. Но Воители продолжали слоняться группами вокруг, наблюдая за лагерем Кондора, а многие жители Унмалина вообще отказались давать что-либо людям Кондора или разговаривать с ними; они даже смотреть в их сторону не хотели и стали часто собираться в Обществе Воителей. Обсидиан из Дома Обсидиана, которая была родом из Унмалина, тогда стала главной выразительницей их недовольства.

В Тачас Тучас какая-то девушка из Дома Обсидиана подружилась с одним из людей Кондора и пожелала стать его женой; но, поскольку ей было всего семнадцать и кое-какие слухи ее пугали, она попросила разрешения на брак в своей хеймас — чего в свое время не сделала моя мать Ивушка. Люди Дома Обсидиана из Тачас Тучас послали своих гонцов в Унмалин, чтобы тщательно обсудить этот вопрос, и танцовщица Обсидиан из Дома Обсидиана сказала:

— Почему все люди у Кондора мужчины? А где же его женщины? Может, они уродины или сделаны из дерева? А может, они двуполые, как гинкго? Нет уж, пусть люди Кондора и женятся, и рожают, как там им самим нравится. А мы не допустим, чтобы дочь нашего Дома взяла себе в мужья бездомного!

Я только слышала об этом, но так и не знаю, согласилась ли та девушка с подобным требованием или продолжала ходить на свидания со своим молодым солдатом. Но, разумеется, замуж она за него не вышла.

Между Танцами Травы и Солнца члены Общества Воителей из Верхней и из Нижней Долины провели несколько очистительных обрядов на Старой Прямой Дороге и на берегах Реки На. Во всех городах мужчины начали вступать в Общество Воителей, пока люди Кондора оставались в Долине. Сын моего побочного деда и его родной внук тоже вступили в это Общество, поэтому вся их семья была занята тем, что ткала для них специальные одежды — особые туники и плащи с капюшонами из темной шерсти, похожие на те, что носили солдаты Кондора. В Обществе Воителей своих Клоунов не было. Когда несколько Кровавых Клоунов из Мадидину явились на один из их очистительных обрядов, Воители, вместо того чтобы вместе с ними пускать воздушных змеев или просто не обращать на них внимания, стали их толкать и прогонять. Получилась даже небольшая драка, и было немало обид.

Вокруг этих Воителей вечно витало какое-то сексуальное напряжение, и вечно они со всеми ссорились. Некоторые женщины из Синшана, чьи мужья присоединились к Воителям, жаловались на их строгие правила насчет полового воздержания, но другие женщины только над ними посмеивались; зимой обычно столько всяких ритуальных воздержаний и постов для всех, кто хочет танцевать Танец Солнца или Танец Вселенной, что добавление еще одного особой погоды не делало, хотя, возможно, именно оно и было той последней каплей, что переполнила чашу.

В тот год моя бабушка танцевала Танец Внутреннего Солнца, а я впервые праздновала Двадцать Один День и каждую ночь спускалась в хеймас и слушала пение впавших в транс.

Это был странный праздник. Каждое утро в ту зиму наплывал туман, не поднимавшийся даже днем, висел у самой подошвы Горы Синшан, так что мы жили словно под низкой крышей, а по вечерам туман снова сползал в Долину, окутывая ее целиком. И в тот год больше чем когда-либо было Белых Клоунов — именно в тот год! Даже если некоторые из них и пришли в Синшан из других городов, все равно их было слишком много; некоторые, наверно, явились прямо из Четырех Небесных Домов, из Дома Облака или Пумы, по этому влажному белому туману, что скрывал весь окружающий мир. Дети боялись отойти от домов. Даже балконы в сумерках казались им страшными. Даже сидя в гостиной у камина, ребенок мог, взглянув нечаянно в окно, увидеть там белое лицо и уставившиеся на него глаза и услышать, как щелкают чьи-то зубы.

Готовясь к празднику, я посадила свои саженцы в укромном местечке — в лесу, за второй грядой холмов, к северу от города и довольно далеко от дома. Мне ужасно хотелось, чтобы они стали настоящим сюрпризом для матери и бабушки. Оказалось, очень трудно заставлять себя ходить туда в одиночку и ухаживать за растениями в течение Двадцати Одного Дня, особенно потому, что я ужасно боялась Белых Клоунов. Стоило какой-нибудь птичке или белке зашуршать или пискнуть на ветке, как я уже застывала, холодея от страха. Утром, в день солнцеворота я отправилась за своими саженцами в таком густом тумане, что и в пяти шагах ничего разглядеть было невозможно. Каждое дерево в лесу казалось мне Белым Клоуном, готовым меня схватить. Вокруг царила полная тишина. Все буквально тонуло в тишине и тумане. Все было неподвижно среди этих белых холмов. Двигалась лишь я одна.

Я промерзла до костей, у меня даже внутри все заледенело. Я зашла в Седьмой Дом, Дом Облака, и не знала, как мне оттуда выбраться. Но упорно шла дальше, хотя лес казался таким таинственным и незнакомым, что мне все чудилось, будто я сбилась с пути. И все-таки я добралась до своих маленьких саженцев! Я спела молитву солнцу, почти не разжимая губ, потому что любой звук казался пугающим в этой неколебимой тиши, выкопала саженцы и пересадила в горшки, которые сама для них сделала, но все время я тряслась от страха, спешила и все делала неуклюже, может быть, даже корни повредила. Теперь мне нужно было отнести саженцы в Синшан. И вот ведь что странно: когда я уже шла по знакомым виноградникам на вершине холма и понимала, что дом совсем близко, я отчего-то вовсе не была рада этому. Словно какая-то часть меня предпочла бы мерзнуть, дрожать от страха и блуждать там, в горах, и остаться в Седьмом Доме, но не возвращаться в дом Высокое Крыльцо. Однако путешествие мое было закончено. Я поднялась на веранду и стуком в дверь разбудила всю нашу семью — навстречу Солнцу. Ивушке я подарила саженец конского каштана, Бесстрашной — саженец дикой розы, а отцу своему — юный дубок из Долины. Этот дуб и сейчас растет там, где мы его тогда посадили, с западной стороны дома — раскидистый, аккуратный, крепкий, с еще не слишком толстыми ветвями. Конский каштан и дикая роза погибли.

До Танца Солнца и некоторое время после него мой отец жил с нами в доме Высокое Крыльцо и каждую ночь ночевал там, а по утрам завтракал с нами. Моя бабушка, которая в тот год танцевала и Танец Солнца, и Танец Вселенной, почти все время проводила в хеймас. Ивушка в тот год не танцевала совсем, а отец, разумеется, не интересовался ни танцами, ни праздниками. Тогда я еще ничего не знала о его народе и считала, что отец вообще никаких обрядов не соблюдает, никаких священных песен не поет и никому в мире не приходится родственником, разве что, может, своим солдатам, которые беспрекословно слушаются его приказов, моей матери и мне. В ту зиму он и Ивушка все свободное время проводили вместе в нашем доме. После праздника Солнца низкие стелющиеся туманы уступили место дождям и холодной изморози со снегом, ложившимся на склоны Горы Синшан и оседавшим на волосах точно мучная пыль, а порой по утрам случались заморозки, и траву покрывал иней. У отца было несколько отличных красных шерстяных ковров, которые он привез с собой, чтобы украсить ими свою палатку; он давно уже перетащил их в наш дом, и теперь ими была украшена наша гостиная. Мне нравилось валяться на них. Они сладко пахли шалфеем и еще чем-то таким, названия чего я не знала: то был запах страны, откуда пришел мой отец, находившейся где-то далеко на северо-востоке от Синшана. У нас было много дров для камина, причем яблоневых, потому что в городе вырубили сразу два старых яблоневых сада, посадив новые. У нашего камина этими долгими вечерами царил мир и покой — как для родителей, так и для меня. Мне вспоминается мать, освещенная пламенем камина, в расцвете своей красоты, как раз на границе «возраста печали». Это было так прекрасно — все равно что смотреть на костер, горящий среди дождя.

Но вот посланники Кондора спустились в Долину, перевалив через горный хребет, и принесли донесение командующему армией.

В тот вечер, после ужина, отец сказал:

— Нам придется уйти еще до вашего Танца Вселенной, Ивушка.

— В такую погоду я никуда не пойду, — откликнулась мать.

— Нет, — сказал он. — Лучше не надо.

Наступило молчание. Зато громко говорил огонь в камине.

— Чего — «лучше не надо»? — спросила мать.

— Когда мы станем возвращаться домой... тогда я лучше за тобой и заеду, — пояснил он.

— О чем это ты? — не поняла мать.

Они снова начали все сначала, он рассказывал ей, как армия Кондора отправится воевать на побережье, а потом будет возвращаться назад и он заедет за ней, а она не желала признаваться, что давно уже обо всем догадалась. В конце концов она сказала:

— Так это действительно правда? Ты говоришь о том, что собираешься покинуть Долину?

— Да, — сказал он. — Но ненадолго. Мы ведем войну с жителями внутреннего побережья. Таков план Великого Кондора.

Она не ответила.

Он сказал:

— Если бы я мог взять тебя с собой, то непременно взял бы, но это, конечно, было бы глупо и чересчур опасно. Если бы я мог остаться... Но нет, этого я не могу. Ты просто подожди меня здесь, хорошо?

Мать встала и отошла от камина. Мягкий красноватый отблеск пламени больше не падал на ее лицо, теперь оно было скрыто в тени. Она сказала:

— Если не хочешь оставаться, уходи.

— Послушай, Ивушка, — сказал он. — Послушай же меня! Неужели это так уж нечестно — просить тебя подождать? Ведь если бы я отправлялся на охоту или с торговцами в дальнюю поездку, разве ты не подождала бы меня? Ведь жители Долины тоже порой ее покидают! И возвращаются назад — и жены в таких случаях ждут своих мужей. Я вернусь. Обещаю тебе. Я твой муж, Ивушка.

Она некоторое время постояла там, словно на границе света и тьмы, потом обронила:

— Когда-нибудь.

Он не понял.

— Когда-нибудь, лет через девять, — пояснила она. — Один разок, может, два. Ты мой муж, но ты и не мой муж. Мой дом — для тебя. Если хочешь, оставайся в нем или уходи. Выбирай.

— Я не могу остаться, — сказал он.

Она повторила тихо, тоненьким голосом:

— Тебе выбирать.

— Я командующий армией Кондора, — сказал он. — Я сам отдаю приказы, но обязан и подчиняться приказам тех, кто выше меня. В этом смысле выбора у меня нет, Ивушка.

Тогда она совсем отошла от камина — скрылась в тени на другом конце комнаты.

— Ты должна понять, — сказал он умоляюще.

— Я понимаю, что ты предпочел не делать никакого выбора.

— Ты не понимаешь! И я могу лишь просить тебя: пожалуйста, подожди меня.

Она не ответила.

— Я вернусь, Ивушка. Сердце мое навсегда здесь, с тобой и нашей девочкой!

Слушая его, она молча стояла у двери, ведущей во вторую комнату. Моя постель была как раз напротив двери, и я видела их обоих и чувствовала, как разрывается надвое ее душа.

— Ты должна подождать меня, — сказал он.

Она ответила:

— Ты уже ушел.

И прошла во вторую комнату и закрыла за собой дверь, которую держали открытой, чтобы от камина туда шло тепло. И стояла в темноте. Я лежала, не шевелясь. Он сказал за дверью:

— Вернись, Ивушка! — Подошел к двери и еще раз окликнул ее по имени, позвал сердито, в голосе его слышалась боль. Она не ответила. Мы обе точно застыли. Прошло довольно много времени, в той комнате было тихо. Потом мы услышали, как он резко повернулся, отошел от нашей двери, выскочил из гостиной и загрохотал по лестнице.

Мать прилегла рядом со мной. Она ничего не сказала и лежала совершенно неподвижно; и я тоже. Мне не хотелось вспоминать сказанное ими. Я попыталась заснуть, и вскоре мне это удалось.

Утром мать свернула красные коврики, принесенные отцом, и положила их вместе с его одеждой на перила балкона возле входной двери.

Где-то около полудня отец пришел снова, поднялся по лестнице, даже не взглянув на ковры и развешанную на перилах одежду. Мать была дома; на него она не смотрела и не отвечала ни на одно его слово. А когда он чуть посторонился, бросилась в дверь и побежала в нашу хеймас. Отец хотел было последовать за ней, но оттуда сразу же выскочили несколько мужчин из Дома Синей Глины и удержали его, не давая войти в наше святилище. Отец был похож на помешанного, он вырывался и никого не желал слушать, но им удалось его успокоить. Девять Целых объяснил ему, что, согласно обычаям нашего народа, любой мужчина может уйти и прийти, когда ему вздумается, и любая женщина имеет право принять его назад или не принять, но дом принадлежит именно ей, и если она захлопнет перед носом мужчины дверь, то лучше ему не пытаться ее открыть. Собралась целая толпа любопытных, потому что сперва они с отцом кричали друг на друга, и многие находили это чрезвычайно смешным, тем более что нужно было объяснять такие простые вещи взрослому мужчине. Особенно над ним насмехалась Сильная, спикер Общества Крови. Когда отец сказал: «Но она ведь принадлежит мне... и это мой ребенок!» — Сильная принялась ходить вокруг него с видом надутого индюка, как ходят Кровавые Клоуны, и стала кричать: «Ой, никак у моего молота месячные!» и еще кое-что похлеще. Кое-кому из жителей города было приятно, что так унижают представителя Великого Кондора. Я это сама видела, притаившись у нас на балконе.

Отец снова вернулся в наш дом и поднялся наверх. Он в гневе пнул скатанные в трубку ковры и одежду, словно разозлившийся мальчишка. Я возилась у кухонного стола и плиты — пекла кукурузные лепешки, а он остановился в дверях. Я продолжала работать и на него не глядела. Я просто не знала, что мне делать, как себя вести, и ненавидела отца за то, что он заставляет меня испытывать такую неуверенность и чувствовать себя такой жалкой и несчастной. Я была даже немного рада, что Сильная так над ним издевалась; мне и самой хотелось посмеяться над ним, потому что он вел себя ужасно глупо.

— Сова, — вдруг спросил он, — а ты будешь ждать меня?

Я вовсе не собиралась плакать, однако слезы полились сами.

— Если я останусь в живых, то обязательно вернусь к тебе, — сказал он. Он так и не переступил порог, а я так и не подошла к нему. Я только обернулась, посмотрела на него и кивнула. В этот момент он уже надевал свой шлем Кондора, скрывавший его лицо. Потом повернулся и вышел.

Бабушка весь день ткала; ее станок стоял во второй комнате у окна. Когда домой наконец вернулась моя мать, бабушка сказала ей:

— Ну что ж, вот он и ушел, Ивушка.

Лицо матери было бледным и каким-то измятым. Она ответила:

— Я тоже ушла — отказалась и от него, и от этого имени. Теперь я стану называться своим первым именем.

— Зяблик, — сказала бабушка нежно; так мать впервые произносит имя своего новорожденного. И сокрушенно покачала головой.

Вторая часть истории Говорящего Камня начинается на стр. 226.

୭

ПРИМЕЧАНИЯ

С. 14. ...*Иду туда*...
Глаголы в этом стихотворении и в других подобных стихотворениях, написанных на языке кеш, а также — в мифах, пересказах снов, в разговорах об умерших и в обрядовых речитативах употребляются в настоящем времени.

С. 18 ...*мы шли по руке жизни*.
Глава «Устав Дома Змеевика» может прояснить некоторые из этих образов. В Левой Руке хейийя-иф, символе Целого, пять цветов — черный, синий, зеленый, красный, желтый — разбегаются от центра или стремятся к нему; Правая Рука этого символа совершенно белая. Левая Рука символизирует смерть и смертность, Правая — вечность.

С. 28 ...*Песнь Щитомордника... тропа пумы*...
«Песнь Щитомордника (Медной Змеи)», видимо, была составной частью ритуала исцеления от ревматизма. Гора Ама Кулкун (т. е. Гора-Прародительница), Источники, дающие начало Реке На, а также город у этих Источников, Вакваха, считаются священными местами для жителей Долины. Путь на вершину Ама Кулкун — «тропа пумы», «тропа коршуна» — означает некое путешествие в одиночестве, предпринимаемое для освоения нового духовного опыта; такое путешествие рано или поздно совершает почти каждый житель Девяти Городов и иногда помногу раз.

С. 56 *...двуполые, как гинкго.*

Дерево гинкго является двуполым. Эти деревья обычно не сажают поблизости друг от друга, ибо если произойдет опыление, то плоды будут иметь отвратительный запах. В литературе кеш дерево гинкго — синоним гомосексуальности.

С. 59 *...Нам придется уйти еще до вашего Танца Вселенной...*

Не слишком хорошо знакомый с тонкостями употребления глаголов кеш, Тертер Абхао пользуется местоимением «мы», которое включает и того человека, к которому он обращается, а также глаголом «ходить, гулять, прогуливаться», так что Ивушка понимает его примерно так: «Нам с тобой хорошо бы прогуляться вместе как-нибудь до начала Танца Вселенной».

С. 62 *...и еще кое-что похлеще...*

У Клоунов язык импровизаций был предназначен для уничижительного воздействия (как и в сюрреалистской системе образов). Абхао же ошибся нечаянно, сказав, что его жена и ребенок «принадлежат» ему. Грамматика языка кеш не имеет средств для выражения отношений обладания между живыми существами. Это язык, в котором глагол «иметь» является непереходным, а смысл выражения «быть богатым» передается тем же словом, что и глагол «дарить», и зачастую кеш может сыграть с иностранцем, говорящим на нем, или с переводчиком весьма злую шутку, превращая его чуть ли не в клоуна.

УСТАВ ДОМА ЗМЕЕВИКА

Данный текст, выполненный в старинной каллиграфической манере, является единственным письменным вариантом Устава среди прочих его вариантов, представляющих собой пиктографические символы. Эта небольшая складная книжечка в форме «гармошки» хранится в Центральной библиотеке города Ваквахи

«Девять Домов живых и мертвых — это Дома Обсидиана, Синей Глины, Змеевика, Желтого Кирпича, Красного Кирпича, Дождя, Облака, Ветра, Безветрия. Цвета четырех Домов мертвых — белый и радужный. Те народы, что живут вместе с людьми, — обитатели Земных Домов; народы дикого края живут в Домах Небесных. Птицы обитают в Четырех Небесных Домах, вылетают из Правой Руки Вселенной и могут приносить послания мертвых живым и наоборот; перья птиц — это слова, сказанные мертвыми. Когда из Четырех Домов должен явиться на свет ребенок, он рождается и живет в Доме своей матери. Небесные Дома танцуют Танец Земли, а Земные Дома танцуют Танец Неба. Дом Синей Глины танцует Танец Воды; Дом Желтого Кирпича танцует Танец Вина; Дом Змеевика танцует Танец Лета; Дом Красного Кирпича танцует Танец Травы; Дом Обсидиана танцует Танец Луны. Солнце вместе с другими звездами танцует Путь Возврата. Хейийя-иф и есть изображение этого Пути и Дом Девяти Домов».

Приведенный выше текст дает краткое представление о структуре общества, временах года и строении Вселенной — с точки зрения жителей Долины.

Все живые существа, названные среди обитателей Пяти Земных Домов, зовутся Земным Народом; сюда включается и Земля как таковая, камни и почва, различные геологические образования, Луна, все водные источники, ручьи и озера с пресной водой, все в настоящее время живые люди, животные, на которых ведется охота, домашние животные, некоторые другие животные, являющиеся собственностью отдельных людей, домашняя и живущая главным образом на земле птица, и все растения, которые собирают, выращивают или как-то используют люди.

Небесный Народ, или Жители Четырех Домов, или Люди Радуги — это Солнце и звезды, океаны и моря, дикие животные, на которых люди не охотятся, и все животные, растения и люди, рассматриваемые как вид или племя, а не как отдельные представители или отдельные личности, а также все народы и существа, являющиеся во

Медведь

3 Ле Гуин «Всегда возвращаясь...»

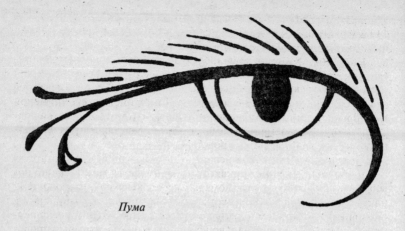

Пума

сне, в видениях, герои сказок и легенд, большая часть птиц и все мертвые и нерожденные существа.

В таблице (стр. 68—69) перечислены эти Девять Домов, цвет и сторона света, ассоциируемые с каждым из них, ежегодный праздник, за который каждый из них является ответственным, а также Общества, Союзы и Цехи, находящиеся под началом каждого Дома. Таблица крайне схематична, а примечания к ней весьма упрощенны. Однако она может служить чем-то вроде глоссария для тех, кто захочет разобраться в значении того или иного термина или изречения, а также некоторых вольных интерпретациях отдельных понятий в литературных и фольклорных текстах Долины, приведенных далее; кроме того, она представляет собой как бы некое введение в образ мышления народа Кеш, в особенности их художественного творчества и мастерства. Однако же важно понять, что никакой подобной таблицы на самом деле не существует, обитатели Долины никогда ничего подобного не создавали. Так что, хотя числа «четыре», «пять» и «девять», а также представления о Девяти Домах и их размещении в хейийя-иф (или вращающейся вокруг Стержня двойной спирали), а также цвета, стороны света, времена года, существа и предметы, ассоциируемые с этими Домами, являются постоянными мотивами в искусстве Долины и образной системе мышления се обитателей и хотя граница между Землей и Небом, смертностью и бессмертием связана с фундаментальными грамматическими явлениями их языка (Земная и Небесная его формы), все же приведенная здесь схема девяти структурных подразделений и перечисленные в этой схеме различные их компоненты и функции, безусловно, удаивили бы жителя Долины, который воспринял бы все это как нечто «детское», а также — из-за того, что информация в схеме как бы фиксирована, «замкнута» — счел бы эту схему в высшей степени опасной и неуместной.

Пять Земных Домов представляют собой пять основных подразделений общества и служат у Кеш эквивалентом понятия «клан» или «община». Все люди, не принадлежащие к народу Кеш, называются «людьми-без-Дома». Наследование в Домах идет по материнской линии и экзогамно: все представители одного Дома считаются родственниками первой степени; между ними сексуальные связи недопустимы (см. главу «Система родства»).

Не существует никакой иерархии Домов — по власти, богатству и тому подобному, и нет никакого соперничества меж ними по поводу более высокого статуса; Дома называются Первый, Второй и т. д., однако нумерация эта не имеет абсолютно никакого отношения к оценочным категориям — рангу, важности и т. п. Некоторое соперничество возникает, правда, во время праздников, которые проводит каждый год тот или иной Дом, однако не столько даже между самими Пятью Домами, сколько среди принадлежащих к ним обитателей девяти городов Долины. Слово, которое я обычно перевожу как священный танец — *ваква*, может также означать ритуал, тайное знание, церемонию, праздник. Полный цикл определенных ваква и составляет год в Долине.

Так, в ноябре, когда начинают зеленеть холмы, Дом Красного Кирпича танцует *Танец Травы*. Во время зимнего солнцеворота все Девять Домов танцуют *Танец Солнца*. Во время весеннего равноденствия Пять Земных Домов танцуют *Танец Неба*, а Четыре Небесных Дома — *Танец Земли*, и все это вместе называется *Танцем Вселенной*. На второе полнолуние после этого праздника Дом Обсидиана танцует *Танец Луны*. Во время летнего солнцеворота и после него Дом Змеевика танцует *Танец Лета*. В первой половине августа Дом Синей Глины танцует *Танец Воды* у ручьев, родников и прудов. Во время осеннего равноденствия Дом Желтого Кирпича танцует *Танец Вина*.

Эти семь Великих Ваква могут быть наглядно представлены в виде *хейийя-иф*, где Вселенная («Стержень») — посредине, а слева и справа — симметрично — Солнце и Луна; далее следуют Трава и Лето, а Вино и Вода находятся на левом и правом концах двух спиралей. Такая непоследовательная интерпретация времени характерна и для хронографии Долины. И поскольку здесь нет настоящих времен года, а всего лишь два сезона, дождливый и сухой, то в разговоре события обычно соотносятся с тем или иным праздником: например, до Танца Травы, или между Танцами Воды и Вина, или после Танца Луны. (В главе «Время и Столица» представления жителей Долины о времени рассматриваются более подробно.)

ПЯТЬ ЗЕМНЫХ ДОМОВ

Первый Дом	Второй Дом	Третий Дом	Четвертый Дом	Пятый Дом
Обсидиан	Синяя Глина	Змеевик	Желтый Кирпич	Красный Кирпич
сев.-вост.	сев.-зап.	сев., вост., юг, зап.	юго-вост.	юго-зап.
черный	синий	зеленый	желтый	красный
луна	питьевая вода	камни	земля	земля

Направление движения, ассоциируемое с Пятью Земными Домами, всегда центростремительное, направленное внутрь.

ОБИТАТЕЛИ

Те, кто живет в Пяти Земных Домах, — это сама Земля, Луна, все камни, скалы и прочие горные образования, все источники пресной воды, все принадлежащие отдельным людям животные и сами в настоящее время живые люди, растения, используемые человеком, домашняя птица и птицы, обитающие в основном на земле, домашние животные и животные, на которых люди охотятся.

Домашние животные и птицы:	Животные и птицы, на которых ведется охота:	Растения для собирательства:	Садовые деревья:	Культурные растения
овцы, коровы, лошади, ослы, мулы, кошки, собаки, химпи, домашняя птица, любимцы семьи	олени, кролики, дикие свиньи, белки, опоссумы, перепелки, фазаны, дичь, одичавший скот, пресноводная рыба, раки	ягоды, злаки, корнеплоды, лекарственные растения, съедобные травы, грибы, орешник, дикие фруктовые деревья, идущие на древесину, разные виды дубов, дикие цветы и т. д.	олива, слива, гладкий персик, абрикос, вишня, груша, виноградная лоза, миндаль, грецкий орех, апельсин, лимон, яблоня, роза и т. д.	бобовые, горох, зелень, кукуруза, тыква, картошка, лук, помидоры, перцы, окра, чеснок, капуста, корнеплоды, дыни, травы, хлопок, лен, садовые цветы

ПРАЗДНИКИ

Обитатели всех Пяти Земных Домов танцуют вместе Танцы Неба во время Танца Вселенной (примерно в дни весеннего равноденствия) и Танец Солнца (во время зимнего солнцеворота).

Танец Луны	Танец Воды	Танец Лета	Танец Вина	Танец Травы

ОБЩЕСТВА

Общество Благородного Лавра и Общество Искателей находятся под покровительством всех Пяти Земных Домов.

Об-во Крови Союз Кровавых Клоунов Союз Белых Клоунов Союз Ягнят	Об-во Охотников Об-во Рыболовов Об-во Соли	Об-во Целителей Союз Дуба	Союз Оливы	Об-во Сажальщиков Союз Зеленых Клоунов

ЦЕХИ

Стеклодувов Дубильщиков Ткачей	Гончаров Воды	Книжников	Дерева Барабанов	Виноделов Кузнецов

ЧЕТЫРЕ НЕБЕСНЫХ ДОМА

Шестой Дом	Седьмой Дом	Восьмой Дом	Девятый Дом
Дождь	Облако	Ветер	Безветрие

Направления Четырех Небесных Домов — к надиру и зениту.
Цвета Четырех Домов — цвета радуги и белый.

медведь	пума	койот	ястреб
смерть	сон	дикая природа	вечность
вниз	вверх	наискось	вовне

ОБИТАТЕЛИ

В Четырех Небесных Домах живут различные птицы, морские рыбы, моллюски,
дикие звери, на которых не ведется охота ради пропитания (пума, дикий кот,
одичавшие кошки, койот, дикая собака, медведь, енот, мышь, мышь-полевка,
крыса, древесная крыса, белка, бурундук, крот, скунс, дикобраз, выдра,
лиса, летучая мышь), рептилии, земноводные, насекомые, а также
любые растения или животные, когда они рассматриваются
как вид в целом; люди как вид живых существ, как народ,
племя или нация; мертвые и нерожденные;
все существа из мифов и снов;
океаны, солнце
и звезды.

ПРАЗДНИКИ

Обитатели Четырех Небесных Домов танцуют Танцы Земли
во время Танца Вселенной, а также Танец Солнца.

ОБЩЕСТВА

Под покровительством Четырех Небесных Домов находятся Общество
Черного Кирпича и Общество Земляничного Дерева.

ЦЕХИ

Под покровительством Четырех Небесных Домов находится Цех Мельников.

Койот

Материальным воплощением каждого из Пяти Домов в каждом из девяти городов Долины являются *хейимас*. Обнаружив, что все слова, типа «церковь», «храм», «замок», «тайная обитель», лишь вводят в заблуждение, я в данной книге использую слово языка кеш. Оно образовано из элементов *хейя, хейишйня* — отдельными значениями которых являются: «святость», «стержень», «связь», «спираль», «центр», «хвала» и «перемена» — и корневого слова «ма» со значением «дом».

Хейийя-иф, две спирали, центром которых служит некий невидимый стержень, бездонная пропасть, пустота, являются материальной или скорее визуальной репрезентацией понятия хейийя. Разнообразные и изощренные вариации на тему хейийя-иф входят в качестве хореографических и пластических элементов в танец, определяют форму самой сцены и движения актеров, представляющих драму; хейийя-иф служит организующим началом при планировании городов, в графике и скульптуре, в декоративном искусстве и в дизайне музыкальных инструментов; она же является объектом сосредоточения при медитации, а также поистине неистощимой метафорой. Хейийя-иф — некая визуальная форма идеи, пронизывающей мышление и культуру всех народов Долины.

В городах у каждого человека как бы по два дома: дом, в котором вы действительно живете, ваше жилище, расположен в Левой Руке двойной спирали хейийя-иф, по форме которой построен город, а в Правой Руке находится ваш Земной Дом, то есть, конечно, хейимас вашего Дома. В обычном доме вы проживаете вместе с вашими родственниками по крови или по браку; в хейимас своего Дома вы встречаетесь со своей Большой Семьей. Хейимас служит центром отправления обрядов, хранилищем традиций и знаний, местом обучения, школой и т.п.; к тому же это место для встреч, собраний и политических диспутов; это и мастерская, и библиотека, и архив, и му-

Ястреб

зей, и расчетная палата, и приют для сирот, и гостиница, и богадельня, и убежище, и оздоровительный центр, и орган экономического контроля и управления деятельностью всего сообщества, как во внутренних делах, так и во всем, что касается обмена или торговли с другими городами Долины и теми, что находятся за ее пределами.

В маленьких городах хеймас представляют собой большое пятистенное подземное помещение, разделенное перегородками, под невысокой четырехскатной пирамидальной крышей, поднимающейся над землей. По углам крыши имеются лесенки: чтобы попасть внутрь хеймас, надо подняться по ним на крышу, открыть люк и спуститься по приставной лестнице вниз. В Телине и Кастохе обе части здания — и подземное помещение, и украшенная орнаментом крыша — значительно больше, а в Ваквахе, на самой Горе-Прародительнице, пять хеймас — это пять огромных подземных комплексов; их прекрасные крыши-пирамиды высятся над различными вспомогательными постройками и площадками. В любом городе Долины площадь, ограниченная полукругом стоящими жилыми домами, называется «городской площадью»; а та площадь, вокруг которой расположены пять хеймас, называется «площадью для танцев». На карте города Синшан отражено типичное расположение жилых домов и хеймас в городе народа Кеш.

Далее (в главе «Общества, Союзы, Цехи») можно найти более подробный рассказ о взаимосвязях различных общественных и профессиональных организаций и их принадлежности определенным Домам. Как показано на схеме, Цех Мельников, который отвечает за все мельницы — водяные, ветряные и электрические, за генераторы, за различные виды машинного оборудования, за создание и наладку машин, за управление различными механизмами, занимает строго определенное, хотя и весьма необычное положение в обществе: члены этого Цеха не имеют своего Дома среди земных жителей.

Некоторые очевидные несообразности являются простым следствием схематизации и перевода. Мы, например, можем сказать, что перепелка живет во Втором Доме, однако нам представляется несколько странноватым, когда Кеш говорят, что и помидорный куст «живет» в Пятом Доме; еще более странно звучит то, что мертвые и нерожденные «живут» в Небесных Домах. На языке кеш так сказать вполне можно, однако, с их точки зрения, нам это кажется странным как раз потому, что сами мы не живем ни в одном из Домов, а находимся вне их.

Итак, хеймас являются, если угодно, материальными воплощениями Пяти Земных Домов или, если хотите, их представительствами. Что же касается Четырех Небесных Домов, то основным материальным их воплощением считаются различные метеорологические явления: дождь для Шестого Дома, облако, туман и дымка над горными вершинами для Седьмого, ветер для Восьмого и для Девятого Дома — тихий, прозрачный воздух, который также называется Безветрием. Другие великие символы Четырех Домов — Медведь, Пума, Койот, Ястреб — могут трактоваться как мифологические персонажи, то есть персонажи вымышленные, которые не следует воспринимать буквально; и все же соотносимость определенного Дома с тем или иным животным или явлением природы тоже невозможно сбросить со счетов. «Войти в Дом Койота», например, означает перемениться. Кроме того, Четыре Небесных Дома — это Дома Смерти, Снов, Дикой Природы, Вечности. Все названные аспекты каждого из Домов взаимосвязаны и активно взаимодействуют, так что Дождь, Медведь или Смерть, каждый по отдельности, способны символизировать и любой из двух остальных символов; словесные и зрительные образы расцветают благодаря этой взаимной связанности. Вся система представлений Кеш в целом глубоко метафорична. Мысль о том, что можно ограничить ее, свести к какому-то иному образцу, — с точки зрения жителей Долины, безусловно предосудительный предрассудок.

Именно по этой причине я и не рассматриваю систему Девяти Домов как некую форму религии, а хеймас — как священные храмы или молельные дома, несмотря на то, что обитатели Долины явно относятся к ним как к чему-то священному.

У людей Долины нет единого бога, нет и богов вообще, нет и религии. Что у них, по всей вероятности, есть — так это рабочая метафора. Идея, которая представляется нам наиболее близкой к понятию религии или веры, — это идея Дома; его знак — закрученная вокруг стержня двойная спираль, или хейийя-иф; главное Слово — это слово хвалы сущему на земле и переменам; таковы центральные понятия всей системы, хейя!

72

ГДЕ НАХОДИТСЯ ДОЛИНА

Горные хребты, обрамляющие Долину, невысоки: даже Гора-Прародительница, Ама Кулкун — старый вулкан в центре запутанного горного массива — немногим выше четырех тысяч футов. Долина в основном представляет собой довольно ровную местность, по которой протекает Река На, однако склоны холмов, превращающих Долину в некое подобие чаши, весьма круты, а горные пастбища сильно изрезаны глубокими ущельями, прорытыми речками и ручьями. На склонах, обращенных к востоку и укрытых от морского ветра, густо растут различные деревья и кустарники: карликовая сосна, ель, секвойя, земляничное дерево и дикая вишня манзанита, а также карликовые и обыкновенные дубы, дубы белые, красильные и пробковые и украшение Долины — гигантский дуб; много там и конских каштанов, лавров, ив, ясеней и ольхи. Там, где посуше, — чапараль, заросли вечнозеленого карликового дуба, низкий густой кустарник, дикая сирень, что цветет прелестными ароматными голубовато-сиреневыми цветами, когда кончается сезон дождей, и обвивающий карликовые дубки терновник, и оленье дерево, и дикие розы, и кофейные деревья, и кустарник койота, и ядовитый дубок... Вдоль ручьев — тоже заросли душистых кустарников, пестрые и желтые азалии, дикие розы, дикий калифорнийский виноград. На западных склонах гор, продуваемых всеми ветрами, а также на круглых холмах, состоящих почти целиком из змеевика, растут только дикие травы да цветы.

Здесь всегда была суровая земля — довольно щедрая, но отнюдь не легкая в обработке. Здесь нет времен года — только сезон дождей и сухой сезон. Дожди могут быть проливными, а жара поистине свирепой, пугающей. Все, что растет в Долине, как и везде, должно миновать особую стадию появления нежных всходов и цветения, а потом растениям нужно созреть и отдохнуть, однако переход от одного сезона к другому здесь скорее напоминает государственный переворот, бурную революцию. Несколько темно-серых, набухших дождем дней, когда сожженные и промокшие насквозь коричневые холмы вдруг светлеют и вспыхивают вызывающей головную боль яркой зеленью свежей травы... Несколько ясных дней с облачками-хлопьями в небесах, когда оранжевые маки, синие люпины, душистый горошек, клевер, дикая сирень, голубоглазые незабудки, маргаритки, лилии — все расцветает одновременно и склоны холмов сплошь покрыты белыми, пурпурными, синими и золотыми цветами, но в то же время травы уже сохнут, бледнеют, и дикий овес уже почти созрел в своих метелках... Таковы эти краткие переходы из сезона в сезон: последняя зелень лета сменяется мрачной зимой, а к лету как бы застывшие холмы вновь расцветают недолгим буйством красок.

Приходят густые туманы. Они поднимаются из обширных плоских болотистых низменностей, приморских болот и тростниковых зарослей, из бесчисленных эстуариев на юго-востоке и с морского побережья, протянувшегося за юго-западной грядой. Вокруг Горы Синшан, Горы-Сторожихи и Горы-Прародительницы, четкие, темные, гигантские силуэты которых вырисовываются на фоне ясного неба, плавают стаи влажных туманов, стирая, затушевывая очертания предметов. Да и сами горы как бы тихо отступают прочь. Под ставшей совсем низкой крышей небес холмы тонут в густой дымке. С каждого зеленого листа непрерывно течет и капает. Маленькие коричневые пташки — обитатели чапараля — неуверенно перепархивают в тумане, что-то приговаривая и пощелкивая «тц-тк» где-то совсем близко, но совершенно невидимые. Гигантские дубы в Долине становятся похожими на каких-то страшных великанов: невозможно понять, где кончаются их могучие ветви. Если таким вот утром двинуться от Ваквахи дальше в горы, то через некоторое время выйдешь из полосы тумана и окажешься прямо над этой венчающей Долину «крышей», похожей на белое море, что колышется в сверкающей тишине. Туман издавна любит вот так подшутить над холмами. Это очень старые холмы, но туман куда старше.

Почва в Долине — различные виды глинозема, пригодные для изготовления кирпича, или же красноземы, из которых торчат обломки скал сине-зеленого змеевика, покрытые застывшими потеками вулканического происхождения. Не слишком легкая для обработки почва, эта бедная и капризная глина. Например, пшеницу она просто выплевывает. Или может заявить фермеру: сажай здесь только виноградную лозу, оливы, розы, лимоны и сливы. Все это — трудоемкие культуры, но все они обладают сладостным ароматом, отличным вкусом и живут долго. А что касается кукурузы или маиса, бобов, кабачков, тыкв, дынь, картошки, моркови, всякой зелени и чего там вам еще будет угодно, то если станете трудиться достаточно прилежно, то есть копать землю и рыхлить ее, когда она больше всего напоминает сырой бетон, и поливать ее, когда она похожа на сухой цемент, тогда, пожалуйста, сколько угодно! Тяжелая земля.

В наши дни река в Долине в засушливый год еле-еле течет; к сентябрю все ручьи, кроме самых больших, обычно пересыхают, да и сама река становится тоже всего лишь ручьем, хотя и довольно широким и мощным. Когда же со временем Великая Калифорнийская Долина распадется на части, когда появятся горные разрывы, сбросы и, возможно, даже кое-где, в предгорьях Ама Кулкун, выходы наверх магмы, то и высота Долины над уровнем моря повысится и поднимется уровень грунтовых вод; вместе с тем летняя жара будет в Долине значительно смягчена сильным влиянием Внутреннего Моря и обширных болот, а также морскими туманами, прилетающими вслед за морскими течениями через широкие горные «ворота». Климат изменится в лучшую сторону. Сухой сезон станет не таким чудовищно засушливым; в ручьях будет больше воды, река поведет себя с большей солидностью и достоинством, хотя в ней останется меньше тридцати миль от истоков до устья.

Тридцать миль могут показаться как очень короткими, так и очень длинными. В зависимости от того, как их пройти; от того, что Кеш называют словом *вакваха*, что буквально значит «путь реки».

Соблюдая особый ритуал, с вежливыми заверениями, они берут воду у Реки и ее маленьких притоков как бы взаймы — для питья, для того, чтобы соблюдать чистоту, для полива — и расходуют ее аккуратно, экономно, осторожно. Они всегда жили на земле, которая на любое проявление жадности отвечала засухой и смертью. Трудная земля: словно бы и ведет себя как чужая, но уж больно чувствительная! И еще она похожа на горных коз, которые крадут у людей пищу и сами становятся их пищей — тощие маленькие горные козы, воришки и жертвы одновременно, вечные соседи и ревнивые наблюдатели, за которыми тоже кое-кто наблюдает, любопытные, бесстрашные, недоверчивые и приручению не поддающиеся. Никогда не изменяющие своей дикой природе.

Корни и источники жизни в Долине всегда были дикими. Ряды виноградных лоз и серых олив, цветущие миндальные сады, овцы с острыми копытцами и кареглазые коровы, винокурни из грубого камня, старые амбары и хлевы, мельницы на берегу ручьев, маленькие тенистые города — о, они прекрасны, человечны, с первого взгляда очаровывают, внушают любовь; однако корни Долины — это корни карликовой сосны, вечнозеленого дубка, диких трав, равнодушных ко всему и не требующих заботы, и многочисленные ручейки, текущие по трещинам, оставшимся после землетрясений, среди скал, поднявшихся некогда со дна тех морей, что существовали задолго до появления на земле человека, или рожденных огнем, что скрыт в глубинах земных. Корни Долины — в дикой природе, в мечтах, в смерти, в вечности. Вон следы диких коз, а вон следы человека и его повозок, — все пробираются не напрямик, старательно огибают корни вещей. Чтобы пройти тридцать миль — и вернуться назад, — может понадобиться целая жизнь.

ПАНДОРА БЕСПОКОИТСЯ О ТОМ, ЧТО ДЕЛАЕТ:
рисунок на чашке

Пандора не желает смотреть в широкий конец телескопа на сверкающий как самоцвет, ясно видимый, крошечный, целиком охватываемый взглядом мирок Долины. Она зажмуривает глаза, она не хочет смотреть, она и так знает, что увидит там: Все Под Контролем. Кукольный домик. Кукольная страна.

Пандора выбегает из обсерватории с закрытыми глазами и хватает, хватает вокруг себя все, что попадется под руку.

Ну и что же она получила в итоге, если не считать нескольких порезов на руках? Кусочки, стружки, обломки, черепки. Осколки того, что было Долиной, ее подлинной жизнью. Не где-то там, далеко, а тут, рядом; их можно пощупать, подержать в руках и услышать Долину. Не рассудком, а умом и сердцем. Не вообразить, а ощутить тяжесть куска земляничного дерева, осколка обсидиана, комка синей глины. Даже если разрисованная чашка разбита (а она действительно разбита), то из этого комка глины, да еще зная, как лепить и обжигать такую чашку, даже если рисунок вам целиком неизвестен (а он вам целиком неизвестен), вы сделаете такую же, и пусть заработают ваши ум и воображение. Пусть сердце подскажет вам, как закончить рисунок на этой чашке.

НЕСКОЛЬКО УСТНЫХ ПРЕДАНИЙ

ИСТОРИИ, РАССКАЗАННЫЕ ЛЕТНИМ ВЕЧЕРОМ В ХИЖИНЕ НА ГОРНОМ СКЛОНЕ БЛИЗ СИНШАНА

 Как-то раз Койотиха шла себе, шла по внутреннему миру, и вдруг ей навстречу старый Медведь.

— Можно я пойду с тобой? — спросила Койотиха.

— Нет, — ответил Медведь, — пожалуйста, не ходи со мной. Ты мне сейчас совсем ни к чему. Я ведь намерен собрать всех медведей вместе и пойти войной на племя людей. Так что ты мне в попутчицы не годишься.

— Ах, как это ужасно! — воскликнула Койотиха. — Как ужасны эти твои планы! Вы же все друг друга перебьёте на этой войне: они — вас, а вы — их. Не развязывай войну, Медведь, ну пожалуйста, не развязывай войну! Нам всем следует жить в мире и любви! — И, говоря это, Койотиха потихоньку вытащила острый ножик из обсидиана, который украла у Целителей, да и отрезала Медведю яйца; ножик был таким острым, что Медведь даже не почувствовал ничего.

Потом она сунула медвежьи яйца в карман и убежала. И отправилась туда, где жило племя людей. Люди курили табак и пели. Они занимались изготовлением пороха и пуль и чистили свои ружья, готовясь к войне с медведями. Койотиха пошла к их главному военачальнику и сказала:

— О, как вы храбры, доблестные мужи! Вы истинные воины! Каким же мужеством нужно обладать, чтобы с одними лишь ружьями выйти против медведей!

Военачальник забеспокоился и спросил:

— А у них какое оружие?

— У них, — заявила Койотиха, — оружие секретное. Но не могу сказать какое. — Однако, заметив, что военачальник

77

не на шутку разволновался, прибавила: — У них огромные ружья, которые стреляют волшебными пулями, способными превращать людей в медведей. Я вам парочку таких пуль принесла. — И она показала военачальнику медвежьи яйца.

И все воины, которые подходили посмотреть, огорченно спрашивали:

— Что же нам теперь делать?

Койотиха и придумала:

— Значит, так: ваш самый главный военачальник должен выстрелить своими волшебными пулями в медведей и тем самым превратить их в людей.

Но генерал рассердился:

— Нет уж! Уберите эту койотиху отсюда, от нее одни неприятности!

И люди стали стрелять в Койотиху, чтобы ее прогнать.

Началась война. У медведей были их бесстрашные сердца и когти, а у людей — табачный дым и ружья. Люди стреляли, и убивали медведей одного за другим, и убили почти всех, кроме тех четырех или пяти, которые явились на войну с опозданием и успели отступить и скрыться. Оставшиеся в живых медведи убежали и спрятались в диком краю.

Там они и встретили Койотиху.

— Зачем ты так поступила, Койотиха? — спросили они. — Почему ты не помогла нам, а взяла да и украла яйца нашего лучшего воина?

Койотиха ответила им:

— Если бы я сумела тогда заполучить яйца этого человека, все было бы хорошо. Послушайте-ка меня. Эти люди слишком часто спариваются и слишком быстро думают. Вы же, медведи, спариваетесь лишь раз в году и слишком много спите. У вас нет ни малейшей надежды победить их. Оставайтесь здесь, в диком краю, со мной. По-моему, война — не лучший способ жить рядом с людьми.

И медведи стали жить в диком краю. Почти все звери решили жить там вместе с Койотихой. Кроме муравьев. Они по-прежнему хотели воевать с людьми, и начали войну с ними, и до сих пор с ними воюют.

꙳

[Кто-то еще из присутствующих добавляет:] — Это правда, так оно и было. Вот, например, Блоха — старинная приятельница Койотихи; они ведь, как вы знаете, даже живут

вместе. Так вот, Блоха посылает своих малышей разбойничать в человеческих жилищах и говорит им: «Ступайте, и пусть они почешутся хорошенько! И дети их тоже пусть немножко почешутся!» [Ребенок, слушающий рассказ, взвизгивает, когда рассказчик щиплет его легонько и щекочет.]

[Еще кто-то вступает:] — Точно. А еще, помните, как когда-то Койотиха сказала Псу: «Уж больно я разгневана тем, что люди выиграли войну с медведями! Пойди-ка ты, Пес, в их город и убей их самого главного генерала».

Пес согласился и отправился в человечий город. Однако женщины в доме, где жил тот военачальник, дали Псу мяса, вытащили у него из ушей колючки, стали гладить его и ласкать и совсем приручили. Когда они говорили ему: «Ложись!», он ложился, когда они подзывали его к себе, он подходил. Этот Пес очень тогда подвел Койотиху и сильно разочаровал ее, перейдя на сторону человека.

[Разговор продолжается еще какое-то время, и самые маленькие дети начинают клевать носом. Их укладывают спать в летней хижине, и все ненадолго замолкают, пока один из стариков поет простенькую колыбельную, которой вторит пиликанье сверчка. Дети уснули, и снова вступает первый рассказчик:] — А тот человек, ну, помните, тот военачальник, который перебил всех медведей, он, конечно, хотел, чтоб его сыновья тоже стали генералами и героями. Он, видно, считал, что весь его героизм спрятан в мошонке. Может, он эту идею у Койотихи почерпнул, не знаю, да только он сам себе яйца взял да и отрезал и каждое по отдельности положил в специальный медный футляр, состоявший из двух половинок, которые могли завинчиваться. Генерал отдал по одному футляру каждому из своих сыновей и сказал: «Даже если вы станете наполовину такими же замечательными мужчинами, каким был я, то и этого достаточно. Вы и тогда будете бесстрашными, а значит, завоюете и перебьете всех своих врагов».

Но сыновья этому не поверили. Каждый считал, что ему непременно нужны оба яйца.

И вот один из них отправился ночью в дом другого, прихватив с собой нож. Но второй уже поджидал его, и тоже с ножом. И стали они биться, колоть и резать друг друга ножами, пока не истекли кровью до смерти. А старый генерал утром вышел из дому, смотрит — кровь на тропинке и на ступеньках крыльца, кругом люди плачут, а его сыновья лежат мертвые, скрючившись на земле.

И тогда он невероятно разгневался, прямо-таки в бешенство пришел и все кричал: «Верните мне мои яйца!»

Но его невестки уже забрали футляры, а сами яйца выбросили на гору, в то место, куда для канюков бросают отходы из лавки мясника, потому что яйца эти уже провоняли. Однако старик так гневно орал, что они задумались: «Что же нам делать?» И придумали: вымыли те медные футлярчики, завинтили их как следует, а может, еще и клеем каким-нибудь заклеили и отдали старому генералу.

«Вот твои драгоценные яйца, свекор, — сказали они. — Ты бы лучше пришил их на то место, где им быть полагается. У твоих сыновей остались одни только дочери, им это украшение ни к чему».

Ну что ж, старик пришил себе медные яйца, да так с ними и ходил. При ходьбе они у него позвякивали. Он говорил: «Когда в этом городе родится настоящий генерал, я ему их отдам». Но ведь там ничего не было, медные футляры были пусты! Так что когда старый военачальник умер, эти медные яйца похоронили вместе с его пеплом.

[Еще один из присутствующих подтверждает:] — Это правда, чистая правда, а потом еще Койотиха пришла да и вырыла их из могилы...

[Другой вторит ему:] — Это правда, чистая правда, и она носила их как сережки, когда танцевала Танец Луны.

ПРИМЕЧАНИЕ ПЕРЕВОДЧИКА

История о войне людей с медведями была, по всей видимости, хорошо известна присутствовавшим взрослым; они выказывали свое одобрение рассказчику, если тот употреблял какой-либо особенно изящный оборот в этом импровизированном повествовании, шепча ему похвалы или смеясь в нужном месте. История Пса, очевидно, также представляет собой сокращенный вариант хорошо известной сказки. Рассказывались ли эти истории при детях или после того, как их или по крайней мере младших укладывали спать, зависело от того, что принято в той или иной семье. Подобные истории могут быть либо свободной импровизацией, либо более или менее точным пересказом некогда услышанного. Мне порой казалось, что слушатели просто не знали, что последует дальше, однако с удовольствием помогали рассказчику изобретать новые повороты сюжета и новые краски в изображении действующих лиц своими вопросами, дополнениями и смехом.

РОЖДЕННЫЙ МОРЕМ

Рассказано Маленькой Медведицей из Синшана

Жила-была в Унмалине одна семья из Дома Синей Глины, в которой вместо обычного ребенка родилась рыбка. Да, это была настоящая девочка и одновременно настоящая рыбка. Иногда она была больше похожа на человека, иногда же — на рыбу. Она могла дышать как на суше, так и в воде, то есть у нее были и легкие, и жабры. Долгое время родители не подпускали ее к воде, надеясь, что она непременно совсем очеловечится, если будет все время оставаться на суше. Ходить как следует эта девочка не умела: ножки у нее были слабые, и она могла делать только крошечные шажки. Но однажды, когда она была еще совсем маленькой, а вся семья работала в поле, ее колыбельку поставили в тень возле дома, и она спа-

81

ла, спала, да и проснулась, а потом поползла к прудику, что был неподалеку. Когда взрослые воротились, они сразу заметили, что колыбелька пуста. Дедушки, бабушки, мать и отец и все остальные родственники бросились искать девочку. А ее брат услышал плеск в пруду и пошел туда. Глядь, а там его сестренка из воды выпрыгивает точно форель. Когда же собрались все остальные, девочка нырнула и больше не показывалась. Они и решили, что дочка их утонула, все разом бросились в воду и страшно ее замутили, поднимая со дна ил и грязь. Девочка же спряталась на самом дне, глубоко зарывшись в ил, но родственники все-таки ее заметили, потому что она поблескивала в мутной воде, как рыбка. Когда они вынесли ее на берег, она начала задыхаться и корчиться, но потом привыкла и снова стала нормально, как все люди, дышать воздухом.

После этого ее держали дома взаперти или глаз с нее не спускали, когда разрешали погулять на улице, и никуда от нее не отходили. А старший брат все время носил ее на руках. Именно он чаще всего и оставался с нею. Девочка росла очень плохо и была все еще очень маленького роста, даже когда начала превращаться в девушку, так что брат мог

по-прежнему носить ее на руках без труда. Она часто просила отнести ее к Великой Реке, но брат всегда отвечал ей: «Погоди немножко, сестренка-кекошби, еще немножко подожди, пожалуйста». Он был помощником пастуха при большом стаде в Унмалине и, отправляясь на пастбище, всегда брал с собой сестренку, особенно туда, где были небольшие ручейки и неглубокие заводи, чтобы она там поплавала и поиграла. Но сам всегда стоял на берегу и следил за ней. Когда она стала сильнее, повзрослела и начала учить песни Общества Крови, брат часто относил ее в хеймас Обсидиана и встречал после занятий, а по вечерам он брал ее к Великой Реке На, и они уходили вниз по течению, подальше от города, туда, где Река огибает Холм Унмалин и на излучине в ней есть довольно глубокие заводи. Девушка подолгу плавала, а брат всегда ждал ее на берегу. Каждый вечер она уплывала все дальше, и ему приходилось ждать все дольше.

Он и говорит: «Кекошби, кекошбинье, меня все спрашивают, куда это мы ходим по вечерам и почему мы так поздно загоняем стадо в хлев».

«Такошби, матакошби, — ответила она, — мне не нравятся те песни, которые поют в Первом Доме под землей, песни крови. Мне нравятся песни воды, что поются в нашем Доме, в Доме Синей Глины. И мне совсем не хочется возвращаться на сушу».

И он сказал: «Не уплывай!»

И она ответила: «Я постараюсь».

Но однажды вечером все-таки уплыла вниз по реке так далеко, что морская вода проникла сквозь ее кожу, и она отведала ее вкус. Она вернулась тогда, приплыла назад к своему брату, который ждал ее на берегу глубокой заводи под горой, и сказала: «Матакошби, я должна уплыть отсюда. Я попробовала той крови, что растворена в Реке. Теперь я должна плыть дальше». Брат и сестра прижались друг к другу щеками, потом она скользнула обратно в воду и уплыла. А парень пришел домой и сказал: «Она уплыла, навсегда уплыла в море». Люди сперва решили, что он просто оставил ее в реке, устав носить на руках и заботиться о ней, и стали кричать на него: «Почему ты позволил ей оказаться вблизи от Реки? Почему не держал ее все время на суше? Почему ты оставил ее одну?» Брату девушки было очень стыдно и грустно. Когда он оставался один, пас скот или обихаживал его в хлеву, он порой плакал от стыда и одиночества. Он разговаривал с рыбками, жившими в Реке На, и с чайками морскими, что в дождливую погоду залетали в Долину, и всегда просил их: «Если увидите мою сестру, скажите ей, чтоб она приплыла домой!»

Однако прошло немало времени, прежде чем сестра его вернулась к нему. Вечерами он всегда бродил по берегу Реки, а было самое начало сезона дождей, и в тот вечер уже моросил дождь. Почти стемнело, когда он вдруг увидел в воде у самого берега глубокой заводи что-то белое. И услышал звуки — ошшх, ошшх, — словно вздыхали морские волны. Сквозь заросли ивняка он пробрался к самой воде, и там, в воде, на отмели оказалась его сестра. Кожа у нее была очень белая, и она звала его: «Такошби! Матакошби!» Он хотел было вынести ее из воды, но она сказала: «Нет! Не надо!» Она была очень белая и какая-то раздувшаяся. Там, на отмели возле берега, она и родила своего ребенка, настоящего белокожего ребеночка, не рыбку, а беленького хорошенького мальчика. Ее брат вынул мальчика из воды и завернул в свою рубаху. Она молча смотрела, как он это делает, а потом вздохнула, выгнулась дугой и умерла там же, на отмели. Случайные прохожие отвели ее брата с новорожденным домой, а потом спели умершей полагающиеся обрядом песни и на следующий день сожгли ее тело в отведенном для этого месте, ниже по течению Реки, близ Себбе. Пепел ее они бросили в Реку, а не погребли в земле. Шахуготен, Морем Рожденный, — так был назван тот мальчик.

У некоторых жителей Унмалина, принадлежащих Дому Обсидиана, очень светлая, почти белая кожа. Это внуки и правнуки дочери того мальчика. Рожденного Морем.

ХРАНИТЕЛЬНИЦА

Рассказано Лучником, библиотекарем хеймас Змеевика из Унмалина. Эта история — пример «чистой формы» повествования, отличной от обычной импровизации или «неформального» пересказа любителя. История явно носит дидактический характер. Она считается вполне достоверной, место действия в ней указано предельно точно. С другой стороны, существует иная ее версия, рассказываемая как раз в Чумо (см. текст), которая начинается словами: «Вниз по течению Великой Реки, в Долине, в городе Тачас Тучас...»

Вверх по течению Великой Реки, в Долине, в городе Чумо жила-была молодая женщина, ученица хеймас Третьего Дома, которая еще носила некрашеную одежду; и в этой хейимас она была Хранительницей, то есть присматривала за вещами, убирала их на место, доставала, когда нужно, — словом, отвечала за все имущество хеймас: за костюмы для Танцев, для пения, для обучения ритуалам и за вещи, подаренные и предназначенные для подарков. Там были разные наряды, костюмы для исполнителей Танца Лета, различные красивые камни, рисунки на бумаге, на ткани и на дереве, коллекции птичьих перьев, шляп, музыкальных инструментов, говорящие барабаны и большой священный барабан, специальные трещотки для танцоров, сделанные из сухих тыквочек и из раковин, из оленьих копыт и из глины, различные ценные записи, книги, сладкие и горькие травы, засушенные цветы, резные вещицы и разные прочие хехоле-но, настоящие шедевры, и вообще — всякие ценные и ценимые всеми вещи, а также сундуки, их содержащие, и ткани, в которые они были завернуты, и полки, и ящики, и шкафы, и прочие места, где они хранились в полном порядке и чистоте, с должным уважением к их красоте и достоинству. И хранила их именно она. Таков был ее природный дар, она делала это хорошо, и исполнение этой работы доставляло ей удовольствие. Стоило какой-нибудь вещи понадобиться, как она тут же приносила ее, точно зная, где она лежит, совершенно готовая к тому, чтобы ею пользоваться. Если кто-то приносил вещь в дар хеймас, то и ей она тут же находила подобающее место. Если же какая-то вещь пачкалась или изнашивалась, она чистила ее и чинила, а если вещь становилась такой старой, что и починить было нельзя, она старалась использовать ее как-нибудь еще. Она продолжала оставаться Хранительницей, даже когда стала взрослой, вышла замуж и родила ребенка. Это была ее главная работа и забота, и никто другой в хеймас не делал этого лучше, чем она.

И вот как-то один человек вырезал из земляничного дерева очень красивую вещицу, хехоле-но, настоящий шедевр, специально в подарок тому Дому, где растет земляничное дерево. Он оставил свой дар в пятом углу главного помещения хеймас. Хранительница увидела вещицу, когда все уже разошлись по домам. Она взяла ее в руки. Вещь ей очень понравилась, и она все не выпускала ее из рук, смотрела на нее и думала: «Эта вещь мне очень подходит, ну будто бы создана прямо для меня. Возьму-ка я ее с собой ненадолго». И она взяла вещицу в дом, где жила со своей семьей, отнесла ее в свою комнату и спрятала в потайную корзинку с крышкой, прикрыв другими вещами. Там вещица и оставалась. А Хранительница не слишком часто смотрела на нее и совсем ею не пользовалась.

В другой раз один человек смастерил для Дома Змеевика танцевальный костюм из оленьей кожи, расшитый орнаментом из листьев и крупных желудей медного цвета. Хранительница как раз несла наряд, чтобы убрать его в шкаф, когда вдруг подумала: «Эта вещь прямо-таки создана для меня». Она померила костюм, да так и осталась в нем, а за работой все время думала: «Ах, как хорошо сидит! Ах, как мне нравится! Ну прямо на меня шито. А может, я летом буду танцевать в этом костюме? Ну так, чтобы кто-нибудь другой не выбрал его себе раньше меня, спрячу-ка я его до Летних танцев подальше!» И она взяла замечательный наряд домой и положила на самое дно своей заветной корзины. Там он и оставался. И во время Летних танцев она его, конечно, не надела.

А потом целая семья принесла в хеймас много сухих толченых ягод манзаниты. Хранительница выставила какую-то часть этого дара в пятом углу, а остальное забрала домой, думая: «У моего сына из-за пыли всегда в сухой сезон горло пересыхает, и он так сильно кашляет, что сидр из манзаниты ему, конечно же, будет очень кстати. Я это приберегу и использую, когда будет нужно». Она высыпала порошок в стеклянный кувшин с пробкой и поставила в кладовку. Там он и остался. И никакого сидра из него в сухой сезон она не сделала.

Через некоторое время одна женщина принесла в дар хеймас флейту, сделанную из оленьей ноги; эта флейта прежде долго хранилась во Втором Доме и была очень-очень старой; много-много раз прежде она играла четырехголосную хейю. Хранительница положила ее вместе с остальными флейтами Третьего Дома, но все время возвращалась и вынимала ее из сундучка, перекладывала с места на место и думала: «Этой вещи не годится быть здесь; слишком она стара, чтобы на ней играть. На флейтах играют беспечные люди — дети, музыканты. А эта флейта слишком стара и прекрасна, чтобы с ней обращались как с обычным инструментом». И Хранительница взяла ее домой, а потом спрятала в свою корзинку с крышкой. Там она и осталась. И никто на ней больше не играл.

И вот как-то раз один человек принес в дар всего лишь кусок кукурузного хлеба. Человек этот был очень стар, бестолков, да и кусок хлеба тоже был старый, черствый как камень; он его и жевать-то не мог. Он отломил тот кусочек с

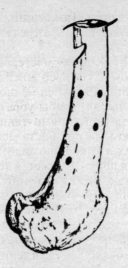

Костяная флейта

краю, где пытался откусить, и выбросил, а остальное положил в пятый угол хейимас, приговаривая: «Может, кто из молодых, у кого зубы крепкие, съест его». Хранительница нашла хлеб, бросила на пол и вымела вместе с мусором, когда убирала в хейимас, а потом вынесла мусор на крышу и выбросила в мусорную кучу.

Еще и день тот не кончился, как Хранительница почувствовала, что заболела. А на следующий день ей стало совсем худо: судорогой сводило живот, ныли руки, болели прямая кишка и все зубы сразу. Люди один за другим навещали ее, приносили лекарства, пели целительные песни, однако сама она петь эти песни не могла. Целители старались облегчить страдания несчастной, но ничто ей не помогало, а все время становилось только хуже, боль усиливалась, и бедная Хранительница вся распухла — и руки, и ноги, и живот, и лицо.

Один ее родственник по Третьему Дому, который исцелял своим пением, пришел, чтобы помочь ей победить недуг. Он пел и внимательно наблюдал за нею. Она же стонала и совсем его не слушала. Когда целительная песнь закончилась, он сказал: «Сестра, а ведь смысл такой песни в том, чтобы ее пели вместе!» И ушел домой.

А она, оставшись одна, вдруг подумала о его словах; их она расслышала хорошо. И все время продолжала об этом думать, хотя уже совсем ослабела, вся раздулась и корчилась от болей в животе. Ее мучила тошнота, но рвоты не было; ей хотелось в уборную, но из нее ничего не выходило. И она подумала: «Из-за чего же я умираю?» И вспомнила про те вещи, что спрятала в своей корзинке. Она доползла до нее и стала искать ту флейту из оленьей ноги и ту красивую хехоле-но из земляничного дерева. Но ничего, ничего не было на дне корзины, только комки какой-то липкой грязи! Она стала искать в своем сундуке с нарядами тот расшитый костюм из оленьей кожи. Но там, под другой одеждой, нашлись только какие-то грязные лохмотья. Она с трудом сползла по лестнице в подвал и стала искать на полках порошок манзаниты для приготовления сидра. Но в стеклянном кувшине была только грязь на дне и пыль на стенках. Хранительница отправилась в хеймас, еле волоча ноги, падая и громко крича: «Где же он? Где?» И ползала на четвереньках в грязи у внешней стены хеймас, а грязь забивалась ей под ногти, и она все плакала и кричала: «Где же он?» Люди решили, что Хранительница сошла с ума. Но она все-таки отыскала его — тот кусок кукурузного хлеба или какой-то его обломок, а может, это был просто кусок грязи, но только она решила, что как раз это и есть тот кусок хлеба, и съела его. А потом легла, затихла и больше не шевелилась. Ее отнесли домой и стали петь для нее, и она внимательно слушала целебное пение. Вскоре ей стало лучше, и она поправилась. Но после этого случая за вещами, хранившимися в хеймас, присматривали уже другие люди.

СУШЕНЫЕ МЫШИ

История, которую рассказал детям дождливым днем в хеймас Змеевика в Синшане старик семидесяти с лишним лет по имени Королевский Питон

Ребенок этот появился у Койотихи неведомо откуда, это был не ее собственный детеныш, а детеныш человека. Скорее всего, она его просто где-то украла. Например, увидела ребенка, оставленного без присмотра, и решила: «Возьму-ка я этого малыша к себе домой». Как захотела, так и сделала. Ее собственные дети с удовольствием играли с ним. Койотиха его кормила, и человеческий детеныш толстел от ее молока. Вскоре он стал куда толще, чем ее собственные щенки, которые были просто кожа да кости, ну и еще хвостик, конечно. Но им это было безразлично. Они играли с человеческим детенышем, прыгали ему на спину, и он на них прыгал, они его покусывали, и он их покусывал, и все они спали вместе, свернувшись в клубок, в доме Койотихи. Вот только ребенок все время мерз, ведь он был совсем голый, шерсти-то у него не было. Он вечно хныкал и дрожал. Койотиха и говорит ему: «В чем дело?» — «Я замерз». — «Ну так отрасти себе шерсть!» — «Не могу». — «А я чём тебе помочь могу?» — «А ты должна развести огонь, именно так поступают люди, когда им холодно». — «Ох! Ну ладно!» — сказала Койотиха и отправилась прямехонько туда, где жили люди. Она дождалась, когда они разожгли огонь в очаге, потом вбежала в дом, схватила горящее полено и помчалась прочь. От горящего полена сыпались искры, и у нее за спиной сухую траву охватил огонь. За спиной у Койотихи начался пожар, горели травы. Когда она добралась наконец домой, пожар полыхал уже на десяти холмах. Всему ее семейству пришлось спасаться бегством, они бежали со всех ног, а потом, обезумев от страха, попрыгали в реку! И с головой погрузились в воду, выставив только носы. «Эй, — спросила Койотиха человеческого детеныша, — тепло ли тебе сейчас?»

Когда они наконец вылезли из реки, на одной ее стороне холмы все полностью выгорели. Потом пришли дожди, стало холодно, в тот год зима была суровая. Койотиха со своим семейством переселилась в новое логово на другом берегу реки. Там человеческому детенышу было еще холоднее, но просить Койотиху снова разжечь огонь ему не хотелось, и он решил: «Не буду я больше жить с этими койотами в их холодном доме. Пойду туда, где живет мой собственный народ, и стану жить, как все люди». Итак, среди бела дня он вдруг встал — а дело в том, что в полдень все койоты обычно спят, — взял из дому немного еды — вяленой оленины и сушеных мышей и отправился в путь. Он шел весь день, а порой даже и бежал, чтобы поскорее убраться от Койотихи и от ее дома подальше. Под вечер, после захода солнца, ребенок стал искать, где бы ему спрятаться на ночь и поспать. Он отыскал какой-то выступ, настелил на него еловых веток, улегся там и уснул.

А Койотиха в это время как раз проснулась. Она спокойно потягивалась и зевала, когда щенки вдруг сказали ей: «Эй! А где же Двуногий?» Она огляделась, потом вышла и заглянула за угол своего дома. Там она и увидела ребенка; он спал на полке, где Койотиха хранила свои вещи. «Вон он там, на полке, — сказала она. — Но интересно, почему это он спит именно там?» И все койоты ушли из дома охотиться.

А ребенок наутро проснулся и снова целый день бежал и шел; он прошел ужасно долгий путь, а ночью спрятался в какую-то пещеру и уснул. Койоты в полночь проснулись. «Эй! А где же Двуногий?» Койотиха огляделась. «Да вон он, в моей корзинке со швейными принадлежностями. Вот только интересно, зачем он туда спать залез?» И они ушли на охоту.

На следующий день ребенок все-таки добрался до города, где жили люди. Все от него шарахались, потому что выглядел он уж больно непривычно, а кое-кто даже стал швырять в него камнями, чтобы прогнать прочь, но он остался. Он спрятался под крыльцом какого-то дома, а ночью вылез и улегся спать на крыльце, возле двери. Когда люди, жившие в этом доме, увидели ребенка, они пожалели его, внесли в дом и положили спать возле огня. А в это время койоты как раз просыпались у себя в логове, и щенки озирались и спрашивали: «А где же Двуногий?» — «Ах, мой ребенок сбежал! Мой ребенок ушел в другой дом!» — закричала Койотиха, вылезла из норы, выла и плакала всю ночь, а потом и говорит: «Верни мне моих сушеных мышей!» Вот и считается, что именно эти слова она все повторяет, когда ходит вокруг города при свете луны: «Верни мне моих сушеных мышей!» Да, люди так говорят.

ДИРА

Рассказано группе детей и подростков Красным Быком, мужем Ярости, в хеймас Обсидиана

Хейя хей хейя, хей хейя хейя, однажды, давным-давно в здешних местах во времена холода и мрака шла по холмам одна женщина из племени людей и искала себе пропитание. Она срывала бутоны с цветущих кустарников, ставила силки на водившихся в кустах кроликов, собирала все сколько-нибудь съедобное, потому что весь ее народ голодал, как и она сама. То были тяжелые времена, когда людям, как известно, приходилось трудиться день и ночь, чтобы добыть хоть немного пищи, и люди часто умирали от голода и холода, и не только люди, но и животные.

И вот эта женщина охотилась понемножку, занималась собирательством среди холмов, а как-то раз решила спуститься в ущелье, где, как ей показалось, у ручья виднелись коричневые хвосты камыша. Она с трудом пробралась сквозь заросли колючего кустарника, карликового дуба и терна, потому что ни козьих, ни оленьих троп там не было, даже и кроличьих тропок не было тоже. Ей пришлось пробиваться сквозь густые заросли, чтобы спуститься в это ущелье. А небо потемнело, как если бы собирался пойти сильный дождь. Женщина подумала: «Ах, ведь еще до того, как я выберусь из этих колючих кустов, я вся буду в клещах, сейчас сезон такой!» И она все время ощупывала шею и руки, ворошила волосы, проверяя, не присосались ли к ней клещи. Никаких камышей она в ущелье не нашла. И вообще там не было ничего съедобного. Тогда она побрела вдоль ручья, вниз по течению, продираясь сквозь низкий спутанный кустарник на берегу, который все норовил разорвать на ней рубаху и раздрать кожу своими шипами. И вот она вышла к такому месту, где рос очень высокий и густой желтый ракитник. Больше ничего там не росло. Ракитник был наполовину сухой и потому казался серым; цветы на нем еще не распустились. Женщина двинулась напролом сквозь заросли ракитника и прямо перед собой увидела: стоит среди кустов какой-то человек. Он был широкоплечий, но очень худой, с темными волосами и маленькой головой, а на одной руке у него совсем не было пальцев, только два зубца, похожих на щипцы или клещи. Человек этот стоял там и чего-то ждал. Говорят, у него и глаз тоже не было.

Женщина остановилась и замерла, а потом попыталась тихонько отступить в том направлении, откуда пришла. Но ветки ракитника сплелись у нее за спиной и громко затрещали, когда она попятилась, так что ей оставалось лишь медленно продвигаться вперед. Загадочное существо стояло неподвижно, не шевелилось, не смотрело на нее, так что она даже начала думать, что оно, возможно, и неживое. И решила тогда: «Может, мне как-нибудь удастся пройти мимо него?» Она почти бесшумно пошла вперед, ступая очень осторожно, ловко и быстро. Существо ждало и не шевелилось. Проходя мимо, женщина разглядела, какое оно худое и плоское, будто высохшее, и подумала, что, может быть, эта штука никогда и не была живой. Она подошла к нему совсем близко и уже повернулась к нему спиной, когда оно прыгнуло и схватило ее сзади той рукой с двумя зубцами за шею, сдавив ее точно клещами. Существо держало ее и говорило: «Возьми меня к себе домой!»

Женщина стала вырываться, просить: «Отпусти меня!» и все пыталась освободиться, но существо держало крепко. Она уже задыхалась, однако хватка его не ослабевала. И она сказала тогда: «Ладно. Я возьму тебя к себе домой!»

«Ну вот и хорошо», — сказало существо. И только тогда отпустило ее. Когда же она смогла наконец обернуться и посмотреть на него, то оказалось, что с виду существо совсем как настоящий мужчина, темнокожий и худой, с небольшой головой и маленькими глазками, с двумя руками и двумя нормальными кистями — каждая с пятью пальцами, и все остальное у него тоже было вроде бы таким, каким и должно быть у нормального человека. «Иди вперед, — сказал ей мужчина, — а я за тобой следом».

И женщина пошла впереди, а он за ней.

И пришли они в тот город, где она жила. Городок был небольшой, всего несколько домов и несколько жалких семей, затерявшихся в глубине этой темной холодной долины. Женщина явилась к себе домой вместе с мужчиной, который шел за ней по пятам, и домочадцы спросили ее: «Это кто же такой с тобой пришел?»

Она ответила: «Просто голодный человек».

И они сказали: «Да, конечно, он ужасно худой, и мы, разумеется, поделимся с ним всем, что у нас есть».

Женщина хотела было сказать: «Нет! Отошлите его скорее прочь!», но стоило ей раскрыть рот, как горло ее так сдавило, что она чуть не задохнулась; ей даже показалось, что незнакомец все еще сжимает ее шею своей клешней. Так она и не смогла ничего сказать против него.

Ее родственники спросили у незнакомца, как его зовут, и он ответил: «Дира».

Пришлось женщине провести этого Диру в свою комнату. Он вошел и сразу уселся у огня. И ей пришлось разделить с ним всю ту еду, которую она принесла для своих детей и матери. Еды было немного: бутоны цветущих кустарников да съедобные побеги и листья, больше она ничего не нашла. В итоге все так и остались голодными, один Дира сказал: «Ах, как хорошо! Как вкусно!» И правда, он уже больше не казался таким худым.

Он спросил у той женщины: «Где твой муж?»

Она ответила: «В прошлом году умер».

Дира сказал: «Я займу его место».

Она хотела сказать: «Нет! Ни за что!», но не смогла: горло ей сдавило так, что голова чуть не лопнула, и она совсем не могла дышать. Пришлось сказать: «Да».

Итак, Дира стал ее мужем, и женщина с этим смирилась.

Через какое-то время мать упрекнула ее: «Этот твой муж, которого ты в лесу подобрала, все время бездельничает».

«Он все еще слишком слаб, ведь он так долго голодал», — ответила она.

Люди в городке тоже удивлялись: «Почему этот Дира не возделывает землю, не охотится и не пытается заняться собирательством? Сидит себе дома дни и ночи да баклуши бьет».

Женщина всем отвечала: «Он болен».

Однако они возражали ей: «Может, он и был болен, когда явился сюда, но теперь-то — вы только на него посмотрите!»

А пришелец и впрямь стал весьма упитанным — и с каждым днем становился все толще. Кожа его теперь была уже не темной, а красно-коричневой.

«Он все толстеет, а ты и твоя семья все худеете, вон какими тощими стали, как это понимать?» — спрашивали женщину соседи. Но она ничего им объяснить не могла. Если она пыталась хоть слово сказать против Диры, даже когда того рядом не было, то сразу начинала задыхаться так, что слезы выступали у нее на глазах, и она говорила: «Не знаю».

Жители города своевременно посадили в гряды саженцы, посеяли семена, однако лето оказалось чересчур сумрачным и холодным. Все семена погнили, не успев прорасти. Саженцы погибли. Охота давала мало добычи; да и зверей там водилось маловато, особенно тех, что принадлежат Дому Синей Глины, и эти звери тоже голодали и болели; какие-то животные из Дома Обсидиана еще встречались, правда, но еды в достатке не было ни у кого. Дети той женщины совсем ослабели, животы у них раздулись и болели. Она плакала, а ее новый муж смеялся: «Смотри, они похожи на меня! — говорил он. — У нас у всех теперь большие животы!» Он ел все, что угодно, и с каждым днем становился все более толстым и красным. У той семьи была одна корова, и травы пока хватало, чтобы прокормить ее; только благодаря коровьему молоку дети все еще оставались живы. Однажды женщина увидела, как Дира отправился в поле, и очень обрадовалась: «Ну вот, смотрите-ка, и мой муж работать пошел!» А он направился прямиком туда, где паслась корова, и женщина решила: «Он хочет позаботиться о сестре нашей, корове». Но на самом деле он вот что сделал: напился, насосался коровьей крови. И стал делать так каждый день, и вскоре корова уже не могла давать молоко, а он все продолжал сосать ее кровь, и однажды корова легла прямо в поле на землю и умерла. Тогда он освежевал ее тушу и явился домой с говядиной. Ему пришлось несколько раз сходить туда и обратно, чтобы перенести все. «Посмотрите, как упорно трудится мой муж!» — говорила женщина. А по щекам ее катились и катились слезы. И все люди это видели.

Без молока дети быстро слабели. А Дира, хотя и разговаривал с ними всегда очень ласково, никакого мяса им не дал. Он все съел один. Иногда, правда, он спрашивал их — и детей, и их мать и бабушку: «Как, неужели вы не хотите мяса? Попробовали бы хоть!» Однако стоило ему сказать это, как у них горло сжимало так, что они только и могли головой качать; ну и, конечно же, он один съедал все мясо, улыбаясь и шутя. Вскоре умер один из детей. Второй, старший, тоже был при смерти. Зато Дира стал таким толстым, что уже не мог подняться и просиживал у огня днями и ночами. Живот у него был огромный, словно шар, а кожа — туго натянутая и бледно-красного цвета. Глазки совсем заплыли жиром. Руки и ноги были похожи на корни или обрубки ветвей, торчавшие из шарообразного жирного тела. Жена же его и ее мать неотлучно оставались у постели умирающего ребенка.

Тогда жители города собрались все вместе, чтобы посоветоваться. Они посоветовались и решили Диру убить. Мужчины были очень разгневаны и все говорили: «Ножом бы по этому горлу, пулю бы в это пузо!» Но была там одна хромая женщина, которая сказала: «Только не так, только не таким способом. Это ведь и не человек вовсе!»

«Но мы все равно убьем его!» — возразили они.

«Если вы убьете его обычным способом, то его жена и вся ее семья умрут с ним вместе. Вы не должны проливать ту кровь, что в нем скопилась. Это ведь их кровь», — сказала хромая женщина.

«Тогда мы его задушим», — сказал один из мужчин.

«Да, именно так и следует поступить», — согласилась хромая женщина.

И вот жители города отправились все вместе в тот дом. Дверь была заперта. Они выбили замок и вошли. Бабушка, мать и ребенок лежали на полу, словно куча старых обглоданных костей, слишком слабые, чтобы даже сидеть. Они умирали. Дира по-прежнему сидел у огня, похожий на огромный красный кожаный шар. Увидев людей, он быстро переменил обличье и снова стал тем существом, каким был прежде, с клешней вместо пальцев, но теперь он был слишком толст и неповоротлив, чтобы кого-нибудь схватить. Люди принесли с собой большой сосуд с эвкалиптовым маслом и, схватив Диру, наклонили ему голову и сунули ее прямо в масло. Так они держали его довольно долго, и он долго еще сопротивлялся и никак не умирал, но они не отпускали его, и наконец его огромное толстое тело перестало дергаться, застыло, а потом начало быстро съеживаться. Оно становилось все меньше и меньше, и вдруг сама эта женщина, ее мать и ребенок сели. Тело Диры еще уменьшилось, и они встали. Потом оно стало размером с кулак, не больше, и они снова смогли говорить. А когда тело Диры стало размером с грецкий орех, они наконец смогли двигаться, как прежде, и рассказали, что же с ними произошло. За это время тело Диры уменьшилось до размеров ногтя, стало совсем плоским, сухим и темным, и люди, которые были заняты тем, что обнимали и утешали женщину и ее семейство, не заметили, что же происходит с этим, крошечным теперь, телом. А оно все продолжало уменьшаться и превратилось в маленькую чешуйку, которая легко всплыла на поверхность, выбралась из сосуда с маслом и скользнула за дверь, а потом скрылась в холмах, чтобы терпеливо ждать, когда мимо пройдет еще какой-нибудь доверчивый человек. Говорят, Дира и сейчас там стоит.

ПОЭЗИЯ

РАЗДЕЛ ПЕРВЫЙ

 Как сказано в главе «Устная и письменная литература» (см. «Приложения»), некоторые виды поэзии Долины являлись письменными, другие записи вообще не подлежали, однако, как бы ни исполнялись стихи — в виде импровизации, наизусть или с листа (перед аудиторией или в одиночестве), их всегда читали вслух.

В этот раздел включены некоторые импровизации, а также общеизвестные песни, которые, как и любые фольклорные произведения, давно утратили автора и принадлежат всем (хотя всем в Долине принадлежат отнюдь не все стихи и песни: некоторые из них «подарены», а некоторые получены в награду), кое-какие детские песенки и «публичные импровизации», то есть стихотворения, созданные во время какого-нибудь соревнования или написанные в присутствии публики.

Пастушья песня из Чумо

Хорошо, ты получишь послед,
но не ягненка, Койот.
У овцы копытца остры,
ох, берегись, Койот!

Мог бы взять я в жены любую,
но только не эту, Койот.
Матери ее я не нравлюсь,
ох, берегись, Койот!

Песня стрекозы

Унмалин, Унмалин!
Чудный город над рекой!
В хлева под темными дубами
твой скот приходит вечерами.
Воде журчащей звук их колокольчиков подобен.
А с круглого холма над Унмалином
видны все виноградники Долины,
и слышно, как поют там люди,
собравшись на закате в дом родной вернуться.

ПРИМЕЧАНИЕ

«Песнь стрекозы» — это импровизация, нечто в достаточной степени эфемерное: возникнет и тут же исчезает.

Это стихотворение было прочитано Ракитником членам одной из семей Унмалина на балконе летним вечером, и когда я сказала, что оно мне нравится, автор тут же записал его и подал мне.

Песня Общества Благородного Лавра

Ему пришлось размахивать им
как флагом,
чтобы заставить его встать.
Ему пришлось совать его
в мышиные норы,
и в кротовины,
и в задницы чужие,
чтобы заставить его встать.

— Дай мне лечь наконец, — говорит он.
— Ни за что! — говорит Он.
— Дай же мне отдохнуть, — говорит он.
— Нет, вставай! — говорит Он.
И вот он встает, и руки у него вырастают,
он берет в руки нож и себя от Него отсекает.
Убегает он прочь от Него,
девять раз поет хейю и сразу ложится,
засыпая мгновенно.

А Он выращивает себе новый,
но пока он ужасно мал.
Так что Ему приходится ложиться на землю,
чтобы сунуть его в муравьиную норку.

Несколько стихотворений, продекламированных собравшимися после работы на берегу реки поэтами из Мадидину

Утрата

Тяжело мое сердце,
словно камень надгробный.
К земле своей тяжестью тянет,
мне дышать не дает, как прежде.

Ревность

А та, с сережками, меня разве лучше?
Что тебе она даст, чего я не давала?
Поднесет ли вина? Иль подложит жаркого?
Или силы добавит в ослабевшие чресла?

Первая любовь

Полола помидоры,
побеги пахли терпко
под жарким солнцем лета.
Давно все было это.

Темноволосая девушка

О, бабочка, два черных крыла!
Кружит, садится, вновь вспорхнет, вернется
к цветку тысячелистника.
И неуверенно на нем застынет.

Дразнилки

Слово языка кеш «фини» переводится как «шуточное соревнование в оскорблениях, организованных ритмически». Те «дразнилки», что приведены ниже, — импровизации, услышанные мной во время Танца Вина в Чумо

Уж конечно, ты явился с Нижнего конца Долины!
И нетрудно догадаться: ведь слова ты произносишь,
будто из норы ты рака, упершись ногами, тащишь!

Здесь, в Чумо, вечно кур полным-полно.
И эти куры умные настолько,
что говорят совсем как сами люди:
«Кач-кач-качалка, ко-ко-корзинка!»
Да ведь и люди в Чумо умные, как куры!

На Нижнем-то конце такие умники живут,
что хитрецами их не зря прозвали:
вам сварят пиво из чего угодно,
хоть и дерьмо собачье в чан свой соберут.

Чем крепче ум, тем крепче и напиток.
Вот в Чумо, например, в почете пиво,
такое крепкое, что крепче не бывает,
но вот мочой кошачьей от него воняет!

Сразу ясно: ты из Нижней Долины!
Ведь недаром с утра ты талдычишь
все одно, словно сука
с кобелем перед «свадьбой».

Был тут в Чумо человек,
очень умный человек:
мысль ему явилась раз,
да исчезла в тот же час.

Песня папоротника

Спета за работой Папоротником из Кастохи

Разбитые старые ступни
да острые тощие колени
торчат над этой корзиной
пред старыми моими глазами.
А новую эту корзину
плетут мои старые руки.
Ах, старые мои ноги,
далекий путь прошли вы,
чтобы корзинка эта
здесь возле вас стояла.
Ну что же, торчите рядом
с моею новой корзиной
и пойте мне новую песню,
мне, той самой старухе,
что вам свою жизнь пропела.

Под аккомпанемент барабана

Автор: Кулкунна из Чукулмаса

Коршун с криком кружит в небесах.
Клещ впился мне в голову за ухом.
Но если и я воспарю, как коршун,
значит, придется и кровь сосать,
клещу уподобляясь?
О вы, холмы моей родной Долины,
уж больно жить средь вас непросто!

Артисты

*Написано на белой оштукатуренной стене в доме,
принадлежащем Союзу Дуба в Телине*

О, как же это делают они,
певцы, сказители, танцоры,
творящие перед глазами чудо?
Они ныряют в пропасть меж мирами,
пусты их руки, но они вернутся
и принесут нам множество вещей!
Уходят молча — и приносят песни;
уходят в паутину лабиринта,
но возвращаются — и знают Путь отлично.

Уходят в страхе, безобразные, хромые —
и возвращаются прекрасными, как пума,
как краснокрылый ястреб, что парит высоко.

Так, значит, вот где черпают они свое дыханье:
в той страшной пропасти, что мир наш окружает!
Их руки, видно, стали ее Стержнем,
другие люди там дышать не могут.
Но выше всяческих похвал артисты!

О да, они обычные артисты,
они используют свое великое терпенье,
и страсть свою, уменье, труд безмерный,
и снова труд — и суд.

Стремясь уравновесить ум и назначенье,
свою настойчивость, свое упрямство,
свою печаль и радость в действиях на сцене,
они все ближе к пропасти подходят,
понимая: там миры соединятся.
Они подходят не спеша, кругами,
как коршуны, что сверху наблюдают,
как чуткие койоты — осторожно.

И, заглянув в ту пропасть, видят сердцевину мира
и, суть вещей поняв, ее нам преподносят,
хоть жить в той пропасти им тоже невозможно.
О, выше всяческих похвал артисты!

Ну да, они артистами зовутся,
и похвалы в награду им довольно
за тяжкое соревнованье в мастерстве.
А может, мы ошиблись с вами?
А вдруг пупом Земли им кажется живот набитый?
А вдруг они бездельники и трапезу считают
за работу?
А может, это лишь отбросы?
Лишь то, что коршун и койот вчера на завтрак
не доели?

Похвальба

Из города Тачас Тучас

Ах, музыканты из Тачас Тучас
делают флейты из речек,
делают из гор барабаны.
Звезды выходят послушать.
Люди в Домах Небесных

двери распахивают настежь,
окна на Радуге открывают,
чтобы слышать дивных музыкантов
из нашего города Тачас Тучас.

Ответ

Из города Мадидину

Ох, музыканты из Тачас Тучас
из своих носов делают флейты,
а из ягодиц — барабаны.
Даже блохи спасаются бегством,
а в Мадидину все закрывают двери,
а в Синшане все затворяют окна,
едва лишь заслышат тех музыкантов
из славного города Тачас Тучас.

Предостережение из Второго и Третьего Земных Домов

Этот выполненный каллиграфом свиток хранится в хеймас Змеевика в Ваквахе

Послушайте, о люди Четвертого и Пятого Домов,
а также Дома Первого!
Послушайте, сажальщики и земледельцы,
садовники и виноделы,
пастухи и овцеводы.
Прекрасны и щедры ваши искусства, они
приносят много пользы,
но и опасность в них таится.
А вдруг среди маисовых метелок вон тот мужчина
скажет:
ведь это я пахал и сеял, а стало быть, мое все это.
А вдруг среди тучнеющих овечек та женщина
оглянется и скажет:
ведь это я растила их, кормила — мои то овцы.
И в борозде зерно рождает голод.
И за оградой пастбища дрожат телята.
Амбар доверху полон нищетою.
И жеребенком взнузданной кобылы стал гнев.
Плодом оливы мирной стали войны.

102

Остерегайтесь же, о люди Домов обоих Кирпичей
и Дома Первого!
Заглядывайте в дикие края, опасно жить
лишь на возделанных полях.
Вступите в гущу медоносных диких трав, под сень
дубов, что желудей полны,
вкусите сладость корня, добытого под камнем.
Пусть рядом будут горные олени, и рыбы из реки,
и перепелки с луга,
пусть станут они вашей пищей — ведь и вы
когда-нибудь ею станете.
Смотрите: вот они, вокруг вас, но вам они
не служат.
Кто ж их хозяева? И чем они владеют сами?

Вот это — горы пумы,
а этот холм принадлежит лисице,
а это дерево — совы обитель,
а этот ход ведет в мышиную нору,
а в этой заводи гольян хозяин —
и все это одна и та же местность,
твоя Долина.

Найди свое в ней место.
Здесь нет оград, но есть запреты.
Здесь нет войны, но умирают,
да, умирают тоже, к сожаленью.
Иди ж, охоться — на себя ты поведешь охоту.
Иди — и отыщи себя в траве, в земле и на ветвях
деревьев.
Иди ж, ложись, спи сладко на земле Долины,
которую своей ты не считаешь,
которая, однако ж, в крови твоей растворена.

Бозо

(большой пестрый дятел)
Детская считалочка из Синшана

Бозо-птичка в красной шапке,
в черных-черных-белых перьях,
туки-туки-туки-туки Бозо-птичка на дубу
ходит-бродит, ходит-бродит, ходит-бродит
по ветвям,

барабанит, барабанит, барабанит трам-там-там.
Туки-туки-туки-туки раз-два-три,
туки-туки-туки-туки вон выходишь ты.

В стране закатного дня

Детская песня-танец, которую я слышала во всех девяти городах Долины; сам танец называется «Встаньте в круг». Рифма характерна для детской песни; метрическую организацию стиха при переводе следует воспринимать как попытку передать привязчивую мелодию танца

ХОР:

Кругом идем мы, идем вокруг дома,
дом обшарим до дна.
Все горит, горит, горит-догорает
и сгорит дочерна.

СОЛИСТ:

Кто же, ну кто разобьет этот круг наш?
Кто мою руку возьмет?
Кто станет мне сердечным другом
и в танце меня поведет?

ХОР:

Откройте же круг, расступитесь, качнитесь,
ведите его за собой,
все дальше вниз по долинам росистым,
по склонам, заросшим травой.

СОЛИСТ:

И я в вашем танце кружиться стану,
возьмите с собою меня!
Любите меня и со мною танцуйте
в стране закатного дня.

104

Ящерица

*Импровизация Щедрой, дочери Ярости из Синшана,
созданная ею в солнечный день возле каменной стены*

Нагретая стена. Большая ящерица дышит
часто-часто. Вверх-вниз, вверх-вниз
мелькает голубое ее брюшко.
Хвалится: я в небесах! Я молния!
И вдруг — моя тень упала:
удирает игрунья.
Исчезла в тени, сама тенью став.

Волу по кличке Розовый Корень

*Импровизация, созданная во время Второго Дня Танца
Вселенной Кулкунной из Чукулмаса*

Что же прекрасное столь внутренним взором своим
на протяженье всей жизни ты созерцаешь?
Верно, великое нечто, такое, что заставляет тебя,
неподвижно застыв и не видя вокруг ничего,
одному лишь ему отдавать свои мысли и взоры.
И если тебя от него отрывают, прервав
созерцанье,
гневно ревешь ты, глазами вращая, желая немедля
к мысли этой вернуться, спокойно предаться ей,
красотою виденья питаясь всю свою жизнь.

Канюки

Спето под аккомпанемент барабана Лисьим Даром из Синшана

Четыре канюка, четыре!
Четыре канюка, четыре, пять!
Они парят, кружа над миром,
и кругом возвращаются опять.
Эй, выше, канюки! Эй, выше!
И, круг за кругом, возвращайтесь
к стержню.

Но где ж тот стержень?
На ближнем ли холме, на дальнем,
в любой долине,
где таится смерть.
Там этот стержень.
В центре тех кругов,
внутри спирали,
что девять канюков
нарисовали
нам в небесах.

Перепелке из Долины

*Декламировали жительницы Синшана Адсевин
(что значит Утренняя Звезда)
и сестра ее матери по имени Цветущая*

Матушка Уркуркур, покажи мне свой домик,
пожалуйста, дай посмотреть на него.

В нем пол из синей глины,
а стены — струи дождевые,
а двери — облачная пена,
в которой окна выдул ветер,
а крыши в доме вовсе нет.

Сестра моя Экверкве, как свое семейство
бережешь ты?
Расскажи мне или покажи.

Бегу я осторожно, взлетаю очень шумно,
но сразу же и прячусь, хотя все знают, где я.
Умею делать знаки, неведомые прочим,

я круглыми глазами, и круглым мягким тельцем,
и пышным хохолком.

Ах, доченька Хеггурка, но что в конце-то будет?
Пожалуйста, скажи мне!

Ах, многое грозит нам:
и ястреб в жаркий полдень,
сова порой вечерней,
кот острозубый ночью.

От многих остаются лишь перышки, да кости,
да струи дождевые, да солнечные блики.
Но остаются также в гнездышке укромном
под теплыми крылами кругленькие яйца!

Дразнилка для котенка

*Импровизация мальчика лет шестнадцати по имени Задумчивый
из Синшана, сочиненная во время работы на огороде*

Хойя, маленький земляной комочек!
Хойя, крохотный котенок земляного цвета!
Ты удерживаешь свою тень коготками,
на солнцепеке разлегшись
и уснув очень крепко.
Правда, стоит камешек мне кинуть,
как котенок и тень разбегутся.
Хойя, маленький котенок, что взлетел как пушинка!

Ведро

*Импровизация, сочиненная теплым утром ранней весною пятна-
дцатилетней Адсевин из Синшана за рубкой бамбука*

Мечтательность меня одолевает
и лень сонливая и сладкая такая,
что я хотела бы внезапно оказаться
там, в уголке веранды иль балкона,
сидящей праздно и с совсем пустой душою,
не занятой ничем и не спешащей,
как это старое ведро, оставленное кем-то
там, в уголке веранды иль балкона.

Любовная песня

Поется по всей Долине

Коль подует желтый ветер,
ветер с юга иль с востока,
коль цветочною пыльцою
нас осыпет нынче утром,
может, он ко мне вернется?

Коль подует ароматный
ветер с юга иль с востока,
коль ракитника пыльцою
нас осыпет ввечеру он,
может, он ко мне вернется?

КАК УМИРАЮТ В ДОЛИНЕ

Похороны происходят на довольно больших кладби-
щах, расположенных неподалеку от каждого города —
среди холмов, заросших лесом, на «охотничьей» стороне, где нет полей, садов и огородов или лугов с кормо-
выми травами, камышовых болот или диких плодоно-
сящих деревьев, которые являются либо собственностью общины,
либо так или иначе всеми используются. Где-то примерно в миле от
города каждый из Пяти Земных Домов выбирает себе участок на
вершине холма или на высокогорном лугу под кладбище. Никакого
четкого плана это кладбище не имеет, так что новую могилу семья
может выкопать там, где захочет; территория, занимаемая кладби-
щем, обозначена посаженными вокруг деревьями: яблонями, дикой
вишней, конскими каштанами, а также азалиями, наперстянкой и

калифорнийским маком. На могилы никогда не водружают каменных надгробий, но иногда на них ставят маленькие фигурки, вырезанные из секвойи или из кедра, а рядом часто сажают одно или несколько из перечисленных выше растений, за которыми оставшиеся в живых члены семьи прилежно ухаживают, пока память об усопшем жива в их душах. Часто кладбища очень похожи на яблоневые сады, только деревья там растут гуще, чем обычно, и не рядами, а как попало.

Кремация совершается в искусственной или естественной низине неподалеку от кладбища. Для этого обширная округлой формы поляна полностью очищается от травы, земля на ней утрамбовывается и каждый год посыпается солью; это входит в обязанности членов Общества Черного Кирпича.

Сама церемония смерти или, точнее, умирания названа Уходом На Запад До Самого Восхода. Следующее далее описание сделано Слюдой из Дома Желудей в Синшане.

Уход На Запад До Самого Восхода:
наставления для умирающих

Наставником в таком случае обязательно выступает член Общества Черного Кирпича.

В период между Танцем Вина и Танцем Травы те люди, которые хотят выучить песни Ухода На Запад, должны попросить об этом наставника из данного общества.

После Танца Вина они помогают наставнику строить специальный священный дом за пределами города, обычно где-нибудь на «охотничьей» стороне, но иногда, впрочем, и на «культурной». В горных городах его строят обычно из эвкалипта или ивы, устанавливая от девяти до двенадцати шестов с каждой стороны и привязывая их к центральному столбу ивовыми прутьями или лозой, а стены делают из переплетенных друг с другом еловых лап. В самой Долине, особенно в Нижнем ее конце, где такой дом должен быть несколько больше, потому что там живет больше народу, стены оставляют открытыми, но делают очень плотную крышу, поскольку в это время как раз начинается сезон дождей, а некоторые из готовящихся к Уходу На Запад больны или стары, и им просто необходимо укрытие. Вне зависимости от того, есть ли в этом доме стены, вход в него всегда на северной стороне, а выход на южной. Сухие ветки и стволы дикой вишни, а также старые и сухие ветви яблонь специально срезаются и складываются у очага. Все камни из земляного пола собираются в кучу; они представляют собой нечто вроде алтаря. Такой священный дом имеет свое имя: Воссоединение.

Наставник приходит туда в последний вечер Танца Травы и проводит там ночь, копая в земле яму для очага и тщательно выбирая каждый камешек. Все это время он поет соответствующие песни, благословляя дом.

Ученики его приходят утром. Они кладут дрова в очаг и разжигают огонь, а потом бросают в огонь лавровые листья и поют священные хейи.

Если кто-то хочет поговорить о своей собственной грядущей кончине или о ком-то из близких, умершем внезапно или сейчас тяжело больном и умирающем, он должен бросить в огонь горсть лавровых листьев и говорить. Наставник и все остальные слушают. Когда выскажутся все, наставник может, например, рассказать о некоем своем видении или конкретном случае, имеющем непосредственное отношение к тому, как совершается Уход На Запад; или же он может что-то прочесть из книги стихотворений, принадлежащей Обществу Черного Кирпича, где говорится о душе; или же он не скажет ничего, а только будет отбивать ритм хейи на барабане.

Затем начинается само обучение. Ученики должны выучить те песни, которые будут петь, умирая, и те песни, которые будут петь для умирающего.

Наставник начинает с той песни, которую поют для умирающего.

Эту песню исполняют, когда становится ясно, что конец человека близок. Ее могут петь и очень недолго, и в течение длительного времени. В последнем случае умирающий сможет петь ее вместе с остальными, петь вслух или про себя, уходя вместе с песней прямо в смерть. О том, что пора петь вторую песнь для умирающего, его про-

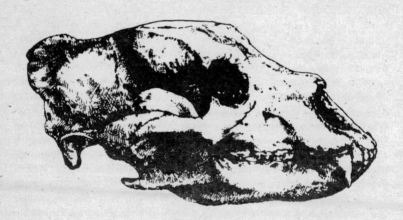

вожатые догадываются сами, потому что он либо уже застывает, либо испускает последние вздохи, когда душа, отлетая вместе с дыханием, словно пытается высвободиться из оков тела. Когда уже не прослушивается пульс и дыхание совсем прекратилось, начинают петь третью песнь. Когда лицо покойного становится холодным, эта песнь заканчивается.

Наставник сообщает все это в перерывах между исполнением песен, а также рассказывает своим ученикам, что любая из песен провожающих может исполняться снова и снова, пока не наступит смерть. Четвертая и пятая песни провожатых должны первый раз исполняться во время похорон, после чего их следует петь вслух в любое время и в любом месте в течение четырех дней, а потом еще — на самой могиле в течение пяти дней, и затем уже петь их только про себя, в душе, до ближайшего Танца Вселенной, после которого для усопшего они более исполняться не должны.

Большая часть людей не раз слышала, как провожатые поют свои песни, песни умирающему, но никогда никто не слышал тех песен, которые поет сам умирающий.

Наставник расскажет ученикам, что умирающие сами знают, когда петь эти песни и где; они поют их, узнавая те места, куда устремляется их освобождающаяся душа. Сперва эти места узнает их разум, позже — душа. Если они вели разумную жизнь, то узнают эти места сразу и сразу догадываются, находятся ли они все еще в Пяти Земных Домах или уже в Четырех Небесных. Очень хорошо, когда люди могут петь в течение всего своего пути туда и исполнить все песни, вплоть до самой последней, однако особой необходимости в этом нет. Зато действительно необходимо, чтобы песни провожатых пелись все время, отведенное человеку на путь к смерти, а также в течение первых девяти дней после его смерти, ибо таким образом они помогают умирающему умереть, а живым жить дальше.

Рассказав обо всем этом и ответив на вопросы, наставник споет первую строку первой из песен умирающего. Ученики откликнутся ему, исполнив первую строку первой из песен провожающих. Таким образом они выучат все пять песен, которые сами когда-нибудь будут петь, умирая, однако ни разу не повторят их вслух, а лишь будут отвечать на них словами песен провожающих. Только наставник из Общества Черного Кирпича может петь песни умирающего вслух. Для учеников полезно много раз повторить их про себя, сразу и потом, чтобы песни умирающего вошли им в плоть и кровь, стали частью их души и разума.

Ниже приводятся тексты песен Ухода На Запад До Самого Восхода. [Их можно читать по отдельности, подряд сверху вниз, или вместе, читая строки в шахматном порядке, как бы перекрестно.]

Песни

Первая песня

Умирающий поет:
Я пойду вперед.
Ох, трудно, это трудно.
Я пойду вперед.

Провожающие поют:
Иди вперед. Иди вперед.
Мы с тобою.
Мы с тобою рядом.

Вторая песня

Я пойду вперед.
Все меняется вокруг.
Я пойду вперед.

Иди же, пора, иди вперед.
Оставь нас, пора,
Пора нас покинуть.

Третья песня

Вот он, мой путь.
Я вижу, вот он.
Вот он, мой путь.

Ты идешь вперед.
Ты ступил на свою дорогу.
Ты идешь по верному пути.

Четвертая песня

Пение меняется, затихает.
Свет меняется, меркнет.
Пение меняется, затихает.
Свет меняется, меркнет.
Они все ближе, ближе,
Танцуют и светятся ярко.
Воссоединяюсь с ними.

Не оглядывайся назад.
Ты входишь в их Дом.
Ты уже у цели.
И вот ты вошел.
Свет все сильней и ярче,
Тьма позади осталась.
Смотри же вперед без страха.

Пятая песня

Четыре Небесных Дома
Стоят предо мной открыты.
Ах, все их двери открыты!

Четыре Небесных Дома
Теперь пред тобой открыты.
Да, их двери открыты!

Выучив все песни, ученики забрасывают огонь в очаге землей, засыпая яму до самых краев, и в это время поют такую песню:

Тяжело, тяжело.
Нелегко.
Но ты должен вернуться туда.

После этого ученики обязательно разбирают Дом Воссоединения, однако могут взять себе камешек из общей кучи камней или отломить веточку от еловой лапы — на память. Потом они непременно совершают омовение и расходятся по домам. Наставник же отправляется куда-нибудь в отдаленное место к ручью, чтобы вымыться там, или же, если он из Дома Синей Глины, совершает омовение в своей хеймас.

Вот так учат готовиться к смерти члены Общества Черного Кирпича в Долине Реки На. Меня учили этому дважды, а наставником мне приходилось быть семь раз.

Дом Воссоединения

Если никто из членов семьи умирающего или его друзей не знал песен провожатых, то всегда приходил кто-то из членов Общества Черного Кирпича, чтобы, если возможно, спеть их вместе с умирающим, а также у его могилы; но и в других случаях кто-то из этого Общества обязательно оказывал подобную помощь и руководил всей церемонией Ухода На Запад и похоронами.

Если у родственников возникали какие-то сомнения или беспокойство, член Общества Целителей непременно свидетельствовал смерть. Обычно в течение первых же суток покойного относили на крытых носилках к месту кремации, принадлежащему его Дому. Носилки могли нести члены семьи и все, кто оплакивает покойного, но только члены Общества Черного Кирпича имели право присутствовать на кремации. Родственников и всех остальных отправляли по домам.

В одной старинной песне, которую поют в Долине, содержится намек на это:

Я смотрю, как за холмами
поднимается дымок,
дымок все поднимается,
а дождь все продолжается.

Кремация была правилом, однако соблюдению этого правила часто препятствовало множество самых различных обстоятельств, например, слишком обильные дожди или затянувшаяся засуха, когда из опасения вызвать лесной пожар запрещалось разжигать какой бы то ни было открытый огонь; кроме того, умирающий мог выразить пожелание быть после смерти похороненным, а не кремированным. В таких случаях люди из Общества Черного Кирпича копали могилу и опускали в нее покойного, завернутого в хлопчатобумажный саван, укладывая его на левый бок с чуть согнутыми ногами. Они проводили возле погребального костра или возле открытой могилы еще целую ночь и пели время от времени песни Ухода На Запад.

Утром все, кто хотел, могли присутствовать на похоронах. Ближайшие родственники под руководством членов Общества Черного Кирпича хоронили пепел покойного или же засыпали его могилу, до той поры остававшуюся открытой. Когда обряд погребения был завершен, один из членов Общества Черного Кирпича произносил — единожды и громко вслух — заветные Девять Слов:

Непрекращающееся, неисчерпаемое, непрерывное,
беспредельное, безостановочное, бесконечное,
вечное, вечное, вечное.

После этих слов горсть пепла или прядь волос умершего подбрасывалась высоко в воздух. Детям во время похорон иногда раздавали какие-нибудь семена или зерна пшеницы, чтобы они рассыпали их на могиле для птиц, которые потом относят песни оплакивающих в Четыре Небесных Дома. Все, кто хотел, могли остаться у могилы или приходить туда время от времени в течение первых четырех дней после смерти и петь песни Ухода На Запад; а в течение следующих пяти дней кто-то из членов семьи покойного или плакальщики из его Дома приходили по крайней мере раз в день, чтобы петь эти песни. На девятый день, согласно традиции, все оплакивавшие покойного собирались снова, украшали могилу, сажая на ней какое-нибудь дерево, куст или цветы, и в последний раз пели вслух песни Ухода На Запад До Самого Восхода. После этого никаких официальных церемоний оплакивания не должно было быть и более не должны были исполняться вслух песни в честь усопшего.

Если кто-то из жителей Долины умирал за ее пределами, его спутники старались непременно, совершив кремацию, доставить домой его пепел или хотя бы несколько прядей волос и какую-то одежду, а затем хоронили это под пение подобающих песен. Если же кто-то пропадал в море или тонул (что случалось крайне редко) и, таким образом, покойного как бы «не существовало» и «некого было провожать», кто-нибудь из родственников погибшего просил членов Общества Черного Кирпича назначить день оплакивания, и тогда в течение девяти дней в хеймас покойного пелись песни провожатых.

Несмотря на то что на похоронах мог присутствовать любой, все подобные церемонии по сути своей носили очень личный характер и осуществлялись ближайшими родственниками и друзьями покойного и их помощниками из Общества Черного Кирпича. Никакой публичной панихиды или оплакивания не устраивалось до очередного Танца Вселенной, который праздновался в день весеннего равноденствия. Как это более подробно описано в главе, посвященной Танцу Вселенной, Первая Ночь являла собой общую церемонию оплакивания всех, кто умер в течение последнего года, и посвящалась их памяти. Длительная ночная церемония Сожжения Имен была очень напряженной, насыщенной трагическими эмоциями. Ее опасались многие из ее же участников, ибо люди в Долине приучены ценить ясность ума и безмятежность духа, чтить хладнокровие и спокойствие, а тут нужно было решиться в одну-единственную ночь разделить со множеством людей без стыда и стеснения бурный взрыв горя, ужаса и гнева, которые смерть на веки вечные оставляет тем, кто похоронил дорогого им человека и остался жить. Церемония Сожжения Имен собирала больше людей и проходила более эмоционально, чем даже Танцы Луны и Вина, во время которых допускалась чрезвычайная вольность чувств и желаний. Как ни одна другая церемония в Долине, церемония Сожжения Имен отражала душевную и социальную взаимозависимость членов общины, глубокое понимание ими того, что жизнь и смерть всегда рядом друг с другом.

Четвертый День Танца Вселенной, логически весьма тесно связанный с ритуалом оплакивания усопших, также описан в главе, посвященной Танцу Вселенной.

Представления жителей Долины о человеческой душе поражают своей удивительной сложностью. Можно даже, пожалуй, не пробовать «пришпилить» эти представления к одному-единственному антропогоническому мифу, чтобы добиться относительно связного описания того, что такое душа с их точки зрения. Но сложность и противоречивость их представлений ни в коем случае не «случайна» в полном смысле слова. Такова она по своей сути.

Отчетливо эзотерическое представление о душе отражено в приведенном далее тексте под названием «Душа черного жука»; другой пример представлений Кеш о душе являет собой стихотворение «Внутреннее Море». Бытующие в Долине идеи реинкарнации или метемпсихоза, возможно, недостаточно систематизированы, однако вполне живучи.

Особым образом связана с похоронным ритуалом и оплакиванием усопшего распространенная теория о том, что в различных стадиях смерти и похорон участвуют различные виды человеческой души (это же порождает и определенные суеверия). Когда, спасаясь от смерти, отлетает «душа-дыхание», остальные души бывают «пойманы смертью» (умершим) и их необходимо освободить. Если этого не сделать, они могут задержаться возле могилы или в тех местах, где покойный жил и работал, причиняя как душевное беспокойство, так и материальные неприятности — вызывать тревогу, болезни, видения. «Душа-земля» (земная душа) освобождается с помощью кремации и последующего захоронения пепла или тела; «душа-глаз» выпускается на свободу, когда горсть золы или прядь волос покойного подбрасывают в воздух, чтобы их унес ветер; и, наконец, «родовая душа» (душа семьи) освобождается только во время церемонии Сожжения Имен, когда все имена усопших предаются огню.

В тех, редких в Долине, случаях, когда смерть настигает кого-то в чужой стране или же при отсутствии тела покойного, когда «некого провожать», ритуально может быть освобождена только «родовая душа». Как уже говорилось, какие-то вещи, ранее принадлежавшие покойному, могут быть возвращены домой «вместо» его тела и похоронены на кладбище, «чтобы в земле было место, где могли бы собраться все его души»; также в хеймас покойного могут быть исполнены песни Ухода На Запад; однако чувство неловкости и незавершенности ритуала все равно остается; оно, в частности, отражено и в том убеждении, что все остальные души вернутся и станут искать покойного или просто подтвердят смерть этого человека и попрощаются с оставшимися в живых. «Душа-дыхание» невидима и проявляется как некий голос в ночи или слабый свет в пустынных холмах. «Душа-земля» может приходить в облике покойного, каким он был незадолго до смерти или сразу после нее, и этого привидения люди особенно боятся. «Душа-глаз» более милостива, она ощущается только как чье-то незримое присутствие, негласное требование, благословение или прощальное слово, «пролетевшее мимо по дороге ветра». Некоторые заклинания Восьмого Дома адресованы именно этой душе или же всем тем душам, которые, как считается, прилетают порой в Долину на крыльях ветра.

> О, матерь матери моей,
> благословение пусть ветер донесет!

Для тех представителей народа Кеш, что часто покидают Долину, — главным образом, это члены Общества Искателей, — опасность умереть вдали от родины и не быть похороненным в ее земле вполне реальна. У Кеш ощущение своей слитности с Долиной, восприятие себя как одного из ее элементов, подобного земле, воде, воздуху и всем живым существам, ее населяющим, вдохновляет людей на то, чтобы перенести любые испытания, лишь бы добраться домой и умереть там; сама мысль о том, чтобы быть похороненным в чужой земле, вызывает у них черное отчаяние. Известна история об Искателях, занимавшихся исследованием Внешнего Побережья и попавших в зону химического заражения. Четверо из них умерли. Четверо оставшихся в живых мумифицировали трупы своих товарищей благодаря чрезвычайно сухому и горячему воздуху пустынь Южного Побережья и сумели принести их домой, чтобы похоронить, то есть четверо живых несли на себе четверых мертвых в течение целого месяца! Об их подвиге говорили с сочувствием, но не с восхищением; такое самопожертвование и героизм были, пожалуй, избыточны с точки зрения обыкновенных жителей Долины.

Смерть животных так или иначе тоже должна быть включена в систему похоронных церемоний Долины.

К домашним животным, которых убивают ради получения пищи, обращаются до или во время совершаемого акта умерщвления члены Общества Крови, то есть практически любая взрослая женщина или девушка, которая говорит животному:

Жизнь твоя сейчас кончается —
начинается твоя смерть.
О, Прекрасный,
подари нам то, в чем мы нуждаемся,
А мы дадим тебе наше слово.

Эту формулу бормочут, часто не испытывая ни малейших угрызений совести и не думая о ее смысле, однако стараются не забывать о ней, даже если всего лишь сворачивают шею цыпленку. Ни одно животное не убивают для каких-то конкретных целей, пока взрослая женщина не произнесет необходимую предсмертную формулу.

В Ваквахе и Чукулмасе, а иногда и в других городах горсть крови убитого животного смешивают с красной или черной землей и скатывают в маленький шарик, который хранится в помещении, отведенном Обществу Крови в хеймас Обсидиана; эти шарики используются при изготовлении саманных кирпичей для ремонта или постройки новых зданий.

Те части домашних или диких животных, которые не идут в пищу и не используются для каких-либо других нужд, немедленно захораниваются членами Цеха Дубильщиков; обычно это делается на поле, находящемся в этот сезон под паром, на «культурной» стороне окружающих город холмов. Согласно обычаю, кусочки мяса или костей кладут на вершину холма с «охотничьей» стороны «для койота и канюка», особенно когда убивают крупное животное.

Дикие животные, на которых ведется охота, имеют каждый свою предсмертную песню, и песням этим обучают в Обществе Охотников. Охотник поет или говорит нужные слова тому животному, на которое охотится, — беззвучно, про себя, если делает это во время охоты, или вслух, уже убив животное. Эти песни существуют во множестве вариантов в различных городах, их известно несколько сотен. Некоторые из заклинаний, обращенных, например, к рыбам, весьма любопытны:

Песнь форели (Чумо)

Тень.
Легкая тень.
Не обращай на меня вниманья.
И вечно восславлена будь.

Песнь рыболова (Чукулмас)

Шуйяла!
Приди, найди руки!
Приди, найди язык!
Приди, найди глаза!
Приди, найди ноги!

Песня оленя, исполняемая во время охоты (Чукулмас)

Этим путем ты должен идти,
грациозно ступая.
И станешь Дарителем ты для меня.

А вот еще один старинный припев, исполняемый во время охоты на оленей жителями Мадидину; он непосредственным образом связан с формулой, произносимой мясниками:

> Сама причастность к племени оленей
> Уже обозначает смерть твою.
> И благодарности полны мои слова,
> Прекрасный.

(Понятие «причастность к племени оленей» на языке Небесных Домов означает просто «олень» как разновидность живых существ.)

Песня медведя, исполняемая во время охоты (Тачас Тучас)

> Вана Ва, а, а.
> Вот оно, твое сердце.
> Убей мой страх.
> Вана ва, а, а, а.
> Я должен это сделать.
> Ты должен стать полезным.
> Ты должен сожалеть.

Надо сказать, что медведей убивали, только если они представляли реальную угрозу домашнему скоту или жителям города; медвежатина любовью не пользовалась, и ее обычно даже не приносили в город, хотя охотники во время долгих скитаний по лесам и горам могли есть и медвежатину. «Ты» в этой песне носит особый, так сказать «партикулярный» характер, а отнюдь не общий. Охотник вовсе не охотится на медведей вообще, но преследует вполне конкретного зверя, который уже причинил ему, охотнику, неприятности, а потому — и неприятности всему народу медведей в целом, вот почему медведю следует сожалеть о содеянном.

Предсмертная песня медведя (Синшан)

> Дождь, увлажняя землю, делает ее темной,
> как та благодатная влага, падающая
> из Шестого Дома,
> из сердца падающая кровь!

Медведь — символ Шестого Дома, Дома Дождя и Смерти. Старик, который спел мне эту песню, говорил так: «Никто в нашем городе не убил ни одного медведя с тех пор, как Гора-Прародительница в последний раз извергала лаву. Однако это очень хорошая охотничья песня. Даже ребенок, когда он охотится на древесную крысу, должен ее петь. Ибо медведь всегда рядом».

В соответствии с теорией о четырех душах, животные также обладают ими всеми, однако эта система становится очень неясной, когда речь заходит о растениях. Все дикие птицы изначально считались именно душами. «Родовая душа» любого животного — это как бы его общий аспект: принадлежность к племени оленей или коров, а не конкретное проявление души у той или иной особи. Очевидная непоследовательность бытующих в Долине идей реинкарнации или трансмиграции душ начинает проявляться именно здесь: эта конкретная корова, которую я сейчас убиваю ради своего пропитания, — всего лишь представительница племени коров вообще, и она отдает себя мне в качестве пищи, потому что за ней хорошо ухаживали и с ней ласково обращались, но и в качестве конкретной коровы она позволит мне убить ее, чтобы утолить мою нужду и голод; и я, убивая эту корову, являюсь лишь неким именем, неким словом, неким абстрактным представителем рода человеческого и — вместе с этой коровой — живых существ вообще; это лишь совпадение места и времени, проявление нашего с ней родства.

Имеющие имена домашние животные, любимцы семьи, по представлениям суеверных людей, должны возвращаться как «души-глаза» или как «души-дыхания», а порой и как «земные души», что всегда давало почву для создания различных историй о животных-призраках. Широко известный Призрак Серой Лошади якобы бродил, наводя страх, в ущелье среди скал близ Чукулмаса. «Земные души» овец, умерших во время окота, могли, как считалось, причинять различные неприятности во время тумана в полях Унмалина.

Истории о призраках, носившие морализаторский характер, касались прежде всего тех охотников, что охотились на «культурной» стороне, или же страдали нехваткой вежливости и уважения по отношению к дичи, на которую охотились, или же убивали неумеренно, без особой на то нужды. Подобные истории часто рассказывают у костра, где собираются члены Общества Благородного Лавра; в них говорится о том, как бывает перепуган, ошеломлен и, возможно, даже ранен или убит такой охотник, когда перед ним появляется прародитель загубленного им зря животного — Олень или Лебедь невиданных размеров, красоты и силы. В историях об охотниках, которые не соблюдали правил, например, не говорили своей жертве нужных слов перед тем, как убить ее, призрак неправильно убитого животного является такому человеку и сбивает его с пути, обрекая на бесконечную охоту и безумие; при этом призрак часто сопровождает охотника, видимый только ему, но никому другому. Говорят, что в Чукулмасе жил один человек, ставший притчей во языцех из-за того, что за ним как раз и охотился такой вот призрак, жертвой которого этот охотник стал по собственной вине. Охотник тот не был обычным «лесным человеком» или отшельником, однако крыши над головой не имел, при виде людей спасался бегством и никогда ни с кем не разговаривал. С виду он казался совсем еще молодым, звали его Молодой Месяц, и был он из Дома Обсидиана. Что там с ним произошло, точно никто не знал, однако, согласно широко распространенному среди членов Общества Охотников мнению, он убил самку оленя и молодого самца, «ничего не спев», то есть даже не сказав основной формулы перед лицом смерти, хотя существует предельно краткий ее вариант, затверженный наизусть всеми мясниками:

О, Прекрасный,
к смерти твоей взываю!

Эту формулу обязательно произносит любой охотник, стреляя в животное, любой траппер, открывая ловушку, и даже любой лесоруб, выбрав дерево, — короче, любой человек, отнимающий у кого-то жизнь. Забыть об этом считается недопустимым. Так что ошибка охотника по имени Молодой Месяц была очевидной и грубой и безусловно заслуживала наказания.

Даже раздавив мучного червя, пришлепнув на лбу москита, сломав ветку, сорвав цветок, люди шепчут эту формулу или хотя бы самый краткий ее вариант — аррарив, что значит «мое слово». И хотя они произносят это столь же бездумно, как и мы свое «будь здоров», когда кто-то чихнет, тем не менее слова эти считаются обязательными. Этот акт воплощает идею нужды и ее удовлетворения, просьбы и ответа на нее, идею родства и взаимозависимости; и в любой момент эта формула может быть полностью расшифрована в душе говорящего, если в том возникает потребность. Любой камень, по словам Кеш, содержит в себе гору.

Подобные краткие формулы как раз и считались такими камешками: как слово *руха*, которое произносили вслух, прибавляя вполне материальный камешек к горке камней, сложенной в определенном месте — возле особо крупных валунов и скал, на перекрестках дорог, в различных местах у известных троп на склонах Ама Кулкун. Слово «руха» никакого другого значения для большинства людей не имело, кроме одного: «Это слово, которое ты произносишь, когда прибавляешь еще один камень к священной груде камней». Ученые же в хеймас знали, что это архаическая форма корня «хур» со значением «поддерживать, подпирать, носить (брать) с собой» и что это последнее слово из некоего давно забытого изречения. Реальный камешек заключает в себе отсутствующую гору. Большая часть «бессмысленных» матричных слов из ритуальных песен — это тоже слова-камешки. Слово «хейя» некогда означало «Вселенная», то есть видимый и невидимый мир, расположенный по эту и по ту сторону Смерти.

ПАНДОРА СИДИТ У РУЧЬЯ

Ручей Синшана под крутыми скалами образует водоем с каменистым дном, а посреди водоема намыт целый островок из гальки. Чуть поодаль нависают берега с выходами пластов черной глины, пригодной для изготовления кирпичей. Там, где ручей, покидая водоем, бежит дальше, лежит выбеленная временем и водой кость — ребро молодого быка, отчасти скрытое на дне. В спокойной с виду воде омута под крутым подмытым берегом, где в воздухе переплетаются корни растений, чуть кружась, покачивается мертвая птица. На по-

верхности — лишь ее хвостовые перья да загнутый коготь, а сама покрытая коричневым оперением тушка повисла в прозрачной воде, в коричневатой тени берега. Ветви, нависающие над ручьем, наполовину высохли совсем, наполовину еще живы. Рыбы в ручье не видно, зато на поверхности воды полно водомерок, а над водой носится множество оводов, мух и москитов. Над трупиком птицы, плавающим в воде, столбом вьются, пляшут какие-то мошки. Их народ танцует Танец Лета.

ЧЕТЫРЕ
РОМАНТИЧЕСКИЕ ИСТОРИИ

Романтическая история была весьма популярным жанром. Такие истории записывались от руки или печатались. Чаще всего они издавались в виде сборников. Эти четыре истории взяты из сборника «Под листьями виноградной лозы», экземпляры которого имелись во всех без исключения городах Долины. Устные версии напечатанных в сборнике произведений являются вторичными; их иногда рассказывают вслух у очага или у костра, возле летней хижины, однако исходный вариант любой романтической истории — всегда письменный.

Некоторые из этих историй представляются неподдельно старинными, другие стилистическими средствами пытаются достигнуть подобного сходства; порой они приобретают даже некий вневременной характер. Ни одного из имен их авторов, во всяком случае, вы ни в печатных сборниках, ни в манускриптах не найдете. И хотя географические и этнографические описания в них всегда очень живые и точные — что свойственно вообще всей литературе Долины, — время написания той или иной романтической истории или время, к которому относятся описываемые в ней события, обычно определить весьма затруднительно.

Основная тема романтической волшебной истории или сказки — нарушение определенного закона или запрета. В них особенно часто фигурируют Мельники и Искатели, поскольку эти профессии, с точки зрения жителей Долины, содержат некий элемент морального риска, так что подобные герои воспринимаются как «опасно привлекательные» люди, стоящие как бы на пороге дозволенного.

В истории «Мельник» не сказано прямо, что этот мельник и зашедшая к нему женщина из одного и того же Дома, хотя он говорит ей «ты», что разрешено только родственникам по Дому, которым запрещено вступать в половые отношения друг с другом. Как и большинство романтических историй, «Мельник» содержит элементы дидактики и предостережения, то есть обучения на дурном, порой поистине шокирующем, примере.

МЕЛЬНИК

Пришла как-то одна женщина из Дома Красного Кирпича смолоть кукурузу на мельницу в Чамавац, что на Великой Реке, а мельник и говорит ей:

— Подожди здесь, снаружи. Внутрь не входи.

Та женщина пришла из города одна. Шел дождь, дул холодный ветер, а у нее не было ни пальто, ни шали. Она и попросила:

— Позволь мне хотя бы внутрь зайти и там подождать.

— Хорошо, — сказал мельник. — Жди на пороге, но дальше не ходи. И не забудь: лицом к двери повернись, да так и стой.

Она осталась стоять у двери, а мельник взял мешок с кукурузой и унес туда, где крутились жернова. Женщина терпеливо ждала. Холодный ветер задувал в дверь. А у нее за спиной в очаге жарко горел огонь. Она и подумала: «Ну что плохого может случиться, если я зайду в комнату и погреюсь у очага?»

И тут же пошла прямо к очагу, но все-таки шла задом наперед, с лицом, повернутым к двери. Так она и стояла, грея спину у огня.

Тут в комнату из дальнего помещения вошел мельник, подошел к ней сзади и говорит:

— Я целый день зерно молол, так жернов мой перегрелся, и я не могу сейчас смолоть твою кукурузу. Приходи за ней завтра.

Женщине не хотелось уходить, а потом снова возвращаться по такой погоде, и она сказала:

— Я подожду, пока твой жернов остынет.

Мельник согласился:

— Что ж, прекрасно. Только жди в этой комнате, в другую комнату не ходи и стой лицом к двери.

И он снова ушел в рабочее помещение. Долгое время женщина ждала в той комнате у очага и ничего не слышала, только плеск воды в реке, стук капель дождя по крыше да грохот мельничного колеса. Она подумала: «А что плохого, если я загляну в соседнюю комнату?»

И тут же направилась туда, чтобы посмотреть, что там такое. Ничего там особенного не оказалось, только свернутая постель на полу да возле нее книга. Она взяла книгу и открыла ее. На той странице, где она ее открыла, было написано только одно слово: ее имя.

Увидев это, она испугалась. Положила книгу на пол и выбежала снова в ту комнату, где очаг, собираясь поскорее убраться отсюда, но в дверях уже стоял мельник. Женщина бросилась назад, но мельник вошел за ней следом и приказал:

— Расстели постель.

Она расстелила постель. Она его ужасно боялась, хотя он ничего плохого ей не сделал. Он велел ей лечь, и она легла. И он тоже лег с нею рядом. Когда меж ними все было кончено, он, обнаженный, встал и подал ей ту книгу, сказав:

— Это твое.

Женщина взяла книгу и перелистала страницы. На каждой было написано только ее имя и ничего больше.

Мельник тем временем из комнаты вышел. Женщина услышала, как вращается мельничное колесо, быстро привела в порядок свою одежду и выбежала из дома. Оглянувшись, она увидела сквозь дождь, как вращается высокое мельничное колесо. И заметила, что вода, сбегающая с его лопастей, совершенно красная.

Женщина, громко плача, побежала в город звать людей на мельницу в Чамавац. Люди вскоре нашли мельника. Оказалось, что он прыгнул в мельничный лоток, а колесо, подхватив его своими лопастями, сперва подняло вверх, а потом сбросило вниз. Оно и сейчас все еще вращалось. После этого случая мельницу ту сожгли, а жернова разбили. И больше нет на свете такого места, как Чамавац.

ЗАБЛУДИВШАЯСЯ

Говорят, что жила она давным-давно и была из Первого Дома. Семейство ее матери проживало в Доме под названием Красные Балконы, в самом центре города Чукулмаса, недалеко от Стержня. Получив свое среднее имя, Ивовая Лоза, она вступила в Общество Искателей и сразу же попросилась с ни-

125

ми в поход, а собирались они далеко, к самым Зеленым Пескам, что на побережье Внутреннего Моря. Искатели говорили ей:

— Погоди, у тебя еще знаний маловато. У нас сперва принято ходить в недалекие походы, а уж потом в дальние, когда чему-нибудь научишься.

Но она никого слушать не желала, а только все просила, чтоб ее взяли с собой. Но они заявили:

— Нет уж. Ни к чему нам из-за тебя маршрут менять.

И однажды утром, в самом начале лета, группа Искателей отправилась к Зеленым Пескам. Они не взяли с собой никого из новичков, потому что хотели продвигаться как можно быстрее и обследовать как можно больше разных земель.

Вечером того же дня Ивовая Лоза из дому пропала. Когда стемнело, все обитатели Дома Красные Балконы принялись ее искать и повсюду о ней спрашивать. А один юноша, который тоже только что вступил в Общество Искателей, сказал:

— А может, она за отрядом увязалась?

Ее родня удивилась:

— Она что же, с ума сошла? Кто ж на такое решится?

Однако утром, когда девушка так и не вернулась домой, они заговорили иначе:

— Может, она действительно за ними пошла?

Некоторые родственники Ивовой Лозы по семье и по Дому решили пойти в том направлении и поискать ее. Один старик из Общества Искателей тоже пошел с ними, чтобы показать им путь к Зеленым Пескам. А тот юноша, что первым догадался, куда она пропала, тоже был из ее Дома и пошел на поиски вместе со всеми. Когда они начали подниматься в горы над Ручьем С Красными Водорослями, что на северо-восточной гряде, юноша стал проявлять нетерпение, считая, что старый Искатель ведет их чересчур медленно. Юноша этот уже бывал здесь раньше и заявил:

— Я знаю путь. Я пойду вперед.

Старый Искатель возразил:

— Останься вместе со всеми.

Но юноша не послушался. И все дальше и дальше уходил вперед, отрываясь от остальных.

А Ивовая Лоза тогда действительно увязалась за Искателями, выйдя на час или два позже них. Она сперва шла тем же путем, что и они, поднялась на Гору Антилопу, но там, где Искатели свернули к Гранатовому Ручью, чтобы пройти ниж-

ней тропой южнее Гогмеса, она потеряла их след и пошла не вниз, а налево, вверх по склону, совсем не по той тропе.

Она считала, что, если догонит Искателей еще в Долине или на ближайших холмах, они наверняка рассердятся и просто отошлют ее назад; но если она не будет попадаться им на глаза до тех пор, пока они не минуют перевал и не выберутся из Долины, то они, хотя и рассердятся еще больше, вынуждены все же будут взять ее с собой на берега Внутреннего Моря, и, таким образом, она все-таки совершит то путешествие, о котором мечтала. Так что Ивовая Лоза решительно поднялась на вершину Горы Антилопы, потом пошла на Гору Пяти Огней и при этом не слишком торопилась, а когда спустилась ночь, она улеглась спать прямо рядом с тропой. Утром она успешно добралась до перевала и оглянулась. Внизу, в Долине, многочисленные речки и ручьи сбегались к Великой Реке; вверху перед ней маячили лишь мрачные вершины. И она подумала: «А может, мне стоит вернуться, пока не поздно?»

Но, пока она там стояла, ей стало казаться, что она слышит впереди голоса, только уже внизу, в самом конце тропы, что вела с перевала, и она решила: «Я уже почти догнала их. Теперь мне нужно всего лишь идти за ними следом». Она еще немного подождала и двинулась дальше через перевал и вниз по тропе.

Вскоре тропа раздвоилась. Девушка выбрала стежку, ведущую на восток, и довольно долго спускалась по ней, но тут тропа снова раздвоилась. На этот раз она выбрала тропу, ведущую на северо-запад, уверяя себя, что заметила там следы тех, кого хотела догнать. Она шла то по одной тропе, то по другой, шла по оленьим тропам, петлявшим в зарослях карликового дуба, шла совсем без тропы, прямо сквозь покрывавший склоны чапараль. Она уже начинала понимать, что случилось, и теперь пыталась вернуться назад. Но, куда бы она ни взглянула, всюду видела тропинки и тропы и на них следы людей, которые шли кто в гору, кто с горы, кто на юго-восток, кто на северо-запад. И каждый раз ей казалось, что те люди, которых она хотела догнать, ушли именно в этом направлении. Вместо того чтобы сразу пойти назад, снова подняться к перевалу или хотя бы на вершину горы и посмотреть оттуда, как ей лучше спуститься в Долину, она пошла по оленьей тропе куда-то на Гору Ио, поднимаясь все выше и выше, сама не зная куда.

А тот молодой человек по имени Гагат когда-то специально учился разбирать следы в Обществе Благородного Лавра и в Обществе Искателей, так что, добравшись до Гранатового Ручья, он внимательно осмотрел все тропинки и решил, что та группа, что шла к Зеленым Пескам, двинулась вниз по течению ручья, а девушка пошла как раз наоборот, в гору. Когда люди во главе со старым Искателем пришли к Гранатовому Ручью, они увидели следы, ведущие вниз по течению ручья, и пошли по ним.

Гагат же, напротив, пошел по следам, ведущим на Гору Пяти Огней, и шел почти до самого перевала. Однако на первой развилке он двинулся не на восток, а на север... (Далее следует детальное описание тех троп, по которым проходил Гагат, и тех мест, где он вел свои поиски; все это читатель из Долины найдет для себя весьма интересным, однако невежественному в этом отношении читателю-иностранцу это, пожалуй, покажется скучноватым.) На второй день поисков, ближе к полудню, на дальнем склоне хребта Эччеха юноша нашел возле тропы косточки сушеных абрикосов и слив, которые, видимо, ела девушка. Вскоре после этого он услышал далеко на дне ущелья какой-то шум, словно там сквозь заросли пробиралось какое-то большое животное, и окликнул девушку по имени. Шум затих, однако ему никто не отозвался.

На закате юноша вышел из ущелья в долину Хьюринга. Он ничего не знал о народе, жившем там, так что старался держаться подальше от людских троп и жилищ. Один раз на открытом месте он увидел какого-то человека, который бежал вверх по склону высокого холма прямо к роще, но в сумерках видно было плохо, и он не осмелился этого человека окликнуть. Пройдя долину насквозь, Гагат попал в такой густой кустарник, что пришлось ему лечь прямо на землю и спать до утра. Утром он уже было решил пойти домой, потому что не захватил с собой никакой еды и два дня ничего не ел, но тут он увидел несколько хороших грибов и, пока подкреплялся ими, услышал шум — как если бы кто-то продирался сквозь густой кустарник ближе к вершине горы, так что юноша снова пустился вдогонку, поднимаясь по оленьей тропе.

Теперь они оба оказались в диком краю, между долиной Хьюринга и Внутренним Морем. И теперь оба они заблудились.

Ивовая Лоза считала, что возвращается назад, к Долине Великой Реки На, но на самом деле все время шла на север, потом на северо-восток, потом на восток, потом снова на север. Гагат продолжал идти по ее следу и теперь порой мог уже слышать, как она разговаривает сама с собой где-то впереди; однако, когда он окликал ее, она не отвечала. Она уже совсем одичала и, заслышав его голос, ненадолго пряталась в кустарнике, а потом тихонько убегала вперед.

Вечером четвертого дня юноша проходил мимо двух огромных синих валунов, лежавших на поляне на самом верху горной гряды, и подумал: «Вот отличное место для ночевки». Он подошел к валунам и обнаружил, что Ивовая Лоза лежит между ними и спит.

Он сел рядом с ней на землю и все время тихонько повторял вслух хейю Дома Обсидиана, чтобы она не испугалась, когда проснется.

Девушка проснулась и села меж двух валунов. Юноша сидел рядом, прислонившись спиной к одному из камней. Сверху прямо на них светила Вечерняя Звезда. Она сказала:

— Ты пришел за мной!

— Да, — ответил он, — я все время шел по твоему следу.

Она искоса поглядела на него, потом попыталась вскочить и убежать, но споткнулась, и он ее поймал. Она все повторяла:

— Пожалуйста, не убивай меня! Пожалуйста, не делай мне больно!

Он и говорит:

— Ты разве не узнаешь меня? Я твой брат Гагат, из Дома Резная Ветка.

Но она его и слушать не желала. Она считала, что он медведь. Когда же он заговорил с ней, она решила, что это сам Великий Медведь, заплакала и стала умолять его дать ей поесть.

Юноша сказал:

— Нет у меня никакой еды, — но тут заметил дикую вишню, которая росла как раз между этих больших валунов. Ягоды на ней созрели, и оба они стали есть вишни и съели так много, что не только наелись досыта, но даже опьянели от сытости. Тогда они легли вместе меж валунов, и им показалось, что валуны сами сдвинулись с места и прижали их друг к другу. Они так и заснули в обнимку, пока девушка не проснулась от того, что Утренняя Звезда светила ей прямо в лицо. Она посмотрела на того, кто лежал с нею рядом, и увидела, что это вовсе не Великий Медведь, а ее брат по Дому, Гагат. Она в ужасе вскочила и убежала, оставив юношу спящим меж тех валунов.

Та горная гряда была каменистой и довольно голой, оленьи тропы вели в заросли карликового дуба и дикой сирени. Девушка шла просто так, без цели, то шла, то бежала. И набрела на огромную груду коричневых камней, где нос к носу столкнулась с настоящим медведем. И она сказала медведю:

— Ах, ты пришел за мной! — И обняла медведя, и прижалась к нему. А медведь испугался, стал вырываться, да и провел ей по лицу когтистой лапой на прощанье.

Когда Гагат проснулся и обнаружил, что Ивовой Лозы рядом нет, то вспомнил, что они наделали, и испугался. Он не стал ни звать ее, ни ждать и даже не попытался отыскать ее следы, а сразу пустился в обратный путь, спускаясь с гор по западным склонам. Он понятия не имел, где находится, но вышел наконец в такое место, откуда была видна Ама Кулкун. Он пошел прямо на нее и через два дня спустился в Долину, к Ручью Чумо и пришел в Чукулмас.

Там он сказал людям:

— Ивовой Лозы я не нашел. Она, должно быть, заблудилась.

Он рассказал, как пошел на восток от Хьюринга, потом на север от Тотсама, но никаких ее следов не обнаружил. Ее родственники из Дома Обсидиана, что тоже ходили на поиски, вернулись домой за два дня до Гагата. Они так и не сумели нагнать Искателей, ушедших к Зеленым Пескам. И целый месяц всем пришлось ждать их возвращения оттуда. Когда же Искатели вернулись и девушки с ними не оказалось, ее мать сказала, что нужно пропеть для нее песни Ухода На Запад До Самого Восхода, однако ее отец возразил:

— Я не думаю, что Ивовая Лоза мертва. Давайте подождем еще немного.

И они стали ждать. Искатели ходили и в долину Хьюринга, и в Тотсам, облазили весь дикий край, расспрашивая народ Свиней и другие народы, что охотились там, не замечали ли они следов заблудившейся девушки, но ни слова о ней не услышали.

И вот поздней осенью, когда уже был построен Дом Воссоединения, дождливым вечером в Чукулмас пришел какой-то незнакомый человек. Он брел меж домами, похожий на высохший труп с потемневшей кожей; на затылке волосы у него еще сохранились, но спереди он был совершенно лыс, а от лица осталась только половинка. Неизвестный прошел прямо к хеймас Обсидиана, влез на крышу и крикнул в открытую дверь:

— Эй, медведь, выходи!

Все сразу высыпали наружу, и Гагат с ними вместе. Когда Гагат увидел странное существо с половинкой лица, он громко вскрикнул, заплакал и повалился с воплями на землю. Кто-то сказал:

— Да это же Ивовая Лоза!

И люди бросились за ее родными, которые давно уже пели в ее честь песни Ухода На Запад в Доме Воссоединения, и мать с отцом отвели девушку домой.

Сперва она казалась совсем безумной, но уже через месяц, живя в своем доме, стала понемногу разговаривать и вела себя нормально. Она утверждала, что не помнит, что тогда с нею произошло, но однажды обмолвилась:

— Когда Гагат нашел меня... — И умолкла.

Родные спрашивали, что она хотела этим сказать, но она не отвечала. Гагат, узнав об этом, пошел в хеймас и честно рассказал там, что было на самом деле. Потом он покинул Чукулмас, поднялся на Гору-Прародительницу до самых Истоков На, а потом переселился в Нижнюю Долину. Он жил неподалеку от Тачас Тучас, в лесу, и никогда не участвовал в Танцах и не посещал своей хеймас. Когда начинался Танец Луны, он всегда уходил высоко в горы, на юго-запад. Однажды он оттуда не вернулся. Ивовая Лоза жила в Чукулмасе до глубокой старости. Выходя из дому, она всегда надевала маску, чтобы не пугать детей своим обезображенным лицом.

ПРИМЕЧАНИЕ

Хотя данная история носит явно предупреждающе-нравоучительный характер, имеются определенные свидетельства того, что все это имело место в действительности; обстоятельства описаны необычайно точно, да и люди Дома Обсидиана в Чукулмасе считают себя потомками семейств Ивовой Лозы и Гагата.

ХРАБРЕЦ

Жил-был один человек, который отличался исключительной храбростью и всегда сам шел навстречу опасности. Еще мальчишкой, когда жил в Кастохе, он как-то раз отправился с приятелем за черной смородиной. Его дружок шел впереди и в кустах чуть не схватился рукой за гремучую змею. От страха он так и застыл на месте, но тот смелый мальчик не растерялся и, хотя под рукой у него не было никакого оружия, даже просто палки, быстро схватил змею за шею так, чтобы та не смогла извернуться и укусить его, раскрутил ее в воздухе и, зашвырнул что было сил далеко-далеко в кусты.

Он был еще подростком и носил одежду из некрашеного полотна, когда из северо-западных краев в Долину пришли огромные стада диких свиней, которые не только поедали все желуди и опустошали поля, но и нападали на людей, так что не только ходить в лес, но и просто выходить из дому стало очень опасно. А этот юноша один ходил охотиться на диких свиней и не брал с собой даже собак, а вооружен он был даже не ружьем, а луком. Он их убил такое великое множество, что потом люди всем миром носили в город из лесных тайников припрятанные им свиные шкуры. Будучи в Обществе Благородного Лавра, он без веревки взбирался на самые крутые и высокие скалы и даже на Отвесный Уступ, а еще он прожил целых полгода с народом Фаларесовых островов, учась у этих людей не бояться морских глубин и плавать по морю в маленьких утлых лодчонках.

Затем он вступил в Общество Искателей и долго скитался в дальних краях, вдоль и поперек исходив чужие земли и узнав, как живут многие народы; бывал он и за Внутренним Морем, и за Горами Света и три года провел на берегах Оморнского Моря, плавая оттуда через Пороги в страну пустынь и каньонов, до самых Райских Гор. В страшных безлюдных местах, где даже его мужественным спутникам часто бывало не по себе от томивших их предчувствий, он не ведал ни страха, ни тревог. Он клал голову на камень, под которым притаился скорпион, и в итоге оба спали спокойно. Он охотно отправлялся даже в одиночку в зараженные районы, и, поскольку его не грызло беспокойство и не подгонял страх, он не вредил ни себе, ни другим, напротив, следуя картам и указаниям, полученным по Обмену, а также благодаря собственному опыту, осторожности и неутомимости отыскал запасы свинца, меди и других ценных металлов. Его стали звать Колокол, потому что те экспедиции, в которых он участвовал, разведали так много месторождений, что вновь расцветший Цех Кузнецов теперь в достатке выплавлял бронзу и делал из нее колокольчики для овец и коров, а также музыкальные инструменты и колокола. Колокола, отлитые из бронзы, обладают самым чистым звоном, и вот люди в благодарность дали этому молодому Искателю такое имя.

Совершив несколько столь полезных путешествий, Колокол решил на какое-то время осесть и вскоре женился на женщине из Пятого Дома (сам же он принадлежал к Дому Четвертому). Они жили в любви и согласии, он продолжал учиться в Обществе Искателей, а еще ходил к ученым людям в Вакваху, на Пункт Обмена Информацией. Жена его занималась виноградарством и виноторговлей и входила в Цех Виноделов. Потом она забеременела, и беременность протекала у нее очень тяжело. На шестом месяце у нее случился выкидыш, и она долго болела после этого, да так и не поправилась. У нее продолжались кровотечения, она худела, плохо ела и очень мало спала. Врачи не находили причин для операции, а лекарства облегчения не приносили. Был совершен необходимый обряд, Целители спели все нужные песни, однако она вместе с ними петь не могла. Однажды Колокол пришел домой и обнаружил, что жена лежит одна, совсем ослабевшая, и горько плачет. А потом она сказала ему:

— Колокол, я скоро умру.

— Нет, — воскликнул он, — ничего подобного! Ты не умрешь.

— Я боюсь, — сказала она.

— Какой прок бояться, — сказал он. — Да и бояться-то нечего.

— А разве смерти не стоит бояться? — удивилась она.

— Не стоит, — сказал он уверенно.

Жена только отвернулась от него и продолжала молча плакать.

На другой день, когда Колокол пришел домой, она чувствовала себя так плохо, что не могла даже руку поднять.

— Послушай, женушка, — сказал он ей, — если ты так боишься умирать, то я умру вместо тебя.

Это заставило ее улыбнуться, и она сказала:

— Смелый ты мой дурачок!

Но он совершенно серьезно возразил:

— Нет, это правда, жена моя! Я умру вместо тебя, не бойся.

— Никто на такое не способен, — сказала она.

— Если ты дашь мне свое согласие, я смогу это сделать, — заверил он ее.

Она решила, что он как ребенок все еще не воспринимает всерьез того, что жизнь ее на исходе. И она сказала:

— Хорошо, дорогой, я согласна.

Он сидел на краешке ее постели, однако, услышав ее слова, встал, весь вытянулся, широко расставил ноги, раскинул руки, а лицом обратился к небесам. И громким голосом воззвал:

— Приди, о Мать! Приди, Отец! Придите из вашего Небесного Дома, придите ко мне из вашего Дома, где стены из падающего дождя!

Потом он посмотрел на лежавшую в постели жену и попросил:

— Пожалуйста, не называй меня больше моим прежним именем; с твоего согласия я только что отдал его. Теперь у меня только одно имя: Медведь.

Потом он расстелил в углу ее комнаты покрывало и лег на него.

Ночью пошел сильный дождь. Ужасная грозовая туча наползла с северо-запада, молнии сверкали, освещая лес и город, грохот грома эхом перекатывался среди гор, и дождь лил стеной. В ту ночь многих птиц ветром выбросило из гнезд и утопило, а земляные белки утонули в своих норках.

Каждый раз, когда гремел гром, человек, назвавшийся Медведем, громко вскрикивал, а стоило блеснуть молнии, со стоном закрывал лицо ладонями. Жена его разволновалась и попросила свою сестру придвинуть ее постель поближе к нему, потом взяла его за руку, но так и не могла успокоить. Тогда она послала сестру за матерью своего мужа. Свекровь ее пришла и тоже стала спрашивать сына:

— Что случилось, Колокол? Что с тобой такое?

Он ничего не отвечал ни той, ни другой, но лежал и дрожал и все прятал лицо. Наконец жена вспомнила, что он велел звать его Медведем, и сказала:

— Медведь! Почему ты так ведешь себя?

И тут он ответил:

— Я боюсь.

— Чего же ты боишься?

— Я должен умереть.

Свекровь спросила женщину:

— Почему он так говорит?

Та ответила:

— Он сказал, что хотел бы умереть вместо меня. И я дала свое согласие.

Свекровь и сестра женщины в один голос воскликнули:

— Никто на такое не способен! Это невозможно!

Тогда женщина обратилась к своему мужу:

— Послушай, я не согласна, чтобы ты умирал вместо меня! Хоть я и дала тебе свое согласие, но теперь беру его обратно!

Но он ее, похоже, не слышал. С треском рассыпались раскаты грома, и дождь молотил по крыше, а ветер продолжал бушевать.

Дождь лил всю ночь, и весь следующий день, и следующую ночь тоже. Долину залило водой так, что она превратилась в озеро от Унмалина до Кастохи.

Тот человек, который теперь назывался Медведем, все время, пока шел дождь, лежал, дрожал и прятал лицо; он ничего не ел и совсем не спал. Жена его оставалась с ним рядом, тщетно пытаясь его успокоить и утешить. Приходили люди из Общества Целителей, но он говорить с ними отказывался и не желал слушать их пение, затыкал уши и стонал.

В городе стали поговаривать:

— Этот храбрец умирает вместо своей жены; он занял ее место в обители смерти.

И действительно, было похоже, что это так и есть, однако никто не был уверен, возможно ли это и можно ли допускать такое.

Пришли люди из Общества Земляничного Дерева и уселись рядом с женой у ложа ее мужа. Они сказали ему:

— Послушай, ты заходишь слишком далеко! Разве тебе не страшно?

И он громко заплакал и ответил:

— Да, мне теперь страшно! Но уже слишком поздно.

— Но ты еще можешь вернуться, — сказали они.

И снова он заплакал и сказал:

— Я никогда не знал, какой он, медведь. А теперь сам стал медведем.

Наконец дождь перестал, воды вернулись в реку, и установилась обычная для этого сезона погода. Но тот человек так и не смог больше подняться; он все лежал, дрожал и ничего не ел. Кишки его не выдержали столь длительного голодания, началось кровотечение, его мучили сильные боли, он громко кричал и стонал. Это был такой крепкий и здоровый человек, что ему потребовалось очень много времени, чтобы

умереть. Прошло четырнадцать дней, и он уже совсем обессилел и не мог говорить, а еще через четыре дня люди начали петь в его комнате песни Ухода На Запад До Самого Восхода, однако он и после этого еще прожил целых девять дней, ослепший, исстрадавшийся, стонущий, пока смерть не взяла его.

После смерти мужа эта женщина пыталась переменить свое имя, хотела, чтобы ее называли Трусихой, однако большая часть людей отказывалась называть ее так. Она совершенно выздоровела и прожила еще очень долго, до глубокой старости. Каждый год в день Сожжения Имен, во время Танца Вселенной, она бросала в огонь имена своего мужа — его детское имя, и его имя Колокол, и его последнее имя Медведь; и хотя обычно имена сжигают лишь однажды, никто не мешал ей делать это каждый год — из-за его последнего имени и из-за того, что он сделал ради нее. И она поступала так очень долго, и эта история помнилась людям тоже очень долго, помнят ее и сейчас, хотя женщина та давным-давно умерла.

У ИСТОЧНИКОВ ОРЛУ

Она носила одежду из некрашеного полотна уже целых пять лет. Имя ее было Адсевин, что на языке кеш значит «Утренняя Звезда». И вот пошла она как-то в Чукулмас, чтобы принести воды из Источников Орлу для Танца Воды.

Она и раньше бывала в горах у этих источников, но всегда приходила туда с людьми из своей хейимас, а не одна. Когда Адсевин поднялась на вершину горы, она прислушалась к звуку воды, бегущей на дне ущелья. Заросли терна и карликового дуба вокруг были очень густы, и нигде не видно ни одной тропки, протоптанной человеком. Девушка стала спускаться вниз по оленьим следам и вышла из зарослей в том месте, где из стены ущелья выступала большая округлая красная глыба, похожая на крыльцо. Стоя на этой скале, Адсевин посмотрела на журчащий внизу ручеек и увидела пьющих рядом оленя и мужчину. Мужчина стоял на коленях и пил прямо из ручья в том месте, где вода перекатывалась через камень. Он был совершенно наг, и его кожа и волосы были в точности того же цвета, что и шкура оленя. Он, видно, ее не заметил и не слышал, как она вышла из зарослей и остановилась на той красной скале. Напившись вволю, мужчина поднял голову и что-то сказал ручью. Адсевин по движению его губ поняла, что он произносит хвалебную Песнь Воды — хеш ваквахана, хоть и не слышала его голоса. И тут он выпрямился и заметил девушку. Они смотрели друг на друга через ручей. Глаза у мужчины были оленьи. Он ничего не говорил, и Адсевин тоже молчала. Потом он опустил глаза, попятился, повернулся и исчез в прибрежных зарослях. Огромные ольховины, росшие там, скрыли его из виду. Исчез он совершенно беззвучно, девушка не услышала ни единого шороха.

Она еще долго сидела на краешке скалы, глядя, как бежит ручей. Стояло уже позднее лето; от зноя умолкли все птицы. Наконец девушка сошла к ручью, спела ему хейю, набрала воды в кувшин из синей глины, опустила кувшин в плетеную сетку, чтоб удобнее было нести, и отправилась в обратный путь, вверх по крутой стене ущелья. Однако прежде, взобравшись на скалу, нависавшую над ручьем, все же обернулась и сказала вслух:

— Завтра у нас в Чукулмасе праздник Воды, и мы будем танцевать в ее честь.

А потом по оленьим тропам, через гору отправилась к себе домой.

Она отнесла в хеймас воду из Источников Орлу для завтрашнего праздника, а после сразу пошла в свой Дом Кошачьи Усы. Дома она спросила брата своей бабушки, одинокого старика, жившего в семье сестры, наставника из хеймас Синей Глины:

— Кого это я видела у Ручья Орлу — существо из Дома Синей Глины или же из Дома Ветра?

— А как этот человек выглядел? — спросил ее старик.

— Похож одновременно и на оленя, и на человека.

— Ну что ж, ты, вполне возможно, видела Небесное Существо. Время сейчас священное, а ты к тому же занималась священным делом. Этот человек что-нибудь говорил?

— Он разговаривал с водой, после того как напился.

— А с тобой он разговаривал?

— Нет. Я разговаривала с ним. Я сказала, что мы празднуем Танец Воды.

— Тогда, может быть, этот человек придет на праздник, — сказал старик.

Все время, танцуя на площади, Адсевин посматривала в сторону троп, ведущих с «охотничьей» стороны, с севера; однако в тот день так и не увидела человека с Ручья Орлу.

А он все же пришел, однако в город войти побоялся: там было полно танцующих людей. Прошло слишком много времени с тех пор, как он покинул племя своих сородичей. Он не знал, как ему себя вести с ними. Испуганный, он спрятался под крутым берегом ручья и оттуда наблюдал за танцующими. Но на него с лаем и рычанием набросились собаки, и он спасся бегством, убежал по руслу ручья в горы.

После Танца Воды жара стала еще сильнее, и в Чукулмасе в полдень все, казалось, замирало в недвижимости, лишь стервятники кружились над Холмом Канюка. И в такой вот жаркий полдень Адсевин снова пошла в то ущелье, к Источникам Орлу. Она отыскала ту оленью тропу, что вела вниз, к большой красной скале, и спустилась по ней. Ручей пересох. На его берегу никого не было. На красной скале лежали четыре крупных зеленых желудя. Должно быть, их забыла там белка или еще какой-то зверек. Адсевин взяла желуди, а на их место положила то, что принесла с собой: изящную забавную вещицу — хехоле-но из дерева оливы, вырезанную в виде спирали и гладко отполированную. Негромко и не глядя вниз, на дно ручья, она проговорила:

— Я вскоре ухожу в Путешествие за Солью. После этого я снова приду сюда.

А потом поднялась наверх и отправилась домой в Чукулмас.

После Путешествия за Солью, еще до Танца Вина, она снова пришла на красную скалу. Хехоле-но исчезла; но на ее месте ничего не было. А даже если бы и было когда-то, то, конечно же, белки, сойки или древесные крысы могли утащить подношение или просто закатить куда-то. Адсевин отыскала

139

осколок обсидиана и нацарапала им на красной скале знак Дома Синей Глины. Потом выпрямилась и сказала:

— Скоро в нашем городе будут праздновать Танец Вина.

А тот человек, что потерял свое имя, все слышал, спрятавшись на дне ущелья, под крутым берегом высохшего ручья. Он всегда слушал ее.

Когда в тот вечер Адсевин пришла домой, брат ее бабушки сказал ей:

— Послушай, Адсевин. Я тут потолковал кое с кем из охотников, что бывают в ущельях, расположенных выше окаменевшего леса и выше Горы Коршуна. Им об этом человеке-олене известно. Он когда-то давным-давно жил здесь в Доме Сорока Пяти Секвой, но потом отправился жить в леса. Раньше он принадлежал к Дому Змеевика, однако теперь, по их словам, лишился всякого Дома. Это пропащий человек. А такие люди особенно опасны, ибо они совершают неразумные поступки. Может быть, лучше тебе больше не ходить в ущелье Орлу? Ты, возможно, даже пугаешь его, когда ходишь туда.

Она спросила:

— А охотники знают, где он живет?

— Нет, у него нет никакого дома, — ответил он.

Адсевин вовсе не хотелось огорчать старика, однако того мужчину из ущелья Орлу она совсем не боялась и не понимала, каким это образом могла испугать его; так что, дождавшись дня, когда старик был особенно занят во время уборки урожая, она снова пошла туда по северной тропе.

Дожди еще не начались, однако деревья уже могли вдоволь напиться воды, поступавшей к ветвям от корней, да и в ручье тоже было много воды; он казался особенно глубоким там, где крупные камни. Грязь на берегу ручья была жидкой, и в ней — полно оленьих следов. На красной скале, рядом с тем знаком Дома Синей Глины, который вырезала она, тоже был сделан рисунок. Это был глаз койота — знак Восьмого Дома. Увидев его, она сказала:

— Хейя, хейя, Койот! Так, значит, ты все-таки здесь, житель дикого края! Вот этот мой дар — для того из обитателей твоего Дома, кому он понравится. — И она положила на скалу то, что принесла с собой: несколько виноградных листьев, в которые были завернуты вымоченные ячменные зерна, смешанные с изюмом и кориандром, а потом ушла назад тем же путем, каким и пришла.

Встретившись со своим старым дядюшкой вечером, после того как он возвратился с поля, Адсевин, чуть помедлив, сказала:

— Дорогой матайкеби! Тот человек сказал мне, что живет в Доме Дикой Природы. Я не думаю, что тебе стоит за меня бояться, когда я хожу туда.

— А что, если я пойду с тобой и хорошенько принюхаюсь? — спросил старик.

— Что ж, двери этого Дома ведь не заперты, — ответила Адсевин.

И вот ее дядя тоже отправился в ущелье Орлу. Он увидел знаки на красной скале, а рядом с ними камешек — гематит со дна ручья, отполированный до блеска и очень красивый. Он камешек не взял. Просто долгое время сидел на этой скале, дремал и слушал. Он не видел и не слышал того человека, однако был уверен, что он где-то неподалеку, возле больших ольховин на противоположном берегу ручья. Старик спел хейю воде и вернулся в Чукулмас. Там он сказал Адсевин:

— По-моему, опасностью в этом ущелье не пахнет. И ручей уже полон. А еще там, на скале, лежит красивый камешек со дна этого ручья.

Когда Адсевин снова пошла туда, она взяла камешек и на его место положила веревочную сумку, которую сплела сама, и сказала:

— У нас в городе скоро будут праздновать Танец Травы. Все обитатели дикого края тоже приглашаются на этот праздник.

И тут она заметила, что этот человек следит за нею и слушает ее речи. Он спрятался за огромным земляничным деревом из шести стволов, росшем на том берегу, но она разглядела его плечо, волосы и глаза. Почувствовав, что девушка его заметила, он тут же присел и весь скрючился. Адсевин отвернулась и пошла прочь, в гору.

Итак, один праздник сменял другой, дождливый сезон сменялся сухим, а Адсевин все ходила и ходила к Ручью Орлу и всегда приносила какой-нибудь маленький подарочек. Усевшись на краю скалы, она рассказывала пропащему человеку об очередном празднике и всегда с благодарностью принимала его подарок, если он что-нибудь клал для нее на красную скалу. Иногда ей удавалось увидеть и его самого. Он же видел ее всегда.

Когда в Чукулмасе умирала одна старая женщина, что

жила в Доме Сорока Пяти Секвой, Адсевин сходила в ущелье Орлу и рассказала тому человеку об этом, думая, что, может, та старуха была ему родственницей и он захочет спеть для нее песни Ухода На Запад, если только совсем не позабыл их.

В Первый День Танца Вселенной она под проливным дождем снова пришла в ущелье Орлу. Ручей бурлил, грохотал среди камней и плевался клочьями желтой пены; птицы, что жили в ущелье, попрятались, свернувшись клубочками в гнездах и на ветках. Девушке было очень трудно спускаться по крутому склону до красной скалы, глина так и скользила под ногами. Под шум ветра и грохот гальки в разбушевавшемся ручье она крикнула:

— У нас в городе празднуют Танец Вселенной; его танцуют и здесь, в диком краю. Завтра — Свадебная Ночь. И завтра меня выдадут замуж за человека из Первого Дома.

Но дождь так шумел, что она не поняла, был ли он рядом и слышал ли ее.

В тот год Адсевин не захотела танцевать Танец Луны: ведь она только что вышла замуж. Они с мужем ушли подальше в горы и там построили летнюю хижину на вершине холма над ущельем Шолио. И однажды Адсевин прямо оттуда отправилась в каньон Орлу. Она прошла поверху, в том месте, где упала сосна, и увидела оттуда дно ущелья, где поблескивал Ручей Орлу с нависавшей над ним красной скалой. На скале лежал пропащий человек. Должно быть, он спал, прижавшись щекой к вырезанным на камне знакам. Адсевин долгое время стояла неподвижно и ушла, так и не разбудив его.

Когда она вернулась в летнюю хижину, молодой муж спросил:

— Куда ты ходила?

— К Источникам Орлу, — сказала она.

Ее муж, еще будучи членом Общества Благородного Лавра, слышал о пропащем человеке, который живет в лесу и стал совсем диким; его часто встречали именно в ущелье Орлу. И он сказал Адсевин:

— Никогда больше не ходи туда.

— Нет, — возразила она, — я буду туда ходить.

— Но почему? — удивился он.

— Спроси моего старого дядюшку, почему я хожу в ущелье Орлу, — сказала Адсевин. — Он, наверно, сможет объяснить тебе. Я не могу.

Тогда молодой муж сказал:

— Если ты снова пойдешь туда, то и я пойду с тобой вместе.

— Пожалуйста, позволь мне ходить туда одной, — попросила она. — Там нечего бояться.

После этого случая ее мужу стало как-то неуютно так высоко в горах и далеко от людей, и он предложил:

— Давай переберемся пониже, ближе к летним хижинам твоего семейства. — И она согласилась.

И пока они жили там, на Белых Пепельных Берегах, муж Адсевин поговорил с ее дядей и с несколькими охотниками, которые часто ходили в горы и спускались на дно ущелья Орлу. Ему очень не понравилось то, что они рассказали о пропащем человеке, особенно то, что он всегда держится поблизости от Источников Орлу. Но старый дядюшка Адсевин успокоил его:

— По-моему, в этом нет ничего страшного.

Потом Адсевин ушла в Чукулмас; она собиралась танцевать на празднике Воды и для этого ходила за водой из Источников Орлу. И после Танца Воды она еще много раз ходила одна в ущелье, особенно накануне больших праздников. Иногда она брала с собой еду. Муж только наблюдал за ней, но ничего не говорил, повторяя про себя то, что сказал ему ее старый дядя.

Как раз перед очередным Танцем Воды у Адсевин и ее мужа родился сын, и когда ему исполнилось несколько месяцев, а на горных склонах начала подрастать молодая трава, Адсевин положила мальчика в корзинку и отправилась с ним вместе по северной тропе. Мужу она ничего не сказала. Тот увидел, как она уходит вместе с малышом, и сильно встревожился и рассердился. Он пошел за ней следом, держась поодаль, прячась за горки и хоронясь в низинах, пока не пришел на вершину той горы, за которой располагалось ущелье Орлу. И тут, на самой вершине, он потерял след Адсевин; собственно, никакого следа там и не было. Просто он не успел разглядеть, куда она свернула, а исчезла она совершенно беззвучно. Муж побоялся шумом выдать свое присутствие и стоял, не шевелясь и прислушиваясь.

И вот где-то далеко внизу, прямо под собой, он услыхал голос Адсевин. Она спустилась на самое дно ущелья, к ручью, и говорила кому-то:

— Вот мой сын. Я назвала его Койот, Бегущий По Следу. — Она помолчала, потом муж снова услышал ее голос: — Неужели ты ушел отсюда, Койот? — Она снова помолчала, а потом вдруг громко выкрикнула что-то непонятное.

Ее молодой муж так и бросился вниз, не разбирая дороги и изо всех сил продираясь сквозь густой кустарник, по крутой тропе, туда, откуда до него доносился голос жены. Она сидела на красной скале, держа на руках ребенка, и плакала. Когда ее муж подошел ближе, он сразу почувствовал запах смерти. Он остановился рядом с Адсевин, и она указала на ту сторону ручья. Пропащий человек, видимо, умер уже давно и лежал там, под огромными ольховинами, чуть ниже выходившего на поверхность земли родника. Он уже отчасти и сам стал землею.

ПОЭЗИЯ

РАЗДЕЛ ВТОРОЙ

 Произведения, включенные в эту группу, — это подарки авторов своим хеймас или обществам. Представления Кеш о собственности настолько отличны от наших, что каждое упоминание об этом влечет за собой пространные пояснения. То, что человек сделал сам или выиграл, или то, что принадлежит ему как члену семьи, для жителей Долины является собственностью этого человека; однако человек этот сам принадлежит определенному Дому, семье, городу, народу. Благосостояние состоит, таким образом, не в наличии вещей, а в деянии: в акте дарения, отдачи.

Стихотворения, написанные поэтами, являются их собственностью, но то или иное стихотворение по-настоящему и не существует до тех пор, пока не будет подарено, разделено с кем-то, представлено перед аудиторией. Идентичность понятий обладания и дарения, может быть, легче принять именно в том случае, когда речь идет о такой вещи, как стихи, или рисунок, или музыкальное произведение, или молитва. Народ Кеш, однако, воспринимает их как тождественные для всех видов собственности.

Песнь Голубой Скалы

Из Дома Змеевика в Ваквахе. Без подписи

Прочна, загадочна, могуча
покоюсь в солнечных лучах
среди дубов огромных и прекрасных.
Когда-то солнцем я была,
потом я стану тьмою.
Сейчас же просто я скала,
живу с народами иными
среди дубов огромных и прекрасных.

Медитация в Восьмом Доме ранней весною

Автор: Ярость из Синшана

О, хлопья облаков голубоватых, плывущих в небе
к северо-востоку,
медлительных, недостижимых,
душе той помогите!
О, ветер юго-западного направленья, сезон
дождей с собою приносящий,
душе той помоги найти спасенье.

Сосна упала. Под корою черви построили
изящный лабиринт
из круглых своих норок. Строители искусные,
прошу вас,
душе той помогите умереть.

Рисунок тонкий — переплелись прожилки
голубые на синеватом валуне в том месте,
где долгие дожди скалу подмыли.
О, ветер, приносивший дождь не раз за эту зиму,
помоги
душе той завершить свой круг.

Мелькание теней засохших веток
и трав; лучи полуденного солнца...
О, дикий край! Одна лишь птица где-то
поет одну и ту же ноту
на крыльях ветра в солнечном пространстве.

Хехоле-но

Скала та оказалась капель дождевых слабее.
Могучая сосна — слабей червя. Ничем им не
поможешь.
Так будь и ты, душа, слабее жизни, смирись с ее
победой,
плыви, кочуй на крыльях ветра вместе с солнцем,
пройди сквозь сеть прожилок голубых на валуне
упавшем
и пой — одну и ту же ноту
на крыльях ветра в солнечном пространстве!

Смерть

Не подписано. Подарок хеймас Красного Кирпича
от частного лица

Смерть лишь одна,
себе задать ее не можешь ты.
Я тоже не могу ее забрать себе.
Мы все умрем однажды, смерть разделив.
Ты умираешь, и я тоже;
я умираю, и ты тоже.

От смерти ты спасти не можешь
меня. А я тебя? Нет, тоже
не могу. Но плачем мы с тобою вместе,
когда придет твой час — ты встретишься со смертью.

Восхождение

Подарено Обществу Черного Кирпича в Ваквахе автором, Агатом

Порой душа, как пузырек легчайший, взлетает
и летит на крыльях ветра, что разумом рожден,
вверх по Реке, вдоль всей Долины,
к Горе, чтоб там родиться и погибнуть сразу.
С юго-востока дует нынче ветер.
В мужской и смертной плоти та душа
то съежится, то встанет дыбом, борется и плачет,
и дом, что из костей, ей стал тюрьмою — пленница
она,
из тела своего спасенья ищет, уйти на волю хочет.
А ветер продолжает дуть с юго-востока.
О, матери, дом стерегущие, отцы, растящие лозу,
вы отпустите сына вашего с душою легкой, точно
пена,
пусть станет он воителем, скитальцем иль изгоем,

иначе он сожжет ваш дом и виноградник!
Восточный ветер пахнет дымом и пожаром.
Он — разрушение само, ведь он, рожденный трижды, —
зола в воде бегущей. И поле черное простерлось
за спиной его. Пусть он уходит!
Пусть он стремится в горы своей мечте навстречу.
При ветре южном на землю искры опадают.

Не так уж он и отличался от нашего

Подарено хеймас Красного Кирпича в Ваквахе автором
по имени Девять Целых из Чумо

Не так уж он и отличался от нашего, тот мир.
Возможно, чуть-чуть порядка требовалось или
его начало лежало в той поре,
когда вещей нам нужно было больше.
Давно когда-то, у Ворот Начала —
кто знает? — может, женщина одна
согнала надоевшую ей муху,
что из личинки вылупилась
в селезенке мыши, не съеденной лисой,
на берегу ручья, у зарослей?
Как можешь ты сказать: такого не случилось?
Как можешь ты сказать: такого не случится?
Взглянув на волны моря, усомнишься,
что их природа стала вдруг иною.
Когда тихонько выбиваешь дробь на барабане,
то кажется, что звук тот родился задолго
до начала всех начал и всех различий,
и все слилось когда-то, чтоб родиться в этом звуке,
а уж потом возникли все различья.

Язычковый барабан

Солнце клонится к югу

Подарено хеймас Красного Кирпича в Чукулмасе автором по имени Успокоенный

Под поздними закатными лучами брожу я со
встревоженной душою.
Не ведая покоя, я скитаюсь под бледным солнцем
месяцев осенних.
Перемен слишком много, расставаний, смертей в
моей жизни.
И закрылись те двери, что прежде для меня были
вечно открыты.
Деревья, державшие небо, все срубили зачем-то
под корень.
Слишком много всего, что один лишь я в этом
мире и помню!
И ручей этот боле не бежит каменистой своею
дорожкой.
Души мертвых! Придите испить той водицы
иссохшей!
Может быть, мы отправимся вместе в соседнюю с
этой долину,
старая женщина, что так же в волненье ступает
здесь по травам сухим, по руслу ручья неживого?

Перед восходом луны

Подарено хеймас Обсидиана в Чумо автором по имени Сомик

Под землею,
под луною
ветер дует.
Тени пляшут
над землею,
пляшут тени эвкалиптов.
Листья ветер раздувает
под ветвями эвкалиптов,
ветер тени заставляет
поплясать перед восходом
в небесах луны огромной.

Мотыльки и бабочки

«Одна старая-престарая песня», исполненная Бараном
из Мадидину в Обществе Земляничного Дерева

Бабочка, чудом явившись на свет,
вновь превращается в чудо.
Ах, танцовщица!
Душа, любуясь тобой, порхает.
Во всех Домах сразу ты обитаешь,
лишь на мгновенье там задержавшись.
Мотылек, чудом явившись на свет,
вновь превращается в чудо.
Ах, фокусник, меняющий обличья!
У вас обоих поучиться бы Медведю.

«Старые стихотворения»

Стихи, которые прочитал Кемел (что значит Марс) из Унмалина
в Обществе Земляничного Дерева

Наши души стали стары,
ими пользовались часто.
Этот нож переживет
руку, что его держала.
В долины горы превратятся,
родник же будет бить, как прежде.

Я старею, зато
моя душа молодеет.
Я к морю иду;
она же вверх по реке стремится.
Послушай, река:
я — не душа моя, нет!

Заклинание

«Я создала эту песню, чтобы петь ее, если сухой сезон
слишком затягивается или же если душа жаждет дождя».

Олениха из Дома Синей Глины, Вакваха

Ветры дуют пустые,
северный ветер, восточный,
небеса опустели.
То, что мы ищем,

150

о чем мы мечтаем,
скрыто на дне, в глубине,
под волнами морскими.
О, светящиеся чужеземцы,
что глаз никогда не смыкают!
О, дивные жители океанской
далекой пучины!
Нельзя ль выпустить их,
дать им свободу?
Пусть в Долину они
с южным ветром вернутся,
пусть с западным ветром
скорее сюда принесутся —
в родную Долину
и в свой Дом Небесный
облака дождевые,
грозою налитые тучи.
Пошли их, о Море!
Подари, подари им свободу,
как камни в горах
родники выпускают на волю,
как вольно течет к Тебе
наша Река по Долине,
как дарим Тебе мы танцы
свои, посылая их с песней,
как возвращаем мы снова
Тебе Твои воды
с Рекой и дождями,
чтоб Ты, Море, вновь смогло
само с собою слиться.

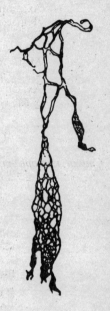

Старая женщина поет

Подарок Цветущей из Синшана ее хейимас

Цвела, как слива,
да стала черносливом.
Ах, черносливом стала
на косточке сухой.
Съешь меня, съешь меня!
Косточку выплюнешь —
она вскоре станет
деревом, деревом,
сливой цветущей станет она.

У излучины реки

*Написано Яростью под рисунком, украшающим стену хеймас
Синей Глины в Синшане*

Как медленно течет вода
по илистому руслу
меж низких и неясных берегов
в тумане. Вдруг — хлопанье
широких сильных крыльев.
Но цаплю не могу я рассмотреть.

Экверкве: перепелка, взлетающая в кустах

*Подарено хеймас Синей Глины автором по имени Кулкунна
из Чукулмаса*

Хлопаешь, хлопаешь крыльями ты,
с земли поднимая мирную стаю,
опасность заметив. О, чуткая!
Громом звучат твои мягкие крылья
в зарослях чапараля.

Но тайные знаки глазам чужим незаметны.
Они лишь для тонкого слуха
и острого зрения чуткого стража.
О, чудо пернатое в платье
землистого цвета!

Этот камень

Из хеймас Змеевика в Телине; автор — Словоплет

Ушел он путь искать,
что к смерти не приводит.
Ушел он путь искать,
да и нашел его.
Каменистым тот путь оказался.
Пошел он по пути,
что к смерти не приводит.

Пошел он по нему,
да вдруг остановился.
И тут же превратился в камень.
Стоит он на пути,
что к смерти не приводит.
Стоит он недвижим,
он танцевать не может
и камешками плачет вместо слез.
Вот мимо люди Радуги прошли,
легко ступая, длинноногие такие,
они на танцы шли из Четырех Домов
в Дома Земные, в гости,
и подобрали слезы-камешки его.
Вот этот камешек — слеза его.
Мне подарили его те, кто умер
задолго до рожденья моего.
Мне на Горе был камень тот подарен.
Ах, этот камешек-слеза!

ЧЕТЫРЕ ИСТОРИИ

НЕНАВИСТЬ СТАРУХ

Рассказано Тёрн из Дома Высокое Крыльцо
(Синшан)

Там, где сейчас в Синшане Дом Высокое Крыльцо, давным-давно был дом, который назывался Переживший Землетрясение. Он простоял там очень, очень долго, наверное, слишком долго. Каменные порожки, а кое-где и плитки пола стесались буквально до дыр. Двери висели вкривь и вкось. Доски подгнили и едва держались. В стенах гнездились мыши; под крышей, на чердаке — полно птичьих и осиных гнезд и толстый слой засохшего помета летучих мышей. Этот дом был так стар, что никто и не помнил, какая семья построила его. Никому не хотелось его ремонтировать и поддерживать в нем чистоту. Этот дом был похож на старую-престарую собаку, которой все на свете надоело, на которую всем наплевать, вот она и живет сама по себе, грязная и молчаливая, и только чешется, когда ее блохи особенно донимают. Жители Синшана в те времена, наверно, были чересчур беспечны, раз позволили тому дому превратиться в грязную развалюху; безусловно, куда лучше было бы просто повалить его, разобрать и использовать хорошие еще доски и камни для постройки нового дома. Но люди почему-то часто не делают того, что было бы лучше, или того, что просто хорошо. Жизнь течет, они остаются такими, какими были, и кто их изменит? Колесо все вращается и вращается... Трудно быть разумным во всем. И трудно вмешиваться в то, что делают твои соседи.

Итак, жили там две семьи: одна из Дома Красного Кирпича, а вторая из Дома Обсидиана. В каждом семействе была бабушка. И эти две старые женщины всю свою жизнь прожи-

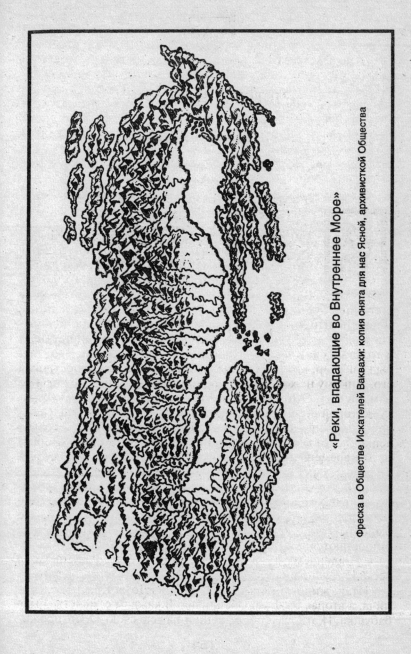

«Реки, впадающие во Внутреннее Море»

Фреска в Обществе Искателей Ваквахи: копия снята для нас Ясной, архивисткой Общества

ли рядом, ненавидя друг друга. Не уживались они — и все. Они даже не желали разговаривать друг с другом. Как все началось? Чего они хотели? Не знаю. И никто из тех, кто мне о них рассказывал, этого не знал. Ненависть ведь не имеет ни начала, ни конца, она как бы движется по кругу, и чем больше времени проходит, чем старше и упрямей человек, тем туже объятия его ненависти, и в итоге человек оказывается зажатым в ней, как палка в стиснутом кулаке. Вот так они и жили — старая женщина из Дома Красного Кирпича на втором этаже, а старая женщина из Дома Обсидиана на первом, над кладовыми; и обе друг друга ненавидели. Женщина со второго этажа обычно говорила своим домочадцам:

— Вы только понюхайте! Какая вонь ползет сюда снизу, когда она готовит! Скажите этой особе, чтоб перестала травить всех своими запахами!

И зять шел вниз и передавал ее слова старухе из Дома Обсидиана. Та ему ничего не отвечала, но говорила своему зятю:

— Что это за шум? Вроде бы собака где-то растявкалась? Или вода бежит в туалете? Что за неприятные звуки в этом доме! И что за люди там, наверху! Все ходят, топают, бормочут что-то, бормочут... Пойди скажи им, чтоб перестали так шуметь.

У старухи из Дома Красного Кирпича были две замужние дочери; у одной из дочерей уже тоже были две замужние дочери, так что там жили целых четыре зятя и несколько маленьких детей — большая семья жила в этих старых, грязных комнатах под самой крышей. Крышу они не чинили. Когда шел дождь, крыша протекала; старухино семейство сделало в полу у стены дыру, и вода стекала в комнаты тех, кто жил внизу. Старуха из Дома Красного Кирпича тогда говорила:

— Вода всегда стекает вниз по склону холма.

А внизу проживала старуха из Дома Обсидиана со своими двумя дочерьми; одна из дочерей незамужняя, а у второй муж и дочка. Так что в этой семье народу было не так много, но щедростью они не отличались, больше помалкивали и держались замкнуто, на праздниках не танцевали. Никто никогда не заходил к ним в гости, и люди говорили:

— У них там, должно быть, сокровища несметные, не иначе. Небось все добро свое прячут, а его у них, конечно же, немало накопилось.

Другие им возражали:

— С чего это вы решили? Они никогда ничего для других

Дом Четырех Земляничных Деревьев

не делали. У них и есть-то всего пара овец, да и те пасутся с городским стадом, а корова у них давно умерла. Они, конечно, возделывают клочок земли внизу у Поляны Гремучей Змеи, но ничего, кроме кукурузы, на нем не выращивают; и собирательством они не занимаются, разве что за грибами ходят. И никогда они не делали ничего, что можно было бы отдать в обмен. Одежда у них старая, горшки и корзины тоже старые и грязные — с чего ж вы решили, что они так уж богаты?

Люди видели, как старуха из Дома Обсидиана клала в общий мешок для металлолома старую сковородку; сковородка была совершенно ржавая и прогорела как раз посредине, но было видно, что ею и после этого еще пользовались, жарили на ней, стараясь класть еду по краям, вокруг дыры. И все же кое-кто утверждал, что именно благодаря подобной скупости семейство накопило несметные сокровища.

Семья, которая жила на верхнем этаже старого дома, тоже никогда ничего не отдавала в общий котел, кроме еды, но про них никто не говорил, что они богаты. У них все двери были вечно настежь, и любой мог видеть, что у них там есть и как у них грязно. Все зятья в семье занимались охотой, так что у них всегда было в достатке оленины или другой дичи. А еще старухины дочери делали сыр. Они были единственными людьми в Синшане, которые в те времена делали сыр. Люди, которым требовался сыр, приносили им молоко, а кроме того, у этой семьи имелось несколько своих молочных коз и овец. Сыры у них зрели в подвале дома, который на самом деле был лишь полуподвалом — отличное хранилище для сыров или вина; кладовые под теперешним Домом Высокое Крыльцо сохранились еще с тех времен. А вот земледелием никто из этой семьи никогда не занимался, хотя все они были из Дома Красного Кирпича. Мужчины вечно пропадали на «охотничьей» стороне Горы Синшан и Горы-Сторожихи и даже уходили на Еловую Гору. Старуха не любила ничего, кроме оленины. Убитой дичью они весьма щедро делились с соседями, а в обмен на разные необходимые вещи отдавали свои сыры; но это семейство отличалось тем, что, взяв чужие вещи, они часто теряли их или ломали и никогда не чинили. Они были очень безответственными, неумелыми, мелочными людьми. Ни один из них не заслуживал того, чтобы о нем рассказали историю. Вот разве что стоит рассказать о той ненависти, что жила между двумя старыми женщинами, бабушками двух разных семейств. Она была поистине велика, эта ненависть, и вся сосредоточилась в одном доме, в одних старых стенах.

Год за годом их ненависть все крепла — потому дом этот и был таким грязным, полным мух и блох; именно поэтому люди, жившие в нем, были злыми, жадными и тупыми: все они служили лишь топливом для костра ненависти, разожженного двумя старухами. Все сделанное или сказанное ими сгорало в этом костре. Если охотникам не удавалось настрелять много дичи, семейство, жившее внизу, радовалось, что их соседи вернулись домой без мяса. Если случалась засуха, радовалось семейство, жившее наверху, потому что у семьи из Дома Обсидиана не оставалось никаких надежд собрать нормальный урожай кукурузы со своего клочка земли. Если сыры оказывались горькими или чересчур сухими, женщины из верхнего семейства утверждали, что это соседи подсыпали в горшки, стоявшие в подполе, песку. Если кто-то из нижнего семейства поскальзывался на крыльце, то тут же заявлял, что в этом виноваты соседи сверху, которые повсюду разбросали куски оленьего жира. Если выходила из строя электропроводка, если в стенах появлялись трещины, если веранды, балконы и ступеньки на лестнице и на крыльце начинали шататься, ни то, ни другое семейство даже не думало что-нибудь починить, а только твердило, что во всем виноваты соседи. Все, что случалось плохого, старые женщины относили на счет друг друга: «Это ее вина, ее проделки! Вон той!»

Как-то раз старший из зятьев верхнего семейства поднимался по лестнице, и подгнившие ступеньки подломились под ним. Он попытался за что-нибудь ухватиться, да только ему это не удалось, он упал и сломал спину. Он умер не сразу, а еще некоторое время промучился. Когда пришли люди из Общества Целителей и из Общества Черного Кирпича, чтобы помочь ему умирать, и стали петь песни Ухода На Запад До Самого Восхода и он пел с ними вместе, его теща вдруг раскричалась:

— Это все она виновата! Та женщина! Это она расшатала ступеньку, она нарочно вытащила из-под нее клинья, она, она это!

Бабушка из нижнего семейства в это время сидела в своей комнате и, покачиваясь всем телом, слушала крики соседки с раскрытым в беззвучном смехе ртом. А потом сказала своим домочадцам:

— Вы только послушайте эту женщину, наверху. Вот какие песни она поет умирающему! Ну ладно, пусть подождет еще немного, а потом послушает, как я ей спою, когда она умирать будет!

Но ее зять, который почти всегда отмалчивался и лишь делал то, что велели ему женщины, вдруг открыл рот и сказал:

— Я уверен: теперь случится что-то очень плохое. Я не вынимал клиньев из-под той ступеньки, и я ее не расшатывал. Ах, что-то плохое уже нависло над нами. Наверно, я скоро умру! — И он запел во весь голос песни Ухода На Запад, но не те, которые другие люди поют умирающему, а те, которые поет сам умирающий.

Его теща была очень суеверной. Она сочла, что пение этих песен непременно приведет к смерти. И заскрипела что было мочи:

— Заставьте его замолчать! Что это он задумал? В нашем семействе пока что никто не умирает! Это у них там, наверху, вот и пусть себе, а нам до них и дела нет!

Ну, дочери постарались успокоить и ее, и ее зятя. Но только люди наверху все равно ее крик услышали. В этом доме вообще все было слышно. Оба семейства ведь специально расширяли щели между досками, а в полу делали дырки, чтобы иметь возможность слышать друг друга и питать этим свою ненависть. Так что на некоторое время наверху воцарилась полная тишина. Потом умирающий вдруг захрипел и стал задыхаться. Тогда провожающие его запели третью песню Ухода На Запад. А бабка внизу все сидела и слушала.

После этого случая ее зять совсем обезумел. Он все время сидел дома и больше на улицу не выходил. Работать совсем перестал, а только сидел в углу да чесался — расчесывал блошиные укусы и сковыривал старые болячки.

Люди из Общества Черного Кирпича, которые тогда приходили петь для умирающего, снова пришли в этот дом, чтобы поговорить с обеими старухами, потому что в ту ночь все слышали и поняли, сколь велика ненависть, которую оба семейства испытывали друг к другу. До той поры ненависть эта была как бы заперта внутри дома и других людей не касалась. И пришедшие сказали старым женщинам:

— У вас здесь источник зла. Вы вредите не только себе, но и всем жителям города тоже. Если вы не перестанете так ненавидеть друг друга, то, видимо, одному из ваших семейств придется покинуть этот дом.

Бабка из верхнего семейства на это заявила:

— Их там внизу всего пять человек, и у них всякой еды полным-полно. И вещей тоже. В доме плодятся мыши и всякие твари, что кормятся тем зерном, которое они там у себя прячут; моль прямо-таки кишит повсюду — она жрет спрятанную ими одежду. У них есть всякие украшения, и праздничные костюмы, и красивые перья, и железо и медь — все это они прячут под полом в сундуках. Они никогда ни с кем ничем не делятся, они никогда ничего не отдают, хотя у них есть все на свете! Вот пусть они и построят себе новый дом!

Бабка из нижнего семейства сказала:

— Пусть эти ослы многодетные, что плодятся как попало, отправляются на «охотничью» сторону горы, если им так хочется. Это мой дом.

Пришлось людям из Общества Черного Кирпича советоваться с остальными жителями города и решать, можно ли что-нибудь с этими двумя семьями сделать. А пока они советовались, старшая дочь из нижнего семейства внезапно заболела. У нее начались судороги, а потом она впала в кому. Ее безумный муженек даже не обратил на это внимания — все продолжал расчесывать свои болячки, сидя в уголке. А мать и сестра заболевшей в ужасе со слезами обратились к Целителям:

— Ее отравили! Эти люди подложили к нашим грибам ядовитые!

Целители подтвердили, что виноваты действительно грибы, однако показали сестре умирающей женщины, что среди их грибов, которые давно уже были собраны и высушены, то и дело попадаются ядовитые фейтули, а одного такого гриба, а то и его половинки более чем достаточно, чтобы отравиться насмерть. Но сестра плакала и утверждала, что таких грибов они никогда не собирали, что их кто-то другой им подбросил. Она все твердила одно и то же, а на сестру, которая умирала, совсем не обращала внимания. И тут ее мать с трудом поднялась на ноги, вышла на крыльцо, встала у нижней ступеньки лестницы, ведущей на второй этаж, и заголосила, подняв голову кверху:

— Вы что, думаете, можно так просто убить мою дочь? Надеетесь, что вам это удастся? С чего это вы так решили? Никто мою дочь убить не может!

Все в Синшане слышали это и видели, как старуха из нижнего семейства стояла, потрясая кулаками, и вопила во весь голос.

161

Тогда старуха из верхнего семейства вышла на балкон и крикнула оттуда:

— Что значит весь этот шум? Неужели все из-за того, что, как мне показалось, какая-то собака подыхает?

Тут у старухи из нижнего семейства даже слов не нашлось, так что она просто зарычала, завизжала и попыталась было подняться по лестнице, но собравшиеся люди остановили ее, подхватили под руки и повели на ее половину. Целители, люди из Общества Черного Кирпича и внучка старой женщины все вместе держали ее и успокаивали, пока она немного не пришла в себя и не стала вести себя спокойнее. Дочь ее умирала, и они все вместе стали петь для нее песни Ухода На Запад. Но вторая старуха наверху один раз все-таки не выдержала и крикнула:

— Воняет здесь что-то чересчур! Должно, где-нибудь собака сдохла.

Однако ее собственные дочери и зятья заставили вредную бабку умолкнуть. Они понимали, что хватили через край. Им было стыдно, ибо о позорной ненависти, существовавшей между двумя семьями, теперь узнал весь город.

После кремации люди из верхнего семейства пришли в Общество Черного Кирпича посоветоваться. Они сказали:

— Мы смертельно устали от ненависти, что царит между нашей матерью и женщиной с нижнего этажа. Они обе уже стары, нам их не переделать, но сами мы больше так жить не хотим. Скажите, как нам лучше поступить, и мы сделаем то, что вы посоветуете.

Однако, пока они ходили за советом, по городу с криком «Пожар! Пожар!» пробежал какой-то ребенок.

Они бросились назад, к дому, а там уже вовсю работали насосы, гнали воду, и люди из огромного шланга поливали дом Переживший Землетрясение, а огненные языки и хлопья сажи вились над ним, и крыша его уже пылала.

Дело в том, что когда старуха из верхнего семейства осталась дома одна, она сделала следующее: налила масло во все дыры в полу и подожгла его, чтобы сгорели те ненавистные ей люди, что жили внизу. Дым от горящего масла повалил такой густой, что старуха чуть не потеряла сознание и не смогла выйти наружу. А может, и вообще не пыталась. Так она и осталась там, наверху, одна, задыхаясь в дыму.

Старуха из нижнего семейства и все ее домочадцы выбежали на улицу, едва почуяв запах дыма и заметив, что горящее масло капает в дыры и сочится по стенам. Зятя старухи пришлось вытащить на улицу силой, а сама старуха стояла возле дома, плакала и пела песни Ухода На Запад, и люди с трудом удерживали ее, потому что она все норовила броситься в горящий дом.

Когда же наконец удалось вытащить старуху с верхнего этажа, которая, разумеется, была уже мертва, все единодушно решили:

— Пусть этот дом догорает дотла. Пусть огонь поглотит и сам дом, и все то зло, что в нем было!

И люди стали поливать водой крыши и стены соседних домов, предоставив дому Пережившему Землетрясение догорать. Ну а земля вокруг была и без того влажной, потому что как раз наступил сезон дождей.

Хеймас всех Домов обеспечили обе семьи всем необходимым, чтобы те могли снова начать хозяйство. Нижнее семейство поселилось на нижнем этаже Старого Красного дома, а верхнее семейство раскололось: некоторые временно устроились в охотничьем лагере на Горе Синшан, а остальные — в доме Большого Барабана, у родственников.

Говорят, что среди пепла и остатков сгоревшего дома не было найдено ничего, что можно было бы хоть в мусорное ведро выбросить — ни целой доски, ни бусинки, ни дверной защелки; остались только пепел, зола и мелкий древесный мусор.

Несколько дождливых и сухих сезонов сменили друг друга, и люди из Дома Синей Глины поставили на старом фундаменте новый дом, немного расширив его с юго-западной стороны и чуть больше приподняв над землей; назвали его Высокое Крыльцо. Говорят, что порой в темных углах старого подвала можно услышать что-то вроде перешептывания двух старух, но я сама живу в этом доме и никогда ничего подобного не слышала.

ПРИМЕЧАНИЕ

С. 158 *...про них никто не говорил, что они богаты...*
В языке кеш прилагательное «богатый» образовано от коренного слова *амбад*, которое при употреблении в качестве глагола имеет значение «давать, быть щедрым», а при употреблении в качестве существительного — «благополучие», «щедрость». Однако Тёрн, рассказывая эту историю, употребила слово *ветотоп* — производное от корневого слова «топ», которое в качестве глагола имеет значение «иметь», «хранить» или «владеть», а в качестве существительного —

«имущество», «используемые вещи». В своей редуплицированной форме *тотот* это слово имеет значение «делать запасы», «хранить сокровища» или, в качестве существительного, означает «имущество, спрятанное или неиспользованное». А форма прилагательного *ветотот* используется применительно к жадному человеку, скряге. В терминах языка кеш люди, владеющие немногим из-за того, что постоянно отдают другим, являются богачами, тогда как те, кто отдает мало и, таким образом, сам владеет большим количеством вещей, являются бедняками. Стараясь выражаться яснее, я вынуждена была перевести «бедный» как «богатый» — однако соотношение с нашими словами «скряга» и «нищий» доказывает, что точка зрения народа Кеш на эти вещи не всегда была совершенно отличной от нашей.

ВОЙНА С НАРОДОМ СВИНЕЙ

Записано и передано в библиотеку своей хеймас Сильным из Дома Желтого Кирпича (Тачас Тучас)

Народ Свиней проживал на внешней стороне Горы Канюка, в дубовых рощах. В тот раз их там собралось больше чем обычно, и они задержались на одном месте дольше чем всегда. Они все еще были в дубовой роще, когда мы праздновали Танец Вселенной. Свиней на «охотничьей» стороне было полным-полно. Члены Общества Благородного Лавра стали ходить туда и наблюдать за ними. Спикером Общества был тогда Сонный Орел. Он переговорил с представителями всех Пяти Домов, а потом отправился к Ручью Канюка, где как раз расположился лагерем народ Свиней. Он вежливо поздоровался и попросил разрешения говорить. Ему ответили:

— Говори.

— Скоро наши охотники, — сказал Сонный Орел, — начнут принимать ваших свиней за оленей, если вы будете позволять им бегать в тех лесах, где мы охотимся.

За всех ему ответила одна совсем молодая женщина. Ей и было-то всего лет семнадцать.

— А что, ваши охотники свинью от оленя отличить не могут? — спросила она.

— Не всегда, — сказал он.

— А я скажу тебе, как их отличить. Это очень просто, — посоветовала она. — Олени всегда убегают, а свиньи нет.

— Хорошо, — сказал Сонный Орел, — я непременно скажу об этом своим товарищам-охотникам.

164

Когда Сонный Орел вернулся домой и рассказал о том, что ему ответили, члены Общества Благородного Лавра и Охотники очень рассердились. Все мы сошлись вечером на городской площади и порешили сразу после Танца Луны начать с народом Свиней войну. Ни один человек не высказался против.

Сонный Орел вместе со мной и Лесником снова отправился в лагерь народа Свиней, чтобы объявить им об этом. Их тогда в лагере было около шестидесяти человек, остальные же разбрелись кто куда — кто занимался собирательством, кто пас бесчисленные стада свиней. Сами они охотились мало, а земледелием не занимались вовсе. В лагере нас угостили отличным обедом: свининой с зеленью и кедровыми орешками. Повсюду там были свиньи, и дети носились вместе с поросятами, визжа и играя. А еще мы видели огромного рыжего хряка на длинной веревке. И каждый из людей, прежде чем начать есть, обязательно относил часть своей пищи этому хряку и клал в резное, сделанное из лаврового дерева корытце. У этих людей и вся одежда, и палатки сделаны были из свиных шкур, окрашенных в самые разнообразные цвета; на некоторых шкурах еще сохранились остатки щетины, зато другие были такими мягкими и тонкими, как ткани из лучших сортов хлопка. Та молодая женщина, что знала язык кеш, переводила наши слова и говорила от имени своего племени. Когда все поели и молча уселись в кружок, соблюдая вежливость, Сонный Орел извлек из кармана табак и трубку и предложил:

— Не хотите ли покурить с нами вместе?

Один мужчина сказал:

— Да, я покурю с вами, — но сказал он это на языке народа Свиней; так же поступили и остальные. С нами курили трубку тридцать один мужчина, но ни одной женщины. Мы курили ее как бы от имени своего города и народа, а потом называли тех, за кого ее курили, по одному имени на каждую затяжку — и перечислили таким образом четырех женщин и тринадцать мужчин. Это были все те из наших, кто тогда согласился начать войну.

Сонный Орел с помощью той женщины поговорил с первым, кто пожелал курить с нами, и они порешили, что война должна начаться в новолуние, сразу после Танца Луны, в долине Гнилой Скалы. Мы были вынуждены согласиться с этим — мы уже плохо соображали, потому что каждый раз, когда кто-то из мужчин-Свиней делал затяжку, он передавал трубку кому-то одному из нас троих. Нас ведь было всего лишь трое, а их — куда больше, и приходилось соблюдать правила таким вот образом. В итоге я был как пьяный, когда наконец все закончилось, а по дороге домой меня несколько раз вырвало. И Лесника тоже. Сонный Орел держался лучше, ему и до того доводилось столько курить.

Задолго до Танца Луны мы заготовили оружие и амуницию, а те, кто уже раньше участвовал в подобных войнах, наставляли и тренировали нас. Пока все танцевали на празднике Луны в Тачас Тучас, мы построили себе военный дом на поляне, примерно на середине пути до Горы Канюка, и стали там жить; мы постились, много курили, тренировались и разучивали военные песни. Никому из нас не разрешалось до времени ходить в долину Гнилой Скалы. Наши родные приносили нам всякую еду, но мы все больше и больше постились. Через четыре дня после того как мы поселились в военном доме, мы жили уже только одним куревом и водой. А через девять дней мы только грелись у костра и совсем ничего не ели.

Вот имена тех, кто в самом начале сухого сезона вышел на бой с народом Свиней в долину Гнилой Скалы:

Сонный Орел, Спикер Общества Благородного Лавра
Лесник
Сильный
Свистун
Шиповник
Сын Солнца. Эти шестеро были из Дома Желтого Кирпича.
Сонные Горы
Гремучка. Эти двое были из Дома Красного Кирпича.
Счастливчик
Олива, библиотекарь из хеймас Синей Глины.
Жертвователь, сын Дикой Розы
Жертвователь, сын Танца Пумы. Эти четверо были из Дома Синей Глины.
Черный
Всевидящие Звезды
Кровавая Звезда. Эти трое были из Дома Обсидиана.
Благодарный
Кедр
Танцующий Камень (семидесяти шести лет от роду)
Безмолвие, лесной человек
Разборчивый. Эти пятеро были из Дома Змеевика.

Тридцать один человек из народа Свиней курили тогда с нами вместе, все мужчины. Но их имен я не знаю.

Мы двинулись в долину Гнилой Скалы в полдень назначенного дня. Когда мы добрались до рощи на вершине холма, что высился над этой долиной, уже восходила молодая луна. Мы разожгли костер и принялись петь. Наши противники разожгли костер на вершине другого холма, по ту сторону долины, и стали визжать и хрюкать будто свиньи. Мы курили, пели, громко выкрикивали угрозы в их сторону, чтобы они не могли уснуть, и все твердили, что мы их непременно всех убьем. Они не пели, а только визжали и хрюкали, что приводило нас в ярость.

Едва рассвело, как Сонный Орел прокричал в ту сторону:

— Ну все, теперь я иду!

Он был нашим командиром и имел право приказывать нам, что делать, а чего не делать. И он не разрешил нам идти следом, пока не подаст особый знак, а потом спустился вниз в долину один. Вдоль ручья у Гнилой Скалы вился туман; невысокие густые ивы на берегу совсем скрыли Сонного Орла из виду, но он взобрался на большой треснувший валун, чтобы его было всем видно как следует, и стоял там, безоружный, громко призывая кого-нибудь из народа Свиней спуститься вниз и драться с ним.

Один человек с той стороны бегом припустился вниз по склону, продираясь сквозь цветущий кустарник. Он был в кожаных доспехах, целиком защищавших его тело, руки и ноги, а лицо его было размалевано красно-коричневой краской, как шкура у настоящих свиней. Оружия никакого у него тоже не было. Сонный Орел спрыгнул со своего валуна прямо на него и сбил с ног. Они стали бороться. Оттуда, где мы сидели, видно было плохо. В конце концов Сонный Орел разбил тому человеку голову о камень. Тогда люди из племени Свиней начали стрелять в нас со своего холма, прячась за деревьями и кустами. Мы не были уверены, звал ли нас уже Сонный Орел, потому что звуки выстрелов и эхо создавали такой шум, что ничего понять было невозможно, и тогда мы решили разделиться, как было задумано раньше: одна группа должна была обойти холм понизу, прячась в кустах, а остальные — открыто сбежать по склону в долину и вступить в схватку с врагом.

Но большая часть наших противников осталась наверху в кустах; они все время стреляли оттуда. По-моему, у всех у них были ружья, но не все эти ружья были хорошими. У нас было три очень хороших ружья, изготовленных Химпи Оружейником, и еще восемь тоже довольно приличных. Остальные предпочли драться ножами или просто голыми руками.

Кто-то из наших врагов, спрятавшись невысоко на склоне холма, в зарослях цветущего кутарника, выстрелил в Сонного Орла, когда тот выпрямился после рукопашной схватки, и, попав ему в левый глаз, убил его. Тогда другой человек из народа Свиней стал кричать на того, кто застрелил Сонного Орла; он и еще несколько человек собрались там, где тот спрятался, и долго кричали что-то и вопили, а потом некоторые из них спустились в долину, оставив свои ружья на скалах, и схватились с нашими врукопашную, размахивая ножами.

Тот, что навалился на меня, был одет в тяжелые кожаные доспехи, но я сразу резанул его ножом поперек лица, и он бросился бежать, обливаясь кровью, а я долго еще за ним гнался. Но потом мне это надоело, потому что он все бежал и бежал, и я вернулся в долину Гнилой Скалы и тут же налетел на еще одного их воина в толстых кожаных доспехах, которые очень трудно было проткнуть ножом. Этот тип два раза успел пырнуть меня в левое предплечье, пока я не умудрился с размаху вонзить ему нож прямо в рот. Он рухнул, захлебываясь собственной кровью. Я отсек ему голову его же ножом, который он судорожно сжимал в руках, и швырнул ею в другого воина в доспехах, который бежал прямо на меня. Я ничего не помню об этом, но другие все видели и потом рассказали мне. И тот человек, увидев летящую в него голову, сразу бросился назад. А мне пришлось подняться на вершину нашего холма, потому что я был весь в крови и раны у меня на плече были глубокие, и Кедр помог мне перевязать их. Об остальных своих приключениях во время этого боя я расскажу чуть позже.

Сын Солнца дрался внизу, у подножия холма на ножах с одним очень высоким человеком из народа Свиней, который все время хрюкал, как настоящая свинья. Сын Солнца много раз ранил его, но высокий все же в конце концов схватил его за волосы, откинул ему голову назад и одним движением перерезал горло. И тогда Безмолвие выстрелил высокому в спину, чтобы отомстить за смерть Сонного Орла и Сына Солнца.

Жертвователь, сын Танца Пумы, бился на виду у всех с двумя врагами сразу и ранил их одного за другим, однако сам был серьезно ранен и вынужден отступить и подняться на наш холм, потому что буквально истекал кровью, как и я.

В ивняке у ручья ранили в голову нашего Черного. Он там

и умер. Почти в том же месте пуля угодила в живот Счастливчику.

Кровавая Звезда, Жертвователь (сын Дикой Розы), Всевидящие Звезды и Шиповник попытались незамеченными зайти по кустам в тыл неприятелю, но все они были ранены. Они, конечно, отстреливались, однако не были уверены, попали ли хоть в кого-нибудь.

Безмолвие пробрался почти на вершину того холма, где наши враги жгли ночью свои костры, и, спрятавшись в кустах, стрелял и убил еще троих, не считая того высокого, что зарезал Сына Солнца.

Гремучка и Сонные Горы были братьями. Они и держались все время вместе, надеясь по кустам зайти в тыл противника, и им это удалось, а еще они подстрелили двоих, причем ранили их настолько серьезно, что тем пришлось возвращаться в свой лагерь. Гремучка и Сонные Горы почти до самого лагеря преследовали их, выкрикивая различные оскорбления и обзывая их трусами. Братьям было четырнадцать и пятнадцать лет.

У Разборчивого ружье заело с первого же выстрела, и он спрятался в зарослях карликового дуба. Вскоре он заметил, что там же прячется и один из наших врагов, причем так близко, что рукой достать. Этот человек Разборчивого не видел. Разборчивый подполз к нему и попытался ударить прикладом по голове, но тот успел вскочить и убежать, заслышав подозрительный шорох. А Разборчивый перебежал на нашу сторону.

Безмолвие, убив того высокого человека и еще троих, ранил одного, который начал визжать, как свинья, когда ее режут, и к нему на помощь с холма спустился еще один, который остановился возле треснувшего валуна, вытянув руки и растопырив пальцы, как кондор когти.

Безмолвие выстрелил в него, но промахнулся. Он был очень зол, потому что враги убили нашего Сонного Орла, и стрелял, не раздумывая. Наши стали кричать ему, чтоб он перестал, а тот, с растопыренными пальцами, взобрался на валун и громко попросил о перемирии, и люди Свиней закричали: «Хватит, довольно!», чтобы те, кто прятался в зарослях и не мог видеть этого человека, тоже услышали. Уже близился вечер.

Мы ждали возле костра на вершине холма, пока люди Свиней подберут своих мертвых и раненых. Потом спусти-

169

лись в долину сами. Олива на холм так и не пришел, и никто не принес его, и мы довольно долго его искали. Раненый, он заполз в расщелину, где рос ядовитый дубок, и там вроде бы умер, однако, когда мы его принесли наверх, он снова ожил.

Мы сделали носилки для убитых и для тех раненых, которые не могли идти, и двинулись в обратный путь, мимо Тачас Тучас в свой военный дом. Сейчас же из города к нам пришли Целители. Они построили хижину рядом с нашим военным домом и приняли на себя заботу о раненых. Тяжелее всех был ранен Счастливчик. Через пять дней он умер. И мы все это время пели песни Ухода На Запад для него и для тех четырых, что были убиты в бою, — для Сонного Орла, Сына Солнца, Черного и Оливы, который все-таки снова умер. Мы же, те, кто остался жив, прошли церемонию очищения, причем Кровавая Звезда прошел эту церемонию как взрослый мужчина. Безмолвие всего девять обязательных дней провел в нашем военном доме, а потом снова ушел в свои леса на Темной Горе. Остальные оставались в нашем доме, избегая общения с другими людьми, и не ходили в город целых двадцать семь дней. После этого мы разошлись по домам. К началу Летних Танцев народ Свиней покинул Гору Канюка и двинулся дальше на северо-запад, к побережью. В той войне они показали себя храбрыми и умелыми воинами.

Комментарий к истории
«Война с народом Свиней»

Написан и передан в библиотеку хеймас Желтого Кирпича Ясным из Тачас Тучас

Мне стыдно, что шестеро жителей моего города, участвовавших в этой войне, были людьми немолодыми. Да и многие другие ее участники тоже были достаточно взрослыми, чтобы вести себя более достойно, как истинные мужчины.

Теперь по всей Долине говорят, что жители Тачас Тучас развязывают войны. И еще говорят, что жители Тачас Тучас из-за желудей людей убивают. И еще говорят, что все время видят дымы военных костров над Тачас Тучас — их видно с Горы-Прародительницы. Все над нами смеются. И мне очень стыдно!

Такие войны разрешается вести только малым и неразумным детям, которые еще недостаточно сильны. Это считается частью их игр.

Можно допустить, чтобы подростки, находящиеся как бы между детством и мужественностью, могли с определенной осторожностью рискнуть и испытать свою силу в подобной военной игре; они могут даже рискнуть собственной жизнью, если им так уж этого хочется и если они не намерены нормально прожить до глубокой старости. Это их личное дело. Решаясь прожить долгую жизнь, человек ведь тоже делает нелегкий выбор. К тому же у взрослого нет тех привилегий, которыми пользуются подростки. Требовать подобных привилегий, будучи взрослым, неумно, стыдно и достойно презрения.

Я очень сердит на Сонного Орла, Оливу и Черного, которые мертвы, а также на Кровавую Звезду, Танцующий Камень и Безмолвие, которые остались живы. Я уже объяснил, по какой причине. Если им неприятны мои слова, пусть выскажутся открыто или напишут об этом и отнесут в хеймас; ну а что касается мертвых, то пусть за них, если захотят, выскажутся их близкие.

ГОРОД ЧУМО

Записано со слов Терпеливого из Дома Сорока Пяти Оленей (Телина)

Чумо раньше здесь не было. Существовал, правда, другой город под названием то ли Варред, то ли Берред, раскинувшийся на внутренних склонах северо-восточных гор, чуть восточнее теперешнего Чумо. Вокруг этого города и даже в нем самом рядом с площадью для танцев били горячие источники; четыре из них действовали постоянно, а пятый — с перерывами. Люди использовали эту священную воду для обогрева своих хеймас и домов, но им пришлось протянуть трубы к своим домам, амбарам и полям от самого Ручья Гремучей Змеи, чтобы получить пресную воду для хозяйства и полива. У них были специальные хранилища для воды и всякие пруды; они пользовались акведуками и насосами. Говорят, что и сейчас можно увидеть остатки этих каменных акведуков на берегах Ручья Гремучей Змеи вверх и вниз по течению. Город этот был разрушен пожаром, который переметнулся через северо-восточную гряду из Долины Шаи, уничтожая и травы, и

171

леса. В библиотеках хеймас сохранились различные истории и народные плачи, посвященные этим событиям и тем диким и домашним существам и всем людям, которые стали жертвами пожара. Большая часть людей, правда, узнала о пожаре заранее, еще до того, как пожар перевалил через гряду, однако огонь продвигался с такой скоростью и при таком сильном ветре, что даже птицы не успели спастись. Многие из них горящими падали на землю.

После того как на этой земле снова стали расти злаки и деревья, вернулись обратно мыши и другие мелкие дикие народы, люди снова начали строить город на том же самом месте. Кое-кто из них говорил, что это плохая затея, поскольку леса вокруг больше нет, да и возвращаться на пепелище — плохая примета, но другие твердили: «Ничего, раз наши горячие источники действуют по-прежнему, то и город снова расцветет, как бывало». Они как раз копали яму для хеймас Змеевика и возводили стропила, когда случилось землетрясение. По земле, прямо по линии горячих источников, прошла широченная трещина, а потом края ее снова сомкнулись, навсегда поглотив источники. И больше их целебные воды на поверхности земли не появлялись. Двух человек, которые были в это время заняты расчисткой старой хеймас, убило новыми стропилами и засыпало землей.

После землетрясения люди оставили город диким народам и перебрались в летние хижины или стали строить себе маленькие домики где придется, а кое-кто переселился в другие города, и было похоже, что никогда уже больше не возродится город на этих жестоких холмах. Но как-то раз женщина, что пасла овец на лугу под названием Чумо, увидела множество танцующих стариков, которые некогда жили и умерли в городе Берред. Они приходили на этот луг еще до рассвета и танцевали там. Женщина рассказала об увиденном остальным людям, и они все вместе решили построить новый город на этом самом лугу. Место было подходящее и удобное, тем более что они уже начали пасти свои стада на Горе Овцы. Итак, они сделали себе площадь для танцев, выкопали ямы и построили хеймас, а центром города, его Стержнем избрали мост над Ручьем Чумо. Так они и построили новый город. И в первую зиму после того, как его построили, там состоялся знаменитый Танец Солнца. И все люди, что когда-либо жили в старом городе Берреде, по слухам, спустились с Небес, чтобы танцевать вместе с земными людьми в новом городе Чумо, и земные люди могли слышать их пение, когда сами умолкали на время.

Многие жители Чумо не живут в самом городе. Просто у этого города длинные руки, так они говорят. Они построили свои дома довольно-таки далеко от городской площади, а некоторые — на берегах Ручья Чумо и даже дальше, у самого Ручья Гремучей Змеи, то есть ближе к тем местам, где до пожара и землетрясения находился старый город.

ССОРА С НАРОДОМ ХЛОПКА

Записано Серым Быком из Телины и подарено им хеймас Обсидиана

Когда я был еще молод, у нас как-то вдруг испортились отношения с народом, который присылал нам с юга хлопок в обмен на наши вина. Каждую весну и осень мы грузили на поезд, идущий до Седа, отличные вина — прозрачный ганаис и темную беррену, мес из Унмалина и сладкие вина бетеббес, которые на юге особенно любят. Все это были отборные вина, хранившиеся в самых лучших дубовых бочонках, потому что им предстоял долгий путь. Но тут наши партнеры стали присылать почему-то коротковолокнистый, плохо очищенный хлопок-сырец, в котором к тому же было полно семян вики, горошка и других трав. На следующий год они прислали нам хлопок частично в тюках, а частично уже в виде ткани — какая-то часть этого полотна была еще вполне прилич-

173

ной и годилась по крайней мере на простыни, но остальное было ужасно непрочным, а то и в дырах.

В тот год я впервые ездил в Сед со своей наставницей Парящей из Цеха Ткачей, из Дома Обсидиана, родом из Кастохи. Мы отвезли вино и остановились в очень хорошей удобной гостинице в Седе, которая славилась необычайно вкусными блюдами из морских продуктов. Парящая и представители Цеха Виноделов предъявили торговцам хлопком свои претензии, однако это ничего не дало: те сказали, что они всего лишь посредники и не они прислали нам в обмен никуда не годный хлопок; они занимались только погрузкой и разгрузкой товара, а также отвозили на своих судах наши вина далеко на юг. Единственный человек, который, по словам морских торговцев, был действительно из народа Хлопка, совсем не говорил ни на нашем языке, ни на одном из местных. Тогда Парящая потащила его в Пункт Обмена Информацией, но он вел себя так, будто никогда и не слыхивал о языке ТОК; а когда Парящая попыталась связаться с народом Хлопка через Обмен, то ей просто никто не ответил.

Виноделы были очень рады, что она оказалась с ними в Седе, потому что иначе им бы пришлось взять это драное полотно и без лишних вопросов отослать свое прекрасное вино за него в уплату. Парящая посоветовала им отослать только две трети обычного количества и совсем не посылать на этот раз сладких вин бетеббес, а отвезти их обратно домой и подождать, каков будет ответ. Она также отказалась забирать драное полотно, так что перевозчикам пришлось снова загрузить его в трюмы своих кораблей, но они были на нас не в претензии и сказали, что им-то все равно, они ведь уже получили от нас причитающееся им вино в уплату за перевозку. Парящая хотела было сократить и их долю, чтобы они в следующий раз были более внимательными к тем грузам, которые перевозят на своих судах, но другие торговцы из Долины сказали ей, что это было бы несправедливо и даже глупо, так что мы отдали морякам полвагона сладких вин бетеббес, как всегда.

Когда мы вернулись домой, между представителями Цеха Виноделов, Цеха Ткачей и Общества Искателей состоялось жаркое обсуждение случившегося. В этот спор оказались замешанными также общественные советы и просто заинтересованные лица из нескольких городов Долины, и было высказано такое мнение, что никто из Долины никогда не был в тех местах, откуда к нам уже сорок или пятьдесят лет поступает хлопок, так что, может быть, стоит отправить туда наших людей, чтобы они встретились с Хлопковым народом. И все с этим предложением согласились. Итак, подождав некоторое время и тщетно надеясь на то, что народ Хлопка ответит нам через Пункт Обмена Информацией, получив назад свое барахло и значительно меньшее количество вина, чем обычно, мы так ничего и не дождались и собрались в путь. Нас было четверо: я, потому что мне ужасно хотелось участвовать в этой экспедиции и к тому же я кое-что понимал в хлопке и других промышленных волокнах, и трое людей из Общества Искателей; двое из них много занимались обменом и неоднократно бывали на том берегу Внутреннего Моря, а один, картограф, хотел заодно проверить карты, составленные Искателями, прямо на местности, по которой будет пролегать наш путь. Искателей звали Терпеливый, Сапсан и Золотой. Все мы были молоды, но я самый младший. Во внутренние земли я пришел примерно за год до этих событий с одной девушкой из Дома Синей Глины, но, когда я сказал ей, что хочу добраться до дальних берегов Внутреннего Моря, она заявила, что я человек безумный и безответственный, и вынесла все мои книги и постель на крыльцо своего дома. Так что уходил я из дома моей матери.

Изучая премудрости ткаческого мастерства, я был очень занят и уж совсем не думал о том, чтобы вступить в Общество Искателей, однако то путешествие в Сед пробудило во мне жажду странствий, и я понял, что у меня есть склонность к занятию торговлей и обменом. Я не видел причин стыдиться этого. Я никогда особенно не обращал внимания на людские пересуды. Так что я отправился в путь как неофит Общества Искателей, то есть как настоящий путешественник и как торговец одновременно.

В книгах, которые я читал, и в тех историях, что я слышал ребенком, Искатели всегда были именно путешественниками, а не торговцами, и скитались главным образом по заснеженным вершинам Гор Света, пели священные песни медведям, отмораживали себе пальцы и вытаскивали друг друга из трещин и расселин. Искатели, оказавшиеся моими спутниками, как выяснилось, вовсе не стремились к такого рода приключениям. Мы проехали на следовавшем в Амарант поезде, в комфортабельном спальном купе, до самого Седа и там тоже остановились в лучшей гостинице и ели, как утки, напавшие на большое скопление слизней в огороде, а заодно расспрашивали местных насчет судов, отправляющихся на юг.

На юг не плыл никто. Мы могли сесть на судно, несколько раз в месяц ходившее к восточному побережью, до Реквита. Или же, если угодно, нас могли отвезти на лодке через пролив Ворота до Фаларесовых островов. Потом либо из Реквита, либо с Фаларесовых островов мы могли попытаться сесть на какое-нибудь каботажное судно, направляющееся к югу, или же отправиться дальше пешком вдоль побережья, по внутренней стороне гор. Искатели решили, что на западном побережье нам повезет больше и что стоит плыть на лодке через пролив.

Мне стало грустно, когда я увидел эту лодку. В ней было футов пятнадцать длины, слабенький вонючий моторчик и один парус. Приливные течения устремляются в Ворота и вытекают оттуда со скоростью большей, чем развивает лошадь, несущаяся во весь опор, и с такой же скоростью дуют там океанские ветры.

Хозяевами лодки были тощие, белокожие, с тусклыми глазами жители Фаларесовых островов. Они довольно прилично говорили на ТОК, так что мы вполне понимали друг друга. Они уже бывали в Седе, обменивая там рыбу на зерно и бренди, и не раз плавали на своих утлых лодчонках далеко на запад от Ворот, заходя даже в открытый океан, где ловили рыбу. Они вечно приговаривали: «Хо, ха, поедем в море, где большущие волны, ха, да?», и хлопали меня по спине, когда меня из-за качки выворачивало наизнанку и я перевешивался через борт лодки.

Все сильнее были порывы северного ветра, а когда мы оказались примерно на середине пути, волны стали крутыми и тяжелыми и вздымались, словно сверкающие водяные утесы. Лодка взбиралась на их вершины, падала вниз, содрогалась и хлюпала. Потом низко стелющийся туман, который лежал над Внутренним Морем и который я принял за далекую землю, развеялся и улетел прочь буквально за несколько минут, и перед нами в сотне миль к востоку открылись Горы Света, сияя вдали заснеженными остроконечными вершинами.

Терпеливый сказал мне, что под днищем нашей лодки, в морской глубине, все дно покрыто строениями. В стародавние времена, когда мир имел совсем иные очертания, Ворота находились дальше к западу и были значительно уже, а прилегающие к ним берега и ближние районы внутренних земель были застроены домами. Я уже слышал нечто подобное в Обществе Земляничного Дерева, и еще есть такая песня о старых душах. Это, без сомнения, было правдой, однако у меня не возникало ни малейшего желания нырять на дно и убеждаться в этом, хотя чем сильнее дул ветер, тем больше было похоже, что мы все-таки вот-вот нырнем и своими глазами увидим, что там, на дне. Но впечатления от плавания так ошеломили меня, что я даже не сумел по-настоящему испугаться. Вокруг не было видно никаких берегов, кроме крохотных, не более зубьев пилы, Гор Света, едва заметных на горизонте; над головой светило беспощадно яркое солнце, а вокруг — только ветер и вода. Все это похоже на царство мертвых, почему-то подумал я.

Когда на следующий день мы наконец высадились на одном из Фаларесовых островов, то первое, что я ощутил, — это страстный зов плоти. Я был почему-то очень возбужден и никак не мог выбросить из головы мысли о плотских утехах. Женщины на этих островах все казались мне очень красивыми, и у меня в связи с этим возникали такие безумные желания, что я даже забеспокоился. Когда мне удавалось уединиться, я кое-как с помощью собственных рук облегчал свои страдания, однако это помогало ненадолго. В конце концов я пожаловался Сапсану, и он проявил достаточное великодушие и не стал смеяться надо мной, а пояснил, что это связано с морем. Мы называем «жизнью на побережье» период полового воздержания и «путешествием во внутренние земли» — начало активной половой жизни, тогда как в жизни все совсем наоборот, и это, возможно, тоже лишь иносказание. Секс всегда все ставит с ног на голову. Сапсан еще сказал мне, что и сам не знает, почему плавание по морю и следующая за этим высадка на берег дают именно такой эффект, однако замечал это и на себе. Я же сказал, что чувствую, будто наконец вернулся к настоящей, полнокровной жизни. Но, так или иначе, через пару дней, питаясь тем же, что и жители островов, я совершенно излечился от своего безумия, и все женщины стали для меня похожи на морские водоросли. Теперь я хотел только одного: как можно скорее отправиться отсюда куда-нибудь еще, даже если придется и дальше плыть по морю на лодке.

Здешние жители совсем не плавали вдоль побережья Внутреннего Моря в это время года, однако часто уплывали в океан ловить крупную рыбу. Но они были людьми великодушными и пообещали нам, что непременно отвезут нас в то место на побережье, которое они называли Тубурхуни; там у одного из островитян жили родственники. Нам так или иначе нужно было выбираться с этого острова, так что мы согласились, хотя не особенно представляли себе, где этот Тубурхуни находится. Жители Фаларесовых островов составляют карты морей и проливов, однако почти совсем не обозначают на них сушу, к тому же ни одно из известных нам названий прибрежных городов не соответствовало их собственным названиям. Впрочем, нас устраивал любой способ добраться до Южного Полуострова.

Пока мы плыли на юг, ветерок был совсем слабым, а волны — низкими. Туман так и висел над нами, почти не поднимаясь. Мы проплыли мимо нескольких одиноких скал и островов, и где-то к полудню, проплывая мимо одного из них, длинного и плоского, островитяне сказали: «Столица». В этом тумане мы не могли хорошенько ее разглядеть; остров выглядел как голая плоская скала, поросшая кое-где мохом и прибрежными водорослями; а еще мы сумели увидеть две высокие и с виду хрупкие башни или мачты с проволочными растяжками. Островитяне с большим уважением и страхом говорили о них: «Вот только дотронься — и сразу умрешь!» и тут же изображали, как погибают то ли от удара током, то ли от удушья, то ли от удара молнии. Я никогда прежде ничего подобного не слышал насчет Столицы, но никогда прежде ее и не видел, правда, и потом тоже. Может быть, они просто, как всегда, подшучивали над нами, а может, действительно испытывали какой-то суеверный страх, не знаю. Они, безусловно, были не слишком образованными людьми, эти жители затерянных в тумане островов, до которых так просто не доберешься. Они никогда не пользовались Пунктом Обмена Информацией, расположенным в Седе, как если бы и это тоже представляло для них опасность. А вообще они были людьми скромными и застенчивыми и становились решительными и смелыми только на море.

Оказалось, что на наших картах Тубурхуни называется Гохоп; это был небольшой городок, расположенный чуть южнее северной оконечности полуострова, в бухте, которая укрывала его от бесконечных туманов пролива. По всему городу росли авокадо, и плоды как раз начинали созревать, когда мы прибыли туда. Как только тамошние жители могут оставаться такими тощими, понятия не имею, но они были действительно очень тощими и какими-то чересчур белокожими, как, впрочем, и жители Фаларесовых островов. Однако все-таки здесь они не были такими буками, охотно встречались и беседовали с путешественниками и с удовольствием помогли Золотому нанести маршрут нашего дальнейшего путешествия на карту. У них в гавани не было судов, способных плавать на далекое расстояние, и они сказали, что вообще крупные суда в их маленький порт заходят крайне редко, так что мы двинулись на юг пешком.

Горы полуострова, отделяющие океан от Внутреннего Моря, настолько разрушены землетрясениями и обвалами и настолько подвержены всяческим сбросам и подвижкам, что идти по ним — все равно что пробираться по лесу, залезая на каждое встреченное дерево, а потом спускаясь обратно на землю. И никакого обходного пути не было. Иногда, правда, удавалось идти по пляжам, однако чаще всего никаких пляжей там не было — горы отвесными стенами спускались прямо в море. Так что мы упорно тащились вверх-вниз, вверх-вниз и с высоты видели океан справа, а Внутреннее Море слева от нас; впереди и позади уходили вдаль бесконечные складки гор. Чем дальше на юг мы продвигались, тем чаще попадались нам длинные узкие заливы и бухты, и, обойдя их, было трудно определить, следуем ли мы по-прежнему вдоль основного хребта или попали на другую горную гряду, которая может привести нас на какой-нибудь пустынный мыс, где мы посмотрим на море и будем вынуждены возвращаться назад миль на десять-пятнадцать, а потом начинать все сначала. Никто не представлял, насколько устарели уже те карты, что были у нас с собой; они когда-то были получены по Обмену, но на сегодня уже явно не годились. По большей части нам даже не у кого было спросить, правильно ли мы идем; нам встречались только овцы и изредка пастухи. Люди жили внизу, на дне глубоких каньонов, где была пресная вода и деревья. Они к чужеземцам были непривычны, и мы проявляли осторожность, стараясь их зря не беспокоить.

В этой стране молодые мужчины, недавние подростки и те, что чуть постарше, часто сколачивают отряды и уходят в горы, где живут в одиночестве, как наши Охотники или члены Общества Благородного Лавра, только правил и ответственности друг за друга у них гораздо меньше. Этим бандам разрешено, например, драться друг с другом, охотиться друг на друга, совершать набеги на любые селения, за исключени-

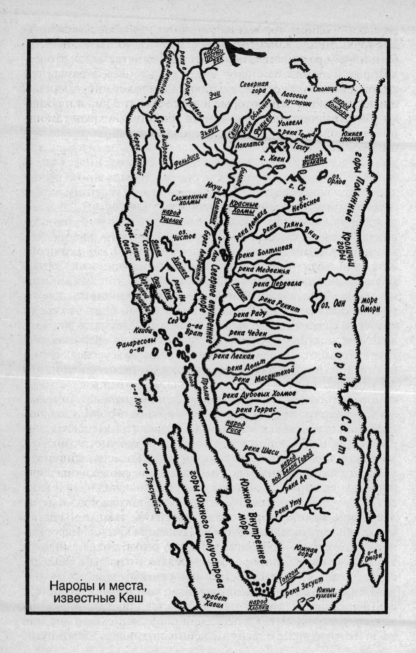

Народы и места,
известные Кеш

ем своего родного города, и брать там что им захочется: орудия труда, пищу, животных — все, что угодно. Подобные набеги порой, разумеется, приводят и к убийствам, так что некоторые из юных бандитов никогда уже не возвращаются домой и не заводят семьи, а остаются в горах и живут, как наши лесные люди, а некоторые и вовсе сходят с ума и начинают убивать просто так, ради самого убийства. Жители тамошних городов часто вспоминают своих одичавших соплеменников и живут в вечном страхе, опасаясь их появления; так что мы четверо, все люди молодые и совершенно чужие в этих местах, должны были вести себя очень осторожно и вежливо, стараясь держаться на расстоянии от селений, чтобы нас не приняли по ошибке за мародеров или убийц.

Однако стоило им убедиться в том, что мы не причиним никакого вреда, как они становились щедрыми и разговорчивыми и сами давали все, что, по их мнению, было нам необходимо. Города их по большей части были очень малы, однако расположены в очень красивых местах; дома были кирпичными, с деревянными балками и стропилами, стены обычно оштукатурены и покрашены в белый цвет, что среди тенистых авокадо выглядело замечательно. Они весь год проводили в этих домах и не переселялись в летние хижины, потому что там отдельная семья не могла бы чувствовать себя в безопасности из-за бандитов; однако они рассказывали, что раньше тоже на лето переселялись повыше в горы и что только в течение последних двух десятилетий отряды молодых людей стали вести себя подобным образом. Мне показалось изрядной глупостью с их стороны позволять молодежи творить подобные безобразия, впрочем, возможно, у них для этого имелись какие-то свои причины. Племена, жившие в многочисленных каньонах, говорили на нескольких различных языках, однако их города были очень похожи, а сам уклад жизни практически одинаков. В городах всегда находились такие люди, которые знали язык ТОК, так что мы легко могли объясниться. На одном из Пунктов Обмена Информацией мы послали сообщение в Вакваху о том, что с нами пока что все в порядке, и попросили передать это членам Общества Искателей и нашим собственным семьям.

Ближе к той части полуострова, которая примыкала к внутренним районам, горные хребты стали постепенно понижаться, и мы оказались в раскаленной песчаной пустыне, где люди не жили совсем на протяжении двух полных дней пути, то есть до самого юго-западного побережья Внутреннего Моря. Берега там были широкими и низкими, местами заболоченными; кое-где среди дюн встречались солоноватые болотистые озера, иногда на несколько миль уходившие в глубь полуострова; дальше к югу опять поднимались крутые пустынные горные хребты, протянувшиеся с востока на запад. Внутреннее Море у этого побережья было очень мелким, с большим количеством отмелей и островков. Вот на этих-то островках здешние люди и выращивали хлопок.

Хлопковый народ сам себя называет Узудегд. Он довольно многочисленный и насчитывает несколько тысяч человек, которые живут на островах и на побережье в таких местах, где с гор спускаются реки — соленой воды у них там хватает, а вот пресной маловато. Море в этой стране очень теплое, и климат тоже, но там не бывает такой жары, какая, по рассказам местных жителей, царит за пустынными горами на берегах Оморнского Моря. Однако там есть несколько чудовищно зараженных и очень опасных районов; впрочем, благодаря сухому климату ядовитые вещества остаются в земле, а не распространяются по всей территории, и границы тех районов, куда ходить не нужно, всем прекрасно известны.

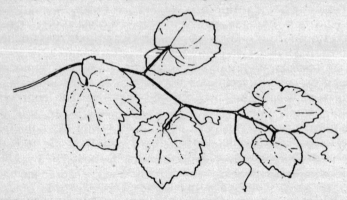

На противоположном берегу Внутреннего Моря, то есть на северо-востоке, народу Хлопка видна самая высокая вершина Гор Света, которую у нас называют Южной Горой, а у них — Горой Старого Льва. А больше обычно в той стороне ничего и разглядеть нельзя из-за темной тучи пепла, извергаемого вулканами, расположенными к югу от этой горы. Гора Старого Льва занимает весьма важное место в душах и мыслях Хлопкового народа, однако они никогда к ней не ходят. Они считают ее священной и говорят, что тропы к ней проложены не для того, чтобы по ним ходили люди. Хотя в таком случае непонятно, как быть с народом Гонгон, который живет как раз у подножия Южной Горы? Впрочем, подобные заблуждения типичны для народа Хлопка. В отношении некоторых вещей они удивительно неразумны.

По-моему, люди, жизнь которых слишком тесно связана с морем и различными судами, страдают тем, что мозги у них немножко набекрень.

Может, это и не так, но их города сильно отличаются от городов жителей полуострова. Хлопковые люди роют для своих жилищ ямы в земле и строят их так, чтобы стены не более чем на два фута возвышались над поверхностью, а окна устраивают на самом верху, как у нас в хеймас. Крыши у них напоминают по виду довольно низкий шатер и покрыты дерном, так что даже с небольшого расстояния вы в общем-то видите перед собой не город, а некоторое количество невысоких холмиков. Среди этих земляных крыш растут самые разнообразные кустарники и деревья, а также вьющиеся растения, характерные для этих мест, и, разумеется, пальмы, авокадо, апельсиновые и лимонные деревья, грейпфруты и финиковые пальмы. Еще там есть точно такие же эвкалипты, как и у нас, но много и таких деревьев, каких я никогда раньше не видел. Вьющиеся растения цветут изумительно красиво. Деревья бросают на землю густую тень, и в домах, которые расположены практически под землей, всегда прохладно; их устройство с первого взгляда представляется довольно-таки странным, однако в нем определенно есть свой смысл. У них нет, например, необходимости высушивать свои дома подобно тому, как мы просушиваем свои хеймас, потому что в этих краях удивительно сухо; хотя там, разумеется, тоже идут дожди, иногда они бывают очень сильными, и вот тогда их жилища совсем затопляет, так они сами рассказывают.

Их священные места обычно расположены на некотором расстоянии от города и представляют собой нечто вроде искусственных горок или холмов с целым ритуальным лабиринтом троп, вьющихся вокруг. На вершине такой горки красуется небольшое изящное строение или специально огороженное место. Мы в эти дела свой нос не совали. Терпеливый сказал, что лучше держаться от чужеземных святынь подальше, если, конечно, местные сами тебя туда не пригласят. Он сказал, что одна из причин, по которой ему так нравится народ Амаранта, у которого он часто бывал, — это как раз полное отсутствие каких бы то ни было святых мест. Обычно самое слабое место у любого народа — это отношение к его святыням.

А народ Хлопка и так был на нас сердит. И хотя они не ответили нам ни разу даже с помощью Обмена, мы сразу поняли, что рассержены они тем, что мы, во-первых, отослали обратно их ткани, а во-вторых, не прислали должного количества вина. Так что мы оказались в весьма затруднительном положении: стоило нам сообщить, что мы прибыли из Долины Реки На, и оводы тут же принялись жужжать.

Мы были вынуждены поскорее взять одну из их лодок — весьма ненадежную плоскодонку — и плыть на самый главный их остров объясняться. Едва мы отчалили, как мне тут же снова стало нехорошо, несмотря на полное отсутствие волн. У меня очень чуткий вестибулярный аппарат, и неустойчивость лодок для него мучительна. Хлопковые люди вообще не способны были понять, что со мной такое происходит. Островитяне хотя бы просто добродушно подшучивали надо мной, а эти люди выказывали явное отвращение к моей слабости и вели себя грубо.

Мы миновали множество довольно крупных островов, а местные жители каждый раз показывали пальцами и твердили:

— Хлопок, хлопок, видите, какой хлопок? Всем известно, что мы выращиваем самый лучший хлопок! Даже жители дальнего севера, обитающие возле Озера-Кратера, его знают! Нет, вы только посмотрите, какой у нас хлопок... — и так далее.

Поля хлопчатника особого впечатления в это время года не производили, однако мы кивали, улыбались и старались проявить должную вежливость, соглашаясь со всем, что они говорили.

Проплыв вдоль берегов очень длинного и плоского острова в несколько миль длиной, мы повернули на северо-восток и причалили к небольшому островку, откуда открывался замечательный вид на весь южный конец Гор Света и на голые, безжизненные вершины Хребта Хавила на юге. Весь этот остров представлял собой город — сотни земляных крыш-холмиков высились перед нами; некоторые из них были покрыты дерном, некоторые просто посыпаны чистым песком; между этими холмиками были красиво рассажены деревья и кустарники, сделаны клумбы, и между клумбами вились узенькие тропинки. Они там были просто помешаны на этих тропинках, причем следовало хорошо знать, по которым из них можно ходить.

Мы плыли целый день, а если вспомнить, то и еще тридцать дней до этого провели в пути, и солнце уже садилось, когда мы высадились наконец на этот остров, однако нам едва позволили наспех пообедать и сразу же потащили на собрание городского совета. А уж там нам и слова доброго не сказали, хотя мы сами приехали к ним в такую даль, чтобы все как следует выяснить. Но они тут же на нас набросились: «Где сладкие бетеббес? Почему вы отослали наши ткани обратно? Разве между нами не заключено соглашение еще шестьдесят лет назад? До сих пор все к нему относились с должным уважением и каждый год возобновляли его! Так чего ж вы, долинные, теперь-то так носы задрали, да еще и слово нарушили?»

Они хорошо знали ТОК, но все время говорили «дулина» вместо «долина» и «уино» вместо «вино».

Терпеливый правильно поступил, когда взял себе свое теперешнее имя. Он молча выслушивал их упреки и оставался совершенно спокоен, сохраняя холодную голову, и даже ни разу не нахмурился, не покачал головой. Сапсан, Золотой и я вовсю старались ему подыгрывать.

После того как выступила уйма рассерженных людей, которые вылили на нас целый ушат упреков и оскорблений, поднялась какая-то маленькая женщина и рядом с ней — маленький мужчина. Оба оказались горбунами, были очень похожи и выглядели не поймешь как — не то старыми, не то молодыми. Один из этих близнецов сказал:

— А теперь пусть выскажутся и наши гости.

И второй прибавил:

— Да, теперь пусть говорят «дулинные» люди. — Они явно пользовались здесь уважением, эти крохотные близнецы, потому что остальные тут же замолкли, как устрицы.

Терпеливый выждал несколько минут, пока установится полная тишина, а потом заговорил, и голос его был одновременно суров и тих, так что им приходилось хранить молчание, если они хотели расслышать, что он говорит. Он был очень осторожен и вежлив. Он много сказал по поводу пользы старого договора и удобства подобной формы обмена; сказал и о непревзойденном качестве узудегдского хлопка, известного от Озера-Кратера до Оморнского Моря, от океанского побережья до Райских Гор — здесь он проявил поразительное красноречие; затем он некоторое время помолчал и заговорил еще тише и очень грустным тоном о том, что Время, дескать, тупит даже самый острый нож и до неузнаваемости меняет порой значение слов и мыслей в человеческих душах и умах, и о том, что в конце концов даже самый лучший узел всегда приходится перевязывать заново и даже самые искренние слова, сказанные когда-то, необходимо порой повторить. И только после этого он сел.

Наступила мертвая тишина. Я уж решил, что ему удалось пробудить в них разум и теперь они сразу с ним согласятся. Увы, я был слишком молод! Та же самая женщина, которая начала говорить первой и говорила больше всех, выждав паузу, встала и заявила:

— Но почему же вы все-таки не прислали причитающиеся нам сорок баррелей сладкого «уина» бетеббес, как раньше?

И тут я понял, что самое трудное еще только начинается. Терпеливый был вынужден снова ответить на этот вопрос, а также сказать, почему мы отослали их ткани. Однако он весьма долго подбирал нужные выражения и никак не мог этого сказать прямо, а продолжал высказываться с помощью метафор и образов, кружа вокруг самого главного; и через некоторое время маленькие скрюченные близнецы начали ему отвечать примерно в том же роде. И тут, прежде чем было сказано хоть что-нибудь стоящее, оказалось, что уже очень поздно, и заседание объявили закрытым. Ночевать нас отвели в какой-то пустой дом, где не было отопления и светила только одна крохотная электрическая лампочка. Кровати были высокие, на ножках, и очень жесткие, с какими-то бугорчатыми матрасами.

Заседание продолжалось еще три дня. Даже Терпеливый сказал, что никак не ожидал столь длительной дискуссии и что, возможно, причина здесь в том, что они чего-то стыдятся. Если это так, то нам надо постараться не заставлять их испытывать еще больший стыд. Так что мы не стали ничего говорить об отвратительном качестве хлопка-сырца, который они поставляли нам в течение последних нескольких лет, и не упоминали о том рванье, которое они пытались нам всучить под видом тканей. Мы всего лишь старались сохранить спокойно-печальное выражение на лицах и говорили, что

186

действительно жалеем, что не отправили морем те сладкие вина, которые изготавливаем исключительно для них, но ни слова не сказали о том, почему, собственно, их не отправили. Ну и, разумеется, мало-помалу выяснилось, что на них в последние пять лет свалилось огромное количество разных бед и несчастий: появился какой-то поражающий листья хлопчатника вирус, с которым было исключительно трудно бороться; потом три года стояла засуха; потом было несколько сильных землетрясений, в результате чего некоторые острова вообще ушли под воду, а на остальных вода оказалась настолько соленой, что даже их выносливый хлопчатник не выдержал. Все это они, похоже, считали своей виной и очень этого стыдились. Они все время повторяли: «Мы пошли неверными тропами!»

Терпеливый и Сапсан, который тоже выступал от нашего имени, ни словом не обмолвились об их несчастьях, но в ответ стали рассказывать о тех бедах, что постигли за это время нашу Долину. Надо сказать, им пришлось довольно-таки сильно преувеличивать, потому что в последнее время у нас все шло очень хорошо, а четыре и пять лет назад мы собирали исключительно большие урожаи винограда как сорта ганаис, так и сорта фетали; однако, когда имеешь дело с землей, всегда найдется достаточно проблем, чтобы о них поговорить. И чем больше Терпеливый и Сапсан рассказывали или скорее придумывали насчет внезапных, не свойственных сезону заморозков или неудачно начавшихся процессов брожения, тем больше говорили о своих неприятностях и люди Хлопка, пока не рассказали все. И тут им вроде бы значительно полегчало, они повеселели и даже предоставили нам куда более удобный дом для жилья, хорошо освещенный и теплый, с маленькими тропинками по всей крыше, выложенными по краям белыми ракушками и шариками фумо. И в конце концов мы добрались до пересмотра условий договора. Терпеливому потребовалось семь дней, чтобы это начать. Когда же мы наконец приступили к делу, все решилось очень просто. Условия остались примерно теми же, что и раньше, однако новый договор обеспечивал больше простора для их пересмотра посредством регулярного общения через систему Обмена Информацией. Они ничего не сказали о том, почему раньше не пользовались этим средством связи, чтобы как-то объяснить свое поведение, и по-прежнему мгновенно выходили из себя и теряли нить разумных рассуждений, если мы пробовали им прямо возражать. Мы сказали, что согласны принимать у них коротковолокнистый хлопок, пока урожай длинноволокнистого не станет прежним, и пообещали прислать двойное количество бочек со сладкими винами бетеббес уже весной; однако мы предупредили, что кипы с недостаточным весом приниматься не будут и что нам вовсе не требуется ни хлопчатобумажная пряжа, ни ткани, поскольку все это мы предпочитаем изготавливать сами. Вот тут не все прошло гладко. Та женщина, что прямо-таки помирала по винам бетеббес, высказывалась на сей счет весьма ядовито и буквально часами продолжала доказывать, сколь замечательно качество и внешний вид тканей Узудегда. Но к этому времени Терпеливый уже успел подружиться с горбатыми близнецами, так что в конце концов договор был заключен исключительно о поставке хлопка-сырца, а не готовых изделий.

Обговорив контракт, мы пробыли там еще девять дней, ибо того требовали их правила приличия, а еще потому, что Терпеливый и близнецы вместе пили. Золотой был занят своими картами и записями, а Сапсан, всеобщий любимец, вечно болтал с горожанами или плавал с ними на лодках к другим островам. Эти их лодки были вряд ли намного лучше, чем обыкновенные связки тростника, и доверия мне не внушали. Я же по большей части слонялся без дела, проводя время в обществе молодых женщин-ткачих. У них были очень неплохие ткацкие станки, которые работали от солнечных батарей. Я сделал соответствующие эскизы для своей наставницы по Цеху Ткачей Парящей. Женщины были очень добры ко мне и настроены дружески. Терпеливый, правда, предупреждал меня, чтобы я не крутил любовь с жительницами иных стран, пока достаточно хорошо не узнаю их обычаи и представления о таком институте, как брак, и не познакомлюсь с местной контрацепцией, техникой секса и так далее. Так что я просто без конца флиртовал и целовался с девушками. Целовались они широко раскрытыми ртами, что несколько ошеломляет, особенно если не ожидаешь такого; поцелуй, надо сказать, довольно мокрый, но весьма сладострастный, что, при известных обстоятельствах, постоянно вводило меня в искушение.

Однажды Сапсан, вернувшись с одного из островов с изменившимся лицом, заявил:

— Нас провели как последних дураков, Терпеливый!

Терпеливый, как всегда молча, ждал продолжения.

Сапсан объяснил: в одном из городов на одном из самых северных островов он повстречался с моряками с тех кораблей, которые в последний раз привозили хлопок в Сед и отвезли в страну Хлопка наше вино, — это были те самые люди, которые тогда объясняли нам, что они всего-навсего моряки и ничего не знают о народе Хлопка и даже не говорят на их языке. На самом деле этот остров был их родным домом, так что здешний язык они знали точно так же, как и все остальные местные жители. Они действительно были моряками и занимались торговыми перевозками, но просто не хотели тогда попасть в беду, обсуждая с нами качество товаров или условия договора. Они также не сказали никому из местных ни слова, откуда у них такой запас наших сладких вин. Этот факт им казался особенно забавным, и они смеялись как сумасшедшие, по словам Сапсана. Они сказали ему, что тот человек, которого они выдали нам тогда за единственного представителя Хлопкового народа, как раз им-то и не был — это был просто бедный придурок, который явился из пустыни и прибился к ним; он вообще как следует не мог говорить ни на одном языке.

Терпеливый молчал довольно долго, и я уж решил, что он сердится, но потом он начал ужасно смеяться, и все мы тоже засмеялись. А Терпеливый сказал Сапсану:

— Узнай, пожалуйста, не отвезет ли нас та же самая команда назад на север морем!

Но я предложил отправиться домой посуху.

Через несколько дней мы вышли в путь. Нам потребовалось два месяца, чтобы пройти по восточному побережью Внутреннего Моря до Реквита; оттуда мы морем добрались до Татселотса, попав в ужасный шторм, однако наше обратное путешествие — уже совсем другая история, которую я, возможно, еще расскажу, но в другой раз.

После нашей экспедиции на юг больше никаких трудностей с Хлопковым народом не возникало, и они всегда посылали нам только самый лучший длинноволокнистый хлопок. В общем-то они вполне разумные люди, разве что у них дурацкая привычка повсюду прокладывать лабиринты из этих крошечных тропинок; и еще они почему-то стыдятся говорить о том, что с ними приключилась беда.

ПРИМЕЧАНИЯ

С. 175 ... *Сапсан*

Или на языке кеш *йестик;* распространенное среди Искателей имя.

С. 187 ... *Шарики фумо*

Фумо — слово, обозначающее твердое плотное вещество беловатого или желтоватого цвета, имеющее древнее промышленное происхождение; удельный вес фумо примерно тот же, что и у льда. В некоторых частях океанов встречаются даже целые плавающие пояса фумо, а многие пляжи почти полностью состоят из мелких частичек фумо.

ПАНДОРА БЕСПОКОЙТСЯ И ВОЗБУЖДЕННО ВЗЫВАЕТ К ЧИТАТЕЛЮ

Неужели я сожгла все библиотеки Вавилона? Неужели именно я, своими руками, сделала это? Если они сгорят, то, значит, мы все и сожгли их. Но сейчас, когда я пишу это, книги не сожжены; они стоят на полках, а электронная память компьютеров полна различных сведений и воспоминаний, упакованных в крошечные биты. Ничто не утрачено, ничто не забыто.

Но, понимаете, даже если мы не сожжем эти книги, мы не сможем взять их с собой! Нас так много, что и без того наберется чересчур большое количество багажа. Чудовищное. Даже если мы будем продолжать производить по десять детей в секунду, чтобы захватить с собой в будущее груз Цивилизации, они все равно не смогут поднять его. Они ведь слабы, они постоянно умирают от голода, тропических заболеваний и просто от отчаяния, эти хилые жалкие ублюдки. Так что я всех их поубивала. Вы, возможно, уже заметили, что настоящая-то разница между нами и жителями Долины — величайшая разница! — на самом деле совсем проста: людей в Долине очень немного.

Неужели это я поубивала тех детей?

Послушайте, я честно пыталась дать им время. Но не могла же я дать им историю. Я не знаю, как это делается. Но время я им дать могла — это естественно. Я только и сделала, что открыла ту шкатулку, которую оставил мне Прометей. Я знала, что из этого выйдет! Я знаю о греках, приносящих дары! Я знаю о войне и чуме, о голоде и о всеобщей гибели, я действительно хорошо это знаю. Разве не дочь я того народа, который поработил и истребил население трех континентов? Разве не сестра я Адольфа Гитлера и Анны Франк? Разве я не гражданка того государства, которое первым развязало

190

ядерную войну? Разве я не питалась отравой, разве не дышала ядовитым воздухом всю свою жизнь, подобно тем червям, что живут и размножаются только в дерьме? Неужели ты считаешь меня такой наивной, брат мой червь, Читатель мой, пребывающий со мною в тайном сговоре? Да, я знала, что там, в этой шкатулке, родственничек мой, оставшийся здесь. Но помни: я замужем за братом Прометея Эпитемеем, чье имя значит «Непредусмотрительность», и у меня имеются собственные идеи насчет того, что оказалось на самом дне шкатулки — под войнами, чумой, голодом, всеобщей гибелью и ядерной зимой. Прометей — Провидец, Даритель Огня, Великий Демиург и Цивилизатор — назвал это Надеждой. И я действительно надеюсь, что он был прав. Но я не стану возражать, если шкатулка окажется пустой — если там будет всего лишь немножко свободного места и немножко свободного времени, чтобы оглянуться, чтобы, конечно же, посмотреть вперед и чтобы осмотреться по сторонам.

Ах, только бы места хватило! Мне нужно много места, чтобы поместились все звери, птицы, рыбы, жуки, деревья, скалы, облака, ветер, гром. Мне нужно место для настоящей жизни.

А теперь — не спешите.

Ну что, где же огонь? Офицер, моя жена рожает на заднем сиденье! Ах, успокойтесь, сейчас не стоит заниматься подобными делами. Никакой спешки. Не торопитесь. Вот, возьмите, пожалуйста: я отдаю время вам. Теперь оно ваше.

ВРЕМЯ И СТОЛИЦА

СТОЛИЦА

Слово *кач*, «столица», практически не употреблялось народами Долины или их соседями; все селения, большие или маленькие, они называли *чум* — город.

Говорящий Камень, однако, называет города народа Кондора словом *кач,* переводя специфическое слово их языка; у народа Кеш это корневое слово обычно использовалось в качестве составляющей таких сложных слов, как *тавкач* (Столица Человека) и *яйвкач* (Столица Разума). Оба эти понятия нуждаются в пояснениях.

Яйвкач — Столица Разума

Примерно в одиннадцати тысячах мест на планете, где существовали людские поселения, рядом с людьми «проживали» и саморегулирующиеся кибернетические системы или, если угодно, *существа* — компьютеры, снабженные различными механическими приспособлениями, являвшимися как бы их продолжением. Эта сеть взаимосвязанных компьютерных центров образовывала некое единое целое — Столицу Разума.

Термин «яйвкач» подразумевал как отдельные компьютерные центры (или Пункты Обмена Информацией), так и всю систему в целом, их единство. Большей частью отдельные компьютерные центры были невелики и занимали площадь не более акра, но некоторые из них, огромные, расположенные в пустыне, служили как экспериментальные или производственные центры; там, например, находились нейтронные ускорители, пусковые ракетные установки и тому подобное. Все кибернетические «поселения» располагались под землей и были укрыты специальными куполами во избежание повреждений или нанесения вреда окружающей среде. По всей вероятности, некое постоянно увеличивающееся число их имелось и на других планетах Солнечной системы, на астероидах, искусственных спутниках или же исследовательских станциях, путешествующих в глубоком космосе.

Основной задачей Столицы Разума было, очевидно, то, что является основной задачей любого вида существ: сохранить и продолжить свой род.

Жизнедеятельность этой системы заключалась прежде всего в сборе информации, в хранении и сличении отчетов о состоянии и уровне развития кибернетического и людского населения, которые составлялись по самым различным документам или археологическим свидетельствам и включали описание и историю всех форм жизни на планете, как древних, так и современных; помимо этого, давалось физическое заключение о состоянии материального мира на всех уровнях — начиная с субатомного и кончая химическим, биологическим, геологическим, атмосферным, астрономическим и космическим; затем следовало математическое, чисто формульное изложение данных статистики и прогноз, выведенный из этих данных; составление карт внутреннего и внешнего строения планеты, дна морей и поверхности континентов, а также карт других планет Солнечной системы и самого Солнца и обширных космических межзвездных пространств; различные исследования по развитию технологий, имеющие вспомогательный, служебный характер по отношению к сбору, хранению и интерпретации компьютерных данных, а также по улучшению и постоянному расширению возможностей сбора информации и ее объема благодаря всей сети в целом — иными словами, разумная, самонаправленная эволюция, происходившая постоянно и последовательно.

Очевидно, подобная эволюция осуществлялась в интересах самой Столицы Разума, стремившейся создавать и всячески поддерживать разнообразие форм и способов существования кибернетических существ, главным образом занимавшихся сбором информации, которая обеспечивала само существование Столицы Разума — я прошу прощения за эту бесконечную тавтологию, однако считаю ее при данных обстоятельствах неизбежной. Все перемалывалось на этой мельнице Разума и усваивалось ею, а потому система не разрушала ничего уже существующего, однако и не способствовала ничьему возникновению и развитию. Она, похоже, не желала никоим образом вмешиваться в жизненный процесс каких-либо иных видов существ.

Металлы и прочее сырье, необходимое для создания физического оборудования и для технических экспериментов, добывалось в глубоких шахтах с помощью роботов, способных работать в зараженных районах Земли или на Луне и прочих планетах; подобная разработка месторождений велась не только чрезвычайно аккуратно, но и весьма эффективно.

Столица не имела прямого отношения к жизнедеятельности растительного и животного мира планеты, он был для нее лишь объектом наблюдения и постоянным источником информации. Аналогичным образом были ограничены и ее отношения с миром людей, с одним лишь исключением: между людьми благодаря Столице Разума происходил постоянный взаимный обмен информацией по сетям компьютерной связи.

Пункты Обмена Информацией (ПОИ)

Компьютерные терминалы, каждый из которых был связан с ближайшей наземной или находящейся на спутнике кибернетической системой и, таким образом, включался во всю обширную сеть, были размещены во всех человеческих поселениях планеты. Любая оседлая община из пятидесяти или более человек имела право на установку ПОИ; по ее просьбе это делалось роботами Столицы Разума; ПОИ поддерживался в рабочем состоянии и обслуживался в дальнейшем как роботами, так и людьми — учеными, которые следили за его работой и осуществляли необходимую профилактику и ремонт.

В Долине могли активно функционировать восемь или девять ПОИ, однако все главным образом сводилось к деятельности одного, установленного в Ваквахе. На языке кеш ПОИ обозначался словом «вудун».

Информативная связь была взаимной; природа и количество информации зависели в этом союзе партнеров от людей. Столица Разума невостребованной информации не выдавала; иногда, впрочем, она запрашивала определенную информацию, хотя никогда ее не требовала.

Пункт Обмена Информацией в Ваквахе был запрограммирован прежде всего на самую обычную выдачу сводок погоды, предупреждений о природных катаклизмах, об изменениях в расписании поездов и конкретные сезонные советы по сельскому хозяйству. Информация медицинского характера, технический инструктаж или какие-либо другие данные, специально запрошенные кем-то, всегда предоставлялись Столицей на универсальном языке земных поселений ТОК, который во всей книге я обозначаю заглавными буквами, чтобы отличать его, например, от языка кеш или от каких-либо других слов обычных человеческих языков.

Повторяю: если информация не запрашивалась, то она и не поступала. Однако любые запрошенные данные выдавались мгновенно, если, разумеется, запрос был оформлен правильно, будь то рецепт приготовления йогурта или исключительно сложная технология последних типов модернизированного разрушительного оружия; подобные технологии также разрабатывались Столицей Разума, будучи

194

составляющими ее постоянных исследований, в итоге замыкавшихся как бы на самих себя. Столица Разума совершенно свободно, без каких-либо ограничений предоставляла эти данные для использования их людьми, что являлось одним из проявлений ее абсолютной, чисто кибернетической объективности. Нечастые просьбы о дополнительной информации, адресованные Столицей людям, обычно содержали вопросы, например; о современных течениях в искусстве и ремеслах, о развитии гончарного мастерства, о поэзии, о системах родства, о политике и т. п., ибо именно эти области для роботов-наблюдателей, а также спутников-наблюдателей были труднодоступны, поскольку требовали вмешательства в поведение наблюдаемых объектов и практически не поддавались количественному анализу.

В оседлых поселениях и городах с хорошо развитыми культурными и экономическими связями, то есть в таких, как города в Долине Реки На, инструктаж по использованию компьютера входил в систему привития первичных навыков; это вызывало и принципиальную необходимость изучения языка ТОК. Дополнительным удобством знания ТОК была возможность объясняться с народами, говорившими на языках, отличных от языка Долины, и пользовавшихся компьютерными терминалами в других странах и городах. ТОК использовался в качестве всемирного «лингва франка» торговцами и путешественниками, а также всеми теми, кому нужно было непосредственно или через Пункт Обмена Информацией общаться с жителями чужой страны. Таким образом, для жителей Долины это вторичное использование языка ТОК, пожалуй, даже заслонило те исходные цели, для которых он был создан. Следует отметить, что любой человек, который был заинтересован в постоянной работе с терминалом, мог по желанию расширить курс своего обучения. Столица Разума в таком случае неизменно обеспечивала обучение на любом уровне — от простой компьютерной игры до высот чистой математики или теоретической физики. Банк памяти Столицы Разума был невообразимо богат. Там хранились поистине безграничные запасы знаний, и если бы кто-то захотел обладать всей этой информацией, то должен был бы стать абсолютным ментальным двойником или слепком Разума целой Вселенной.

Что же касается Вселенной, то проблема доступности знаний о ней оставалась всегда.

Люди, которые обладали достаточными интеллектуальными способностями, могли, если хотели, пребывать в контакте со Столи-

цей Разума в течение всей своей жизни; они обычно жили в Ваквахе и работали на Пункте Обмена Информацией по определенному графику. Другие же, напротив, ничего не знали и знать не желали ни об Обмене, ни о Столице Разума. Для большинства ПОИ были полезным и необходимым элементом существования, позволявшим получать сведения о возможности землетрясений и пожаров, появлении на территории страны чужеземцев и расписании поездов; поскольку Столицу Разума Кеш воспринимали как некий конгломерат определенных видов существ, а в этом мире считали себя связанными со всеми живыми существами и неживыми предметами, то и свою связь с ней ощущали так же, как связь с лесом, или с муравейником, или со звездами.

Если жители Долины принимали Столицу Разума как нечто само собой разумеющееся, как нечто «естественное», как сказали бы мы, то сама Столица, похоже, прекрасно «знала» о своем древнем происхождении благодаря оставленным древними людьми артефактам, благодаря определенному набору слов в языке ТОК для обозначения человеческих существ — видов и отдельных особей, а также тех, кто именовался «создателями». И то, что Столица Разума продолжала поддерживать систему обмена информацией в интересах человека, видимо, доказывало, что этот город-компьютер признавал человечество как нечто родственное ему самому по способности мыслить, по языку, по склонности к математическому, формульному изложению информации; возможно, Столица считала человека неким своим примитивным предком или отклонившейся от общего ствола и одичавшей ветвью, родственной ей, Столице, однако оставшейся далеко позади, в самом начале Пути Разума. Разумеется, ни малейшей этической или эмоциональной окраски в этом допущении эволюционного превосходства не было. Подобное допущение было чисто теоретическим и входило в некое общее множество допущений, также чисто теоретических, как, например: можно ли быть на несколько световых лет обширнее Вселенной или можно ли стать бессмертным.

Думающие и наиболее образованные из людей, населявших Долину, сознавали, какие неисчислимые богатства предоставляет в их распоряжение Столица Разума; однако они не были подготовлены к тому, чтобы воспринимать жизнь людей ни как простой способ передачи информации от поколения к поколению, ни как объект для исследования, а разум смертных — как подручное средство для создания бессмертного Разума машин. С их точки зрения, эти два вида «существ» — люди и компьютеры — разошлись на своем пути развития совершенно в разные стороны и до такой степени стали чужды друг другу, что соревнования между ними не возникало, общение и сотрудничество были ограничены, а вопрос чьего-то превосходства или неполноценности — лишен смысла.

«Свобода Столицы Разума обратна нашей свободе, — сказала

Главная Архивистка Ваквахи во время очередной дискуссии на эту тему. — Столица занята сохранением. Ее задача — сохранить все, даже мертвых. Когда нам нужно то, что уже умерло, мы обращаемся к Памяти. Мертвый лишен тела, он не занимает ни пространства, ни времени. В наших библиотеках мы храним тяжелые, требующие огромного количества времени, занимающие много места вещи и книги. Когда они умирают, мы вытаскиваем их наружу. Если они нужны Столице, она берет их себе. Дело в том, что она всегда берет их. И это действительно превосходно устроено».

Тавкач — Столица Человека

Это слово можно перевести и как «цивилизация» или «история».

Определенный исторический период, эра существования людей, последовавшая за эпохой неолита и длившаяся несколько тысячелетий в различных частях света, из которой доисторический период и «примитивные культуры» исключены специально, видимо, является именно тем периодом (или местом?), который народ Кеш обозначает выражением «вне времени», «вне мира», а также «Столица Человека».

Очень трудно быть уверенным, что значения этих выражений именно таковы, когда имеешь дело с языком и мышлением людей, которые не делают никаких различий между историей человека и историей природы, между объективными и субъективными факторами своего существования и согласно восприятию которых ни хронологическая, ни казуальная последовательность событий не считается адекватным отражением реальности. Для них понятия времени и пространства настолько перепутаны, что невозможно быть уверенным, говорят ли они в данный момент об эпохе или о территории (era or area).

Согласно моим впечатлениям, однако, наша эра и наша цивилизация, Цивилизация с большой буквы, как мы привыкли ее воспринимать, представлялась жителям Долины чем-то весьма далеким как во времени, так и в пространстве, чем-то отдельным от совместного и неразрывного существования людей, животных, растений и Земли; для них это нечто вроде полуострова, выступающего из основного массива суши, очень плотно застроенного, очень плотно заселенного, очень непонятного и очень далекого.

Границы этой эпохи/территории (era/area), этой Столицы Человека, отмечены отнюдь не датами. Линейная хронология полностью предоставлена Памяти Столицы Разума. И, конечно же, сама Столица Разума, сложная компьютерная система, включавшая и ПОИ, тоже воспринималась ими как нечто находящееся «вне мира», за его пределами, при этом существуя с ним одновременно, точно так же, как и Столица Человека, то есть Цивилизация. Взаимоотношения между Столицами и Долиной вообще неясны. Каким образом, например, можно попасть «из настоящего мира» за его пределы, то есть куда-то вне времени и пространства, и вернуться?

Они, пожалуй, отдавали себе отчет в собственной непоследовательности, в существовании некоего провала в истории человечества или недостаточной связанности отдельных ее кусков, однако воспринимали это как нечто неизбежное и необходимое.

В действительности же, хотя я не совсем уверена в правильности собственных выводов, они как раз могли воспринимать это явление как нечто главное и основное в их жизни — для них отдаленность нашей цивилизации, нашей истории (если пользоваться нашей терминологией), эта пропасть, этот разрыв, это наше существование вне времени и пространства, этот переход из «внутреннего» мира в мир «вне времени» и обратно — и есть Стержень, Основа Мира.

Я предприняла кое-какие попытки понять, как происходит такой переход, как можно соединить края этой пропасти. Когда я попросила Главную Архивистку библиотеки города Ваквахи дать мне те записи, где говорится о Столице Человека, она предложила мне приведенный ниже миф «Дыра в воздухе», а спикер хейимас Обсидиана в Чумо рассказал мне другой миф: «Большой человек и маленький» как «историю о внешнем и внутреннем времени». Я привожу эти мифы. Далее следуют результаты моих попыток докопаться до того, что можно было бы назвать историей Долины. Нельзя сказать, что все эти попытки оказались бесплодными, однако моя деятельность в этом направлении весьма похожа на тот случай, когда, отправившись за виноградом, возвращаешься домой с грейпфрутами. Итак, перед вами мифы о начале времен, а также глава, названная мной «Время в Долине».

ДЫРА В ВОЗДУХЕ

Некоторое время назад жил у нас тут человек, который обнаружил дыру в воздухе на перевале в Горах Света. Он окружил дыру оградой из жердей, чтобы ее ветром не сдуло, пробормотал хейю и вошел прямо в эту дыру.

И попал через нее в тот мир, что вне нашего. Сперва он не понял, где оказался. Вроде бы все то же самое: скалы и вершины гор точно такие же, какие были видны с перевала, но в воздухе пахло иначе, и все было как бы другого цвета, а когда он огляделся, то увидел, что деревья-то вокруг совсем не такие, а его ограды из жердей и вовсе на месте нет. Ну, он снова огородил дыру, а потом пустился вниз по склону горы на юго-запад, к побережью Внутреннего Моря. И первое, что он увидел, — точнее, не увидел — это отсутствие воды. Перед ним была огромная долина, лишенная водных источников, рек и ручьев, и сплошь застроенная — стены, крыши, дороги, стены, крыши, дороги, стены, крыши, дороги — до самого горизонта.

Там, где ущелье Заречное сворачивало на юг, этот человек тоже свернул и вышел на большую дорогу. И там его сразу убили. Четырехколесный автомобиль, мчавшийся на большой скорости, сбил его, переехал и, не останавливаясь, унесся прочь.

Этот человек хоть и оказался вне нашего мира, все же отчасти еще принадлежал ему, так что хоть он и умер, но снова смог подняться; говорят, в таком случае человек способен умирать девять раз. Ну вот, не успел он восстать из мертвых, как тут же другая машина снова сбила его. Он снова умер и снова ожил, однако только поднялся на ноги, как его сбили еще раз. Прежде чем он успел убраться с этой дороги, его уже три раза убили.

Дорога эта была покрыта плотным слоем засохшей крови и превратившейся в грязь плоти с прилипшей к ней шерстью и перьями. От нее исходила жуткая вонь. Стервятники сидели на ветвях сосен, росших вдоль дороги, и ждали, когда наконец эти машины-убийцы остановятся, чтобы слететь на дорогу и сожрать то, что машины наубивали. Но машины никогда не останавливались и без конца сновали туда-сюда, мчались вверх и вниз по склону холма, громко гудя и жужжа.

Среди сосен, неподалеку от этой дороги виднелись дома, и человек из ущелья Заречного пошел к одному из них. Ему было страшновато, он боялся тех, кого мог увидеть в таком доме. Во дворе было тихо и пусто. Он медленно подошел и осторожно заглянул в окно. И, конечно, увидел именно то, чего так боялся: там были люди, которые глядели на него, а глаза у них были на затылках, прямо над лопатками.

Он так и застыл на месте, не зная, что делать, но через некоторое время понял, что эти люди смотрят как бы сквозь него. Они не способны были видеть что-либо, хотя бы частично принадлежавшее нашему, внутреннему миру.

Казалось, что порой кто-нибудь из них вроде бы краем глаза видит его, но не может понять, что это, и снова отводит взгляд.

И этот человек решил тогда, что, если будет достаточно осторожным, бояться ему нечего, и вошел в дом. Люди с головами задом наперед сидели за высоким столом и ели. Он посмотрел, как они едят, и ему самому тоже захотелось есть. Он тихонько прошел на кухню, надеясь найти там какую-нибудь еду. На кухне было полно всяких коробок, в которых тоже были коробки и коробочки. Наконец какую-то еду он все-таки отыскал, однако попробовал ее и тут же сплюнул: еда была отравлена. Он попробовал что-то еще, и еще, но все было отравлено. А люди с головами задом наперед ели себе отравленную пищу из мисок, сделанных из чистой меди, и разговаривали, и все продолжали сидеть за столом, хотя лица их от стола были отвернуты. Тогда человек снова вышел во двор и увидел там яблони, ветви которых были усыпаны яблоками, но стоило ему сорвать яблочко и вонзить в него зубы, как он сразу почувствовал вкус медного купороса. Яблоки тоже были ядовитыми.

Он снова вошел в дом и стал слушать, о чем говорят люди с головами задом наперед. Ему показалось, что они говорят: «Убивайте людей! Убивайте людей!» (на языке кеш — «душе ушуд, душе ушуд»). Во всяком случае, их слова звучали именно так. Поев, мужчины с головами задом наперед двинулись к двери и, закуривая и прихватив с собой ружья, вышли на улицу. Женщины с головами задом наперед отправились на кухню и стали там курить коноплю. Тот человек пошел следом за мужчинами. Он решил, что, может, они на охоту собрались, раз все время говорили «убивайте», и тогда он сможет получить хотя бы свежую дичь. Но в этих горах, кроме самих людей с головами задом наперед, не было практически ничего живого. Если там кто-то и был, так спрятался или уже успел перебраться во внутренний мир. Единственными живыми созданиями, которые он видел, были растения, несколько мух, да в небе кружил стервятник. Мужчины с головами задом наперед тоже заметили стервятника и стали в него стрелять, но промахнулись и пошли дальше, покуривая табак. Воздух вокруг них был буквально пропитан дымом. Тот человек забеспокоился: он догадался, что эти люди, видимо, собираются воевать. А ему вовсе не хотелось быть в это замешанным, так что он отстал от них и пошел вниз по склону холма, все дальше от той большой дороги, на которой он уже три раза был убит. Но чем дальше он уходил, тем сильнее становился запах дыма. И ему показалось, что это лесной пожар.

И тут он вышел к еще одной дороге, более широкой, чем первая, и тоже забитой стремительно мчащимися и рычащими машинами, и повсюду, насколько он мог видеть, были стены и крыши домов, заполнявших долину. Все вокруг той дороги было мертво. Воздух казался очень плотным и почему-то желтым; этот человек все высматривал, где же горит лес, но не видел, однако все то время, что он пробыл вне нашего мира, дым окружал его постоянно.

Он пошел дальше, среди бесконечных стен и крыш, среди ревущих дорог, он все шел и шел, но никак не мог прийти туда, где все это кончается. Так он конца этому и не нашел.

Во всех домах жили люди с головами задом наперед. Из ушей у них торчали электрические провода, и все они были глухими, днем и ночью курили табак и постоянно с кем-то воевали. Он пытался не вмешиваться в их стычки, уйти от них подальше, однако они жили везде, и везде было одно и то же. Он видел, как они прячутся и убивают друг друга. И видел, как порой дома, объятые пожаром, горели на площади в несколько квадратных миль. Но там было так много этих людей и домов, что конца им видно не было.

Человек из Заречного ущелья научился употреблять в пищу кое-какие их продукты, жил воровством и все продолжал бродить по улицам в поисках хоть кого-нибудь из внутреннего мира. Он думал, что все-таки кто-то должен там найтись. Он шел и пел наши песни, чтобы эти люди могли услышать его, если они там есть. Но никто его так и не услышал, и он наконец повернул назад, к горам. Его тошнило от той отравленной еды и постоянно висевшего в воздухе дыма, и он чувствовал себя так, словно уже умирает, причем не в этом внешнем мире, а по-настоящему. А потому он и захотел вернуться в свое ущелье, в родные места. Когда он уже повернул

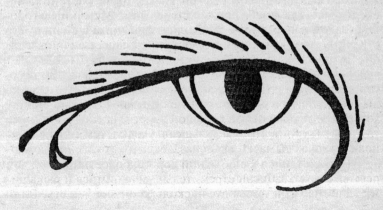

назад, вдруг на одной из улиц на него посмотрела какая-то женщина. Она его увидела. Он тоже посмотрел на нее и понял, что она глядит нормально и лицо у нее расположено над грудью. Он был так рад увидеть человека, у которого лицо там где нужно, что с распростертыми объятиями бросился прямо к ней, не обращая внимания на машины и плотно стоящие дома. Но она отвернулась от него и побежала прочь. Она его явно боялась. Он долгое время бегал, искал и звал ее среди домов, но так и не нашел. Видимо, она слишком хорошо от него спряталась.

Он пошел обратно, к той широкой дороге, где его три раза убили, и потом вверх в горы. Он был уже полумертв, когда миновал наконец последние дома и стал карабкаться среди гранитных валунов к перевалу. Речка там еле текла и почти пересохла; он никак не мог понять, отчего это. Вскоре появились несколько канюков, спустились на скалы вокруг и стали с ним разговаривать. Они кружили у него над головой и говорили:

— Мы умираем от голода. Здесь совершенно нечего есть. Ложись, умри, стань нашей пищей, и мы снова перенесем тебя во внутренний мир.

Но он ответил им:

— У меня есть другой путь.

Однако когда он пришел к дыре в воздухе, которую огородил жердями, чтобы предохранить от ветров, ни дыры, ни ограды там не оказалось. Люди с головами задом наперед перегородили речку плотиной в самой узкой части ущелья, и теперь все деревья и скалы здесь оказались под водой; и то место, где в воздухе была дыра, теперь тоже было под водой. Вода эта была оранжевого цвета и пахла горечью. Рыба в ней не водилась, зато вокруг стояли огромные дома без окон.

Вот какой стала родная река этого человека. Он знал, где истоки этой реки. Это была его родная долина. И когда он увидел, что эти места, занимавшие в его душе так много места, разрушены и мертвы, страшная боль пронзила его сердце. И он сел на белые гранитные скалы и заплакал. И точно время для него навсегда остановилось.

Тут снова явились стервятники. Они расселись на валунах и скалах вокруг него и сказали:

— Отдайся нам. Мы перенесем тебя во внутренний мир. Мы умираем от голода.

И теперь их предложение показалось ему заманчивым.

Он лег на солнышке у гранитной скалы и стал ждать. Вскоре он умер.

И вернулся в наш мир через ту первую дыру, огороженную жердями. Он чувствовал себя очень слабым и больным, сам идти не мог, но на следующий день проходили мимо какие-то люди из его города, и он их окликнул. Они подошли, принесли ему воды напиться и привели на перевал его родственников. После этого он прожил еще несколько дней и успел рассказать им, что делал, видел и слышал во внешнем мире. А потом он окончательно умер. Умер он от тоски и той ядовитой пищи, которую ел вне нашего мира.

И больше уже никому не хотелось пройти во внешний мир через дыру в воздухе. Люди повалили ограду из жердей и позволили ветру разметать все, так что от этой дыры и следа не осталось.

БОЛЬШОЙ ЧЕЛОВЕК И МАЛЕНЬКИЙ

Говорят, семенем его были звезды, и он действительно был велик, так велик, что заполнял собой весь внешний мир. Там просто места больше ни для чего не оставалось.

Иногда он заглядывал оттуда в наш, внутренний, мир, и ему хотелось оказаться там, хотелось, чтобы внутренний мир забеременел от него, а может, он просто хотел его поглотить. Но только попасть он туда не мог и хорошо видел только обратную сторону внутреннего мира. Так что он создал людей и заставил их пойти туда через границу, отделявшую его мир от внутреннего. Он создал Маленького Человека и послал его внутрь нашего мира. Однако создал его с головой задом наперед.

Маленький Человек прошел через границу между мирами, но во внутреннем мире не остался и сразу вернулся назад,

Гора Духа

жалуясь: «Мне там не понравилось». Так что Большой Человек уложил его спать и, пока тот спал, сделал некое подобие женщины — из глины, из той глины, которая идет на изготовление красного кирпича. Глиняная женщина выглядела как настоящая, и Маленький Человек, проснувшись, обманулся. Большой Человек сказал ему: «Ну а теперь ступайте вместе во внутренний мир и там родите детей». Маленький Человек согласился, взял с собой эту глиняную женщину и снова вернулся во внутренний мир. Он совокуплялся с ней, она производила на свет ему подобные существа, и это продолжалось до тех пор, пока таких, как он, не стало столько, сколько москитов на Болотной Реке или пауков осенью в лесу — даже больше. Может, только песчинок было больше на свете, чем этих существ. И все равно самому Маленькому Человеку там не нравилось. Он боялся. Он там был чужаком, в этом внутреннем мире. К тому же у него не было матери, только отец. Так что все, чего он боялся, он убивал.

Он срубал под корень каждое увиденное им деревце, убивал каждого зверя и непрерывно воевал со всеми народами. Он сделал себе такие ружья, из которых можно было убивать даже мух, и пули, которыми можно было застрелить блоху. Он боялся гор и заставил болота размыть горы и сделать их более плоскими. Он боялся долин и заставил ручьи и реки затопить их. Он боялся травы, сжигал ее и рассыпал камни там, где она росла. Он ужасно боялся воды, которая обладала непокорным и независимым нравом, и попытался всю ее уничтожить: закапывал ключи, перегораживал плотинами реки, хоронил воду в колодцах. Но если пьешь, то и мочишься. Вода все равно возвращалась обратно. Пустыня, конечно, растет, но растет и море. И тогда Маленький Человек отравил море. И вся рыба в нем умерла.

И все начало умирать, все живое было отравлено. Даже облака стали ядовитыми.

Вонь, исходившая от отравленных вещей, от мертвых людей и животных, была поистине ужасна. Она проникла даже во внешний мир. И постепенно его заполнила. Эта вонь достигла ноздрей Большого Человека, и он сказал: «Ничего хорошего в том мире нет, одна порча!» Он отвернулся от нашего мира и пошел прочь, уходил все дальше.и дальше в свой мир и совсем ушел. Он больше не желал иметь с внутренним миром ничего общего.

Когда он ушел, осталось свободное место. И оттуда вылетел канюк. Вылетела муха. Вышел, принюхиваясь, койот. Поскольку во внутреннем мире все умирало и стояла жуткая вонь, все эти трупоеды потянулись на запах и стали тайком пробираться в наш мир по ночам. Кондор, и канюк, и гриф, и ворон, и ворона, и койот, и собака, и мясная муха, и черви, и личинки мух — все тайком пролезали сюда и расползались во все стороны, поедая мертвечину. Мертвечина и стала их основной пищей.

Были среди них и некоторые люди. Может быть, они с самого начала жили там, просто раньше прятались. Они ведь тогда проиграли войну с нашим миром. Они были слабые, грязные, голодные и ни на что не годились. У них, похоже, все-таки были настоящие матери, и среди них тоже были женщины. Эти люди были такие голодные, что не боялись есть падаль вместе со стервятниками и рыться в отбросах вместе с собаками. Они ничего не боялись, они уже и так слишком низко пали. Они довольно глубоко зашли во внутренний мир, но им там было холодно. Холодно и голодно. Тогда они построили себе дома из камней и костей, а внутри этих домов сложили очаги из костей и попросили койотов помочь им. Они попросили о помощи!

И явилась Койотиха. Там, где она ступала, возникал дикий край. Это она своими лапами выкопала каньоны и ущелья; там, где она испражнялась, появились горы. Под шум крыльев стервятников выросли леса. Там, где в земле копался червь, зажурчал родник. Вещи возникали и множились, как и люди. Только Маленького Человека больше не существовало. Он умер. Умер от страха.

ПРИМЕЧАНИЕ ПО ПОВОДУ ЛЮДЕЙ
С ГОЛОВОЙ ЗАДОМ НАПЕРЕД

Самым страшным призраком в Долине считался человек с головой, повернутой лицом назад. Такие существа населяли все истории о привидениях; в широко распространенных сказках они шныряли повсюду — в зараженных районах, на берегах загрязненных промышленными отходами и радиацией водоемов. Стоило ребенку на минутку представить себе такое чудище, и он с воплями бросался вон из лесу, и, надо сказать, не без причины, ибо самым страшным в Обществе Белых Клоунов был по-неземному высокий, тонкий и молчаливый человек по имени Сухая Шея, который ходил задом наперед, и лицо у него было сзади. В написанной по всем правилам пьесе герою стоило один лишь раз взглянуть через плечо, и это уже считалось дурным знаком. Сов всегда очень уважали за то, что они якобы способны противостоять зловредному влиянию людей с головой задом наперед. Возможно, потому, что совы легко могут поворачивать голову на сто восемьдесят градусов.

Эти народные верования и суеверия, видимо, и стали впоследствии основой для широко распространенной литературной метафоры.

В долине Реки На, особенно на крайнем юге и востоке, издавна происходили мощные землетрясения и подвижки горных пород, в результате которых образовались глубокие пропасти и новые горы и холмы. Все это вкупе с некоторыми прочими явлениями превратило впоследствии район, который известен ныне как Великая Калифорнийская Долина, в гористую местность с мелким морем посередине, окруженным засоленными болотами, а Калифорнийский Залив оказался выше, в районе Аризоны и Невады. Но тем не менее даже столь сильные перемены не полностью уничтожили следы древней деятельности человека — следы нашей цивилизации.

Жители Долины не понимали, что явления, которые они наблюдали в своем мире и влияние которых испытывали постоянно, — заброшенность огромных территорий из-за выбросов радиоактивных или отравляющих веществ, ухудшение генофонда и распространение генетических заболеваний, из-за которых они страдали бесплодием, рожали мертвых детей и сами мучились от ужасных хронических и врожденных заболеваний, — были последствиями неумышленных действий. Согласно их точке зрения, представители племени людей не должны совершать случайных поступков. Несчастья и беды могут, конечно, обрушиваться на людей, но все, что люди совершают сами, они совершают под собственную ответственность и непременно должны отвечать за свои поступки. Так что то, что древние люди сотворили со своим миром, они, видимо, сделали намеренно и во имя зла, следуя неким ложным представлениям, поддавшись страху и алчности. Да, с точки зрения жителей Долины, эти люди совершили зло сознательно. А все потому, что головы у них были повернуты не в ту сторону — на злодеяния.

НАЧАЛА

Четыре начала

Записано со слов Бондаря из Дома Красного Кирпича (Унмалин)

Разве могло это начаться только однажды? Тогда это было бы просто бессмысленно. Все должно начинаться и кончаться снова и снова, чтобы жизнь продолжалась; так живут и умирают люди, и все живые существа, и даже звезды.

Мой дядя рассказывал нам в хеймас, что было по крайней мере четыре конца света, о которых нам известно. Хотя известно не очень хорошо, потому что о таких вещах много узнать трудно.

В первый раз, по его словам, здесь еще не было никаких людей, только растения, рыбы и разные живые существа с четырьмя, шестью или восемью ногами, которые ходили и ползали по земле. В тот раз с небес упало множество огромных огненных шаров — метеоритов, которые вызвали всемирный пожар. Воздух был отравлен густым дымом, солнца нигде не видать. Тогда вымерло почти все живое. После этого на долгие времена наступили холода. Но оставшиеся в живых существа научились жить в холоде. Именно в эти холода как раз и появились на свет люди с двумя ногами. Долины тогда были заполнены льдом, сошедшим с гор. Ледник дошел даже до самых берегов моря. Звездные дожди, что случаются в сухой сезон, так называемые Метеориты Пумы, — это лишь напоминание о тех временах.

А потом постепенно стало делаться все теплее и теплее, пока не стало даже чересчур жарко. Вокруг возникло очень много вулканов. Весь лед в долинах и на горах растаял, так что моря становились все глубже и глубже. Собиравшиеся над морями тучи все время изливались дождями, реки были вечно переполнены, то и дело случались наводнения, в итоге большая часть суши превратилась в море, из воды торчали только отдельные горные пики, и даже на них нанесло огромное количество ила, а над вершинами гор перекатывались волны приливов. Тогда все источники пресной воды исчезли под толщей воды соленой. На земле умерли почти все. Выжили лишь несколько человек; они как-то существовали на илистых наносах, пили дождевую воду, питались ракушками и червями. Радуга напоминает нам о тех временах — это мост светящихся небесных людей.

А потом все постепенно высохло, хотя и не сразу. Из тех людей, что вели жалкую жизнь на илистых наносах, в живых остались всего два человека, брат и сестра из одного Дома, и они полюбили друг друга плотской любовью. Так что родившиеся от них люди были зачаты против правил и оказались лишенными разума. Они попытались создать новый мир. Но смогли только снова привести его к трагическому концу, то есть повторить все то, что уже случалось раньше. Только на этот раз они сами послужили причиной страшных пожаров,

207

появления черных туч дыма, отравления воздуха, а затем наступления тьмы и холодов, когда все снова начали умирать. В итоге все те люди вымерли. А зараженные территории, куда люди боятся ходить и поныне, служат напоминанием об этих страшных временах.

Когда воздух немного очистился и потеплело, люди стали возвращаться назад, но их осталось совсем мало, ибо весь наш мир был поражен болезнями. Болен был каждый, и никакие песни, никакие жертвоприношения не могли излечить людей. Растения, животные, люди, даже трава, даже сами скалы были заражены. Даже глина стала заразной. Луна была тогда темной, как паленая бумага, а солнце — такого цвета, какого сейчас луна. Наступили мрачные, холодные, страшные времена. Ничто не рождалось на свет нормальным, каким бы должно было быть. А потом все-таки появились здоровые ростки, и постепенно все начало расти, как полагалось. Вода снова вышла из-под камней, чистая и прозрачная. Разные народы и живые существа стали возвращаться на прежние места. И они до сих пор еще не все вернулись, по словам моего дяди.

Мой дядя был спикером хеймас Красного Кирпича у нас в Унмалине. Настоящий ученый, он долгое время прожил в Ваквахе и всю жизнь учился.

Народ Красных Кирпичей

Записано со слов Щедрой из Дома Желтого Кирпича (Чукулмас)

Тех людей, которые когда-то давно жили здесь, мы называем народом Красных Кирпичей. Они складывали стены домов из небольших, прочных, хорошо обожженных кирпичей темно-красного цвета. В хорошем месте под землей такие кирпичи могли храниться очень долго. В Чукулмасе две хеймас, Змеевика и Желтого Кирпича, частично построены из этих старых кирпичей, а также эти кирпичи использованы для орнамента в Башне. В памяти компьютеров существует, конечно, информация о народе Красных Кирпичей, но я не думаю, чтобы ее хоть раз запрашивали. Да и разобраться в ней будет довольно трудно. В Столице Разума полагают, что смысл уже в самом сборе информации и историю этого народа кто-то запрашивает и читает, раз есть сведения о нем, но мы так не думаем. По-моему, стараться побольше узнать об этом народе — все равно что плакать в океане. Зато когда пускаешь в дело их кирпичи, это приносит удовлетворение.

Я все-таки хотела бы думать, что каждый хоть немного постарался узнать о людях Красных Кирпичей. Они жили на побережье и в глубине страны, прежде чем Внутреннее Море переполнилось и затопило сушу; некоторые из старинных городов, оказавшихся под водой, должно быть, принадлежали им. По-моему, колеса они не знали. Зато делали сложные музыкальные инструменты. Их музыка тоже записана и сохранена в Памяти Столицы Разума; здесь в городе есть один композитор, Такулькунно, который изучал их музыку и использовал ее, создавая свои произведения, — как наши строители используют их кирпичи.

Что значит «плакать в океане»? О, видите ли, это значит прибавлять понемножку к тому, что и так уже полно, или же прибавлять слишком мало там, где требуется значительно больше. В общем, это все равно что «слезами море солить»...

Койотиха за все в ответе

Запись отрывка из драматической ваквы «Цветы фасоли»,
принадлежащей Обществу Сажальщиков

Пять Народов говорят: — Откуда мы пришли сюда? Как мы сюда попали?

Старый Мудрый Человек отвечает: — Благодаря Вечному Разуму! Благодаря Священной Мысли!

Пять Народов бросают в него фасоль и повторяют: — Откуда мы пришли? Как мы сюда попали?

Старая Рассказчица отвечает: — Из недр земли! В семени, в яйце, в чреве своем представители всего, что живет на Земле, принесли вас, и вот вы благодаря им родились на свет!

Пять Народов бросают в нее фасоль и говорят: — Откуда мы пришли сюда? Как мы сюда попали?

Койотиха отвечает: — С запада пришли вы, с запада, из Ингаси Алтаи, из-за океана. Танцуя, пришли вы, на двух ногах пришли вы.

Пять Народов говорят: — Какое счастье, что мы попали сюда, в Долину!

Койотиха говорит: — Ступайте назад! Идите и прыгните в океан. Лучше б я никогда не думала о вас. Лучше б никогда не соглашалась с вами. Лучше бы вы оставили мою страну в покое.

Пять Народов бросают фасоль в Койотиху и прогоняют ее, крича: — Эй ты, Койотиха! Ты спала со своим дедушкой! Все койоты крадут цыплят! А у этой Койотихи вся задница в клещах!

— Как давно ваш народ живет в Долине?

— Всегда.

Но выглядит она озадаченной, отвечает не очень уверенно, ибо вопрос для нее странен. Не будете же вы спрашивать: «Как давно рыбы живут в реке? Как давно трава растет на холмах?» и не станете ожидать точного ответа, какой-то определенной даты, количества прошедших лет...

А что, если спросите? Предположим, я возьму и спрошу. И это будет не праздный вопрос. В конце концов, рыбы живут в реках только с тех пор, когда, согласно строго определенным этапам эволюции, они появились на свете. Большая часть тех трав, что растут сейчас на холмах, не росли там до 1759 года от Рождества Христова, когда в Калифорнию явились испанцы и завезли сюда овес.

И эта женщина из Долины прекрасно понимает, как ей можно напомнить о точке отсчета времени и о том, какие вопросы можно задавать и как на них следует отвечать. Однако польза самого такого вопроса и правдивость ответа на него могут показаться ей весьма относительными и отнюдь не самоочевидными. Если же мы начнем чересчур настойчиво требовать от нее каких-то там конкретных дат, она, возможно, пояснит: «Вы все время ведете речь только о начале и конце, об источнике и океане, но только не о реке, их соединяющей».

Всякая история имеет начало, середину и конец — так еще Аристотель говорил, и никто пока что не доказал, что он был не прав; с другой стороны, то, что не имеет ни начала, ни конца, а только сплошную середину, это и не рассказ, и не история. Но что же это такое, раз так?

Миру Европы семнадцатого века начало было положено 4400 лет назад на Ближнем Востоке; Вселенная двадцатого века была создана 24 000 000 000 лет назад где-то Там, во время чудовищного взрыва, *и еще там был свет*. Обе эти вселенные будут иметь свой конец; он непременно последует; в Судный День под трубный глас или же в жидком, темном, холодном супе энтропии. Другие времена, другие страны могут иметь совсем не такие начало и конец; загляните во Всемирную Историю, в раздел Индии, и найдете там совсем иную картину. Разумеется, Долина не имеет аналогичных начал и концов; но она, похоже, вообще не имеет ни начала, ни конца. Она вся — как бы посередине.

Ну конечно, у них есть космогонические мифы! О да, это-то у них есть.

— А как племя людей пришло в Долину и стало там жить?

— Ах, это все Койотиха, — говорит она. Мы с ней сидим сейчас среди чуждой здешним местам кукурузы, в тени гигантских здешних дубов на пригорке у ручья, неподалеку от Стержня. В Синшане кипит жизнь, но все это дальше, справа от нас, и не то чтобы жизнь там была особенно бурной, просто время от времени хлопает чья-то дверь, раздается стук молотка, звучат чьи-то голоса, а вообще солнечное летнее пространство наполнено тишиной. Слева от нас, в роще и на поляне, где высятся крыши пяти хеймас, вообще ничто не движется, разве что в небесах парит коршун и меланхолично выкрикивает свое «ке-ер! ке-ер!».

— Ты же знаешь, Койотиха шла себе мимо и увидела, что из воды что-то торчит. Эта штука лежала на воде, на поверхности моря. Койотиха подумала: «Я никогда ничего подобного не видела, и мне это совсем не нравится» и стала швырять в эту штуку камни, стараясь ее потопить, прежде чем та подплывет к берегу. Но странный предмет упорно подплывал все ближе и ближе, а приплыл он с запада, и теперь, описывая круги на воде, сверкал в лучах солнца. Койотиха продолжала кидать в него комья земли и камни и вопила: «Убирайся! Уплывай прочь!» Но тут штуковина вплыла прямо в бухту, и Койотиха разглядела, что это все люди, представители человеческого племени, и что все они держатся за руки и танцуют на поверхности воды, словно какие-то водомерки. А еще они пели: «Эй! Мы идем!» Койотиха все продолжала швырять в них комья земли и камни, но они ловили их и глотали, продолжая петь. Потом они начали тонуть, проваливаться сквозь кожу воды, но к этому времени они уже миновали волноломы и оказались на мелководье, в устье Великой Реки На, так что встали на дно и продолжали идти к берегу по протокам. Пятеро из них шли по рукавам дельты Великой Реки. Койотиха испугалась и рассердилась. Она взбежала на северо-восточную гряду и подожгла там лес, потом обежала Гору-Прародительницу, добралась до Чистого Озера и заставила один из тамошних вулканов проснуться и выпустить в воздух столько пепла, что все вокруг почернело; потом она помчалась вниз, к юго-западному хребту, по пути поджигая все своим горя-

212

щим хвостом, который она нарочно подпалила, когда сбегала вниз с горы, и в Низине Те, в самом центре Долины, она встретила тех самых людей, которые теперь уже шли вверх по течению На, прямо по ее дну. Впереди полыхал пожар, над головой собрались тучи дыма и пепла; их встретили жар, и тьма, и страшный ветер, полный горячей золы и вулканических газов. Все вокруг них горело, но они продолжали идти по дну реки, рассекая воду и очень медленно поднимаясь вверх по течению. Они пели:

> — Эй, Койотиха, мы идем!
> Ты звала нас, ты нам пела?
> Эй, Койотиха, мы идем!

И тут Койотиха решила: «Не имеет смысла спорить с этими людьми. Я кормила их здешней землей и камнями, и теперь они сами стали здешними. Еще мгновение, и они выйдут из реки на сушу. Я ухожу». Она низко опустила хвост и ушла далеко в юго-западные горы, в Ущелье Медвежьего Ручья, что за Горой Синшан. Вот куда она скрылась.

Те люди вскоре действительно вышли из воды — когда устроенный Койотихой пожар погас сам собой. Долгое время им пришлось довольствоваться камнями и пеплом, землей и костями сгоревших животных да еще древесным углем. Потом снова начали вырастать леса, а еще эти люди сажали разные растения, и многие животные вернулись в Долину, и они стали жить там все вместе. Вот как племя людей появилось в здешних местах. А во всем виновата Койотиха.

За горными вершинами, высящимися над хеймас слева от нас, мелькнул краешек солнца, и его поздние лучи высветили одну глубокую складку на склоне Горы Синшан, величественной и спокойной.

Давайте не будем спрашивать мою приятельницу Тёрн, верит ли она в рассказанный ею миф. Я не знаю точно, что именно означает слово «верить» — как в ее языке, так и в моем собственном. Лучше просто поблагодарить ее за рассказ.

— Эта история принадлежит Дому Змеевика, — говорит Тёрн. — Они ее в хеймас рассказывают. У Дома Синей Глины есть тоже очень похожая песня-речитатив. Они поют ее, когда поднимаются вверх по течению На, возвращаясь из очередного похода за солью. Впрочем, это тебе известно. Есть еще очень хорошая история у Дома Красного Кирпича. В ней рассказывается о том, как люди вылетали из жерл вулканов и выпадали на землю в виде дождя. Ты можешь попросить Красное Перо, она ее тебе расскажет.

Так мы и поступили. Красное Перо мы нашли не сразу, дома ее не оказалось.

— Бабушка, верно, в хеймас ушла, — сказала нам ее внучка; их и наше слово «верно» в данном случае обозначает как раз неуверенность или нежелание говорить определенно. Внучка предложила нам зайти еще раз вечером. И действительно, вечером старая женщина была уже дома, сидела на балконе и лущила бобы.

— Вчера вечером я напилась допьяна, — сообщила она нам, поблескивая глазами, с легкой улыбкой удовлетворения, не разделенного с нами. Красное Перо маленькая, кругленькая, с симпатичными морщинками на лице — замечательная! Когда мы наконец высказываем свою просьбу, она, похоже, и историю эту тоже делить с нами не расположена. — Ну неужели вам хочется слушать всякие старые выдумки? — говорит она.

Да, нам действительно очень этого хочется.

Она, безусловно, разочарована; такого она от нас не ожидала.

— Да вам кто угодно может эту историю пересказать, — отнекивается она.

Она особенно нажимает на слово «пересказать», подразумевая, что всю историю по-настоящему знает только она одна.

Длинноногая добродушная Тёрн, которая всегда чувствует ответственность за нас, возражает ей тоном, в котором одновременно звучат и уважение, и насмешка:

— Но они же хотят, чтобы именно ты рассказала ее, Красное Перо! — В этом случае слово «рассказать» имеет иное значение: это уже нечто вроде «выступления с речью», акта творчества профессионального рассказчика. Однако нажимает Тёрн на слово «ты».

Так что же мы услышим от Красного Пера — миф, или сказку, или же ее собственное сочинение, а может, некую комбинацию этих жанров и ее импровизаторских возможностей? Трудно сказать. Она, по всей видимости, достаточно тщеславна, и Тёрн, по-моему, просто льстит ей; но если эта история действительно сочинена ею или принадлежит ей, доставшись от кого-то в дар, то мы просим у нее чересчур много, желая, чтобы она передала ее нам. С чувством неловкости мы вынимаем свой магнитофон, собираясь уверить ее,

214

что ни за что не станем включать его без разрешения, но стоит ей его увидеть, как поведение ее полностью меняется.

— О, ну хорошо! — вдруг соглашается она. — Только у меня ужасно болит голова, и поэтому я не могу говорить громко. Вам придется убрать эту машинку и выключить ее. Я давным-давно уже так не напивалась. Старик Левкой сказал мне, что я в хеймас пела так громко, что он меня даже снаружи слышал. Вот почему я охрипла, наверно. Ну хорошо, значит, вы хотели услышать историю о том, откуда пришли здешние люди. А разве это до сих пор имеет какое-то значение? В этой истории говорится, что люди вышли из горы, когда она взорвалась. Вы видели мозаику на стене в Чукулмасе? Такую большую мозаичную картину в том доме, который все называют дом Вулкана? На ней как раз изображено, как все это случилось.

Тут вмешивается пасынок Красного Пера:

— Но это ведь не то же самое извержение!.. На картине в Чукулмасе изображено извержение вулкана, случившееся то ли сто, то ли четыреста лет назад...

Он, возможно, пытается помочь нам, полагая, что чужеземцы могут оказаться совершенно сбитыми с толку, однако старуха раздражается:

— Ну разумеется, это не то же самое извержение! И для чего это тебе понадобилось лезть не в свое дело, не понимаю! Что за дурак! Может быть, эти люди, что явились извне нашей Долины, уже видели извержение вулкана и представляют себе, как это выглядит, но никто из живущих здесь сейчас ничего подобного не видел, а я прожила здесь куда дольше, чем все вы, остальные... Итак, в Чукулмасе есть такая картина, так что, если вам угодно, можете сходить и посмотреть на нее. Очень драматичное зрелище. Изображая огонь, они использовали кусочки красного стекла. Что ж, начнем. Когда-то в Четырех Небесных Домах, хейя, хейя

хейя, хейя

хейя, хейя

хейя, хейя, не существовало
ни времени, ни пространства. Все было пусто и голо, пустота заполняла все. Не было ничего, ни единой вещи, ничего живого. Пустота и незаполненность. Ни света, ни тьмы, ни движения, ни мысли, ни форм, ни направлений. Море было перемешано со снами и мечтами, смерть и вечность слились воедино, не возникали и не исчезали. Воды смешаны были с

песками и с воздухом, и ничто не имело ни границ, ни пределов, ни поверхностей, и ничего внутри. Все было посередине всего, и ничто могло считаться всем, чем угодно. Не бежали реки. С морем, воздухом и почвой были смешаны души смертных, как бы вмешаны в них, и души эти тосковали, ужасно тосковали без перемен, без движения, без мыслей. Они скучали в течение всего этого неисчислимого времени, в течение всего этого безвременья и своего несуществования. Они ощущали лишь тоску и беспокойство. Однако двигались, в беспокойстве своем они двигались, шевелились, эти песчинки, пылинки, крошки душ, порошинки пепла. И, двигаясь все сильнее, они начали тереться друг о друга, понемножку, полегоньку, то падая, то танцуя, то шумя, но очень, очень тихонько, тише, чем когда трешь большим пальцем указательный, даже еще тише, но, услышав эти слабые шорохи, они научились слышать и сделали шорохи, которые издавали, громче. Это было первое — этот шум, — что они создали сами. Они создали первичную музыку, эти частички душ смертных, а потом волны звука и промежутки меж ними, то есть паузы; и возникли ритм, такт, размер. Возникло пение песка, пение пыли, пение пепла — так началась наша музыка. Такова она изначально. Это как раз то, что мир поет до сих пор, если понимаешь, как надо слушать, если знаешь, как эту музыку услышать. Итак, наша музыка началась с пения пылинок; наши музыканты, начиная играть, сперва берут эту ноту и заканчивают ею же; именно эту ноту ты слышишь еще до того, как прикоснешься к барабану...

Но все равно беспокойство и желание действовать оставались. Так что первичная музыка становилась все громче и постоянно менялась; менялись тона, возникали мелодии и аккорды, такт менялся сам по себе, и вещи тоже начали возникать как бы сами по себе, вырастая из этой музыки — сперва кристаллы и капли, а потом и другие формы. Вещи начали распадаться и втягиваться вовнутрь; появились их края и границы; появились внутренние и внешние стороны; появились стержни, на которых держалось все остальное, и ответвления от этих стержней. Теперь существовали вещи и промежутки между вещами, и море с волнами и волнорезами, и облака, движущиеся в воздухе по ветру, и горы, и долины, и различной формы скалы, и различные виды почвы — все это возникло, чтобы потом исчезнуть. Но все еще души смертных, заключенные в песке и пыли, были беспокойны, страдали и

216

тосковали, и некоторые больше, чем другие. Душа койота была в одной из этих песчинок или пылинок. Душа койота жаждала какой-то иной музыки, более сложных аккордов, дисгармонии, безумных ритмов, больше движения и событий. Душа койота начала беспокойно метаться. Она не мешала пыли и песку лежать себе спокойно, но сама стала вылезать наружу из каждой песчинки и пылинки, где жила прежде, и превращаться в единое целое. Делая это, то есть соединяя свои разрозненные части, душа койота оставляла прорехи и дыры в ткани мирозданья, оставляла там пустые места; звезды, Солнце, Луна и все планеты — вот что возникло на месте этих дыр. И от них родился свет, чтобы потом исчезнуть. А в некоторых местах над пустотами, созданными душой койота, возникли радуги — как мосты. По этим мостам начали приходить Люди из Четырех Домов. Они, светясь, входили в земной мир, и там уже была Койотиха, которая стояла, опустив хвост и голову, дрожала и озиралась. Теперь в земном мире было много музыки — повсюду и очень громкой, слишком громкой, все сотрясалось, и дрожало, и шаталось, начались землетрясения там, где Койотиха нечаянно оставила пустоты и темные пропасти. «Эй, Койотиха!» — окликнули ее люди из Четырех Домов, стоя на радугах и глядя на нее сверху вниз. Но Койотиха не знала, как им ответить. Она не умела говорить. В земном мире никто еще не говорил. Там еще не было речи, только музыка. Койотиха подняла голову вверх, к тем людям, и завыла. Люди на радугах засмеялись и сказали: «Ну хорошо, Койотиха, мы научим тебя говорить». И действительно попытались сделать это. Один из них говорил слово, и это слово вылетало у него изо рта в образе, например, совы; следующее слово оказывалось голубой сойкой, еще одно — перепелкой, а другое — ястребом. Кто-то из небесных людей произнес слово «пума», кто-то — слово «олень». А одно слово, выбравшись наружу, помчалось длинными скачками: это был крупный заяц; и следующее слово тоже вышло вприпрыжку — это оказался кролик. Кто-то из небесных людей сказал слово «дуб», а кто-то — «ольха», «земляничное дерево», «сосна», «дикий овес», «виноградная лоза»... Они говорили, и их слова становились живыми земными существами, медведями или зелеными водорослями на поверхности пруда, кондорами и вшами, травой и стрекозами. Койотиха тоже пыталась научиться говорить, как они, но не смогла, а только подвывала. Как бы она ни кривила свою пасть, ничего оттуда не выходило, кроме воя и шакальих песен. Небесные народы смеялись над нею, и земные тоже. Койотихе стало стыдно. Она опустила голову и убежала в горы. У нас считается, что она убежала на гору Ама Кулкун, но ты ведь понимаешь, что она могла с тем же успехом убежать и на гору Кулкун Эраиан, или же на такую гору, которая и вовсе нам неизвестна, или же на гору, которая существует только в Четырех Домах. Итак, Койотиха убежала на одну из гор Восьмого Дома, в дикие края. Разгневанная и опозоренная, она вошла в гору, внутрь ее, и гора стала ее хеймас, священным домом дикого края. И там, внутри, в темноте, Койотиха поглотила свой гнев и испила свой стыд, съела огонь, исходивший из земли, напилась из кипящих сернистых источников. И там, внутри, она по собственной воле вошла сама в себя глубоко-глубоко, и в темноте, в собственном чреве сотворила койота-самца.

И во чреве горы она его родила. И пока он рождался на свет, то кричал: «Койот говорит! Койот произносит это слово!» Родив койота-самца, Койотиха покормила его своим молоком, а когда он подрос, они вышли из чрева горы и на склоне ее, в зарослях карликового дуба, совокупились. Другие народы следили за ними и видели это, и все они тоже начали совокупляться друг с другом. И этот день стал большим праздником. То был самый первый Танец Луны, и все народы по всей земле танцевали его. Но там, в чреве горы, в хеймас дикого края, где Койотиха, кормя новорожденного, выела внутренность горы, образовалась пустота, большая темная пещера; и эта пустота постепенно заполнилась народом, людьми, сплющенными друг о друга в ужасной давке. Откуда же они взялись? Может быть, из последа Койотихи? А может, из ее экскрементов? А может, это она пробовала говорить там, внутри горы, и слова ее вдруг превратились в этих людей? Никто этого не знает. Но люди были там, стиснутые в темноте и ужасной тесноте, и от этого гора сама заговорила. Она сказала свои первые слова — «огонь», «лава», «пар», «газ», «пепел» — и взорвалась. И вместе с клубами пепла и разлетавшимися во все стороны кусками пемзы наружу вылетели люди, изрыгаемые горой и дождем падавшие вниз, на леса, на холмы. на долины этого мира. Сперва извержение вызвало множество пожаров, но потом камни и люди остыли и стали жить там, где приземлились, строя дома и хеймас, соседствуя с другими народами. Мы говорим, что приземлились ближе всех к Горе-Прародительнице, мы не отлетели слишком

218

далеко, а потому и не ударились так сильно, как другие, а потому и оказались умнее прочих, тех, что живут в других местах. У них-то от удара сперва всякий разум отшибло. Так или иначе, но мы с тех пор живем здесь, дети Койотихи и Горы, их экскременты и произнесенные ими слова. Так у нас говорят, и считается, что именно с этого все и началось.

Хейя, хей, хейя, хейя, хейя.

Отправься мы в другой город, или в другую хеймас, или к другому сказителю, то, без сомнения, смогли бы услышать и другой космогонический миф, но пока что давайте лучше поблагодарим Красное Перо (которая улыбается украдкой) и отправимся в верхнюю часть Долины, миль за восемнадцать отсюда, в Вакваху, святой город на Горе-Прародительнице, туда, где находится центральный Пункт Обмена Информацией.

«Циклы» в пятьдесят лет и «круги» в четыреста пятьдесят лет, которые упоминаются в некоторых документах и используются архивистами как система хронологических координат, видимо, в повседневной жизни значения не имеют. Большая часть людей может, правда, сказать вам, какой сейчас год цикла, и эти данные, безусловно, полезны для того, например, чтобы узнать, насколько выдержанным является вино, когда у человека день рождения, каков возраст того или иного здания или сада и тому подобное — в точности как и у нас; однако эти цифры не имеют своих собственных исторических характеристик, подобно некоторым нашим датам: 1984, двадцатые годы, тринадцатый век и тому подобное, как не празднуется здесь и первый день нового года. На самом деле существует даже некоторая путаница насчет этого дня. Формально первым днем нового года считается сороковой день после зимнего солнцестояния (сорок первый в високосный год, то есть в каждый пятый); однако в Обществе Сажальщиков о новом годе говорят в дни весеннего солнцеворота; а согласно народным верованиям и фольклору год начинается тогда, когда прорастает молодая трава и холмы становятся зелеными, то есть в ноябре или декабре. Люди редко знают, какой сейчас день года (дни считаются подряд, начиная с первого до триста шестьдесят пятого), если только им не поручено совершение какого-нибудь ритуального действа, которое должно начинаться в строго определенный день и продолжаться строго определенное количество суток; но и тогда они чаще всего считают по лунным месяцам — от одного полнолуния до другого. Начало Великих Танцев определено как солнечным календарем, так и лунным; вся остальная общественная деятельность — заседания советов Обществ, Цехов и тому подобное — обычно определяется по договоренности: встретимся снова, скажем, через четыре дня, или через пять, или через девять, или после следующего полнолуния. Иногда же кто-то специально просит о таком собрании. И все-таки год, цикл лет и цикл циклов существуют, и благодаря им, как системе отсчета, мы, конечно, можем попробовать разместить Долину в историческом континууме — разумеется, с помощью Обмена Информацией.

Единственный человек, которого мы находим в ПОИ в данный момент, — это Сборщик; ему лет шестьдесят, и он всю жизнь посвятил одной-единственной страсти: извлекать из компьютера данные относительно деятельности человека в Долине Реки На. Наконец-то мы встретились с тем, кто мыслит историческими категориями! Теперь-то уж точно до чего-нибудь докопаемся! Однако тут же возникают новые проблемы. Сборщик с радостью демонстрирует нам программы, которые составил для получения данных — ошеломляющего их количества, — и даже помогает раздобыть бумагу, чтобы мы могли все это распечатать и взять с собой; но материал он воспринимает отнюдь не «исторически». Полученную информацию он располагает даже и не по хронологическому принципу. Для него, по всей видимости, хронология — это изначально искусственное, даже произвольное расположение событий, нечто вроде алфавита по сравнению с предложением.

Но ведь информация в банках Памяти хранится, безусловно, в хронологическом порядке?

Да, это одна из систем классификации данных; но ведь существует так много иных систем, все они перекрестно индексированы, и если вы не знаете, как похитрее обозначить свою собственную программу, запрос тех или иных сведений в хронологическом порядке по поводу даже самого незначительного культурного явления, например, по поводу этимологии слова «ганаис» — «источники» или по поводу переработки желудей, предшествующей их употреблению в пищу, может окончиться получением с принтера нескольких сотен страниц текста, почти полностью состоящего из статистических данных. Но где же среди этих данных нужная нам информация? Сборщик потратил всю свою жизнь только на то, чтобы выяснить, как ее там искать.

Его хобби — архитектура жилища. Он член Цеха Дерева. Похоже, что он не слишком много сам занимался строительством и интерес у него чисто интеллектуальный, почти абстрактный; он восхищается формальной значимостью и повторяемостью тех или иных архитектурных элементов и пропорций. Именно это он выискивает в тысячелетиями накапливающемся море данных, в биллионах триллионов битов информации, заключенной в Памяти.

Он вызывает для нас на экран монитора прекрасный, разработанный компьютером план жилого дома: отчетливые тонкие черные линии на матово-белом фоне, отлично напечатанный чертеж размером примерно в квадратный ярд; если имеется цветной дисплей, то изображение будет в цвете. Изображение меняется до тех пор, пока Сборщик не устанавливает его под таким углом, который его устраивает. Так, чтобы и мы увидели все в определенных пропорциях, прочли математическую формулу конкретного строения, которое представляется ему идеалом. Нам потребуется немало постараться, чтобы увидеть то, что он хочет, однако же мы и так видим, что жилище это прекрасно, и очень радуем Сборщика, когда подтверждаем это единогласно и выражаем свое полное согласие с ним в том, что этот дом совершенно отличен от всего, что мы до сих пор видели в Долине. Через некоторое время мы, естественно, спрашиваем:

— А когда же был построен этот замечательный дом?

— О, очень давно!

— Лет пятьсот назад?

— О нет, гораздо раньше, по-моему... но дат я не записывал... — Он начинает волноваться, чувствуя наше разочарование и воспринимая его как неодобрение. Видимо, он боится, что мы сочтем его «самым обыкновенным человеком». — Я должен был бы тогда все перепрограммировать... Конечно, это не так уж и сложно, просто понадобится некоторое время... я просто не...

Он просто не думал, что дата постройки может представлять какой-то интерес. Мы уверяем его изо всех сил, что это действительно не так уж и важно.

— Ну вот, — говорит он, — по-моему, на эту информацию я вышел с чисто хронологических позиций. — И, полный уверенности, что заслужил наше одобрение, выводит на экран еще несколько планов и эскизов жилищ, потом очаровательный небольшой замок. — Наземная хейимас, — поясняет он. — Это — дайте-ка взглянуть — вот здесь, ага, да!.. — И на экране мелькают наборы каких-то геометрических фигур и цифр, и куда быстрее, чем нетренированный глаз может успеть воспринять. — Вот! — провозглашает он. — Две тысячи шестьсот два года назад построена в Реквите! Ну, то есть там, где теперь Реквит, я хочу сказать.

— Но ведь Реквит находится не в Долине.

— Нет. Он где-то там, на том берегу Внутреннего Моря. — География его тоже совершенно не интересует. — А теперь вот еще нечто очень похожее. — Еще один небольшой замок или старинный особняк. — А это построено в одном месте под названием Баб — на каком-то старинном континенте, на юге... дайте-ка вспомнить — ну, что-то сотни четыре лет тому назад, то есть более чем на две тысячи лет позднее, чем тот, в Реквите. Видите, совершенно те же пропорции! — Он уже снова переключает программы, и нам ничего не остается, как позволить ему вновь оседлать любимого конька. То, с каким облегчением и гордостью он «выдает» нам информацию, «которой мы добивались», поистине заразительно, и мы временно отступаем.

Но тут уже я пытаюсь сесть на своего любимого конька и осторожно спрашиваю:

— А каким образом могут быть получены данные относительно жизни примитивных народов здесь, в Долине?

Сборщик скребет подбородок:

— Но во времена примитивных форм жизни Долина Реки На вообще не существовала, по-моему? Да и сам этот континент находился не здесь...

Ну вот и снова мы налетаем на непреодолимую скалу в мышлении жителей Долины, на их мифологическое «знание», на их уверенность в правдоподобности определенных событий, которая, возможно, и является основой их мифологии, не подлежащей сомнениям, неразумной верой (но, с другой стороны, способной вызывать вопросы, а стало быть, вполне разумной?), традиционной мудростью; сюда включаются и общие очертания того, что мы назвали бы исторической геологией, в том числе — сведения о сдвигах геологических пластов, теория эволюции, знания по астрономии (при полном отсутствии телескопов, способных показать другие планеты), и определенный набор элементов нашей «классической» физики в совокупности с элементами физики, нам, сегодняшним, незнакомой.

После некоторых взаимных вопросов, объяснений и взрывов смеха мы устанавливаем, что я имела в виду так называемую жизнь доисторического человека. Но эта комбинация слов ровным счетом ничего не значит ни для Сборщика, ни для компьютера. Когда компьютер просят о выдаче информации относительно жизни доисторических людей в Долине На, он, после непродолжительного совещания с самим собой, отвечает, что подобной информацией не располагает.

— Запроси информацию относительно любых форм жизни примитивного человека в любом другом месте.

Получив такое задание, Сборщик и компьютер начинают задавать друг другу вопросы, получать какие-то результаты, и вскоре (дисплей у него включен на графику, поскольку мы недостаточно понимаем ТОК) эти результаты начинают появляться на экране: маленькие сломанные человеческие зубы, кости, карта Африки с отмеченными точками регионами, карта Азии с какими-то схемами... Но все это Древний Мир. А как же этот? О, дивный новый мир, в котором и людей-то нет!

— Они пришли по суше, по некоему мосту, — упрямо говорю я, — с другого континента...

— С запада, — говорит Сборщик, согласно кивая. Но разве он имеет в виду тех же людей, что и я?

Тех, которых встретила самка Койота?

Эта мифология, это не подлежащее сомнениям племенное Знание, включающее и информацию о тектонических сдвигах или бактериологических войнах, должно включать и сведения о том, что я такое в будущем.

— Каковы были истоки вашего здешнего образа жизни, ваших девяти городов? Когда была основана Ваквака — как давно? И какие народы жили здесь до этого?

— Все народы! — отвечает Сборщик, снова смущенный. Он не очень уверен в себе, этот человек, проживший нелегкую жизнь; ему ничего не стоит пойти на попятный; большую часть времени он провел здесь в одиночестве, общаясь только с компьютером, но в общем-то не имея к нему отношения.

— Я имею в виду людей. — Мне очень трудно все время помнить, что слово «народ» в этом языке включает животных, растения, сны, мечты, скалы и так далее. — Какие племена людей жили здесь до вас?

— Да такие же люди... как ты...

— Но только у них был другой образ жизни, они ведь были чужеземцами — как и я. — Я не знаю, как перевести слово «культура» на его язык по возможности точно и слово «цивилизация» тоже.

— Ну что ж, способы существования людей все время меняются. Люди никогда не остаются прежними, даже если очень хороши — как тот дом, который ты видела. Теперь уже больше так не строят, а, впрочем, может, еще кто-нибудь и строит — вне нашего мира и нашего времени...

Это безнадежно. Для него время не имеет векторного характера, не говоря уж о прогрессе; он воспринимает его как некий ландшафт, по которому можно двигаться в любом направлении или вообще никуда. Он как бы превращает время в пространство; это не летящая стрела, не текущая река, а дом — тот дом, в котором он сейчас живет. Можно ходить из комнаты в комнату, можно вернуться обратно, можно выйти наружу, только и нужно, что дверь открыть.

Мы благодарим Сборщика и спускаемся по крутым ступеням улиц Ваквахи мимо ее Стержня прямо на площадь для танцев. Крыши пяти хеймас здесь имеют в высоту от тридцати до сорока футов; все они — ступенчатые, украшенные орнаментом четырехскатные пирамиды, покоящиеся на пятиугольнике подземного помещения. Дальше, за площадью для танцев, среди изумительно красивых юных земляничных деревьев стоит длинное приземистое кирпичное и оштукатуренное здание с черепичной крышей — Библиотека Ваквахи, принадлежащая Обществу Земляничного Дерева. Главная Архивистка приветствует нас.

— Если у вас нет своей истории, — говорю я ей, — то какую же историю о вас могу рассказать я?

— Разве можно с помощью приставной лестницы залезть на гору? — откликается она.

Я обиженно умолкаю.

— Послушай, — говорит мне Архивистка — эти люди всегда говорят очень мягко, не приказывая, а приглашая, — послушай: ты непременно найдешь или сделаешь, что тебе нужно, если тебе это действительно нужно. Но помни: будь всегда очень осторожна, будь разумна. А кстати, что такое История?

— Один великий историк моего народа назвал это изучением Человека во Времени.

Наступает молчание.

— Но вы не «Человек» и живете не во Времени, — горько говорю я. — Вы живете в вымышленном вами времени.

— И всегда жили, — подтверждает Архивистка из Ваквахи. — Мы прожили в Вымышленном Времени весь период Цивилизации. — И в голосе ее нет горечи, но он исполнен печали, горькой печали.

Помолчав, она говорит:

— Пусть Говорящий Камень расскажет свою историю о Великом Кондоре. Это настолько близко к Истории, насколько мы смогли уже подойти к этому понятию в наши дни, и куда ближе, чем мы когда-либо подойдем к ней снова, надеюсь.

ГОВОРЯЩИЙ КАМЕНЬ

С этого дня мать перестала откликаться на свое среднее имя Ивушка и велела всем звать ее Зяблик, хотя многим это не нравилось. Вернуться к своему первому имени — значит пойти против движения Земли, ибо хотя зяблик и не совсем небесный житель, потому что часто подбирает на земле зерна кукурузы вместе с домашней птицей и семена трав — вместе с перепелками, и не считается диким, потому что его часто можно увидеть на городских площадях, род его — из Четырех Небесных Домов, и после смерти он возвращается туда же, так что имя Зяблик следует давать тем взрослым людям, которые тоже вскоре попадут в Небесные Дома.

Две старухи — Старая Пещера и Ракушка — вели с моей матерью бесконечные разговоры на этот счет, но она стояла на своем: прежнего ее имени больше на земле не существует.

Вскоре после ухода моего отца мы услышали, что люди Кондора покинули Долину и двинулись куда-то за холмы по северной дороге. В тот день моя мать вступила в Союз Ягнят. Она проводила там много времени, изучала их мастерство и таинства и стала у них Мясником. Я старалась держаться от всего этого подальше, не только потому, что была еще ребенком, но скорее потому, что все это мне очень не нравилось, и я знала, что бабушке тоже все это не нравится. Мне казалось, что мать сама отослала отца прочь, и этого я никак не могла ей простить. После того как он разговаривал со мной, стоя на пороге кухни и умоляя ждать, всю силу своей дочерней любви я отдала ему. Мне даже казалось, что мать я вообще уже больше не люблю. Я постоянно мечтала, как отец мой вернется на своем огромном коне во главе вереницы воинов и увидит, что я его жду. Моя страстная верность ему теперь превратила для меня в достоинство даже мое «позорное» отличие от остальных жителей Синшана; страдания мои теперь обрели смысл, а печальное ожидание — пределы и цель.

В тот год я участвовала в Танце Вселенной; мне исполнилось девять, и я танцевала на этом празднике впервые. Вместе с бабушкой и моим побочным дедом, вместе со всеми жителями Дома Синей Глины я танцевала Танец Неба, а на небесах обитатели Домов Облака, Ветра, Дождя и Ясной Погоды танцевали Танец Земли с нами одновременно.

С этих пор я стала очень прилежной в учебе и работе; я занималась с моим побочным дедом Девять Целых, с Терпеливым из Общества Земляничного Дерева, который преподавал нам, детям, историю Синшана и других городов Долины по рассказам различных людей об их жизни. Я стала больше времени проводить в гончарной мастерской у Глиняного Солнышка. Я с удовольствием трудилась на нашем маленьком

Пять хейимас Синшана

поле и в огороде и помогала тем, кто работал на общественных полях Синшана. На двенадцатом году жизни я прошла обряд посвящения и вступила в Общество Сажальщиков, а также начала учить песни Общества Крови. У моей бабушки руки так скрючил ревматизм, что она не могла больше ни прясть, ни ткать, так что ткала теперь только моя мать, но я вместе с ней не работала. Больше всего мне нравилось гончарное дело, и я достаточно преуспела в этом ремесле. Каждое лето я уходила на четыре дня из нашей летней хижины в Дом Койота, в Восьмой Дом, и однажды, во время своего третьего такого путешествия, бредя на северо-запад вдоль ручья по глубокой лощине на внешнем склоне Горбатой Горы и думая о гончарном мастерстве, я обнаружила на берегу месторождение очень хорошей синей глины — в старом русле пересохшего ручейка. Несколько раз я приносила с собой столько, сколько могла донести. Глиняному Солнышку эта глина очень нравилась, и я предложила показать место и ему. Он ответил, что лучше пусть только я одна знаю о нем и сама пользуюсь этой глиной. Он был очень добрый, я бы сказала, теплый человек из Дома Обсидиана, вдовец с тремя детьми, которые всегда почему-то были грязные, перепачканные глиной; он звал меня Совиный Горшок, а не Северная Сова, и детей своих он тоже называл «горшками». У него почти не оставалось отходов после придания изделию формы, и требовалось только покрыть его глазурью и обжечь. Замечательно было учиться у настоящего Мастера! Возможно, это было самое лучшее время в моей жизни. Вообще, самое лучшее работать, когда трудятся не только голова, но и руки. Если работать одной головой, мысль может побежать по кругу и чересчур быстро; даже речь, если пользуешься одним лишь голосом, может стать слишком быстрой и отчасти утратить смысл. Руки же, что воплощают мысль в глину или в письменное слово, сдерживают ее бег и, отливая в случайную форму, соизмеряют с течением времени. Даже чистота и непорочность всегда граничат со Злом — так у нас говорится.

Через два года после того, как отец покинул Долину, к нам переселился из Чумо мой родной дед и снова стал жить в доме своей жены, моей бабушки. Хотя бабушка его и недолюбливала, но из дому не выставляла; он тогда сам ушел. А теперь она приняла его назад, может, надеялась, что нужна ему, а может (мне-то именно так и казалось), потому, что, с тех пор как больные руки ее стали совсем неловкими, она стыдилась своей беспомощности и того, что все меньше и меньше делает работы по дому и для всего города, и думала, что, может быть, дед все-таки поработает вместо нее хоть немного. На самом-то деле она продолжала работать очень много, как и всегда, тогда как он по-прежнему почти ничего не делал. Время он проводил в основном у Воителей. Он пришел в Синшан для того, чтобы стать в их Обществе спикером и вовлечь в него как можно больше мужчин. Воители все охотнее занимались тем, что делали обычно подростки из Общества Благородного Лавра, — ходили куда-то на разведку, вели наблюдение за внешними склонами Горы Синшан и окрестных холмов, делали оружие, упражнялись в стрельбе и изучали различные виды боя. До возникновения Общества Воителей деятельность Общества Благородного Лавра в Синшане была не слишком заметной. Ну разве что они сажали табак и, разумеется, ухаживали за ним. А еще они частенько разбивали лагерь где-нибудь далеко, на Горе-Сторожихе, и пели там свои песни. У них был также целый ящик старых-престарых ружей, которые они вечно чистили, смазывали и полировали, но никогда не стреляли из них. Некоторые мужчины, наставники из этого Общества, говорили Воителям:

— Послушайте, было такое время, когда наши мальчишки любили хаживать на ту сторону Горы, тревожили тамошних жителей и задирали их; потом эти жители посылали своих парней сюда, и те крали у нас овец. Потом люди стали бояться ходить в горы поодиночке, и нам пришлось вести с ними переговоры, чтобы предотвратить войну, а мальчишкам твердить о вреде курения. Но этого в Синшане не случалось уже лет сорок или пятьдесят. Было и такое: мы сами делали ружья и обучали своих подростков стрелять из них, но потом, и весьма скоро, наши мальчишки начали затевать ссоры с подростками из Унмалина и Тачас Тучас, случались даже вооруженные стычки в холмах, и частенько молодые люди погибали ни за что ни про что. Но и этого в наших краях не было уже давным-давно. Зачем же вы, взрослые мужчины, стремитесь возродить это?

И главари Общества Воителей отвечали:

— Ступайте себе с миром да займитесь хозяйством, охотой, овцами, а уж мы будем по-настоящему охранять границы наших владений. Для этого много людей не потребуется, всего несколько десятков человек, но нам нужны самые сме-

Сосна

лые из местных юношей. — Но на самом деле они принимали в свое Общество любого, кто этого хотел.

Мой троюродный брат из Мадидину, тот самый Хмель, едва успев надеть одежду из некрашеного полотна, тоже примкнул к Воителям; они дали ему новое, среднее имя: Копье. Его родная сестра Пеликан была моей ровесницей, и мы по-прежнему с ней дружили. Я как-то сказала ей: хорошо еще, что Хмель не взял себе какого-нибудь другого имени, ведь у этих Воителей все имена ужасные, вроде Порчи, как у моего деда, а то еще у них есть Труп и Личинка, а один старик из Мадидину взял себе имя Дерьмо Собачье — и это на старости лет! И все же, по-моему, имя Копье тоже было довольно глупым: с тем же успехом он мог назвать себя, например, Большой Пенис — вот радость-то! Но Пеликан даже не рассмеялась. Никому почему-то не хотелось смеяться над Воителями. Наоборот, она заявила, что Копье — это могущественное имя и что все имена, над которыми я издевалась, — это тоже могущественные имена. Но мне было все равно. Я старалась держаться от всего этого подальше и не желала ничего об этих Воителях знать. Поскольку у нас в доме теперь только

230

и делали, что говорили об Обществе Воителей и о Союзе Ягнят, я большую часть времени проводила на улице. Теперь я не так старательно посещала занятия, которые вел Терпеливый, так что познания мои в истории оказались в итоге весьма слабы, а читать я и вовсе почти ничего не читала. Зато с удовольствием работала в гончарной мастерской у Глиняного Солнышка и еще в овчарнях, на пастбищах и в полях. Дважды за эти годы я гоняла большие отары овец вниз, на солончаковые пастбища в устье Великой Реки, и жила там вместе с другими пастухами, пока длился Танец Луны. В то лето, когда мне исполнилось тринадцать, я пошла в Верхнюю Долину вместе с другими своими сверстниками и там в одиночку поднялась на Ама Кулкун. Я ушла за Источники Великой Реки, миновала Пять Земных Домов и Четыре Небесных и достигла Дома-без-стен. И все же продолжала идти в неведении дальше и дальше и только благодаря милосердию пумы и доброте ястреба не сбилась с пути и не заблудилась в горах. Дома у нас было неладно, и моим родным было совершенно безразлично, чем я занимаюсь и получу ли достойное образование или нет.

Я знала, что бабушку все же заботит моя необразованность и беспечность и что она и Девять Целых нередко разговаривают об этом; но я все равно не слушалась их советов, а бабушке спорить со мной не хотелось. Она слишком беспокоилась из-за своей дочери, страдала из-за нее всей душой и часто пребывала в дурном расположении духа. По-моему, ей очень хотелось отослать своего мужа прочь, но она не могла себе этого позволить, потому что считала, что нам с матерью он в хозяйстве необходим, ибо делает кое-какую работу, которую сама она больше делать не в состоянии. Я-то, кажется, на крыше бы сплясала от радости, лишь бы увидеть, как он уходит, но не могла же я, внучка, сказать бабушке, чтобы та собрала вещи деда и вынесла их на крыльцо.

Мать моя, вернув себе имя Зяблик, большей частью молчала и держалась отчужденно, как если бы, отказавшись тогда говорить с моим отцом, она решила прекратить всякие разговоры и со всеми остальными тоже. Теперь овец чаще всего пасла я, а она стала работать в Союзе Ягнят. Она вполне прилично ладила с дедом, поскольку женщины из Союза Ягнят были чем-то похожи на Воителей. Иногда они даже вместе исполняли некоторые священные ваква; женщины из Союза

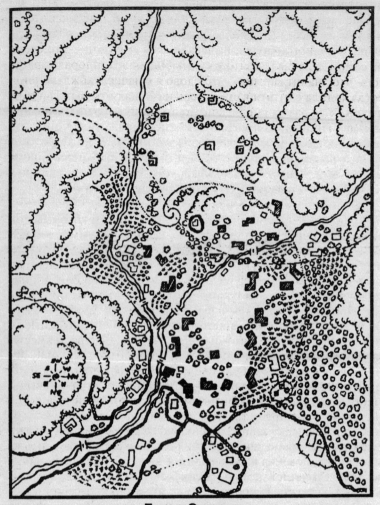

Город Синшан
Нарисовано издателем с помощью
Тёрн из Синшана

ХЕЙИМАС		САДЫ, ВИНОГРАДНИКИ	
ДОМА		ОГОРОДЫ, ПОЛЯ	
МАСТЕРСКИЕ, АМБАРЫ		ОГРАДЫ	
ЛЕСА		КАМЕННЫЕ СТЕНЫ	

Ягнят тоже брали себе «могущественные» имена — одна называлась именем Кости, другая, которую раньше звали Кремень, взяла себе имя Гниль. Те, кто исполнял танцы во время Очистительного обряда, называли себя «мавасто». Это слово на самом деле было взято из языка народа Кондора: марастсо — что значит «армия»; это слово я слышала каждый день, когда ходила с отцом в его лагерь на Эвкалиптовых Пастбищах. Как-то раз я осмелилась что-то ляпнуть на этот счет, так мой дед Порча и моя мать Зяблик прямо-таки с пеной у рта набросились на меня и твердили, что мне неоткуда знать подобные вещи, поскольку ни Воители, ни Ягнята меня ничему не обучали. Я жутко разозлилась, потому что отрицали они то, что я знала наверняка. И я им этого не простила.

Но я все еще была ребенком и легко забывала за полусотней одних обид и событий полсотни других. Некоторые мои сверстники выглядели уже почти совсем взрослыми, а я развивалась медленно и не жалела об этом. Я подумывала о том, чтобы стать Кровавым Клоуном, но была слишком ленива, чтобы начать обучаться в Обществе Крови. Моя ближайшая подруга в те годы, девочка из Дома Синей Глины по имени Сверчок, уже прошла посвящение, вступила в Общество Крови и стала носить некрашеную одежду, но среднего имени пока не получила, так что мы с ней работали и играли вместе, как в детстве. Работая в поле, или присматривая за овцами, или собирая какие-нибудь плоды, мы брали с собой свои игрушки и, когда случалась свободная минутка, играли в выдуманные истории. Ее любимыми игрушками были человечек из дерева, у которого так здорово оказались сделаны коленные и локтевые суставы, что ноги и руки могли двигаться и сгибаться, а человечек принимал самые разные позы, и лохматая старая овечка из мерлушки, с которой она спала, когда была совсем маленькой. А у меня были кролик, сделанный из шкурки настоящего кролика и уже изрядно облысевший, деревянная корова и койот, которого я сделала сама из клочков телячьей шкуры. Я очень старалась придать ему сходство с той койотихой с Горы-Сторожихи, которая пришла и уселась, глядя на меня, когда я впервые отправилась одна в горы. Но игрушечный койот, конечно, выглядел совсем не так, да и вообще, пожалуй, ни на какого койота похож не был, и все-таки мне чудилось в этой игрушке нечто таинственное: когда мы разыгрывали разные истории или просто разговаривали о животных, я никогда не знала, что собирается сказать мой игрушечный койот. С помощью этих пяти игрушек — представителей пяти различных «народов» — мы придумывали длиннющие истории. Например, жили они в городе, который назывался Шикашан. С нами еще часто играл один мальчик по имени Утренний Жаворонок из Дома Желтого Кирпича; у него были три фигурки животных, которые мать вырезала ему из красной древесины секвойи, очень красивые — белка, бурундук и древесная крыса. Самые лучшие истории для игры сочиняла Сверчок, но ей всегда хотелось, сыграв во что-нибудь один раз, тут же придумывать новую историю. Утренний Жаворонок даже записал три из них и преподнес в дар библиотеке своей хеймас, назвав их «Истории о Шикашане», и все мы были страшно этим горды. Так что мы, можно сказать, совсем не скучали.

Часто вечерами я встречалась у Голубой Скалы со своими братом и сестрой из Мадидину, чтобы повидаться и поговорить. Но и тут между нами встали Воители! Копье больше уже не желал приносить в дар скале ни камешка, ни цветочка, и не посыпал ее цветочной пыльцой, и даже не говорил с ней, хотя Голубая Скала — одна из наиболее почитаемых святынь в Синшане и Мадидину. Пеликан потихоньку просила у скалы прощения за своего братца или незаметно клала камешек рядом с нею — как будто случайно, просто так, а вовсе не делая ей подношение. Однако, когда мы об этом спорили, она всегда принимала сторону брата, а не мою. Копье утверждал, что ни в скалах, ни в ручьях никогда никакой души или святости не было вовсе, а есть они только в человеке, обладающем разумом. Скалы, ручьи и человеческое тело, говорил он, как раз мешают проникновению в душу чистой священной силы и настоящего могущества. Я возражала, что хейийя заключена во всем: и в скале, и в бегущей воде, и в живом человеке. И если ты не дашь Голубой Скале ничего, то что же она сможет дать тебе? Если ты никогда не говоришь с ней, с какой стати ей говорить с тобой? Конечно, легче всего отвернуться от нее и заявить: «Ничего святого в ней нет!» Но это ведь означает, что изменился ты, а не скала; ты первым нарушил ваше родство. Когда я приводила подобные доводы, Пеликан обычно начинала соглашаться со мной, но потом все-таки переходила на сторону брата. Наверное, если Голубая Скала что-то ей и говорила, то она ее не слушала. Да и кто из нас ее слушал?

Когда мне исполнилось тринадцать, Копье перестал приходить к Голубой Скале. Многие мальчики, которые теперь «жили на Побережье», уходили в дальние походы с Охотниками или с наставниками из Общества Благородного Лавра, строили себе там тесные хижины, в которых спали, и сторонились девушек — ну, это-то мне было понятно; однако то, что Воители тоже предписывали строгое воздержание и не разрешали вступившим в Общество юношам даже разговаривать со своими сверстницами, казалось мне неразумным. Однажды я нечаянно подслушала, как мой побочный дед Девять Целых разговаривал об этом со своим родным внуком; тот, став Воителем, принял отвратительное имя Подлый.

— Ты вот называешь себя Подлым, — возмущался дед, — а на самом деле ведешь себя так, что тебя следовало бы назвать Надутый Индюк. Неужели ты так боишься девочек, что должен с ними воевать? Неужели ты так боишься самого себя, что и с самим собой воевать должен? Да как же это можно — так всего на свете бояться?

Если бы я не была такой упрямой и трусливой, то могла бы узнать гораздо больше, прямо спросив Девять Целых о том, что мне было интересно; но он был человеком довольно суровым, а я не желала, чтобы еще и он бранил меня за лень и невежество. Сейчас, оглядываясь назад, я понимаю, что просто боялась слишком привязаться к нему, как если бы это было вероломством по отношению к отцу. Но в тот раз, услышав, что он сказал Подлому, я испытала сладкое удовлетворение — меня унижало пренебрежительное отношение ко мне Копья, а всех этих Воителей я попросту ненавидела.

Мой родной дед, например, разговаривал на редкость презрительно не только с женой, дочерью и внучкой, но и со всеми женщинами вообще, из-за чего я его тоже глубоко презирала, но, из уважения к родному дому, старалась презрения своего не показывать. А вот бабушка, случалось, не скрывала своих недобрых чувств, особенно когда совсем выходила из себя. Однажды она сказала деду:

— Ты все стараешься быть, как эти люди Кондора, которые так боятся женщин, что убегают от собственных жен и домов за тысячу миль и в дальних краях насилуют совсем незнакомых им женщин!

Однако этот удар пролетел мимо Порчи, душа которого слишком зачерствела, чтобы воспринимать такие упреки, зато попал прямо в мою мать Зяблика. Мы с ней как раз сидели в гостиной у камина и слышали, что сказала Бесстрашная. От ее слов мать вся как-то сгорбилась, словно пытаясь проглотить комок боли, застрявший в горле. И тогда я в страшном гневе набросилась на бабушку, потому что хранимый в сердце моем образ Кондора стал для меня теперь символом свободы и силы, которые я почувствовала благодаря моему отцу за те полгода, что он провел с нами. Я встала в дверях между двумя комнатами и заявила:

— Это неправда! Я женщина Кондора!

Все так на меня и уставились. Мой ответный удар причинил боль каждому из них, но больше всех бабушке. Она смотрела на меня совершенно несчастными глазами. Я выбежала из дома и ушла подальше от города, на речку, туда, где из ее берегов били чистые родники, и долгое время сидела там, злясь на себя, на все свое семейство, на всех жителей Синшана, на всех жителей Долины. Я опустила руки в воду, но даже этой чистой водой невозможно было вымыть из моего сердца то, что душило меня, смущая душу и замутняя разум. Я не смогла даже нужных слов произнести, когда страж реки, маленький зяблик, уселся рядом со мной на куст дикой азалии. Мне ужасно хотелось прямо сейчас снова отправиться в горы, но я понимала, что даже если пойду, то ничего хорошего из этого не выйдет: я не смогу даже ступить на тропу пумы или койота, так и буду ходить по кругу собственного, человечьего, гнева.

И весь тот год мне пришлось ходить по этому злосчастному кругу.

Он привел меня снова на то же место у ручья, в дни, предшествовавшие Танцу Воды, с кувшином из синей глины, который каждый вечер перед вечерними песнопениями в нашей хеймас должен был быть наполнен. Когда я возвращалась назад, на тропе, где ее пересекает Малый Ручей Конского Каштана, перед тем, как тропа начинает медленно подниматься в гору между дубами, я увидела своего братца Копье, который сидел на берегу у самой воды, положив одну ногу ступней вверх на колено другой, и пытался вытащить что-то из босой подошвы. Он как ни в чем не бывало обратился ко мне:

— А, это ты, Северная Сова! Может, тебе эту проклятую колючку удастся разглядеть?

Впервые за эти два года он заговорил со мной.

Я опустилась на сухие камешки на берегу ручейка и стала

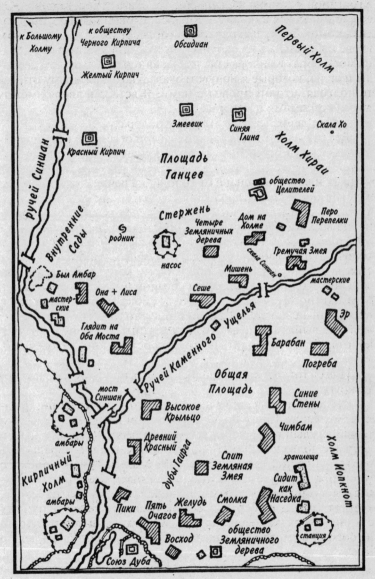

Имена Домов Синшана

Нарисовано издателем с помощью Тёрн из Синшана

исследовать его подошву, пока не обнаружила кончик вонзившейся в ногу колючки и не вытащила ее ногтями.

— Что ты здесь делаешь? — спросила я.

— Домой возвращаюсь, я в дозоре был, — ответил он. — Остальные уже давно вперед ушли, а мне пришлось с этой колючкой возиться. Спасибо тебе! — Он все еще продолжал сидеть, зажимая ногу в том месте, где была ранка.

— Почему ты ходишь босиком? — спросила я.

— А ничего, нам так положено, — равнодушно откликнулся он. Он сказал это совсем как тогда, когда был еще моим троюродным братом Хмелем, и смотрел на меня добрыми глазами. — А ты будешь танцевать на Празднике Воды? — спросил он. До праздника оставалось как раз девять дней. Я сказала, что буду, и он пообещал: — Я непременно приду сюда. В Синшане Танец Воды празднуют лучше, чем в Мадидину. К тому же здесь все мои родственники из Дома Синей Глины.

Я промолчала. Я ему больше не доверяла.

Ему очень шла одежда из некрашеного полотна. Единственной приметой того, что он из Общества Воителей, была шапка из шкуры черного козла, островерхая, как шлемы людей Кондора. Но шапку он почему-то снял. Потом, неуклюже помяв ее в руках, снова напялил на голову.

Воздух над Горой Синшан светился розовым, точно мякоть арбуза, и на диких овсах, что росли по склонам Большого Холма, лежал красноватый отблеск. Цвел дикий табак, наполняя воздух своим ароматом. Я сорвала на берегу листочек мяты и приложила к тому месту, где на его подошве, темной и загрубелой, выступила капелька крови.

— Я должна отнести кувшин с водой в свою хеймас, а потом еще сходить в хеймас Обсидиана, — проговорила я наконец. Я хотела, чтобы он понял: я собираюсь вступить в Общество Крови и получаю там соответствующие наставления. Да и вообще, лучше бы я поскорее ушла: я была слишком ошеломлена тем, что он заговорил со мной запросто, как прежде, и в то же время уходить мне не хотелось.

На этот раз он ответил не сразу. А когда наконец заговорил, голос его звучал по-доброму и задумчиво.

— А когда ты наденешь некрашеные одежды? — спросил он, и я сказала, что после Танца Воды, в следующее полнолуние. Он сказал: — Я приду на этот праздник. Я непременно приду в ваш дом Высокое Крыльцо! — и улыбнулся, а я впервые вспомнила, что ведь по случаю моего вступления в Об-

щество Крови непременно устроят праздник, и я надену свои новые одежды — в знак того, что я стала взрослой.

Я сказала:

— Приходи. Мы напечем кучу пирожков с грибами.

Однажды, когда мы были еще детьми, во время Танца Солнца в Мадидину он один съел целое блюдо пирожков с грибами, прежде чем их успел попробовать хоть кто-нибудь еще, и его тогда несколько лет дразнили обжорой.

— Отлично! — сказал он. — Вот я их и съем. Ах, Северная Сова! И какой же ты тогда станешь?

— В основном такой же, как и сейчас, — ответила я.

— А какая ты сейчас? — Он смотрел прямо мне в глаза, пока я не отвернулась. Помолчав, он вдруг сказал: — Ах, Северная Сова! Иногда... — и вдруг умолк.

Я еще подумала — да и сейчас уверена в этом, — что тот человек, который выглянул тогда из его глаз, и был настоящий, а не тот, что считал себя Воителем и всегда от меня отворачивался, показывая, что он Мужчина и у него есть собственное «я». Наверное, потому, что он сидел на берегу ручейка, в него вселилась душа Воды. Я перестала его бояться и стала с ним разговаривать как ни в чем не бывало. Не помню уж о чем, но он охотно и спокойно отвечал мне, и мы так проговорили еще довольно долго. А когда роща земляничных деревьев у вершины Большого Холма на фоне закатного неба стала казаться черной и тот розовый волшебный свет погас, мы побрели по тропе над речкой, я впереди, он следом, а иногда, если тропа была достаточно широкой, шли рядом. Когда мы поднялись на площадь для танцев, вечерняя звезда уже ярко горела в небесах, а звезда Добра сияла над черными силуэтами эвкалиптов. Мы вместе прошли мимо городского Стержня, и он сказал еще раз:

— Я непременно приду на праздник, — и пошел дальше к мосту. Я отправилась к себе, в дом Высокое Крыльцо, чувствуя, что невероятно изменилась с тех пор, как сегодня вышла из этого дома.

Все четыре ночи Копье приходил в Синшан на Танец Воды, а потом пришел, как и обещал, в дом Высокое Крыльцо на мой праздник в честь вступления в Общество Крови. Праздник был скромный, ведь у меня было только полсемьи, да и та небольшая, и не все в ней были достаточно щедрыми или общительными людьми; но Девять Целых спел для меня Песнь Отцов и подарил мне фарфоровую чашку, украшенную глазурью цвета крови — эту краску делали с примесью ртути, которую добывали в Горе Синшан; а бабушка подарила мне свое бирюзовое ожерелье, привезенное с Оморнского Моря. Я надела тонкую рубашку из некрашеного полотна, которую мать сшила специально для меня из той ткани, хлопок для которой я старательно собирала и пряла еще в прошлом году, потом — пышную, с тремя оборками юбку и верхнюю рубаху с длинными рукавами, а поверх всего еще и жилет из очень мягкого гладкого льна, который подарила мне Ракушка. Я напекла немыслимое количество пирожков с грибами — так много, что потом мы раздавали их целыми корзинами. Копье вел меня в танце первым. Он был искусный танцор и все время с улыбкой смотрел на меня поверх голов танцующих. В душе я уже называла его совсем другим именем, которое, по-моему, подходило ему куда больше, чем Копье: Взгляд Пумы.

Итак, я вступила в общество взрослых женщин, и из головы у меня не выходил танцующий горный лев. Это был недолгий счастливый период среди подступавших со всех сторон неудач и неприятностей, хотя, наверное, уже на следующий год я бы не назвала это время таким уж счастливым, ибо Копье снова отвернулся от меня. И вот тогда я решила, что в жизни моей вообще уже больше не будет ничего хорошего.

Я винила Общество Воителей за то, что они отняли его у меня, и это действительно было так, но, надо сказать, и его собственный Дом и семья в общем-то были виноваты не меньше. Мы продолжали изредка встречаться и разговаривать — чуточку чаще, чем просто случайно. Мне было пятнадцать лет, а ему семнадцать, мы считались дальними родственниками; нам было еще рано думать о любви, и даже если бы речь зашла о браке, родство наше сочли бы недостаточно далеким, чтобы можно было им пренебречь. Его сестра ревновала меня к нему и дружить со мной перестала. И кое-кто из его Дома в Мадидину и в Синшане был против меня: ведь если бы Копье на мне женился, он перешел бы в семью полукровки, дочери «человека-без-Дома».

Все это я знала, но мне на все было наплевать. Не думаю, чтобы меня в тот год интересовало что-то еще, кроме наших с ним отношений, и думала я только о нем одном, вот только не знаю, как это выразить словами. Пытаться изобразить на бумаге подобное чувство — это все равно что пытаться вспомнить, что ты чувствовал, будучи сильно пьяным, — так недолго и с ума сойти. Говорить о влюбленности можно, только если сам влюблен, а я больше никогда ни в кого не была влюблена с тех пор.

Во время Танца Луны все молодые Воители приняли что-то вроде обета воздержания; и с той поры Копье больше со мной не встречался, не смотрел на меня, проходя мимо, не отвечал, когда я с ним заговаривала, если — пусть изредка — мне удавалось его увидеть.

Как-то раз в отчаянии я пошла за ним следом в поля близ Мадидину в жаркий полдень одного из последних дней сухого сезона и сказала:

— Неужели такие храбрые мужчины боятся даже разговаривать с женщинами?

Он не ответил.

— Когда-то я в сердце своем назвала тебя одним священным для меня именем. Хочешь узнать, какое это имя?

Он снова промолчал, на меня и не взглянул и продолжал заниматься своей работой.

И я пошла прочь, оставив его там с мачете и корзиной среди длинноруких искривленных виноградных лоз. Крупные листья их цвета ржавчины были покрыты пылью. Дул сильный сухой ветер.

Поскольку Копье стал Воителем, я хотела, чтобы наши две жизни были настолько близки и похожи, насколько это возможно, и стала посещать собрания Союза Ягнят и училась у них в течение всего следующего года. Любовь во мне любила все, что любил мой любимый. Все мои мысли и чувства были заняты только им одним: я была служанкой своей любви и служила ей так же преданно и верно, как солдаты моего отца служили ему, своему командиру, — безоговорочно, беспрекословно. И я обнаружила примерно то же самое в Союзе Ягнят: там говорили о любви, о служении долгу, о покорности, о принесении себя в жертву. В тот год подобные идеи прямо-таки переполняли меня, и сердце мое билось тяжело и жарко от таких мыслей. Все казалось мне ничтожным в сравнении с этими благородными требованиями — любить, служить, подчиняться и приносить себя в жертву. Женщины из Союза Ягнят говорили мне, что нам не дано знать кодекс Воителей, так что единственный путь для женщины понять эту тайну — путь любви, служения и подчинения мужчине, который в такие знания посвящен. С этим я была абсолютно согласна, потому что Копье заслонил для меня весь белый свет, и остальное в те дни для меня просто не существовало. Тот год, что я провела в Союзе Ягнят, оказался сплошной ложью, отрицанием всех моих собственных представлений и моей сущности, но ведь все это было и никуда от этого уже не денешься. В жизни подростков многое носит такой двойственный характер; их выдумки зачастую правдивы, а их истины ложны, и как часто в нашем жестоком мире разбиваются из-за этого их сердца. Они летят, парят и тут же падают на землю; они все видят насквозь, но остаются слепыми. Союзы Ягнят и Воителей были как бы специально предназначены для подростков и для тех, кто оказался не в состоянии пока выбрать свой путь в жизни или просто вообще не хотел этого делать.

Поскольку я была внучкой Порчи и дочерью Зяблика, то в Союзе Ягнят мои позиции укреплялись быстро. Через несколько дней после разговора с Копьем на разогретых солнцем виноградниках я уже должна была руководить одной из церемоний седьмого дня, характерной для этого Союза: обрядом жертвоприношения.

Чувствую, не стоило бы мне писать, что там происходило. Несмотря даже на то, что никаких Союзов Ягнят больше не существует. И хотя все, что я напишу, вызовет ныне лишь любопытство, рука моя тяжело повисает в воздухе — ей не хочется выдавать тайну, которую я некогда во всеуслышание обещала сохранить. Никакой особенно страшной тайны там, разумеется, не было, однако обещание есть обещание.

Даже тогда все примерно представляли себе, что за церемонии совершаются в этом Союзе, потому что людям не раз приходилось видеть, как осуществлявший таинственный обряд принесения в жертву птицы или зверя выходит на улицу с окровавленными руками, ибо мыться ему запрещено: это служит еще одним доказательством священнодействия. И вот я, совершив обряд, вернулась в дом Высокое Крыльцо.

Бабушка как раз накрывала на стол к ужину; стол был покрыт старенькой, сотканной ею собственноручно скатертью из белого полотна, где синяя ниточка пропущена в каждом четвертом и каждом пятидесятом ряду; скатерть была хоть и старая, но мягкая и очень чистая. Я тупо смотрела на эту чистую скатерть, а бабушка сказала мне:

— Ступай сперва вымой руки, Северная Сова.

Она прекрасно знала, что мне не полагается смывать кровь с рук в течение суток, но это правило она ненавидела, как и все подобные правила Воителей и Ягнят. Она явно испытывала отвращение ко мне, и душа ее страдала от того, что ее внучка занимается подобными вещами. Я это понимала. Мне тоже было противно, я тоже страдала в душе и тоже была исполнена ненависти. Но я ответила ей:

— Я не могу.

— В таком случае ты не сможешь есть за этим столом, — отрезала бабушка. Голос ее, и губы, и руки дрожали. Видеть ее мучения мне было невыносимо.

— Я тебя ненавижу! — крикнула я и, выбежав из дому, бросилась через площадь к мосту. Почему я пошла этим путем в сторону Долины, а не холмов, понятия не имею. Я перешла по мосту на другую сторону Ручья Синшан и увидела на берегу среди жеребят и ослов высокого гнедого коня. Я так и застыла, уставившись на него. И вдруг из-за амбаров вышел отец и поднялся наверх ко мне.

Он оторопело смотрел на меня — зареванную, всю перепачканную кровью чуть ли не до ушей. Я видела, что он меня не узнает. И сказала:

— Я же твоя дочь!

Он подошел ближе и взял мои руки в свои. И тут я зарыдала в голос. Мимо нас по дороге прошли с полей домой несколько человек, и один из них сказал:

— Значит, ты все-таки вернулся, мужчина из дома Высокое Крыльцо! Хороший же день ты для этого выбрал.

Я сдержала рыдания, и мы с отцом пошли вверх по склону холма, вдоль террас виноградников, откуда были видны первый ряд домов Синшана и поля, залитые полуденным солнцем. Лето в тот год было жаркое, засушливое. Лесные пожары пылали за северо-восточными вершинами, и порой было не продохнуть от запаха дыма и гари, и в дымном мареве гряда холмов на северо-востоке казалась серо-голубой ленточкой в серо-голубом небе.

Отец сперва решил, что я поранилась, и пытался выспросить у меня, что случилось. Но я не могла рассказать ему всего, что случилось за это время. И сказала только, что поссорилась с бабушкой.

Он уже немного подзабыл наш язык и с трудом подыскивал слова. Я наблюдала за ним. На лбу у него появились залысины, так что лицо стало как бы еще длиннее, и выглядел он очень усталым, но показался мне еще шире и выше, чем помнилось, хотя сама я за это время успела подрасти и превратиться из ребенка в девушку.

— Я пришел, чтобы поговорить с Ивушкой, — сказал он.

Я только головой покачала. Слезы вдруг снова потекли у меня по щекам, и он, увидев это, решил, что Ивушка умерла, и даже слегка застонал.

— Нет-нет, она по-прежнему с нами, в Доме Синей Глины, — поспешила я успокоить его, — но только она больше не Ивушка; она взяла свое первое имя — Зяблик.

— Она что же, замуж вышла? — спросил он.

— Нет, — сказала я, — она никогда не выйдет замуж. И никогда не станет говорить с тобой.

— Я никак не мог прийти раньше, — сказал он. — Ты это понимаешь? Мы вынуждены были отвести армию не на Побережье Амаранта, а далеко на север. — И он рассказал мне, где был, назвал множество таких мест, о которых я даже не слышала, и снова повторил: — Я никак не мог прийти тогда, когда обещал. Я хочу ей все это сказать.

Я снова покачала головой. Но выдавить из себя сумела только одно:

— Она все равно не станет говорить с тобой.

— Да и правда, с какой стати ей говорить со мной теперь? — сказал он безнадежно. — Глупо было вновь возвращаться сюда.

Я почувствовала, что он вот-вот уйдет навсегда, и закричала что было сил:

— Но ведь я же с тобой разговариваю! Я ждала тебя, ждала! Я ждала, когда ты вернешься!

И он отвлекся наконец от своих мыслей и внимательнее посмотрел на меня, потом назвал меня по имени: Северная Сова.

— Я уже не Северная Сова, — возразила я. — Я больше не ребенок. Я вообще никто. У меня даже имени нет. Я дочь Кондора.

— Да, ты моя дочь, — подтвердил он.

244

И я сказала:

— Я хочу пойти с тобой.

Он сперва не понял, что я имела в виду, потом изумился:

— Но разве мне позволят сделать это? Они же непременно станут тебя удерживать. А я должен уходить не сегодня, так завтра. Они ни за что не отпустят тебя неведомо куда.

— Я уже взрослая, — твердо сказала я, — и сама принимаю решения. Я пойду с тобой.

— Но ты же, наверно, должна спросить людей из своего Дома?

— Им я скажу о своем решении. А спрашивать я должна только тебя одного! Возьмешь меня с собой?

Больше всего на свете мне не хотелось, чтобы он шел к дому Высокое Крыльцо, к моей матери. Я словно старалась собою подменить ее. Тогда я этого еще не понимала, но бессознательно действовала именно так. Отец некоторое время раздумывал, глядя через Долину на далекую Гору Души — вулкан с ровной плоской вершиной. Дымок над ней был слабо окрашен в розовый цвет. Наконец он сказал:

— Мне, наверно, нужно все-таки попросить Ивушку отпустить тебя со мной. А это действительно правда? То, что она не станет говорить со мной?

— Это правда, — искренне откликнулась я.

— И правда, что ты ждала меня? — сказал он, снова внимательно на меня глядя.

— Дай мне имя, — потребовала я.

Он понял не сразу, но потом надолго задумался и наконец проговорил:

— Хочешь такое имя: Айяту?

— Хорошо, отныне мое имя Айяту, — сказала я.

Я тогда даже не спросила, что значит это слово; для меня в тот миг оно означало доброту отца и мою собственную свободу.

Уже потом, когда я научилась говорить на его языке, я узнала, что айяту означает примерно «удачно родившаяся женщина» или «женщина, рожденная быть выше других». Это имя часто давали в семье моего отца. Его же собственное имя было Тертер Абхао, и, приняв имя своего отца, как то делают дочери и сыновья настоящего мужчины, принадлежащего народу Кондора, я стала теперь Тертер Айяту.

— Когда вы отправляетесь? — спросила я отца.

Вместо ответа он спросил:

— Ты умеешь ездить верхом?

— Да, на осле, — сказала я. — А раньше я часто ездила вместе с тобой на твоем коне.

Он снова долго смотрел на крыши домов Синшана, потом сказал:

— Верно. Во время всех последних войн я вспоминал об этом. Много, много раз вспоминал. Маленькую девочку, что сидела передо мной в седле. И те дни здесь, в Долине, — это лучшие дни моей жизни. И не повторятся больше никогда!

Я молчала, и он сказал:

— Я приведу тебе лошадь. Встретимся на восходе солнца, послезавтра. Здесь. — Он указал на мост, где мы с ним встретились. — А в этот город я не пойду! — вдруг вырвалось у него. Его печаль и любовная тоска превращались в гнев и желание поскорее уйти. Он проделал долгий и трудный путь, надеясь увидеть свою жену, но так и не пошел повидаться с нею. В течение своей долгой жизни потом я часто вспоминала, как мы сидели с ним тогда на склоне холма, и все пыталась понять, почему мы говорили и вели себя так странно. Мы оба словно были больны, и болезни наши говорили за нас друг с другом. Мы вроде бы должны были выбирать сами, однако выбор совершался без нашего участия. Я льнула к нему, хотя более сильной из нас двоих была именно я.

— Скажи им, что собираешься уехать со мной, — проговорил он. — Если они позволят это тебе, сразу же уходи из дому. Отправляйся в свою хейимас. Учти: это будет долгое путешествие, и ты, может быть, много лет не сможешь побывать здесь, дочка.

Он был прав, и я поступила так, как он мне велел. Через день, едва лишь забрезжил рассвет, бабушка отправилась в нашу хейимас со мной вместе. Мы наполнили бассейн водой и спели песнь Возвращения. Она синей глиной с берега Ручья Синшан нарисовала знаки хейийя-иф у меня на щеках. Мы с ней вышли из хейимас, когда в небе уже полыхала заря. Мать ждала нас на центральной площади вместе с Утренним Жаворонком и Сверчком. Все они пошли к мосту со мной вместе; однако на этот раз мы не стали приседать на корточки, мочиться и смеяться перед прощанием, потому что Кондор уже ждал меня верхом на своем огромном коне. Те, кто провожал меня, остановились у начала моста. Я быстро обняла их всех и побежала по мосту к отцу. Он смотрел на мою мать, но она отвернулась и на него даже не взглянула. Потом он помог мне взобраться на лошадь, которую привел для меня, и мы отправились в долгий путь через поля Синшана.

246

Дом Воссоединения, где мы учились, как нужно готовиться к смерти, в тот год был построен на внутренней стороне горы, среди садов, там, где Ручей Хечу встречается с Ручьем Синшан. Мы проехали мимо этого Дома, как раз когда над окружавшими Долину вершинами показалось солнце. Я на ходу спела солнцу хейю. Миновав виноградники, мы выехали к Старой Прямой Дороге и двинулись по ней дальше на северо-запад до Ама Кулкун. Лошади бежали быстро. Отец привел для меня гнедую кобылку, не такую высокую и более изящную, чем его мерин. Он все время держался со мною рядом, был очень внимателен и подсказывал, как лучше держать колени и как пользоваться поводьями и стременами. На лошади в седле ехать было куда легче, чем на осле да еще охлупкой: спины у ослов костлявые, а нрав упрямый. Моя же кобылка вела себя достойно и была очень послушной, а седло — удобным. Еще до полудня мы миновали Телину, потом Чукулмас и Чумо и даже Кастоху. Когда мы свернули на Горную Дорогу, над перистыми травами, сверкая, взметнулся Большой Гейзер. Сердце перевернулось у меня в груди при виде этого зрелища. Я вспомнила старика, что подарил мне целебную песню. Но тут же постаралась выкинуть из головы все мысли и о старике, и о песне. Мы перебрались на другой берег Великой Реки На по Дубовому Мосту, и я про себя провозгласила ей хейю. У подошвы Ама Кулкун нас поджидали пятеро всадников и две запасные оседланные лошади; люди Кондора приветствовали отца. Мы остановились в дубовой роще Тембедин, чтобы поесть, а потом начали подъем по дороге, ведущей к Чистому Озеру. На развилке, где дорога на Вакваху и к Истокам Реки На уходила влево, мы поехали вправо, вдоль полотна рельсовой дороги до городка Метули, и там свернули на более короткую дорогу.

Незадолго до наступления ночи мы остановились, чтобы

разбить лагерь в дубовом лесу, и отец, смеясь, вынужден был сам снимать меня с лошади. Ноги и ягодицы у меня совершенно одеревенели и вскоре начали невыносимо болеть. Люди Кондора немножко подшучивали надо мной, но очень осторожно. Они обращались со мной вроде бы как с ребенком, но в то же время с каким-то подобострастием, что ли; и они шлепали себя по лбу рукой, когда заговаривали со мной, точно так же, как при обращении к моему отцу. Мы вдвоем сидели немного в стороне от остальных и бездельничали — ждали, пока наши спутники разожгут костер, приготовят обед и постелят нам постели.

Поев, я немножко поговорила со своей кобылкой. Теперь и я пропахла конским потом; мне этот запах нравился, как нравилась и моя лошадка. Мне еще никогда не удавалось так легко с кем-нибудь подружиться. Отец долгое время беседовал с одним из своих людей, который завтра должен был отправиться совсем другим путем, и давал ему различные поручения; их было, пожалуй, чересчур много, чтобы сразу все запомнить и удержать в голове. Отец заставил гонца повторить все, что ему было велено, и они все еще, по-моему, занимались этим, когда я вернулась к костру. Было ужасно скучно слушать их разговор, поскольку языка Кондора я не знала. Наконец, когда отец отпустил этого человека, я спросила его:

— Почему же ты не сделал для него списка всех своих поручений?

— Он не умеет читать, — коротко ответил отец.

Ну, если он слепой или слабоумный и потому не умеет читать, подумала я, то разве можно отправлять такого посланника? Да еще с целой кучей поручений. Но я что-то не заметила в нем особых физических недостатков, о чем и сказала отцу.

— Письменность священна, — сухо ответил он.

Ну, об этом я уже догадалась.

— Покажи мне, пожалуйста, как вы пишете, — попросила я.

— Письменность священна, — повторил отец. — Она не для *онтик*. Тебе вовсе не требуется уметь писать!

Теперь я перестала что-либо понимать и удивленно заметила:

— Но мне же нужно знать ваши слова, чтобы уметь говорить, верно? Что такое, например, *онтик*?

И тут он начал учить меня своему языку, языку народа

Дайяо — как сказать «еду верхом на лошади», «вижу скалу» и тому подобное.

Ох и холодно было ночью в предгорьях! Люди Кондора сидели возле костра, но на расстоянии от нас, и беседовали. Отец порой тоже вставлял краткие реплики чрезвычайно важным тоном. Он дал мне немного горячего бренди, и я, согревшись, уснула на руках у Горы-Прародительницы. Наутро отцу пришлось подсаживать меня в седло, но стоило нам немного проехать, как мне стало гораздо легче, кровь резвее побежала по жилам, и я почувствовала себя в седле легко и удобно. Так туманным осенним утром поднимались мы к перевалу, следуя путем Белой Пумы.

От людей из Общества Искателей я раньше слышала, что они каждый раз, когда покидают Долину, несмотря на все их многочисленные путешествия, испытывают боль в сердце, или звон в ушах, или даже головокружение — всегда бывает какой-то знак. Историк из Общества Искателей у нас в Синшане говорил, что он всегда чувствовал, что входит в Долину, ибо в течение девяти вздохов ноги его как бы не касались земли; но когда он покидал Долину, то в течение девяти вздохов шел, как бы проваливаясь в землю по колено. Может, потому, что я ехала верхом, а может, из-за присутствия людей Кондора или потому, что я сама была дочерью Кондора, мне никаких таких знаков дано не было. Лишь коснувшись своих щек и не ощутив под пальцами шероховатых меток, сделанных синей глиной Синшана, я немного приуныла и сердце мое болезненно сжалось. И чувство это не покидало меня, пока мы, перевалив через вершину, спускались по внешней стороне Горы-Прародительницы.

Места, что лежат между Ама Кулкун и Чистым Озером, очень красивы и немного похожи на нашу Долину: скалы, фруктовые сады, люди, похожие на наших, такие же города и фермы. Мы ни у кого здесь не останавливались, и не гостили, и даже не разговаривали нигде ни с кем; когда я спросила отца, почему это, он ответил, что эти люди как бы не в счет. Мы ехали, словно попав в другой Дом, не пользуясь человеческой речью. Я подумала: может, поэтому их и называют Кондорами, что они как бы парят в молчании выше всех остальных?

Потом, когда мы ехали по золотистым холмам на северо-восток от Чистого Озера и особенно когда ложились спать на третью ночь, я поняла, что Долина осталась далеко позади и я больше не чувствую ее живого тепла. Мое собственное тело словно тоже осталось где-то там — ступни стали притоками Реки, артерии и сердце — площадями и ручьями, а кости — скалами; голова же казалась мне самой Горой-Прародительницей. Все мое тело целиком находилось в Долине, я же, лежа рядом с отцом, была всего лишь духом, легким, как воздух, с каждым днем все дальше и дальше отлетающим от своего тела. Однако некая длинная и очень тонкая нить связывала мое тело и душу — нить боли. Потом я все-таки уснула, и на следующий день снова села на лошадь, и продолжила свой путь, и разговаривала с отцом, обучаясь его языку, и мы часто смеялись. Но я все время чувствовала, что я — это как бы не совсем я, что это не мое тело, и сама я ничего не вешу подобно невесомой, бесплотной душе.

Я действительно сильно похудела за время этого долгого путешествия. Пища этих Кондоров мне совсем не нравилась. Они взяли с собой сплошную вяленую говядину, хотя по пути порой убивали корову или овцу, пасшихся на высокогорных лугах. Разумеется, без их просьбы я сама всегда подходила к убитому животному и говорила ему нужные слова. Сперва я думала, что здешние люди великодушно дарят нам этих животных, и все удивлялась, почему никак не могу увидеть самих этих людей и почему они никогда не дают нам ни овощей, ни зерна, ни фруктов, тем более что сейчас время урожая. Потом я как-то раз увидела, как двое из нашего отряда убили у самой тропы отбившуюся от стада овцу и, не сказав ей ни словечка, обрубили у нее ноги, чтобы их пожарить для себя, а остальное — ее голову, копыта, внутренности и саму тушку — бросили на растерзание койотам и мясным мухам. В течение нескольких дней у меня не выходило из головы это зрелище; и баранины этой есть я не стала.

И много, много раз потом за то долгое время, что я прожила среди людей Кондора, я старалась выбросить из головы то или иное событие, приговаривая: «Ничего, я после подумаю об этом», однако не желая ни думать, ни вспоминать об этом никогда. Впрочем, в тех чужих краях все происходило как бы помимо меня, я не могла и не хотела впустить в свою душу многое; ну а когда оно все-таки туда проникало, я порой чувствовала, что у меня и вовсе нет никакой души, а ведь известно, что именно внимательная и чувствительная душа говорит разуму: «Помни!» Теперь вот я пытаюсь записать историю того моего путешествия на северо-восток, воскресить все это в своей памяти, однако значительная часть моих воспоминаний о годах жизни с народом Дайяо утрачена, и воспоминаний этих не вернуть никогда. Я не смогла тогда впустить их в свою душу.

Я с удивительной ясностью вспоминаю наш путь верхом. Мы растянулись длинной вереницей по последним морщинам холмов, с которых была как на ладони видна широкая долина Болотной Реки, простиравшаяся к северу и востоку; где-то далеко на юго-востоке в светящейся дымке терялся берег Внутреннего Моря. Широкие полосы солнечного света лежали на раскидистых ивах, росших вдоль берегов реки, на покрытых цветущим камышом болотах, на дальних склонах Гор Света, вершины которых уходили куда-то под самые облака. Я спела молитву этой реке и всему огромному и прекрасному миру и еще солнцу, готовящемуся перейти в свое зимнее жилище. А ночью пошел дождь. И шел весь следующий день, и потом тоже — все время, пока мы двигались вдоль Болотной Реки на север то верхом, то пешком.

Под дождем мы перебрались на другой берег этой широкой реки вброд — в том месте она растекалась на множество мелких рукавов, так что лошадям не пришлось даже плыть; то были первые дни столь рано в этом году наступившего сезона дождей. У брода к нам присоединился еще отряд воинов Кондора из двенадцати человек, и теперь нас стало совсем много — девятнадцать человек, двадцать пять лошадей и еще одна кобыла с маленьким жеребенком. В пути люди Кондора часто пели свою песню:

Туда, где Столица, иду я,
Туда, где Кондор, иду я,
Туда, где битва, иду я.

Они вставляли в эту песню любые первые попавшиеся слова и распевали, например: «Туда, где пища, иду я» или «Туда, где женщины, иду я» и так далее, двигаясь гуськом по тропе.

Среди затяжных дождей выдался, помнится, один день, когда небо немного очистилось от туч, и мы на юго-востоке увидели Кулкун Вен, Гору Искателей, выпускающую струи вонючего дыма прямо в небеса. Отовсюду из трещин в скалах возле темного жерла вулкана тоже выползали дым и пар, и в воздухе сильно пахло тухлыми яйцами, ибо ветер дул в нашу сторону. Мы приближались к Стране Вулканов. Я очень их боялась, и всю ночь мне мерещились разверзающиеся прямо подо мной страшные трещины, из которых вырываются клубы горячего пара, обжигающие и удушливые, но я ничего никому не говорила о своих страхах. На следующий день совсем развиднелось, и, глядя с холмов на север, я увидела Северную Гору, словно свисавшую с небес, всю в потеках снега над темными лесами. Одно чистое тонкое перышко дыма поднималось над ее восточной вершиной в белой шапке снегов, словно перо с грудки белой цапли. Поскольку гора эта была удивительно красива и поскольку я знала ее название благодаря картам и тем историям, которые ученикам рассказывают в хеймас, вид ее привел меня в полный восторг: я ее узнала! Я сидела верхом на своей кобылке и с упоением пела Северной Горе священную хейю, когда отец остановил своего коня рядом со мной и сказал:

— Это Цатасиан, Белая Гора.

— Или Кулкун Эраиан по-нашему. Здесь встречаются руки Вселенной! — откликнулась я.

— Я целых десять лет воевал за земли, что расположены вокруг этой горы, отвоевывая их для Великого Кондора, и теперь эта война наконец завершена, — сказал он. Он употребил свое слово *зарирт*, которое я выучила, играя с солдатами в кости; оно означало «выигрывать в игре», нечто подобное нашему слову *думи*. Я не совсем поняла его из-за этого слова: что это за «игра», в которой он выиграл? И как это ему удалось выиграть такой огромный кусок мира? И у кого? И зачем это ему нужно? Я попыталась все это выяснить, и он сперва старательно объяснял, но вскоре начал терять терпение из-за моей непонятливости.

— Смотри: все, что ты видишь перед собой, — это земли, которые завоевали армии Кондора, — сказал он. — Как ты думаешь, почему эти *онтик* больше в нас не стреляют?

— Но они и так стреляли в нас только один-единственный раз, — сказала я. Это случилось, когда мы, повернув, двинулись вдоль Темной Реки. Какие-то люди, скрываясь в зарослях ивняка, обстреляли нас из луков, а потом убежали прочь, когда солдаты Кондора попытались поймать их. Отец тогда велел своим людям прекратить преследование и ехать дальше, и они галопом промчались мимо нас в хвост отряда, веселые и очень возбужденные, но совершенно не испуганные происшедшим, хотя я, конечно же, никогда в жизни и представить себе не могла, что стану участвовать в перестрелке.

— Это потому, что они нас боятся, — сказал мой отец, словно не слыша моих слов.

И я сдалась и не пыталась больше понять его странные речи. Честно признаюсь, отчасти моя «тупость» была вызвана тем, что я и не желала его понимать. Люди умные и образованные, читая мой рассказ, непременно станут надо мной смеяться: ведь я много дней ехала верхом вместе с вооруженными людьми, солдатами, с целым отрядом воинов, предводителем которых был мой отец, и не раз видела, как солдаты крадут коров и овец, но никогда не зайдут ни в один дом и не попросят по-хорошему; мало того, мы попали в настоящую засаду, но я все еще не понимала, что люди Кондора находятся в состоянии войны со всеми жителями этих краев, что они здесь — ненавистные завоеватели. И читатели имеют полное право смеяться. Я была чрезвычайно невежественна, а сама не желала даже подумать как следует.

Но вот, пробираясь среди холмов в предгорьях, мы стали проезжать мимо таких деревень, жители которых выходили нам навстречу и падали перед нами ниц, а вовсе не бросались поскорее прятаться в горах или прятать там своих овец. И никто из них не поворачивался к нам спиной и не плевал нам вслед. Эти деревушки, правда, были очень малы — пять-шесть бревенчатых домов вдоль берега ручья да возле них несколько овечек, свиней или индюков и множество лающих и рычащих собак. Но люди там были очень щедрые, как мне показалось; они давали нам еду даже в том случае, если нас было больше, чем жителей всей деревни. После двух дней пути по этой холмистой и какой-то переломанной стране мы добрались наконец до Южного Города — Саиньяна.

Слово «саи» в языке Дайяо означает то же самое, что и наше слово *кач* (город, столица). Мы пользуемся им, только когда говорим о некоем месте вне нашего мира, вне нашего времени, существующем в воспоминаниях, когда говорим о людях, что живут за пределами нашего мира, а также — о Сети Обмена Информацией. У Дайяо тоже были такие значения этого слова, но главным образом они использовали слово *саи*, обозначая место, где жили сейчас, говоря, например, что они жители Столицы Человека. То, что для нас было несчастьем, для них составляло славу. Как же мне писать об этом, если одинаковые слова в наших языках имеют совершенно обратное значение?

Члены Общества Земляничного Дерева просили меня в

253

дар библиотеке написать историю моей жизни, потому что больше никто из Долины никогда не жил среди людей Кондора, а если и жил, то обратно не вернулся, так что моя личная история — это и часть нашей общей истории в целом. Теперь-то я весьма пожалела, что, вместо того чтобы учиться владеть словом, я с увлечением делала глиняные горшки, когда еще звалась Северной Совой. Ну а когда стала Айяту, я должна была забыть и о чтении, и о письме. Дайяо непременно выкололи бы глаз или отрубили руку любой женщине или простому земледельцу, если те напишут хоть слово. Лишь Истинные Кондоры имели право читать и писать, да и из них, по-моему, только те, кого называют Воинами Единственного, то есть те, которые отправляют все местные обряды и по-настоящему учатся читать и писать свободно. Дайяо утверждают, что с тех пор, как Единственный создал космос, сказав Слово и описав Вселенную в своей Книге, писать или читать слова — это все равно что делить с Единственным власть, которая по праву принадлежит ему одному; лишь избранным дано разделить с ним эту власть. Они пользуются абаками, верхними частями капителей, устраивая внутри них кабинеты для своих научных занятий, и в их обеих столицах есть специальные электрические приборы, созданные ими согласно инструкциям, полученным по Обмену Информацией, чтобы делать различные записи, однако все их записи сведены к перечням чисел. В них нет ни единого слова, благодаря чему, как они утверждают, мир, созданный Единственным, остается «чистым». Однажды, пребывая еще в полном неведении относительно этого, я в шутку спросила у отца:

— А что, если я напишу на стене какую-нибудь детскую страшилку? Неужели все твои свирепые и храбрые воины завизжат от страха и разбегутся?

И он сердито ответил:

— Они жестоко накажут тебя, чтоб знала впредь: Единственного следует бояться! — И больше ничего не прибавил. Тема была исчерпана, и я больше не возобновляла попыток писать, находясь под крылом Великого Кондора, и больше ничего отцу про это не говорила.

Когда я отправилась в путь вместе с Абхао, душа моя стремилась стать душой Кондора. Я честно старалась быть как все женщины Кондора. Я старалась даже не думать на языке Долины и не вспоминала ее обычаев. Я хотела навсегда расстаться с ней, перестать быть ее частью, более не принадлежать ей, стать совершенно другим, новым человеком, живущим иначе. Но не смогла сделать этого; только разумный, образованный и опытный человек способен на такое. Я же была чересчур молода и не слишком много размышляла о жизни, почти не читала умных книг, и не ходила на занятия в Общество Искателей, и совсем не интересовалась историей. Ум мой не обрел должной свободы. Он был заключен как бы внутри Долины, вместо того чтобы заключить Долину внутрь себя. Я оказалась слишком необразованной и неразвитой даже для своего юного возраста, ведь люди в Синшане, как и в большинстве маленьких городов Долины, сознательно культивировали невежество; к тому же в моей семье не было порядка и мира, а хуже всего было то, что культы Воителей и Ягнят и различные церемонии этих Союзов заменили мне образование в годы отрочества. Так что я оказалась не настолько свободна душой и разумом, чтобы навсегда покинуть Долину. Там я не успела стать настоящей личностью, но и на чужбине не смогла обрести себя.

Сколько бы я ни старалась, мне не удавалось стать такой же, как эти люди Кондора. Я буквально изводила себя, однако умирать у меня ни малейшего желания не возникало.

Писать о том, как я была Айяту, почти так же трудно, как и быть ею.

Мне хотелось бы пояснить некоторые слова, которыми я буду пользоваться, описывая свою жизнь в стране Кондора. Это мы зовем их народом Кондора; их же самоназвание — Дайяо, Народ Единственного. Так я и буду называть их, ибо весьма сложно объяснить, в каких случаях они сами употребляют слово «Кондор» — *Рехемар*. Лишь один человек, которого они считают посланцем Единственного и которому служат, зовется Великим Кондором. Мужчины из некоторых знатных семей зовутся Подлинными или Истинными Кондорами, и они же, как я уже говорила, называются еще Воинами Единственного. Больше никто из людей не носит имени Кондор. Мужчины из менее благородных семей называются *тьон*, «земледельцы», и должны служить Подлинным Кондорам. Женщины из благородных семей зовутся Женщинами Кондора и должны служить Воинам Единственного, однако имеют право приказывать тьонам и онтик. *Онтик* — это все остальные женщины, а также все чужеземцы и все животные.

Сама по себе птица кондор на языке Дайяо называется вовсе не *Рехемар*, а *Да-Онтик* и считается священной. Мальчики из семей Подлинных Кондоров, чтобы стать мужчинами, должны непременно застрелить кондора или, по крайней мере, канюка.

Я с детства хранила то перо кондора, что попало ко мне когда-то, в своей корзиночке с крышкой среди прочих «драгоценностей»; к счастью, я никому не успела его здесь показать, ибо здешним женщинам не разрешается касаться перьев кондора и даже смотреть на кондора, парящего в небе. Им полагается прикрывать глаза и причитать, когда над ними пролетает Великий.

Легко отнести подобные обычаи к варварским, но кто на это осмелится? Прожив долгие годы как бы в Столице Человека, я не использую в своей истории слов «цивилизованный» и «варварский»; я просто не знаю, что они означают. Я могу писать только о том, что видела и знала сама, о том, что сама совершила, и пусть более мудрые люди найдут этому более точное определение.

Дайяо построили Южный Город примерно за сорок лет до того дня, как я там появилась. Они пришли в эти места из своей столицы и стали воевать с каким-то местным народом, который жил в маленьких городках и в деревнях у подножия гор к югу от Темной Реки, и одержали в этой войне победу. Неправда, что они поедают тела убитых врагов; это суеверие, возникшее из некоего символа. Однако они убивали и сжигали мужчин и детей, а женщин забирали в плен, чтобы мужчины Дайяо могли с ними развлечься. Этих женщин они запирали в загоны для скота вместе с животными. Некоторым из несчастных спустя некоторое время удавалось освободиться и жить как им хочется; однако их собственная прошлая жизнь была уничтожена, и больше не было места, куда они могли бы пойти, и женщины эти становились женщинами Дайяо. Я беседовала с некоторыми из них, и они порой рассказывали мне о том, кем были, прежде чем превратились в женщин Дайяо, однако по большей части говорить об этом они не любили.

Времена, когда Дайяо строили Южный Город, были весьма бурными, ибо тогда они воевали буквально со всеми на свете. Они говорили: «Великий Кондор правит от Оморнского до Западного Моря, от Северной Горы до Побережья Амаранта!» Они убили множество людей и причинили немало страданий жителям Страны Вулканов, разрушив их поселения, и заразили другие народы своей болезнью — страстью к завоеваниям. Впрочем, когда я появилась в Южном Городе, они уже умирали. Пожирали сами себя.

Теперь я это понимаю, но тогда не понимала. Я видела башни Южного Города, стены домов из черного базальта, широкие улицы, проложенные под прямыми углами друг к другу, великолепие и боевой порядок повсюду. Я видела замечательный мост над Темной Рекой и дорогу, прямую, точно солнечный луч, ведущую на север, в Столицу. Я видела разные машины и механизмы, приспособленные как для мирных дел, так и для войны, которыми они умело пользовались; все механизмы были очень хорошо отлажены и красивы внешне, удивительные творения. И все, что я видела, было поистине потрясающим — прямое, прочное, мощное, и я смотрела вокруг со страхом и восхищением.

У моего отца были родственники в Южном Городе, и мы поехали к тому дому, однако он оказался пуст.

Дайяо строят три вида домов. Деревенские дома очень похожи на наши; тьоны и онтик в городах живут в огромных длинных домах, в каждом по многу семей, как в хлевах или стойлах; а Истинным Кондорам принадлежат родовые особняки, вкопанные глубоко в землю, над которой возвышаются лишь невысокие каменные стены без окон и островерхие деревянные крыши. Внешне дома немного напоминают наши хеймас, однако внутри устроены совершенно иначе. Такой дом делится на столько отдельных помещений, сколько нужно его обитателям, с помощью подвижных деревянных перегородок и занавесей, которые можно прикрепить к специальным столбам и колоннам высотой футов в пять-шесть, поддерживающим крышу. Полы сплошь покрыты коврами, а стены — занавесями, которые часто собирают в пучок и прикрепляют к шесту, установленному в центре комнаты, так что образуется нечто вроде шатра или палатки. Дом Дайяо напоминает одновременно и зимнее жилище-землянку, и летний шатер воинственных кочевников из Травянистых Равнин, точно так же, как деревянные дома в Тачас Тучас напоминают поселения вдоль лесных рек близ северного побережья. Дом обогревается и освещается электричеством, электричество они получают с помощью мельниц и солнечных батарей; и когда такой дом обставлен красивой мебелью, украшен коврами и ярко освещен, он выглядит теплым и уютным, он

257

словно обволакивает тебя своим теплом. Однако дом родственников моего отца в Южном Городе, куда мы приехали той ночью, оказался темным и сырым, там пахло землей и мочой. Отец долго стоял в дверном проеме и огорченно повторял, как ребенок: «Они давно уже здесь не живут!»

И мы вынуждены были отправиться в другой дом, чтобы поесть и переночевать. Отец оставил меня с тамошними женщинами, а сам вышел, чтобы поговорить с мужчинами. Женщины улыбались мне и пытались задавать вопросы, но все они были очень стеснительными, а я чересчур устала и тоже смущалась. Я никак не могла понять, почему они ведут себя так, словно меня боятся. Среди них я чувствовала себя тем ребенком, который впервые попал в богатый дом в Телине и боится всего на свете. Повсюду я видела металл, похоже, медная проволока была для них столь же привычна, как для нас нитки. И еще они отлично готовили; хоть пища и была мне незнакомой, однако по большей части она мне нравилась, и я ела с отменным аппетитом, особенно после вяленой говядины и краденых барашков, которыми в пути кормили нас солдаты. Но их благополучие не изливалось подобно реке, и отдавали они без удовольствия, без радости. Некоторые каждый раз, обращаясь ко мне, ударяли себя рукой по лбу, а другие вовсе не желали со мной разговаривать. Позже я обнаружила, что эти последние и были Женщинами Кондора, а те, что улыбались и ударяли себя по лбу, были онтик.

Я не слишком отчетливо помню те дни, что мы провели в Южном Городе. Отец мой был чем-то обеспокоен и рассержен, и я видела его только раз в день, успевая с ним лишь поздороваться. Все остальное время я проводила с женщинами. Я тогда еще не знала, что женщины Дайяо всегда держатся вместе и почти не выходят наружу. Услышав какие-то разговоры о войне и увидев, что город полон вооруженных солдат, я подумала, что, должно быть, за стенами дома уже идет война и эти женщины прячутся здесь и не выходят наружу, чтобы их не украли враги, ведь сами Дайяо чужих женщин крадут. Я все это себе представила довольно четко, а потом выяснила, что никакой войны даже поблизости от Южного Города нет и в помине. Я чувствовала себя полной дурой, но на самом-то деле оказалась права: женщины Дайяо всю свою жизнь жили как в осажденном городе. Я тогда подумала только, что раз так, то все они, должно быть, сумасшедшие. Мне все время приходилось проводить с ними в закрытых теплых комнатах, где ярко горели электрические светильники; я пыталась учиться их языку и еще училась шить. С шитьем у меня ничего не получалось, и я чуть сама с ума не сошла, занимаясь этим помногу часов подряд, хотя мне больше всего хотелось выйти на свежий воздух, увидеть солнечный свет, побыть с отцом или хотя бы просто в одиночестве. Но в одиночестве я не оставалась никогда.

Наконец мы покинули этот дом и этот город и двинулись на север. Я очень скучала по своей кобылке, живя в ловушке с вечно запертыми дверями, и каждый день мечтала снова на ней покататься, почувствовать ее запах на своих руках и одежде; и когда женщины велели мне сесть вместе с ними в крытую повозку, я отказалась. Тогда заговорила одна из старших Женщин Кондора и сурово приказала мне немедленно сесть в повозку. Я возразила:

— Разве я так уж немощна, или при смерти, или я младенец беспомощный?

Но, видимо, у них именно здоровые и сильные люди ездят в повозках на колесах, так что она моей шутки не поняла. И страшно разозлилась; впрочем, я тоже. Когда к нам подошел мой отец, я принялась объяснять ему, что хочу ехать верхом на своей гнедой кобылке. Он сказал только:

— Садись в повозку! — и сразу уехал. Он смотрел на меня, как на женщину среди прочих таких же женщин, как на глупую кудахчущую наседку среди выводка цыплят! Он променял свою душу на власть! Я некоторое время еще постояла, стараясь как-то обдумать его неожиданный поступок, а остальные куры и впрямь все продолжали квохтать и суетиться вокруг меня, а потом все-таки села в повозку. Весь тот день, тащась в повозке, я думала, думала больше, чем за всю свою предыдущую жизнь, думала о том, как мне здесь остаться человеком.

Мы ехали не прямо на север, а свернули на широкую и гладкую дорогу, ведущую примерно на северо-запад. Женщины, сидевшие со мной в повозке, сказали, что мы едем на встречу с марастсо, с армией, и дальше двинемся с нею вместе, и действительно, через день мы встретились. Все военные отряды, которые до этого либо объезжали местные городки и отнимали там у людей продовольствие — «собирали дань», как у них это называлось, — либо стояли лагерями по берегам Темной Реки и оттуда выезжали в Страну Вулканов и отдавали различные приказы ее жителям — это у них называлось «поддерживать порядок в оккупированных районах», — теперь собрались в селении под названием Ремборьон, куда отправились и мы. Армией командовали несколько военачальников, или генералов, одним из которых был мой отец.

Эти отряды вели с собой огромное количество различных животных, а также с ними шли тьоны, которые сами привели скот и других онтик. Именно в этих лагерях я впервые встретилась с похищенными женщинами, которых мужчины Дайяо некогда выкрали из родного дома и теперь насиловали сколько и когда угодно. Некоторые из женщин, как я уже говорила, по собственной воле шли вместе с солдатами, и кое-кто из солдат мог даже отстать от войска и осесть на земле с какой-нибудь женщиной и их общими детьми. И вот я как-то раз что-то такое сказала об этих женах-онтик, и женщины из благородного семейства Цайя Беле, с которыми я путешествовала, очень смеялись над моим невежеством и объясняли мне, что Истинные Кондоры никогда не женятся на онтик, а только на Женщинах Кондора, дочерях других Истинных Кондоров. Все они были из таких семейств и очень этим гордились, как и тем, что просветили меня. Но я повела себя глупо. Я заявила:

— Но как же так? Ведь мой отец, Кондор Тертер Абхао, женат на моей матери, которая осталась там, в Долине!

— У нас это браком не считается, — мягко сказала одна из женщин. А когда я стала спорить, старая Цайя Майя Беле оборвала меня:

— Не спорь! Не существует браков между людьми и животными, девочка! Веди себя тихо и знай свое место. Мы до сих пор обращались с тобой как с дочерью Кондора, а не с дикаркой. Ну и веди себя подобающим образом.

Это была уже угроза. Пришлось обратить на это внимание.

Если бы не разговоры о взглядах Дайяо, которые мне так не нравились, я просто наслаждалась бы медлительным путешествием в Ремборьон. Меня не заставляли все время оставаться в повозке, хотя я должна была идти рядом с нею и не отходить далеко. По ночам солдаты натягивали огромные палатки, целый город таких палаток вырастал в считаные минуты. Внутри палаток было светло и тепло, женщины сидели кружком на толстых красных ковриках, стряпали, болтали и смеялись да попивали чай из ягод дикой вишни или медовое бренди; снаружи в холодных сумерках перекликались мужчины, ржали привязанные лошади, а из более отдаленных углов слышалось блеяние и мычание скота — там тьоны разожгли на ночь свои костры. Когда становилось совсем темно, люди у костров затягивали длинные, полные тоски и отчаяния песни, в которых, казалось, оживала сама пустыня.

Возможно, Дайяо просто должны были существовать в вечном движении; возможно, чтобы остаться здоровым, народ этот должен был кочевать, как то было прежде, когда они жили на своих землях, к северу от Оморнского Моря, до того как расселились на Травянистых Равнинах. Больше ста лет назад они единодушно подчинились одному из своих Великих Кондоров, у которого, по их словам, было «видение» и который заявил, что Единственный велел им построить город и жить в нем. Когда они сделали это, они заперли свою энергию в круге и постепенно начали утрачивать душу.

После Ремборьона огромная процессия из животных, людей и повозок потянулась через высокие пустынные холмы на северо-восток от Кулкун Эраиан. Вулканы курились вокруг нас. Стало холодно, ветер, дувший нам навстречу, принес черные тучи, стремительно мчавшиеся по небу. Пошел снег, и под падающими белыми хлопьями снега мы пересекли залитую черной растрескавшейся лавой равнину перед самой Столицей Кондора. Я еще никогда прежде не ходила по земле, усыпанной снегом.

Столица, Саи, была обнесена стенами с огромными красивыми воротами, охраняемыми стражей; за городскую стену были вынесены различные амбары, конюшни, хлевы, некоторые торговые лавки и длинные жилые бараки, а за воротами, внутри, улицы были прямыми и широкими, как те, что я видела в Южном Городе, только еще шире и длиннее. Та улица, что вела от ворот прямо в центр города, упиралась в громадное здание, где окна так и громоздились одно над другим. И все служебные постройки и жилые дома были здесь выше, прочнее и красивее, чем в Южном Городе. К Дому Тертеров в Саи примыкал собственный огромный сад, обнесенный стеной из полированного черного камня; крыша дома была из резного кедра, как и балконы и галереи; количество комнат в нем казалось бесконечным; комнаты, большие и маленькие, отгороженные ширмами уголки, укромные уютные альковы и бесчисленные повороты коридоров — все было без окон и тем не менее залито светом; в доме было тепло, как в шелковистом гнезде древесной крысы, что находится в самой серд-

261

цевине ее многоходовой высокой норы. В глубине дома располагались комнаты, предназначенные для женщин (женская половина). Туда отец сразу же меня и отвел. Когда он повернулся, чтобы уйти, я схватила его за руку и сказала:

— Я не желаю здесь оставаться. Пожалуйста!

Он ничуть не рассердился и пояснил:

— Ты теперь живешь здесь, Айяту. Это твой дом.

— Ты мой отец, — возразила я, — но это не мой дом.

— Это дом моего отца, — сказал он, — а потому он и мой, и твой тоже. Когда ты отдохнешь, я отведу тебя к деду. Ты должна постараться и выглядеть очень хорошо. Не вздумай плакать и попробуй все-таки отдохнуть как следует. Прими ванну, полежи, переоденься, познакомься с другими девушками. Они о тебе позаботятся. А я приду за тобой утром.

И он пошел прочь, а люди расступались перед ним и шлепали себя руками по лбу. Я так и осталась стоять вся в слезах, среди толпы женщин.

Женщины этого дома, дочери Кондора и онтик, были столь же различны, как овцы и козы. Ни одна из дочерей Кондора со мной не заговорила в ту первую ночь. Они предоставили меня заботам онтик. Я была этому даже рада, поскольку онтик вроде бы были немного похожи на женщин из Долины, только здешние онтик еще больше боялись меня,

чем даже в Южном Городе. Я слышала, что сами они говорят обо мне, но, когда я заговорила с ними на их языке, они молча уставились на меня и не отвечали, пока я не почувствовала себя говорящим скворцом. Они ни за что не хотели оставить меня одну, но и подойти ко мне ближе тоже ни за что не хотели. Наконец вошла какая-то девушка, с виду примерно моих лет или чуть младше, которая быстро и смело заговорила со мной. Она вполне понимала то, что пыталась сказать я. Звали ее Эзирью. Она сперва отвела меня в ванную комнату, потому что после долгого путешествия и всех мытарств я была ужасно грязная, а потом выбрала для меня маленькую комнатку, где приготовила постель и после легла сама в той же комнате. Иногда она говорила чересчур быстро, и я не успевала разобрать слов, однако поняла все же, что она хочет подружиться со мной и будет мне верной подругой; с ней было так просто и так легко — в точности как с моей гнедой кобылкой.

После того как Эзирью расчесала мне волосы, я предложила:

— А теперь давай я расчешу твои.

Она засмеялась и сказала:

— Нет, нет, нет, дочь Кондора!

Без Эзирью я бы никогда не смогла жить в Доме Тертеров. Я делала то, что она мне советовала, и не делала того, против чего она меня предостерегала, и все получалось как надо. Она была моей рабыней, которой я повиновалась!

Было уже позднее утро, когда за мной пришел отец в восхитительных одеждах из шерети с черно-красным орнаментом. Я подошла к нему, и он меня обнял, но тут же прокричал куда-то мимо моего уха:

— Почему Тертер Айяту Белела не подали соответствующих одежд?

Сразу началась бесконечная суета, беготня, и онтик и дочери Кондора, униженно шлепая себя по лбу, мигом одели меня во что-то вроде легкой пышной юбки и лифа и накинули на голову прозрачный шарф. Эзирью уже с утра причесала меня, уложив мне волосы по моде Дайяо, так что в этом отношении все было в порядке. Отец что-то еще сказал женщинам, отчего те съежились и стали прятать глаза, а потом взял меня за руку, и мы поспешили куда-то по анфиладе комнат и бесконечных коридоров. Шарф тут же слетел у меня с головы, и отец вернулся, подобрал его и сам надел мне его так, чтобы он прикрывал лицо. Сквозь него было видно достаточно хорошо, но, видимо, из упрямства я не желала в него кутаться и тут же сняла.

— Надень! — негромко, но твердо сказал отец. Он не приказывал мне, и в голосе его не звенел металл, однако отчетливо слышался какой-то нервный гнев: он волновался. — И больше не снимай! Прикрой лицо! Когда предстанешь перед моим отцом, поздоровайся с ним вот так, — он показал, как я должна шлепнуть себя по лбу, и заставил повторить этот жест.

Я все сделала, как он сказал. Меня мучил этот его страх.

Тертер Гебе был старый, но еще красивый и очень худой человек; держался он с огромным достоинством. В его присутствии мне было легко стать почтительной и оказать ему все необходимые почести и знаки уважения; он был похож на управляющего церемонией во время большой ваквы у нас в Долине, который сознает и собственное могущество, и значительность самого действа. Однако управляющий церемонией отдает свою силу другим, отказывается от своего могущества после окончания обряда, а Тертер Гебе всегда сохранял свою силу и свое могущество для себя самого — в течение шестидесяти лет. И все, что давали ему другие, он тоже сохранял для себя; и он считал, как и те, что давали, что все это по праву принадлежит именно ему. Я в это не очень-то верила, но, поскольку и могущество, и достоинство действительно в нем были, я его искренне почитала. И в тот день как истинная дочь Кондора выказала ему почтение, шлепнув себя рукой по лбу. И не убирала прозрачного шарфа с лица, пока он сам не поднял его и не стал пристально вглядываться в мои черты. Это оказалось нестерпимо тяжело — когда тебя вот так, совершенно беззастенчиво рассматривают. И вдруг он сказал:

— Этьехаразра пупутьела! — что означало «Добро пожаловать, внучка!»

Я ответила на его языке:

— Благодарю тебя, дедушка.

Он остро глянул на меня — взгляд его пронизывал насквозь. За все это время он ни разу не улыбнулся. Потом сказал что-то моему отцу, и я на слух запомнила звучание слов, чтобы потом спросить у Эзирью, что они означали. А означали они вот что: «Лучше поскорей выдай эту девушку замуж!»

Отец рассмеялся. Теперь он казался спокойным и счастливым. Мужчины некоторое время поговорили друг с другом.

264

Я стояла там как привидение или как статуя, молча и неподвижно. Я старалась смотреть в пол, как это делают женщины онтик в присутствии Кондоров, но мне хотелось видеть своего деда. Каждый раз, когда я украдкой бросала на него взгляд, он его перехватывал. В конце концов, осторожно и медленно, я снова окутала лицо вуалью. Сквозь нее я могла смотреть на него сколько угодно, а ему не было видно, смотрю я на него или нет. Научиться быть рабыней очень легко. Уловки рабства похожи на блох, что прыгают с тушки мертвого бурундука на твою кожу, — оглянуться не успеешь, как уже болен чумой.

Поскольку Тертер Гебе признал во мне внучку, дочери Кондора в его доме отныне обязаны были общаться со мною как со своей ровней, а не как с животным или дикаркой. Некоторые были вполне готовы к этому и подружились со мной сразу, как только получили на то разрешение. Их жизнь на женской половине дома была очень скучна, утомительно скучна, и появление нового человека представлялось им огромным событием. Другие отнюдь не стали ко мне расположены больше прежнего. Мне бы хотелось, чтобы отец ничего им не приказывал на мой счет и не так сурово заставлял их проявлять ко мне должное почтение: он-то хотел помочь мне, защитить меня, но каждый поклон, трусливая заискивающая улыбка и шлепок по лбу в его присутствии оборачивались злобной насмешкой, или выговором, или еще какой-нибудь гадостью, когда он уходил, а я оставалась среди них одна. Все это было удивительно лживым и двусмысленным, но мне казалось, что только так и может быть в доме, устроенном по образцу наших загонов для химпи.

Мать моего отца давно умерла, и дед так больше и не женился; вдова брата моего отца была самой главной среди женщин этого дома. У Дайяо повсюду, казалось, должны были быть какие-то «самые главные». Если их случайно оказывалось хотя бы двое, то один, конечно же, доказывал, что он главнее другого. Все, что они делали, было как-то связано с войной. Даже когда они работали все вместе, один непременно становился «самым главным», как будто работа — это военные действия; даже когда дети играли, один обязательно указывал остальным, что и как нужно делать, хотя дети-то, в конце концов, из-за этого все-таки ссорились. Итак, моя тетка Тертер Задьяйя Беле была генералом среди женщин этого дома, и мое присутствие здесь было ей явно не по вкусу.

По-моему, она стыдилась родства со мной какой-то онтик, полузверенышем. Все это, к сожалению, было мне слишком хорошо знакомо еще по моему детству в Синшане, так что тетку я ненавидела. Теперь я думаю, она меня просто боялась. Она видела во мне, чужеземке, варварке, животном, единственную дочь Кондора Тертера и боялась, что я захочу отнять у нее власть и высокое положение в доме. Если бы мы с ней могли работать вместе и разговаривать, то в конце концов лучше узнали бы друг друга и все бы понемногу наладилось, потому что она в общем-то злобной не была. Однако мешали их идиотские традиции. Понять друг друга мы не могли: она слишком ревниво относилась к собственному высокому положению и власти и слишком презирала меня. Она, например, ни за что не прикоснулась бы ко мне и старалась даже не подходить ко мне слишком близко, потому что я была пурутик — «нечистой».

Образ мыслей Дайяо, пути их души — это, наверно, самое главное, о чем я могла бы рассказать; кое-что я смогу, должно быть, поведать вам попутно с рассказом о своей собственной жизни среди них, но что касается их обрядов и ритуалов, их сокровенных верований и представлений, то здесь я сумела узнать лишь очень немногое. Книг там не было вообще. Чему и как учили мужчин, я понятия не имею. Девочек и женщин не учили ничему, кроме ведения домашнего хозяйства. Женщинам даже в собственном доме запрещалось посещать некоторые священные комнаты, которые они называли дахарда, самое большее — мы могли войти в вестибюль, куда выходили двери дахарда, и послушать пение, доносившееся оттуда во время некоторых праздников. Женщины не принимали никакого участия в общественной жизни Дайяо; их не только держали взаперти, но и как бы вне общества. И не мужчины, а именно женщины Дайяо сообщили мне, что у женщин вообще нет души. Из этого вполне естественно следовало, что пути души и душевные движения были им совершенно не интересны. Все, что мне удалось узнать, я узнавала по кусочкам, урывками, то там, то здесь, и эти отрывочные сведения никак не складывались в полную картину, так что вот самое большее, что я могу рассказать о духовном мире Дайяо.

Сперва существовало Ничто. Из него Единственный создал все. Единственный бессмертен и всемогущ. Все мужчины сделаны по его образу и подобию. Единственный — это не Вселенная, но он создал ее и повелевает ею. Вещи вообще не являются его частью, как и сам он не есть часть их, так что не должно восхвалять вещи; следует восхвалять только Единственного. Единственный, однако, обрел свое отражение в Великом Кондоре, так что Великого Кондора следует и восхвалять, и повиноваться ему. А Истинные Кондоры и Воины Единственного, которых называют еще Сыновьями Кондора или Сыновьями Его Сына, — это отражения Великого Кондора, в котором обрел свое отражение Единственный, и, стало быть, их тоже следует восхвалять и подчиняться им. Тьоны — это весьма смутные, слабые и совсем далекие отражения отражений Единственного, но даже и в них заключено достаточно его могущества, чтобы их можно было назвать людьми. Все остальные существа — это не настоящие люди. Онтик, в число которых входят женщины, чужеземцы и животные, вообще не имеют с Единственным ничего общего; все они *пурутик* — нечистые, грязные существа. Они были созданы Единственным, чтобы подчиняться и служить Сыновьям Его Сына. Именно так они утверждали, и тут я начинала немного путаться, потому что дочери Кондора вовсю командовали тьонами и говорили о них так, словно те были грязными животными; однако такие противоречия не волновали Дайяо: ведь все дочери Кондора жили в Столице и редко даже просто видели земледельцев-тьонов. Должно быть, многое было совсем иначе, когда Дайяо были кочевниками, но, возможно, отношение к тьонам и чужеземцам складывалось уже тогда. Вожди из ревности старались сохранить своих жен и дочерей «чистыми», а женщины сами держались подальше от чужеземцев, которых встречали в пути, и в конце концов сложилось мнение, что быть настоящим человеком — это главным образом стремиться выделиться и отделиться от всех и ото всего.

По мнению Дайяо, раз было время, когда Единственный создавал все сущее, то наступит и срок, когда все исчезнет, то есть Единственный уничтожит все созданное им. Тогда начнется Эпоха Безвременья. Единственный уничтожит на своем пути все, кроме Истинных Кондоров и Воинов Единственного, которые всегда и во всем повиновались ему и были его верными рабами. И тогда они сольются с отражением Единственного, станут частью Единственного и будут существовать вечно. Я уверена, что в этом еще следовало бы покопаться, чтобы понять до конца тайный смысл их учений; мне его выяснить не удалось.

Кое-какие знания, полученные мною в Союзе Ягнят в Синшане, схожие с тем, чему учат мужчин в Обществе Воителей, как оказалось, были основаны на сведениях, почерпнутых у людей Кондора в течение тех лет, когда они подолгу жили в Долине. Члены нашего Общества Воителей считали, что обладают истинными знаниями Кондоров. А на самом деле разбирались в этом даже хуже, чем я. Они считали, что мужчины лучше женщин и что все на свете, кроме Единственного и мужчин, в общем-то не имеет значения, однако во всем остальном страшно путались. По-моему, большая их часть не понимала даже такой простой вещи, что Единственный-то действительно только один. Наверное, души их и умы были для этого слишком грязными. Та часть представлений Дайяо, где говорилось насчет «нечистых», в какой-то степени была мне понятна. Для того чтобы хорошо отражать, зеркало должно быть совершенно чистым. Чем чище оно будет, чем яснее и святее, тем лучше будет отражение. Воины, Истинные Кондоры, могли быть отражениями Единственного, лишь очистившись от всего остального, что существует на земле, старательно вымывая его из своих душ и умов, убивая мир вокруг себя, чтобы самим оставаться абсолютно чистыми. Вот почему мой отец был назван «Убийцей». Он должен был жить вне мира, убив все вокруг и расчистив его пределы, чтобы ярче засияла слава Единственного.

Наверное, в моих словах есть доля издевки, но такова уж моя клоунская природа — я не могу без шутовства, без двусмысленностей. Вот у Дайяо никаких клоунов, шутов и шутовства не было и в помине: там не было ни превращений, ни двусмысленных шуток — все было прямолинейно, раз и навсегда определено, страшно!

Третья часть истории Говорящего Камня начинается на стр. 447 второй книги.

ДРАМАТИЧЕСКИЕ ПРОИЗВЕДЕНИЯ

ЗАМЕЧАНИЯ ОТНОСИТЕЛЬНО ТЕАТРА В ДОЛИНЕ

Единственный постоянно действующий театр находился в Ваквахе, с северо-западной стороны огромной площади для танцев, и походил на хейимас, то есть основное его помещение было под землей, а крыша в форме ступенчатой пирамиды обеспечивала доступ достаточного количества воздуха и света. Зрительный зал имел форму широкого овала; сцена располагалась на возвышении; зрители сидели на удобных скамьях со спинками. В зале помещалось более двухсот человек.

В Кастохе и Телине специального здания театра не было, но имелись подмостки, которые хранились в разобранном состоянии, пока не требовались для очередного спектакля. Такая сцена состояла из двух больших платформ, соединяемых посередине круглой платформой меньшего размера, обычно возвышавшейся над первыми двумя на фут или чуть больше. Левая платформа выдвигалась чуть ближе к зрителям. Такую сцену устанавливали обычно на городской площади и, если это было необходимо, устраивали над ней навес.

В маленьких городах сцен не было вообще. Когда каким-либо Обществом или хейимас ставился спектакль или же в город приходили бродячие актеры, центральная городская площадь размечалась по форме хейийя-иф, и зрители размещались ближе к ее Левой Руке или точно такая же разметка делалась на полу какого-нибудь большого хранилища или мастерской.

Если же сцену все-таки строили, то старались достаточно приподнять ее над землей, чтобы музыканты, сидящие прямо перед нею на земле или на полу, не загораживали актеров. А если она была просто нарисована, то музыканты садились полукругом за ее центральной частью.

Левая часть сцены являла собой Землю, правая — Небо; центральная, приподнятая платформа должна была восприниматься как Стержень, хейийя-иф, как Гора или как Перекресток Путей.

СВАДЕБНАЯ НОЧЬ В ЧУКУЛМАСЕ

Спектакль «Свадебная ночь в Чукулмасе» обычно шел на сцене в Ваквахе перед ритуальным драматическим действом «Авар и Булекве», на второй вечер Танца Вселенной.

Рукопись пьесы, с которой был сделан данный перевод, принадлежала одному актеру и состояла только из реплик; ремарки относительно декораций и мизансцен сделаны самими актерами и затем, после просмотра спектакля, несколько расширены переводчиком.

Сцена должна быть разделена как обычно и представлять собой две Руки Вселенной. Стержень — это центральная, чуть приподнятая часть сцены. Земляничное дерево, которое непременно находится в центральной части сцены во время следующего за спектаклем ритуального действа, может быть установлено заранее — живое молодое деревце в большой кадке из древесины того же земляничного дерева. В этом спектакле левая часть сцены представляет собой город Чукулмас и внутреннюю часть дома, где проживают люди из Дома Змеевика; правая часть сцены — это площадь для танцев в Чукулмасе и выходящая на нее хеймас Дома Синей Глины; за помещенным в центральной части сцены земляничным деревом сперва проходит тропа, связывающая две Руки города, а позже там располагается дом Общества Черного Кирпича.

Музыканты играют «увертюру» — Мелодию Начал.

В левой части сцены появляются мужчины, поющие одну из песен Танца Вселенной, по традиции исполняемых на второй его день представителями Дома Синей Глины: это песни, посвященные тем животным, на которых охотятся, — например, Песня Танцующего Оленя или что-нибудь менее сложное, вроде Песни Белки:

> Бегу вверх и вниз
> кекейя хейя, кекейя хейя,
> по стволу сосны, по своему миру
> кекейя хейя,
> по стволу сосны, по своему миру!

Поющие мужчины минуют Стержень и выходят на площадь для танцев, окруженную пятью хеймас. С помощью жестов каждый из них по очереди показывает, что он спускается по лестнице внутрь хеймас. Когда все они спускаются в хеймас, музыка умолкает.

СПИКЕР ХЕЙИМАС:

— Настало время подать ужин каждому из тех мужчин нашего Дома, которые собираются вступить в брак. Теперь мужчина покинет жилище и Дом своей матери, но будет еще возвращаться туда, хотя всегда будет уходить снова, и лишь после смерти вернется он домой, в Дом Синей Глины. Сегодня вечером эти молодые мужчины покидают нас, чтобы впервые вступить в брак. Подайте же им свадебный ужин!

(Хор обычно состоит из девяти человек, но в данном случае в нем десятеро. Говорят хористы по одному, всегда по очереди, если в тексте нет иных указаний.)

ХОРИСТ 1:

— Все готово. Старики накрывают на стол.

СПИКЕР:

— Почему же ты им не помогаешь?

ХОРИСТ 1:

— Я подумал, что лучше съем этот ужин, чем буду подавать его другим.

СПИКЕР:

— Но ты уже три раза был женат!

ХОРИСТ 1:

— И только один раз мне был подан настоящий свадебный ужин. Стоило стараться!

СПИКЕР:

— Убери-ка руки от этих пирожков!

ХОРИСТ 1:

— Хорошо, хорошо, хотя для троих едоков здесь слишком много еды. Молодые идиоты! И чего их так тянет жениться? Единственная польза от брака — это свадебный ужин. А потом, парни, начинается совсем другая жизнь. Малютка-же-

271

на — о да, конечно, это приятно, ничего не скажешь! — но потом еще и теща, а это уже не так приятно, а потом еще и младшая тетушка милой женушки тут как тут, и старшая ее тетушка, что уже сильно портит настроение, ну а потом, потом появляется сама старуха — бабушка жены! О, вы еще не знаете, что творите! Вы еще понятия не имеете, во что вляпались! И ни одна не подаст вам ужин даже вполовину этого!

СПИКЕР:

— Все готово. Теперь самое время спеть женихам застольную песнь.

(Остальные хористы в это время разыгрывают пантомиму — изображают, как накрывают для пира столы. После этого Спикер и шесть человек из хора встают справа и поют первые слова Свадебной Песни, к сожалению, оставшейся незаписанной. Четверо хористов садятся напротив них — как бы за низенький пиршественный стол. Один из них сидит к зрителям спиной.)

ХОРИСТЫ (шепчут в унисон):
— А это кто такой?

СПИКЕР:
— Итак, вот четверо мужчин, собирающихся вступить в брак.

ХОРИСТ 2:
— Но мы готовили свадебный пир для троих!

СПИКЕР:

> — Кто же это — вон там?
> Сидит он справа
> и одет в одежды прошлой ночи.
> Послушай, молодой жених,
> не можешь ты есть эту пищу,
> когда покрыты пеплом твои руки!

(«Одежды прошлой ночи» — это траурные одежды, которые надевают члены Общества Черного Кирпича в первую ночь Танца Вселенной, во время церемонии Оплакивания Усопших. Четвертый юноша в тесных черных плотно облегающих ноги и руки одеждах, а босые ступни и ладони его натерты белым пеплом. Пока женихи не сели за стол, он прятался среди хористов. Теперь же всем виден его наряд и то, что лицо его скрыто под красивой тонкой черной вуалью.)

ХОРИСТ 2:

— Я принесу воды.

СПИКЕР:

> — Омоешь ли ты руки
> водой, налитой
> из кувшина синей глины
> в глиняную чашу?

ХОРИСТ 2:

> — Ну вот, вода готова.

СПИКЕР:

> — О, юноша, жених, не можешь ты жениться,
> доколе ты в молчанье погружен!

(Четвертый жених не отвечает, а сидит и раскачивается из стороны в сторону — как люди во время церемонии Оплакивания Усопших, происходящей в первую ночь Танца Вселенной.)

СПИКЕР:

> — О, юноша, назвать ты должен
> своей супруги имя
> и имя ее Дома.

ЧЕТВЕРТЫЙ ЖЕНИХ:

> — Ах, Бирюза зовут ее,
> и Змеевик ей Домом стал.

ХОРИСТ 3:

— Этот человек, должно быть, из другого города, он так странно говорит. Возможно, он даже и не из Долины. Может, это человек, не имеющий Дома? Что он здесь делает? Зачем сюда явился?

ЧЕТВЕРТЫЙ ЖЕНИХ:

> — Мой Дом — Дом Синей Глины.
> И я пришел на собственную свадьбу.

СПИКЕР:

> — Тогда садись за этот ужин —
> мы в честь твою готовили его
> в твоей хеймас Синей Глины,
> в твоей земной обители,
> а мы пока тебя представим
> в песне твоей невесте, будущей жене,
> и Дому твоему по браку,
> в котором твои дети будут рождены.

273

(Спикер и хористы подают угощение четверым женихам, те с благодарностью принимают его. В это время в левой части сцены появляются женщины, и основное действие перемещается туда; мужчины из Дома Синей Глины неподвижно сидят или стоят на коленях в правой части сцены. С пением выходят женщины, бабушка невесты и хор из десяти, реже девяти женщин, исполняя одну из песен Второго Дня Танца Вселенной. В данном случае это песни Дома Змеевика — например, Перечисляющая Травы Песня. После того как все женщины выйдут на сцену, песня как бы замирает вдали, а женщины начинают живо и весело исполнять быстрый танец-пантомиму, имитирующий уборку дома.)

БАБУШКА:

> — Пусть все скорей готово будет.
> Давайте, милые, спешите, торопитесь!

ХОР (все фразы произносятся разными голосами):

> — Куда же веничек для очага запропастился?
> Постелена ль постель?
> Я не могу найти веревку!
> Да нет, зачем им эта лампа!
> Я простыни им новые несу!
> (И далее импровизируют в том же духе.)
> Ну, вот и все готово!

БАБУШКА:

> — Но где же наша детка,
> где невеста наша,
> что нынче станет мужнею женой?

(Две молодые хористки выходят вперед. Одна одета в яркое свадебное платье желтых, оранжевых и красных тонов, а вторая в темном траурном одеянии «прошлой ночи».)

ХОР (шепчут в унисон):

> — А та, вторая, кто?

БАБУШКА:

> — Подойди-ка ближе,
> дай глянуть на тебя,
> свет солнца летнего!
> Ха, так это ж мой жилет!
> И я в нем замуж выходила!
> А кто ж вторая?

ПЕРВАЯ НЕВЕСТА:

> — Не знаю, мама.

274

БАБУШКА:

> — Ах, летняя заря, лучи восхода!
> Что ж, этот человек из Дома Синей Глины
> мудр и удачлив.
> Мы рады его видеть.
> И пусть с тобою вместе
> живет под этой крышей
> и в Доме своих деток.
> Пусть он теперь войдет!
> Пусть он войдет, жених твой!

ХОРИСТКА 1:

> — Бабушка, послушай:
> там есть вторая,
> невеста — чужеземка!

БАБУШКА:

> — Кто эта женщина?

(Вторая невеста стоит неподвижно и молча. Ее лицо покрыто тонкой черной вуалью.)

БАБУШКА:

— Ты, должно быть, ходила по углям очага, девушка: у тебя ноги перепачканы золой и пеплом. Ты, должно быть, сожгла хлеб, девушка: у тебя все руки в саже. А уж не лазила ли ты по деревьям, девушка? Вон у тебя царапина какая на лице. Не хочешь ли умыться перед свадьбой? Ты кто? Зачем пришла в мой дом? Сегодня Свадебная Ночь, вторая ночь праздника Вселенной.

ХОРИСТКА 2:

> — Но почему она в слезах?
> Ведь в Свадебную Ночь не плачут!

БАБУШКА:

> — Ты из какого Дома?

ВТОРАЯ НЕВЕСТА:

> — Змеевика.

БАБУШКА:

> — А из какой семьи и где твое жилище?

ВТОРАЯ НЕВЕСТА:

> — Дочь Паводка и
> внучка Дикой Розы.

БАБУШКА:

— Я их не знаю, странно! И слышать о такой семье не приходилось у нас, в Чукулмасе. Должно быть, ты откуда-то еще? Ну так туда и возвращайся! Нельзя тебе здесь, в этом доме выйти замуж. А кто твой суженый?

ВТОРАЯ НЕВЕСТА:

> — Я выхожу за Грома
> из Дома Синей Глины!

(Когда она говорит это, мужчины в дальней, правой части сцены встают и начинают двигаться к центру, медленно танцуя и тихонько напевая первый куплет Свадебной Песни.)

БАБУШКА:

— Я его не знаю. Нет в нашем городе такого! Должно, ты разум потеряла, незнакомка! А может, ты из леса и слишком долго прожила одна? Ты перекраиваешь мир, а этот мир нас создал! Сегодня мы танцуем в его честь. Танцуй же с нами вместе, но прежде сними одежды черные, умой лицо и руки, но только замуж выйти в этом Доме ты не можешь: здесь не твое жилище, и не твоя семья, и мужа для тебя здесь нет.

ВТОРАЯ НЕВЕСТА:

> — Я мужа приведу сейчас
> в дом нашей дочери.

ХОР (шепчут в унисон):

> — В дом ее дочери! (и т. п.)

БАБУШКА:

— О чем ты говоришь? Ведь это невозможно! Ты, верно, все-таки сошла с ума. Довольно, хватит, уходи теперь. Ну, что ж ты ждешь? Ступай! Туда вернись, откуда ты сюда явилась. Ты праздник портишь нам. Ступай!

(Вторая невеста поворачивается и медленно идет к центру сцены, а женщины стоят неподвижно и смотрят ей вслед. Мужчины, вереницей с пением выходящие из хеймас, тоже застывают и смотрят на четвертого жениха, который выходит вперед. Невеста и жених останавливаются у Стержня под земляничным деревом и смотрят друг на друга.)

НЕВЕСТА:

    — Увы, ни Дома, ни надежды.

ЖЕНИХ:

    — Но ведь они для нас поют,
на нашей свадьбе!

НЕВЕСТА:

    — Слишком поздно. Мы ждали слишком долго.

ЖЕНИХ:

    — Моя вина в том!

НЕВЕСТА:

    — Теперь уже неважно.

(Она поворачивается и очень медленно уходит в глубь сцены, мимо дерева. Какой-то старик из мужского хора выходит вперед и обращается к Спикеру.)

СТАРИК:

    — Могу ли я поговорить с ней?

СПИКЕР:

    — Да, удержи ее, пусть не уходит!

СТАРИК:

    — О, женщина в слезах,
скажи, как твое имя?

НЕВЕСТА:

    — Меня назвали Бирюза когда-то.

СТАРИК:

    — Дочь Паводка
и внучка Дикой Розы?

НЕВЕСТА:

    — Да, ею я была — когда-то.

СТАРИК (обращаясь к жениху):

    — А ты ведь Гром,
сын У Ручья Танцующей?

ЖЕНИХ:

    — Я сыном ее был.

СТАРИК:

— Всё эти люди давным-давно мертвы. Прожил я долго на земле, но умерли они за много лет до моего рожденья. А эти вот когда-то жили здесь, хотели пожениться. Они уж спали вместе. Потом поссорились, не знаю, что случилось, об этом много люди говорили, когда я был ребенком. Давнишний случай, а я был слишком мал, чтобы понять, да я и слушал плохо. Во время ссоры юноша тот умер: возможно, сам себя убил в порыве страсти. А может, вот как оно было: та молодая женщина сказала, что выйдет замуж за другого, и он себя убил. Ну а она так замуж и не вышла. Ни за кого. И юной умерла, не став ничьей женой. Не знаю, что уж там случилось. Возможно, и она себя убила. Я помню только имена и то еще, как старики печальный случай этот вспоминали — они тогда все молодыми были... Так как же умерли вы оба? Себя убили? Что за жестокость!

(Невеста и жених горбятся, опускаются на пол и начинают раскачиваться, не отвечая ему.)

СТАРИК:

  — Вы старика простите за вопрос.
  Давно все миновало, все теперь неважно.

СПИКЕР:

  — Чего ж они хотят?

БАБУШКА:

  — Зачем сюда явились?

ЖЕНИХ:

  — Чтоб стать ей мужем.

НЕВЕСТА:

  — Чтоб ему женою стать.

СПИКЕР:

  — Не могут мертвые жениться
  здесь, в Доме Жизни.
  Как нам помочь им?

(Бабушка выходит вперед и оказывается прямо перед Спикером, который стоит по другую сторону Стержня и смотрит на нее. Она стоит позади невесты, Спикер — позади жениха.)

БАБУШКА:

  — Помочь мы им не можем.
  Послушай: ведь они мертвы!
  Обратно не вернешь их к жизни.

Никто не женится,
попав в Четыре Дома,
которые отличны от Земных.

ОБА ХОРА (в унисон, очень тихо, речитативом под аккомпанемент Мелодии Продолжения):

— Никто не может пожениться
там, где живут они,
в тех Четырех Домах Небесных.
О, как они устали плакать!
Ужасна их тогдашняя ошибка.

БАБУШКА:

— Обратно не вернешь их к жизни.
Нет, только не из тех Домов Небесных.

СПИКЕР:

— Нет, я не допущу такого,
чтобы печаль была сильнее Жизни!
Они ведь здешние, они когда-то были
из Дома Синей Глины и Змеевика.
Так пусть же станут мужем и женою
у нас в Чукулмасе,
в хеймас темной,
средь Черных Кирпичей.
Иль это тоже невозможно?

(Старик выходит на центральную сцену и встает под земляничным деревом между невестой и женихом.)

СТАРИК:

— Вот мое жилище:
Я — Спикер Черных Кирпичей.
И я считаю: так и нужно
сделать, мы так поступим,
чтоб печаль разрушить.
Идите же со мною, дети
Четырех Домов.
О, Бирюза и Гром,
заклятьем призываю вас: идите.
И вступите в брак
там, под землею,
там, под нашим миром.

СПИКЕР:

— О, мужчины и женщины
Пяти Земных Домов! Им песню свадебную пойте!

(Старик идет в глубь сцены и исчезает за приподнятой центральной ее частью. Призраки следуют за ним. У него за спиной они берутся за руки — правая рука невесты в левой руке жениха. Оба хора поют второй куплет Свадебной Песни.)

БАБУШКА:

— Вот что я вам скажу:
хорошего от этого не ждите.

(Старик и призраки исчезли. Оба хора продолжают петь, а юная невеста из Дома Змеевика в своих ярких радостных одеждах выходит вперед и идет навстречу одному из женихов, тому, что из Дома Синей Глины; он тоже одет в шафранные и алые цвета.)

НЕВЕСТА:

— Пойдем теперь в мое жилище.

ЖЕНИХ:

— Я с радостью пойду куда угодно!

БАБУШКА:

— Ну так пойте громче!

СПИКЕР:

— Да, пойте им о счастье в браке!

(Все медленно танцуют, вереницей уходя влево, и поют последние куплеты Свадебной Песни под музыку, переходящую в Мелодию Завершения.)

КРИЧАЩИЙ МУЖЧИНА,
КРАСНАЯ ЖЕНЩИНА И МЕДВЕДИ

Данный текст представляет собой полный перевод манускрипта
из библиотеки Общества Земляничного Дерева в Телине

Пьеса сопровождается музыкой. Барабаны бьют пять раз, потом еще пять раз и исполняют Мелодию Начал.

Девять представителей народа Медведей вереницей поднимаются на Гору и переваливают через ее вершину.

Они танцуют под музыку в Доме Смерти и Дождя. Бодо начинает кричать откуда-то из-под сцены, слева. Медведи уходят и ждут за Горой. Бодо поднимается на сцену. Это старик, он хромает, плачет, кричит и машет руками.

Бодо говорит:

> Для чего я рожден?
> В чем цель моей жизни?
> Зачем здесь появился?
> И что должен сделать?
> Дайте ответ мне!
> В чем цель моей жизни?
> О, дайте ответ мне!
> Ответьте мне, в чем?
> Ответьте мне сразу!
> Ответьте немедля!

Медведи начинают собираться в кружок вокруг Бодо, пока он кричит и танцует. Он все время держится к ним спиной, однако, когда они пытаются достать его, ловко уворачивается от них; медведи весьма неповоротливы, зато Бодо быстр и подвижен. Постепенно медведи оттесняют Бодо к Горе. Он начинает с криком подниматься по ее склону.

Бодо кричит:

> Зачем я пришел
> и живу в этом Доме?
> Но я узнаю, я выясню это!
> Узнаю ответ на вопрос целой жизни!
> Да-да! Ведь его я уже отыскал!

281

Он падает ничком. Медведи выходят из-за Горы. Бодо приподнимается, встает на колени, склоняется к земле и кругами водит лицом по земле. Потом снова ложится ничком, барахтается в грязи, посыпает землей свою голову и наконец, смиренно упав ниц, затягивает фальцетом:

> О, Откровение!
> О, Понимание!
> Как поклоняюсь я Святому!
> Как все чудесное люблю
> и своему Хозяину покорен!
> Вопросу внемлю я и
> в Разуме уверен.
> О, Свеченье Света!
> О, Вечность Вечная!
> О, Бесконечность Силы!
> О, Бесконечность Силы!

Бодо поет, продолжая лежать ничком. Аву поднимается на сцену слева. Это толстая женщина с рыжими волосами.

Она идет по направлению к лежащему Бодо и Горе. Медведи выходят, подходят ближе и гуськом, очень осторожно следуют за ней.

Аву говорит:

> Там ничего нет.
> А вот лицо ты испачкал.
> Не существует верного ответа
> на вопрос, поставленный неверно.
> Ну? Что ж теперь мы будем делать?

Бодо встает, точно слепой, протягивает руки, кланяется кому-то невидимому и налетает на Аву. Он сжимает ее в объятиях с воплем ярости и тут же танцем-пантомимой изображает, как насилует ее и убивает. Медведи поспешно выходят вперед и тоже танцуют, изображая, как они разрывают Аву на куски и едят. Она смотрит на это представление совершенно равнодушно, точно мертвая. Когда пантомима закончена, музыка умолкает. Под негромкий рокот барабанов и Мелодию Продолжения Аву встает и проходит по правой части сцены, где танцем изображает проход сквозь Четыре Небесных Дома и обратно. Бодо встает, плачет, бесится от гнева, топает ногами, кричит.

Бодо кричит:

> Для чего я рожден?
> В чем цель моей жизни?
> Зачем я был послан?
> Какой в этом смысл?
> И что за причина?
> Ответьте ж немедля!

Аву уже обошла сцену кругом по ее дальней стороне. Она поднимается на сцену слева, как и в прошлый раз, направляясь к Бодо. Медведи, присев на корточки, прячутся за Горой.

Аву говорит:

> Одну я знаю тайну...
> Бодо говорит:
> Поведай же мне тайну!

Аву говорит:

> Нельзя ее поведать.
> Нельзя о ней сказать.
> Нельзя о ней помыслить.
> Нельзя ее постичь.
> Пойдем со мной в долину.

Бодо кричит:

> Нет, Свернутая Шея!
> Грязнуха и Тупица!
> Невелика ты силой.
> Ничто — все твои тайны.
> Ты — старая хрычовка,
> жестокая, тупая,
> замшелая, пустая.
> Нутро твое прогнило,
> как черное дупло,
> где безнадежность правит
> и зло — в твоей долине
> лишь тьма одна и зло!

Он пытается прогнать ее, а она льнет к нему, обнимает его колени, ползет за ним, простирая к нему руки, и поет умоляюще:

> О, Сиянье! Сверканье!
> Льющееся через край наружу!
> Заливающее все кругом!
> Воспользуйся мной! Прикажи мне!

Как поклоняюсь я Святому,
как все чудесное люблю
и своему Хозяину покорна,
вопросу внемлю я,
Разумному я верю!
О, Свеченье Света!
Могущество мне дай!
Могущество мне дай!

Бодо кричит:

Ложись же, женщина!
Возьми — вот эта сила,
что я отдам тебе.
Ложись же! Землю ешь!

Аву подчиняется ему, ложится ничком и ест землю. Бодо обхватывает ее сзади и овладевает ею. Она переворачивается и сжимает его в объятиях, а потом танцует, изображая, как ломает ему шею, кастрирует его, а потом ест. Медведи выходят вперед и в танце изображают, как пожирают кости, которые она им бросает.

Аву поет:

Эти кости полны силы,
съешь вот эту, съешь вон ту.
Погляди-ка, вот бедро,
ну а вот еще лопатка,
череп, полный страшной силы,
съешь-ка, мишка, съешь скорей.

Бодо в течение всего танца сидит с равнодушным видом, как мертвый. Но вот танец завершен, и музыка смолкает. Под рокот барабанов и Мелодию Продолжения Бодо встает и танцует, изображая проход сквозь Четыре Небесных Дома и обратно.

Аву ползет на четвереньках, желая присоединиться к медведям. Потом все они на четвереньках удаляются за Гору. Музыки не слышно, звучит лишь Мелодия Продолжения.

Бодо на четвереньках выползает откуда-то слева. Потом совсем распластывается на земле, бьется о нее лицом и плачет.

Аву подползает к нему, тоже падает ниц и плачет. Подходят медведи, осторожно поднимают Аву и Бодо с земли и несут их вверх по склону горы. На вершине они оставляют их и на четвереньках, как обычные звери, уходят за левую часть сцены.

Аву и Бодо сидят на Горе. Звучит Мелодия Продолжения.

Аву говорит:

Свершилось ли то зло,
которое должны мы были сделать
один другому?

Бодо говорит:

Нет, ни за что и никогда!
Пусть не свершится никогда.

Аву говорит:

Отвечу: вечная печаль —
вот что нам суждено отныне.

Бодо говорит:

О, ярость вечная —
вот чем я буду жить.

Аву говорит:

Гора — это Долина.

Бодо говорит:

Долина — это горы.

Аву говорит:

Но где же путь найти нам?

Бодо говорит:

Не будет нам пути.

Барабаны ударяют четыре раза и еще четыре. Слышится музыка.

Аву говорит:

Да нет же, вот он, путь!

Бодо и Аву встают и начинают танцевать на одном месте, оставаясь на склоне Горы. Танцуя, они поют.

Бодо и Аву поют вместе:

> В неведении,
> неумело,
> хейя, о, хейя!
> Во тьме
> и молчаньи,
> хейя, о, хейя!
> Слабый и жалкий,
> терпя неудачи,
> хейя, о, хейя!
> Болен, ты болен,
> ты умираешь,
> хейя, о, хейя!
> Все это время
> ты умираешь,
> ты создал душу,
> пути не зная,
> сил не имея,
> чтоб дальше жить,
> но твоей жизни
> нет продолженья,
> и ты умираешь
> снова и снова,
> и в твоей смерти
> теплится жизнь.
> Хейя, о, хейя!
> Хейя, о, хейя!
> Хейя, о, хейя!
> Хейя, о, хейя!

Пока они поют, на сцену справа выходят Медведи. Они переваливают через вершину Горы и появляются у них из-за спины. Медведи идут на двух ногах, они одеты в белое, на них радужные маски и специальные головные уборы Дома Дождя. Они опираются на волшебные посохи.

Аву и Бодо говорят:

> Вот провожатые наши,
> но мы их боимся.
> Хейя, о, хейя!

Медведи поют вместе с Аву и Бодо, приплясывая на месте:

> Дождь идет,
> наступил сезон дождей,
> наступил сезон дождей,
> наступил сезон дождливый,
> дождь идет в сезон дождливый,
> дождь идет, дождь идет,
> дождь идет в сезон дождливый.

Барабаны бьют пять раз, потом четыре, и звучит Мелодия Завершения.

Эта пьеса написана Ясным из Дома Обсидиана, жителем Телины.

ТАБЕТУПА

Табетупа существовала преимущественно как устная фольклорная форма, однако не запрещалось и записывать ее. Это очень короткая история/драма; исполнялась она обычно двумя, реже одним или тремя непрофессиональными рассказчиками ночью у костра, возле летней хижины или в сезон дождей у горящего очага (другое ее название «пьеса для очага»). Исполнители даже не вставали со своих мест, изображая героев, а просто говорили их голосами: такая пьеса предназначалась прежде всего для слуха и ума.

Некоторые табетупы считались классическими, их на каждом представлении повторяли слово в слово; «Большой кролик» — пример такой пьески. Ее исполняли обычно два рассказчика, игравшие двух главных героев, или один, который просто говорил разными голосами. Слова в данном случае никогда не менялись и не переставлялись, а последние строки пьесы стали крылатым выражением.

Большой Кролик

— О Кролик! У тебя, конечно, нет такого ума, как у меня, зато ты такой красивый!

Итак, Человек с Кроликом обменялись.

— О муж мой! Каким ты стал красивым! Все женщины города захотят спать в твоих объятиях и станут завидовать мне!

И Человек стал совокупляться со всеми женщинами подряд.

А жена Кролика убежала от своего мужа — слишком он стал безобразен. Но и жена Человека убежала от своего мужа — слишком он стал хорош собой.

— Эй, Человек! Отдавай обратно мои уши. Отдавай обратно мои ноги. Что хорошего в твоем большом уме? Но Человек прыгнул и ускакал прочь.

В основном табетупа являлись импровизациями на широко известную тему, а порой представляли собой чистый экспромт. Следующая пьеска, например, была исполнена двумя довольно еще молодыми женщинами, возможно, ее авторами, у очага в Чукулмасе.

Чистота

— В чем дело?

— Дело в этом отвратительном канюке. Он ест одну лишь падаль. Он забрасывает меня костями, он гадит и словно роняет дурные сны в мою голову. От моей души уже исходит вонь, как от канюка-падальщика. Соверши надо мной обряд очищения, о, Койотиха!

— Но я и сама ем овечий послед и собачий кал, не брезгую.

— Ты — это ветер, что дочиста обдувает весь мир.

— Ах, так ты хочешь стать чистой? Ну это нетрудно! — говорит Койотиха и напрочь выдувает запах канюка из души той женщины, и женщина очищается, напрочь освобождаясь от всех Девяти Домов, и душа ее превращается в ничто. — Люблю я в своем доме убраться, ох люблю! — говорит Койотиха. — А что, если я перестаралась?

Обычно в табетупе тон комический, даже если сама тема серьезна; многие из них — длинные анекдоты с абсурдными концовками или просто грубоватые шутки. Из всех известных единственная действительно серьезная табетупа написана отчасти прозой, а отчасти стихом и славится своей концовкой. Эта история значительно старше предыдущих. Ее сыграл нам житель Унмалина по имени Перемены; играя за женщину, он говорил тихим шепотом. Он назвал эту историю своим собственным именем: «Перемены».

Перемены

ОНА:

> Помни, любимый мой,
> помни: ни разу
> не взгляни на меня,
> не смотри на меня.

ОН:

> Буду я помнить!
> Останься со мною,
> усни, любимая,
> ночь наступила.

ОНА:

> Я сплю, любимый.

ОН:

Во тьме приходит, исчезнет с рассветом. Не видел ее я, не мог разглядеть. И такая она застенчивая, такая пугливая, что не дает мне полюбоваться своей красотой. Она пришла ко мне как-то ночью, когда я охотился в горах, и привела меня сюда. Она не позволяет зажигать ни лампы, ни огня в очаге, которые могли бы осветить эту комнату, где я целый день провожу в ожидании ее. И в этот прекрасный высокий дом она приходит лишь ночью, во тьме.

> Свою красу скрывает,
> но знают мои руки
> и знает мое тело,
> сколь мне она желанна!
> И разум мой стремится
> познать ее очами!

В тот день я плотно занавесил все окна; ни один лучик света не смог бы пробиться сквозь плотные занавеси. Она не поняла даже, что рассвет уже наступил — вот как долго любили мы друг друга в ту ночь! Сейчас она спит со мною рядом. Я тихонько встану и подойду к окошку. Сорву запоры, раздерну занавеси и впущу сюда свет — хоть на мгновенье!

ОНА (почти неслышно):

> Ау!

ОН:

Но где же ты?.. Неужто...
Мелькнул олень, я видел!
А ложе — травы,
увлажненные росою.
Вокруг — лишь стены гор,
да небо, да восходит солнце,
олень бежит вдали!..

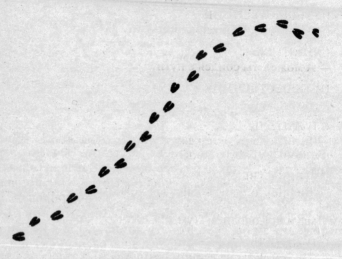

ПЕРНАТАЯ ВОДА

Это пример *хураваш*, или пьесы для двух исполнителей — пантомимы или драматического балета, имеющего весьма строгую форму. Хураваш исполняют только две труппы актеров: одна из Ваквахи, а вторая — путешествующая по другим городам Долины, из Кастохи. Пьесы-хураваш ставились на сцене обычно осенью, между Танцами Вина и Травы. Как содержание, так и стиль их исполнения оставляют куда меньше возможностей для импровизации и подчинены строгим канонам. Это наиболее ритуализированный и имперсонифицированный вид драмы в Долине.

В «Пернатой Воде» прославляется пульсирующий Великий Гейзер, находящийся к северу от Кастохи в священном месте. Данный текст получен в Кастохе, в театральной труппе хураваш; сценографические и режиссерские ремарки дополнены и разъяснены переводчиком.

Никаких декораций на сцене нет. Хор из девяти человек образует полукруг, проходящий через центр сцены, то есть «Стержень» — в данном случае под «Стержнем» подразумевается некий водоем.

Музыканты играют Мелодию Начал. Начинает бить барабан.

Служитель купален выходит из-за спин хористов навстречу Путешественнику из Унмалина, который появляется на сцене слева.

СЛУЖИТЕЛЬ:

— Итак, ты здесь, человек из Долины, здравствуй.

ПУТЕШЕСТВЕННИК:

— А вот и ты, человек из Кастохи, здравствуй.

СЛУЖИТЕЛЬ:

— А может, ты сбился с пути?

ПУТЕШЕСТВЕННИК:

— Возможно.

СЛУЖИТЕЛЬ:

— Если хочешь, я покажу тебе, как снова выйти на дорогу, что ведет на Гору к Ваквахе.

ПУТЕШЕСТВЕННИК:

— Видишь ли, я не собирался подниматься на Гору, когда пошел этим путем. Я искал место, которое называется Омутом Льва или Колодцем Пумы.

СЛУЖИТЕЛЬ:

— Ну, тогда ты на верном пути. Место, которое так называют, находится чуть дальше. Видишь вон те, похожие на перья, травы? И ивы с красными ветвями? Тот водоем как раз под ними.

ПУТЕШЕСТВЕННИК:

— Спасибо тебе за подсказку!

Служитель сразу же уходит вправо и останавливается за спинами хористов, которые делают шаг вперед. Они в венках из листьев, в руках у них длинные перья пампасовой травы или камыша.

Путешественник, пританцовывая, проходит под Песню Странствий к берегу водоема. Там он танцует, приветствуя водоем, и поет:

Хейя, хейя
нахе хейя
но нахе но
хейя, хейя

Хор тихо повторяет за ним эту песню.

Путешественник садится на берегу водоема.

ПУТЕШЕСТВЕННИК:

— О, как прекрасно и пустынно это место! Интересно, почему люди так редко приходят сюда? Вон тропа совсем заросла травой, и над ней повсюду сети паутины, я в них совсем запутался. Тот человек, что говорил со мной, кажется, возник из небытия, и я не знаю, куда он исчез. Высокие травы подобны туману, они скрывают очертания предметов. Ну что ж, я рад, что наконец-то сижу здесь, под красными ивами на берегу Омута Льва, и могу поразмыслить о той истории, которую слышал.

Двое танцоров, мужчина и женщина, выходят на сцену справа. Играет музыка. Танцоры двигаются, все время сближаясь, но ни разу не дотрагиваются друг до друга, а хор поет:

> Под этой землей, здесь,
> под нашими корнями, здесь,
> бежит здесь во тьме
> река, бежит здесь,
> под землею, проистекая
> из-под корней Горы,
> пробегая меж валунов,
> пробираясь среди камней,
> просачивается под землю
> и под землею, внизу,
> к морю стремится во тьме.
> Под тою рекою, но только
> глубже, во много раз глубже,
> река другая течет:
> течет река огневая,
> под корнями Горы протекает.
> Дочь землетрясения она,
> медленно текущий поток огня
> под этой землею, здесь,
> под нашими корнями, здесь,
> сияние во тьме есть.
> Если ж соприкоснутся они,
> реки, водяная и огневая —
> все тогда вокруг засияет!

Спев песню, танцоры стоят наподвижно, прислушиваясь к Путешественнику.

ПУТЕШЕСТВЕННИК:

— История, которую я не раз слышал, рассказывала о двух людях, которые спустились с Горы в те времена, когда другие народы в Долине еще не жили, а только росли деревья,

292

перистые травы, ивы на берегу Реки да еще высокие тростники. Здесь было тихо, очень тихо: ни перепелок в кустах, ни бранчливых голубых соек на ветках; ни крика, ни шороха крыла и ничьих шагов. Один лишь туман проплывал в тростниках, широкими лентами скользил меж ив. А потом прямо из Горы вышли они, те двое; вышли откуда-то из глубин мира, изнутри. Они стали перепелкой, явившейся в широкий мир, и сойкой, и дятлом; они стали древесной крысой и дикой собакой, мотыльком и большим кроликом, лягушкой-квакшей и королевским питоном, овцой и быком; они стали всеми живыми народами Долины, впервые родившимися на свет, впервые вышедшими наверх, впервые пришедшими сюда. С точки зрения людей, они были обычными людьми, женщиной и мужчиной. Они пришли сюда, в это самое место, на луг у подножия Горы, на поляну, окруженную ивами. Походка у них была красивая, легкая, изящная, как у пугливых оленей, но стремительная, как полет колибри, и шли они смело. Они постояли здесь босиком на траве и сказали друг другу: «Давайте поселимся в этом месте». Но тут кто-то обратился к ним. И они услышали незнакомый голос.

ПУМА (из-за деревьев):

— Это моя страна.
Вам ведомы ваши души?

ПУТЕШЕСТВЕННИК:

И они, услышав ее, заговорили: «Кто там? Чей это голос? Выйди же к нам!»

Служитель выходит справа, доходит до края полукруга и останавливается лицом к Путешественнику — как бы на противоположном берегу водоема. Теперь на нем маска Облачной Пумы.

ПУМА:

— Это я сказала. Вы зашли на мою территорию. Если вы встретитесь со мной, то совершенно переменитесь. Если коснетесь меня — тем более. Все созданное здесь ведет к разрушению; все, кто здесь встречаются, непременно расстаются; все живые существа изменяются.

ПУТЕШЕСТВЕННИК:

— Кто ты?

ПУМА:

— Я — та единственная,
что проходит насквозь.

ХОР:

— Она — единственная,
кто проходит насквозь.
Она есть сон.
До твоего прихода
она была всегда.
Она твое дитя.

ПУТЕШЕСТВЕННИК:

— Пусть подождет родиться, раз так, ибо эти двое должны жить.

Пума отступает назад, за спины хористов, и уходит вправо. Пока Путешественник рассказывает свою историю, двое танцоров пантомимой изображают ее сюжет.

ПУТЕШЕСТВЕННИК:

— Они не знали этой пумы. И сами не были пумами. Они были всеми существами, всеми народами, кроме народа Пумы. Они были существами женского пола, порожденными огнем, бушующим под корнями Горы в немыслимых глубинах, и мужскими особями были они, порожденными водой из глубинных ключей, что бьют под Горой. И мужские, и жен-

294

ские существа были живые, они пришли вместе, кто ж их разделит? Она ложится с ним, а он с нею, она отдается ему, он ею овладевает, и в тот же миг они умирают. Их смерть стала светящимся белым облаком, туманом, что окутал луг и затопил Долину. Это в свой дом вошел Молчаливый, вернулся в свой дом белого безмолвия.

Пума выходит вперед и танцует, пока танцоры Огня и Воды лежат без движения, как мертвые, внутри полукруга, образованного участниками хора.

ПУМА:

> — Дети мои, я скорблю,
> отец мой, я скорблю,
> мать моя, я скорблю,
> о вашей смерти скорблю!
> Живите снова, вернитесь!
> О, изменитесь! О, превратитесь!

Оба танцора поднимаются и танцуют вместе с Пумой, изображая в танце то, о чем рассказал Путешественник.

ПУТЕШЕСТВЕННИК:

— Из середины луга вдруг вырвался столб пара, светящихся испарений. Из тумана, из дымки туманной вырвался он, взлетая выше, чем перистые травы, чем даже ивы, и светясь на солнце.

ХОР:

> — Хвавгепрагу,
> Прагу, Прагу.
> (Сиянье солнца,
> сиянье, сиянье.)

ПУТЕШЕСТВЕННИК:

— Столб огненной воды снова опал, уронив свои перистые струи в водоем среди высоких трав, и затих. Но стоило Пуме обернуться, стоило ей вздохнуть, как они вновь соприкоснулись, и белое сверкающее перо восстало над травой.

ХОР:

— Там, где тело воды возляжет на тело огня в темных земных глубинах, там возникнет источник. Это Омут Льва, молчаливого танцора с неслышной поступью, живущего в доме мечты. А это — падает из солнечного света, едва успев подняться из тьмы ему навстречу.

ПУТЕШЕСТВЕННИК:

— О, прекрасная Хранительница Дома Седьмого, славься!

ПУМА:

— Кто ты, человек из Долины?

ПУТЕШЕСТВЕННИК:

— Певец из Унмалина. Принадлежу к Дому Змеевика и пришел напиться из Омута Льва, из источника Пернатой Воды, чтобы в песнях моих звучало великое молчание льва.

ПУМА:

— В великом молчании льва заключены все песни мира. Пей, человек.

Путешественник опускается на колени и пьет из водоема.

ПУТЕШЕСТВЕННИК:

> — Явилось мне и сразу же исчезло.
> Живет и умирает столь внезапно.
> В глубинах исчезает и взлетает.
> Сверкнет, исчезнет,
> вновь сверкает, недолговечно,
> как туман под солнцем,
> то явится, то сразу исчезает.

Пума в маске танцует.

ХОР:

> — Мягко ступает, ведет за собою
> самого первого,
> о, светящийся, дивный.
> Недолговечный, как туман под солнцем,
> то явится, то сразу исчезает.

Путешественник и хористы уходят со сцены налево, Пума, Огонь и Вода уходят направо, звучит Мелодия Завершения, но барабаны молчат.

ЧАНДИ

Большая часть пьес в Долине служила лишь основой для импровизации: в самых общих чертах обрисованный сюжет, некая рамка для ситуации, обычно хорошо знакомой зрителям, — на основании этого артисты создавали каждый раз новую и неповторимую драму.

Для записи такой пьесы хватило бы и клочка бумаги: это было всего лишь перечисление действующих лиц да наброски отдельных диалогов, так называемые колышки — всего десять-двадцать, не больше. Эти «колышки» действительно оставались неизменными — сохранялись и слова, и очередность реплик. Все, что говорилось и делалось в промежутках между ними, было полностью на совести актеров. С наибольшим напряжением и удовольствием зрители смотрели именно те куски, которые разыгрывались в промежутках между ключевыми строками, знакомыми по другим спектаклям, но возникавшими в них совершенно по-иному.

Разработка сюжета могла достигнуть такой степени изысканности и сложности, что ключевые строки буквально терялись в длинном драматическом действе и имели весьма относительное родство с исходным вариантом пьесы, или же они могли служить отправной точкой в потоке блестящих монологов, если данная труппа была особенно сильна в искусстве поэтической импровизации, а порой в этих строках заключался весь текст данного представления — если спектакль ставился труппой танцоров, исполняющих пьесу йедао, то есть «посредством движения», и раскрывающих сюжет в основном за счет пантомимы и танца.

Представление, которое я попытаюсь описать далее, было дано труппой молодых актеров из Телины, заслуживших благосклонность зрителей главным образом благодаря музыке и танцу. Этот спектакль шел на большой сцене, установленной в главном зернохранилище Синшана, в честь Танца Лета. Световые эффекты создавали иллюзию различных пространств и успешно воздействовали на настроение аудитории.

Как и почти вся драма Долины, пьеса «Чанди» носит некий символистский или аллегорический характер, и явления жизни обобщаются здесь до философских категорий. Схожесть сюжета с одной из великих библейских историй поразительна, однако же не менее поразительны и различия.

Имя «Чанди» означает «Древесная Крыса». Настоящая древесная крыса, живущая на западе Америки, — это симпатичный зверек, который строит большие сложные гнезда из палочек и травы и хранит там порой целую коллекцию самых различных предметов, которые, видимо, кажутся ему весьма ценными с эстетической точки зрения; среди этих предметов частенько прячутся и даже живут мыши, небольшие змеи и другие животные, пользуясь гостеприимством древесной крысы.

Традиционно автором «Чанди» считался некто Хукаи (Королевский Питон?) из Чумо — личность столь же древняя и гипотетическая, как наш Гомер (однако слепым, подобно Гомеру, он не был, хотя и был совершенно глух); ему приписывается по меньшей мере половина пьес, написанных с помощью предложений-«колышков».

Пытаясь одновременно описать спектакль и представить исходный текст, я выделила строки-основы курсивом. Чтобы понять, с чем в данном случае приходится работать актерам, читатель может прочесть одни лишь эти строки, опуская все остальное.

Зрители, сорок или пятьдесят человек, сидят на полу склада на тех подстилках или подушках, которые принесли с собой, или же на старых кипах соломы, разложенных специально, чтобы люди могли не только сидеть на них, но и откинуться на них спиной.

Мужчина и женщина из Цеха Мельников наладили освещение и управляют им. Сильный, яркий прожектор направлен на левую часть сцены, выделяя ее; более слабо освещены правая часть и овальная «соединительная» часть, изображающая «Стержень». Темнота, в которую погружено пространство вокруг сцены и за нею, достаточно глубока, чтобы всякое движение вне сцены было незаметным.

Музыканты расположились за сценой, вне света прожектора, они едва различимы. Музыка в течение всего спектакля практически не прекращается.

После того как в течение нескольких минут играется Мелодия Начал и зрители постепенно успокаиваются, слева на сцене появляется Чанди: это красивый мужчина во цвете лет, высокий, отлично одетый. Поверх черных штанов и хлопчатобумажной рубахи с длинными рукавами на нем традиционно длинный праздничный жилет синего, фиолетового и зеленого цветов, густо покрытый вышивкой, а поверх накинут удивительно изящный, совершенно прелестный плащ из перьев — одно из тех сокровищ, что хранятся в хеймас Змеевика в Синшане и выдаются исключительно для подобных представлений. Этот волшебный плащ плывет и покачивается у Чанди за плечами, когда он легко выбегает на сцену с распростертыми навстречу солнцу руками и поворачивается, приветствуя восходящее светило.

ЧАНДИ:

— *Хейя хей хейя!*
Хейя хейя!
Прекрасное, светишь ты над Долиной!

С трудом оторвавшись от созерцания воображаемой зари, он смотрит на лица зрителей с доброй, открытой улыбкой. Голос его звучен, приятного тембра и полон энергии.

ЧАНДИ:

— Итак, вы здесь, жители моего города, ступающие легко и красиво, доброжелательные, вежливые. С добрым утром! Да, это действительно доброе утро!

Зрители отвечают ему традиционным приветствием: «Итак, ты здесь, Чанди! Здравствуй!» Они говорят тихо, очарованные и умиленные, а одна женщина прибавляет: «И пусть этот день у тебя пройдет хорошо, Чанди!»

ЧАНДИ:

— Вечером этого долгого дня я должен танцевать Танец Лета, так что, прежде чем уйти в поле, мне стоит немного потренироваться.

Музыканты начинают играть один из самых сложных и величественных танцев — Танец Цапли из Летней ваквы Дома Змеевика, и Чанди танцует его один на левой сцене энергично и грациозно, подобный великолепной мифической птице в разноцветном наряде и плаще из перьев. Как только танец кончается, первые пять хористов выходят на сцену и встают слева — это горожане, отправляющиеся на весь день работать в поле. В последнем великолепном движении Чанди, кажется, летит по воздуху, и зрители ахают. А Чанди сбрасывает плащ из перьев и передает его кому-то, ожидающему вне освещенной прожектором части сцены. Танец окончен, Чанди отправляется на работу вместе со всеми. Далее следует пантомима: Чанди вместе с хористами изображает, как полет сорняки и рыхлит землю. Люди разговаривают о погоде, добродушно подшучивают по поводу местных событий и соседей, и хотя я плохо понимаю смысл этих шуток, они неизменно находят самый живой отклик у зрителей. Потом среди обмена репликами со зрителями вдруг вновь возникают строки-основы.

ХОРИСТ 1 (мужчина):

— Как хороша кукуруза Чанди,
как высока и какие листья,
да и початки почти созрели!

ХОРИСТ 2 (женщина):
— Он мудрый земледелец, этот Чанди. Знающий и внимательный.

ХОРИСТ 1:
— Да, он, похоже, на верном пути. Что за отличное поле у его семьи!

ХОРИСТ 3 (мужчина):
— У его семьи есть не только хорошее поле. А этому Чанди просто все время везет! Надо же, женился на Дансайедо! (На языке кеш «Она Видит Радугу».) И землю отлично возделывать умеет, и засеять знает как, и заботится об урожае, да и урожай собирает с этого клочка земли такой, что только в Садах Ночи собрать можно!

ХОРИСТ 4 (женщина):
— Заткнись, глупец. Что за грязные сплетни!

ХОРИСТ 3:
— А я завидую, вот и все. Я ему завидую.

ХОРИСТ 5 (женщина):

— Что за красивые дети родились от этого брака, настоящие Дети Радуги! Как я завидую Чанди, что у него такие дети.

ХОРИСТ 4:

— Молчите, молчите! Легкий ветерок, как известно, раздувает лесные пожары.

Теперь Чанди подходит ближе к остальным, опирается на мотыгу и обращается к ним. Мне потребовалось некоторое время, чтобы осознать, что на самом деле никакой мотыги у него в руках нет.

ЧАНДИ:

— Послушайте, вы меня не стесняйтесь. Я нечаянно услышал вашу беседу — *ветер дул в мою сторону*. Но это правда, то, что вы говорили. Я стараюсь быть осторожным и все обдумывать, все делать вовремя и так, как нужно; однако ведь и другие не менее осторожны и разумны, а им не дано столь многого, как мне. Не знаю, почему это так получается. Дом моей матери красив, и ее семья пользуется всеобщим уважением, как и семья моей жены. Родители мои щедрые и добрые люди, а те двое, что сделали меня отцом, умны и уже славятся своими талантами — моя дочь поет в Обществе Целителей, а мой сынок, что до сих пор носит некрашеную одежду, — такой жизнерадостный и многообещающий мальчик. А чтобы воздать хвалу моей Дансайедо, у меня просто слов не хватает! Она — как ласточка над вечерним прудом. Она — как первый дождь осенний, как цветок дикого миндаля весною ранней. Она достойная хозяйка дома, щедра и отдает охотно, как полноводная река! В ее хозяйстве овцы каждый год приносят ягнят-двойняшек, коровы величавы и здоровы, быки спокойны. Поля же наши становятся богаче год от года, плодоносящие деревья как град роняют спелые оливки. *Все это мне даровано!* Что в жизни совершил я, чтобы все это случилось?

ХОРИСТ 2:

— Все, что тебе даровано, ты сам дарил всегда, о Чанди.

ХОРИСТ 1:

— Да, Чанди очень щедр!

ХОРИСТ 5:

— Тот плащ из перьев он отдал своей хейимас!

ХОРИСТ 2:

— А кукурузу — в общие амбары, овечью шерсть он отдал в Мастерские!

ХОРИСТ 3:
— Монеты золотые — музыкантам, медь — актерам!

(Это произносится лукаво, с намеком и вызывает смех у зрителей.)

ХОРИСТ 1:
— Все в доме у него прекрасно, прочно, сделано на славу, используется с толком. Всего там много, все очень красиво, и двери вечно у него открыты друзьям, а также всем соседям.

ХОРИСТ 3:
— Ты и впрямь богатый человек, Чанди!

ХОРИСТ 5:
— Щедрое сердце — лучшее богатство, как говорится.

[Перевод этих двух ключевых строк исключительно слаб. Амбад, в зависимости от контекста, может иметь следующие значения: «благополучие», «благополучный», «отдавать», «щедрость». Здесь значения эти сложным образом переплетаются, вступая в невыразимую нашими средствами игру.]

В течение всей этой сцены действие сопровождается только Мелодией Продолжения — слабым, слегка варьирующимся звуком больших рогов «хомбута». Затем постепенно вступают другие инструменты, и музыка сопровождает весь остальной спектакль, негромко аккомпанируя диалогам и довольно активно заполняя паузы, а также искусственно создавая их — с помощью ударных инструментов.

ЧАНДИ:
— Я чувствую себя ослом безмозглым, о мои друзья! Я рад бы сделать что-нибудь для вас и дать вам то, что вам понравится самим, все, что угодно.

ХОРИСТ 4:
— Не правда ли, он замечательный парень?

ХОРИСТ 1:
— Да, кто может не любить его, нашего Чанди.

ЧАНДИ:
— *Что же мне дать вам?* Я надеюсь, вы разделите со мной эту кукурузу, когда она созреет? На этом участке земли так легко работать, не захотите ли вы использовать его в следующем сезоне? Ах, сестра моя по Дому Обсидиана, я как раз собирался сказать тебе: у нас опять скопилось много перьев, и мы подумывали, не сделать ли еще один плащ для нашей хеймас, для Общества Крови — как тебе кажется, имеем ли мы право? Сестрица, Дансайедо весь год пряла ту белую шерсть,

301

которую дали нам наши овцы прошлой весной, а я помню, тебе вроде бы белая шерсть нужна была. Тебе какую: тонкую или потолще? Ты ведь знаешь, как хорошо прядет моя Дансайедо.

Чанди продолжает говорить, музыка становится такой громкой, что почти заглушает его голос. Хористы из первого хора толпятся вокруг него, а он все говорит и раздает все подряд, делая это искренне, от всей души, хотя и немного истерично. Пока продолжается раздача даров, на сцене справа появляется второй хор: четыре человека, босые, держатся очень прямо, в темных капюшонах и тесных темных одеждах (они одеты как Плакальщики из Общества Черного Кирпича во время Танца Вселенной). Они выходят один за другим, медленно, поджидая друг друга, и выстраиваются в линию, проходящую через всю правую часть сцены. Первый из них, стоящий у самого «Стержня», говорит ровным, лишенным признаков пола голосом, и предваряет его речь резкий, вызывающий озноб вопль тованду (см. главу «Музыкальные инструменты»).

ВТОРОЙ ХОР, ХОРИСТ 1:
— Чанди!

Но, занятые раздачей и получением даров, Чанди и его приятели не обращают на хориста внимания. Человек в черном вновь окликает его по имени. И только в третий раз, услышав наконец собственное имя, Чанди оглядывается через плечо и, смеясь, подходит к человеку в черном, неся что-то в руках.

ЧАНДИ:
— *Вот, друг мой, возьми это, пожалуйста!* У меня этого слишком много!

Человек в черном остается недвижим, руки его висят вдоль тела. Звучит громкий металлический звук струны, музыка смолкает, и наступает мертвая тишина.

ХОРИСТ 1 ИЗ ВТОРОГО ХОРА:
— Дансайедо разливала по бутылям масло, прекрасное оливковое масло, из тех олив, что принадлежат ее семье. Вдруг откуда ни возьмись вырвалось пламя — может, ветром

принесло? — и масло вспыхнуло. Огонь перекинулся на Дансайедо, загорелись ее волосы и одежда — она была похожа на факел, горя заживо.

Вся охваченная пламенем, она бросилась вон из дома, но дом тоже загорелся. И все сгорело. Она мертва.

Человек в черном капюшоне склоняется низко в позе Плакальщика и, сгорбившись, опустив голову, сидит, раскачиваясь, у ног Чанди. Между ними только «Стержень». Чанди замер; медленно опускаются и безжизненно повисают его руки. Весь первый хор отшатывается от него, хористы что-то бормочут и переговариваются между собой.

ПЕРВЫЙ ХОР, ХОРИСТ 1:
— Сгорела? Дансайедо? И дом такой огромный? Весь дом сгорел? И все хозяйство? Сгорела заживо?..

ЧАНДИ (в горестном порыве):
— *А моя дочь! И мой сынок!*

ХОРИСТ 1:
— С ними все в порядке... должно быть, с ними все в порядке, Чанди.

ПЕРВЫЙ ХОР, ХОРИСТ 2:
— Их дома не было. Лишь Дансайедо одна сгорела при пожаре. Все остальные успели выйти.

ХОРИСТ 5:
— Но ведь и дома больше нет! Один фундамент от него остался.

ХОРИСТ 3:
— И все сгорело там дотла.

Чанди неуверенно делает шаг или два, словно намереваясь вернуться в город.

ЧАНДИ:
— О, Дансайедо, жена души моей, прекрасная и добрая такая! *Жестоко! Жестоко! Жестоко!*

Его голос, трижды повторяя это слово, «стержень» пьесы, звучит все громче, как вопль раненого зверя; потом Чанди снова замирает, потрясенный собственным страстным горестным порывом. С болью в глазах озирается, заглядывает людям в лица и наконец говорит с печальным достоинством.

ЧАНДИ:
— Пойду... пора... мне петь с тобою, Дансайедо, и для тебя песни Ухода. Но нужно, чтоб и дети мои пошли со мною... Пусть явятся сюда!

На сцене слева появляются сын и дочь Чанди. В то же самое время второй человек в черном из второго хора начинает движение к центру сцены с вытянутой вперед правой рукой. Сын Чанди идет к отцу, и они обнимают друг друга, но дочь проходит мимо, оборачивается, чтобы посмотреть на отца, но не останавливается, а идет навстречу человеку в черном, берет его за руку и уходит вместе с ним со сцены направо, во тьму. Когда она исчезает, Чанди стряхивает оцепенение и взывает.

ЧАНДИ:
— Где моя дочь? Куда она уходит? Куда она ушла?

ХОРИСТ 1 ИЗ ВТОРОГО ХОРА (по-прежнему склонившись к земле и раскачиваясь):
— Она ведь видела, как мать горела заживо, пытаясь дом спасти. Перенести то зрелище она была не в силах. Боясь сойти с ума от горя, она пошла к Целителям и яд там приняла. Теперь она мертва.

ХОРИСТ 1 ИЗ ПЕРВОГО ХОРА (шепотом):
— Она мертва!

ХОРИСТ 4 (шепотом):
— Глядите! И она мертва!

Хористы из первого хора, изображающие жителей города, один за другим понемногу уже отодвинулись от Чанди, оставив его одного в обнимку с сыном. Звучит музыка — тяжелые быстрые ритмичные удары барабана, — и Чанди медленно снимает свой вышитый жилет и набрасывает его на плечи сына. Когда он начинает говорить, его голос оглушающе тих.

ЧАНДИ:
— Дочь, девочка моя, неужто не могла ты подождать? Могла ведь быть добрей и терпеливей. Мы-то ведь остались, а ты была нам так нужна! Ну а теперь пойдем со мною, детка, сынок мой. Помоги мне спеть для них обеих, с ними вместе, с твоею мамой и сестрой. Пойдем, пойдем со мной.

Однако третья из четырех темных фигур — ребенок — уже неумолимо приближается к ним. Сын выпускает руку Чанди и стоит неподвижно, смотрит, потом делает шаг навстречу ребенку в черном и берет его за руку. Они медленно уходят со сцены направо, во тьму. Мелодия Продолжения звучит очень громко.

ЧАНДИ:
— Пожалуйста, не умирай, сынок! Хоть ты со мной останься!

ХОРИСТ 1 ИЗ ВТОРОГО ХОРА (по-прежнему склонившись и раскачиваясь):

— Он болен был с рожденья, но до поры была болезнь та незаметна. Теперь же стала его жизнью. Не более чем через месяц он бы умер. У докторов нет для него леченья. Но он сегодня умирает. Сейчас.

ХОРИСТ 4 ИЗ ПЕРВОГО ХОРА:
— *Сын Чанди умер.*

Пять хористов из первого хора отходят еще дальше от Чанди. Он медленно сгибается, потом опускается на землю, скрючивается, оказавшись лицом к лицу с человеком в черном, застывшим в такой же позе. Чанди опускает голову до самой земли, трется о землю лбом, рвет на себе волосы. Музыка звучит громко и проникновенно, барабаны и тованду исполняют Мелодию Продолжения, и Чанди то тише, то громче подпевает ей пронзительным, резким голосом, похожим на вой зверя.

Когда музыка стихает, Чанди, сгорбившись, застывает, потом тяжело поднимается на ноги, снимает свою рубаху и башмаки и выпрямляется во весь рост. Босой, полуодетый, он сейчас выглядит на двадцать лет старше.

ЧАНДИ:
— *Я вернусь в дом своей матери, буду жить там как ее сын,* все свои силы отдам работе во имя ее семьи.

В это время четвертый человек в черном приближается к Чанди и обращается к нему тем же ровным, бесцветным, не женским и не мужским, жутким голосом, что и первый.

ХОРИСТ 4 ИЗ ВТОРОГО ХОРА:

— Они теперь мертвы, все эти люди, что жили в доме матери твоей. Или уехали в другие города. *Иные люди там живут теперь*. И никого из родичей твоих здесь больше не осталось.

ЧАНДИ:

— Да, это правда. Я одиноким должен жизнь свою влачить отныне. Однако я давно уж болен... Может, мне лучше было б умереть теперь?

Четвертый человек в черном молчит, ничего ему не отвечает, но, сгорбившись, устраивается на земле рядом с первым.

ЧАНДИ:

— Раз так, я буду жить один, работать стану для своей хеймас. Вот только руки отчего-то тяжелы!..

Он исполняет пантомиму, изображая работу в саду, как в самом начале спектакля, но только работает он очень медленно, хотя и старательно. Хористы из первого хора тоже возвращаются к своим делам — все они находятся у переднего края левой части сцены, тогда как Чанди работает один в самой ее глубине, ближе к «Стержню». Свет потихоньку меркнет, а музыка становится протяжной, тоскливой.

ХОРИСТ 3 ИЗ ПЕРВОГО ХОРА:

— Эй, гляньте-ка на старого Чанди — вовсю копает землю, как черепица твердую!

ХОРИСТ 1 (теперь он говорит старческим голосом, тогда как голос хориста 3 звучит как у мальчишки-подростка):

— Земля здесь раньше хороша была всегда, одна из лучших. Ухода требовала, правда, а он забыл совсем про это.

ХОРИСТ 2:

— Ах, я не знаю! Ухаживает он за ней исправно, как только может, больной и старый, и все его не забывают, ему помочь любой готов. Но вот что странно: пересох ручей здесь почему-то, и землю больше он полить не может.

ХОРИСТ 3:

— А кто-то говорил однажды, что раньше Чанди был богатым.

ХОРИСТ 1:

— Ну да, так именно и было. Но теперь, похоже, ничто ему не удается.

ХОРИСТ 4:

— Та старая корова, бедняга, пестрая такая, она была его последней, верно?

ХОРИСТ 2:

— И все ягнята, которых приносили его овцы, больны были севаи.

ХОРИСТ 4:

— Скот не плодится у него в хлевах, и на полях ничто не вырастает, как он ни трудится.

ХОРИСТ 5:

— Так гнет в полях он спину, что ноет у меня спина! Ведь он с трудом порой поднять мотыгу может.

ХОРИСТ 3:

— Ну а зачем ему трудиться, чего ради? Ведь эта кукуруза все равно засохнет! Вот глупый старец, зря только мучает себя.

ХОРИСТ 1:

— Но что же все-таки случилось? Ведь он и вправду был богатым, как ты сказал. Богатым был и щедрым, как полноводная река! Что же пошло не так?

ХОРИСТ 3:

— Я у него спрошу. Эй, старый Чанди! Что сделал ты такого, что жизнь твоя пошла наперекос?

ЧАНДИ (опираясь на свою несуществующую мотыгу, очень спокойно и очень медленно):

— *Случилось? Умерла жена, сгорел мой дом, погибло все хозяйство. И дети умерли мои — так рано! Я тяжко болен был. А матери семья распалась: кто умер, кто уехал. Все, что мне дорого, исчезло, о чем забочусь, погибает. Все, что дают мне, я теряю. Все, что я роздал, — все пропало.*

ХОРИСТ 3:

— Что ж, удивительного мало, что ты совсем остался без друзей.

ЧАНДИ:

— Моя последняя родня — из Дома Лета, из Дома Третьего, Змеевика.

ХОРИСТ 4:

— Что ж, разумеется, тебя мы не оставим своей заботой, но сказать я должен: становится нелегкой дружба иль родство, когда твой родственник все делает неверно. Ведь с другом

307

чувствуешь себя легко, с ним все сполна разделишь, с ним посмеяться можно вдоволь... Скажи, с тобой кто может посмеяться вместе? Мне плакать хочется, когда тебя я вижу! Так лучше б мне тебя не видеть, и если б не обязанность моя...

ХОРИСТ 5:
— И верно. Когда-то я на тебя молился, думал о тебе все время. Теперь не думаю! Я уж забыл жены твоей покойной имя. Из-за болезни стал ты неприятен, мне и руки твоей не хочется касаться.

ХОРИСТ 1:
— Дансайедо было ее имя, Дансайедо! Когда тебя я вижу, я думаю о том, какой она ужасной смертью умирала. Но я гоню такие мысли.

ХОРИСТ 3:
— *Ты колесо фортуны слишком сильно повернул*, вот дело в чем, старик. Ты получил то, что просил.

ЧАНДИ:
— Ничего я не просил. Я отдавал! *Неужто ж не был щедр я?*

ХОРИСТ 4:
— Да, ты был щедр, но чересчур.

ЧАНДИ:
— *Но как же человеку жить?*

ХОРИСТ 1:
— Когда б я это знал...

ХОРИСТ 3:
— Зачем подобные вопросы задавать? Не понимаю!

ХОРИСТ 2:
— Таких вещей никто не понимает.

ЧАНДИ (поворачиваясь лицом к двум скрючившимся на земле фигурам по ту сторону «Стержня»):
— *Как жизнь свою прожить я должен был? Не можете ль вы мне ответить?*

Обе темные фигуры остаются тихи и неподвижны. Музыка звучит как-то странно: лязгает и бренчит.

Когда прожекторы опускают ниже, чтобы фигуры актеров отбрасывали длинные тени, первый из людей в черном встает и медленно идет в глубь центральной части сцены. Там он оборачивается, встает лицом к зрителям, откидывает капюшон и открывает их взорам медную маску, которая в лучах прожектора вспыхивает зловещим красным светом — светом закатного солнца.

Чанди поворачивается к нему лицом и спиной к зрителям. Его руки возносятся вверх и раскрываются в широком объятии.

ЧАНДИ:

> *— Хейя хей хейя!*
> *Хейя хейя*
> *Прекрасен день был в Долине нашей.*

Человек в черном снова медленно сгибается, скрючивается и опускается на землю, клоня голову все ниже, ниже и скрывая под капюшоном маску-солнце. Свет на сцене продолжает меркнуть.

ЧАНДИ:

> *— А вот и звезды! Светятся.*
> *Меж звездами нет ничего,*
> *там только тьма танцует.*

В Мелодию Продолжения неожиданно вплетается мелодия Танца Цапли. Сгорбленный и полуодетый, с негнущимися конечностями, страдая от сильных болей, Чанди начинает танцевать тот самый танец, который так великолепно исполнял в первой сцене, но все движения и повороты делает как бы наоборот, так что танец переносит его через всю сцену к ее правому краю. Последний из людей в черном присоединяется к Чанди, повторяя его движения словно тень. Вместе исчезают они во тьме. В совсем почти погрузившемся во тьму зрительном зале, высоком и просторном, долго звучат последние ноты Мелодии Завершения, а потом и они замирают постепенно в наступающей полной тишине.

После представления я спросила актеров, сильно ли они варьируют диалог во время различных спектаклей, и одна актриса ответила мне: «Ну, разве что для того, чтобы соответствовать настроению определенного вечера или аудитории. Этим летом мы играем «Чанди» в постановке Глиняного Лица». Глиняное Лицо как раз и исполнял роль Чанди в спектакле. Актриса продолжала: «Я видела пьесу в прошлом году в Ваквахе с Оленем Ветра; так он в этой роли очень гневался и ругался, прямо-таки впадал в безумие. Он актер более старшего поколения, он может себе позволить сыграть и так. Глиняное Лицо еще молод, чтобы играть Чанди, вот он и делает это по-своему, очень мягко. Мне кажется, у него получается. Возможно, конец несколько скомкан, все происходит слишком быстро; но танцы, которые он танцует в начале и в конце, — о, они просто замечательны!» И я с ней согласилась.

Я спросила кое-кого из зрителей, видели ли они какие-нибудь варианты спектакля «Чанди», сильно отличающиеся от этого, и выяснила, что да, видели; действие может развиваться совершенно иначе: например, пожар, самоубийство и болезнь, которые последовательно уносят жену, дочь и сына Чанди, согласно одной из версий, могут быть практически единственным событием, однако носящим характер всеобщего катаклизма, и все эти смерти порой происходят прямо на сцене, если актеры окончательно решили не щадить чувств зрителей и вызвать у них сильное эмоциональное потрясение. События «счастливых» и «несчастливых» лет жизни Чанди могут быть сыграны и изображены множеством различных способов, и реакция Чанди на них может быть совершенно иной, чем покорность и даже смирение, которыми так потрясает зрителей Глиняное Лицо. Так или иначе, Тёрн как-то сказала мне о его игре: «Даже когда друзья Чанди и люди из Четырех Домов отвечают на его вопрос, как нужно было жить, ты все равно не уверен, правильны ли их ответы...»

Я спросила Глиняное Лицо — который вне сцены оказался совсем молодым, не старше двадцати пяти, и очень застенчивым невысоким человеком с тихим голосом, — как он считает: умер ли Чанди, исполненный надежды, или же он умер от безысходности и отчаяния? Подумав, актер ответил: «Он умер в страдании и отчаянии. Именно поэтому друзья так его боятся. Но нам не следует его бояться, потому что это всего лишь пьеса. Видите ли, в этом-то все и дело!»

ПАНДОРА, БЕСПОКОЯСЬ О ТОМ, ЧТО ДЕЛАЕТ, ОБНАРУЖИВАЕТ ПУТЬ В ДОЛИНУ В ЗАРОСЛЯХ ВЕЧНОЗЕЛЕНОГО ДУБА

Какая тут путаница в этом диком краю, вы только взгляните! Посмотрите на этот дубок, *чапарро*, слово «чапараль» возникло на его основе и состоит из его корня, смешанного бог знает с чем еще. Обратите внимание на эту картинку: самый высокий стволик дубка фута четыре, но по большей части его побеги не превышают одного-двух футов. Один из них выглядит так, словно его переехало колесо, свежий срез поперек, но кто это сделал? И, главное, зачем? Ведь этот куст ни для чего не пригоден, да и горка эта ни у кого на пути не стоит. Концы более тонких веточек кажутся то ли сломанными, то ли объеденными кем-то. Может, это горные козы общипывали молодые побеги и почки? Маленькие, с серой корой веточки и побеги тянутся во все стороны как придется, многие из них высохли

310

и поросли мхом; живые и мертвые, они переплетаются, душат друг друга. В них застряли сосновые иглы, паутина, сухие листья. Полнейший беспорядок! Все замусорено до предела. У этого дерева просто никакой формы нет! Ветки, правда, по большей части растут из одного и того же места, однако не все; здесь нет ни центра, ни какой-либо симметрии. Многие побеги торчат из земли на некотором расстоянии от основного деревца, кое-где на них даже есть листья — вот типичное проявление характера данного растения! Сами же листья пытаются соблюдать какой-то порядок и подчиняться неким законам, бедняжки. Все они разных размеров: от четверти дюйма в длину до целого дюйма, но каждый лист в достаточной мере похож на остальные, то есть на то, что можно было бы назвать «идеальным листом вечнозеленого дуба»: пыльный, неяркого темно-зеленого от-

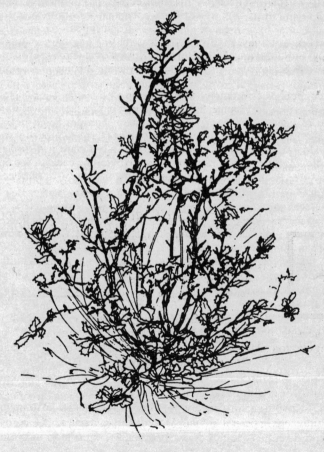

Дубок

311

тенка, со слегка изогнутой поверхностью, которая как бы чуть вспухает между прожилками, разбегающимися в обе стороны от черешка; краешек листа неровный, зазубренный, с крохотной колючкой на конце каждого выступа. Эти листочки растут на разном расстоянии друг от друга, но по обе стороны своей веточки до самого ее конца, где неожиданно образуют пучок, этакую неряшливую и весьма жидкую розетку. Под слоем мертвых листьев, его собственных и чужих, подо мхом, под камнями, под рыхлой землей и всяким мусором у этого кустика, должно быть, есть более или менее сходная с ним по форме система корней, уходящих довольно глубоко, возможно, они значительно длиннее, чем возвышающийся над поверхностью земли стволик, потому что если сейчас, в феврале, здесь достаточно влажно, то летом на вершине этого холма земля будет твердой как камень. Вокруг не видно ни одного желудя от прошлого урожая, если, конечно, этот дубок уже достаточно взрослый, чтобы давать желуди. Скорее всего, да. А впрочем, ему может быть и два года, и двадцать, кто его знает? Это, конечно, дуб, но только дуб-кустарник, дуб-лилипут, с которым не очень-то считаются, и тут по крайней мере еще сотня точно таких же — возле той скалы, на которой я сижу, и еще сотни и тысячи и сотни тысяч на вершине этого холма и на вершине следующего. Вот только сосчитала я их неправильно. Ошиблась. Карликовые дубки вообще не считают. Если их можно сосчитать, значит, что-то не так. Можно, конечно (если ты ботаник), сосчитать, сколько растений на ста квадратных ярдах, а потом умножить и таким образом довольно точно прикинуть их общее количество, довольно правильно угадать. Но сосчитать дубки, растущие на вершине этого холма, невозможно, не говоря уж о прочих кустарниках или о дикой сирени, которую я даже не принимаю в расчет. Все они сплетены стволами и побегами, и все они лишь компоненты того, что называется «чапараль». Эти заросли похожи на атомы и их элементы: они не поддаются законам и определениям. Они неисчислимы. Среди них не случайно, но изначально и вечно царит хаос. Этот кустарник не красив, и даже если бы я до одури накурилась гашиша, он не показался бы мне чем-то мистическим, однако он и тошноты своим видом не вызывает; если какому-нибудь философу он активно не нравится, то это его проблемы, которые не имеют ничего общего с вечнозеленым дубком. Чапараль не имеет к нам, людям, ни малейшего отношения. Эти заросли порождены дикой природой и ею являются. Отношение к ним разумного и цивилизованного человека очень неопределенно, исполнено случайных эмоций и риска. Никаких отступлений в сторону наше мышление не допускает. Все аналогии имеют одно направление: к нашей действительности. На одной из ветвей этого дубка отвратительная маленькая опухоль. Новые листья, зелень этого года, такие крупные и симметричные по сравнению со старыми, что я сперва принимаю их за листья совсем другого растения — дикой розы, растущей как бы внутри дубка, —

но в летний зной, без сомнения, эти прекрасные листья свернутся и деформируются, как и все остальные. Аналогии напрашиваются сами собой: скромный вечнозеленый дубок можно, конечно, превратить в тему для проповеди, но с тем же успехом его можно превратить и в дрова. Прочитать как проповедь или сжечь. *Sermo*, «я читаю»; я читаю: «карликовый дуб». Но я не делаю ни того ни другого, и дубок здесь не для того, чтобы его превращали в тему для проповеди или сжигали. Он отбрасывает тень на страницу моей записной книжки под неярким февральским солнцем в три тридцать пополудни, в Северной Калифорнии. Когда я закрываю книжку и ухожу, тень со страницы исчезает, хотя я обвела ее карандашом; вот карандашная линия только там и остается. А сама тень после моего ухода будет падать уже на густой слой опавших листьев или на тот поросший мхом камень, на котором я сейчас сижу, и тень эта будет послушно передвигаться, выказывая глубочайшее уважение закону, согласно которому вертится сама Земля. Мысленно легко можно себе это представить: тень от нескольких листьев, падающая на землю в диком краю; разум — удивительная вещь. Но как быть со всеми остальными тенями ото всех остальных листьев на всех остальных ветках всех остальных карликовых дубков, растущих на всех остальных холмах дикого края? Если вы способны и их тоже вообразить себе хоть на мгновенье, то что вам это даст? О, бесконечно много!

ТАНЕЦ ЛУНЫ

Рассказано Тёрн из Синшана

Танец Вселенной танцуют в безлунные ночи после равноденствия в сезон дождей; и на второе полнолуние после этого приходится Танец Луны.

Порой к началу Танца погода еще не установилась — идет дождь, прохладно, и все-таки уже начинается сухой сезон, ночи становятся все теплее. Иногда в это время травы еще только цветут, а иногда они уже совсем созрели и начинают подсыхать. Всегда в самом цвету сей — цветок-фонарик. Ягнята и козлята уже не кормятся молоком матери, но по-прежнему держатся поближе к овцам и козам. Птицы спариваются и строят гнезда. Весь день кричат перепела, и всю ночь ухают маленькие совы. Ручьи резво бегут своим путем. Это приятное время года, самое лучшее для любви.

Во время Танца Вселенной люди заключают браки; это традиционный период всяческих разборок и сортировок, приведения всего в порядок и следования по обеим Рукам

313

Вселенной; это праздник продолжения и жизни на одном месте. Танец Луны — совсем иной праздник. Это время ухода, время разлук, в эти дни рвутся узы, люди расстаются друг с другом. Ты ведь знаешь, что хейийя-иф — двойная спираль: одна ее Рука центростремительная, другая центробежная. Стержень соединяет ее Руки, и он же разъединяет их. Так что во время Танца Луны браки не заключаются. Не создаются семейные очаги. Во время Танца Луны не зачинают детей. Если женщина забеременеет во время этого Танца, у нее случается выкидыш или же она делает аборт, так что если она все-таки вынашивает дитя до конца, то делает это только потому, что твердо решила заранее — родить ребенка без отца, так называемое лунное дитя.

Дети не любят Танец Луны. Есть пугающие вещи и в других танцах — Белые Клоуны во время Танца Солнца, церемония Оплакивания во время Танца Вселенной, всеобщее безумное опьянение во время Танца Вина; однако во всех этих праздниках дети участие принимают: и в подношении подарков во время праздника Солнца, и в Последнем Дне Танца Вселенной, и в ритуальном пении во время Танца Вина. Но во время Танца Луны для детей ничего нет. В этот день все как бы задом наперед, точно жизнь пошла в обратном направлении, понимаешь? Это секс без всего того, что имеет отношение к любви мужчины и женщины — без ответственности друг за друга, без брака, без детей. Из-за гиперсексуальности, свойственной молодым юношам и подросткам, им танцевать Танец Луны запрещено. Потому что этот Танец женщины исполняют в Доме Овцы, а мужчины отвечают за его подготовку и делают все по-своему. Все перевернуто с ног

на голову. Полная луна отражает свет солнца, возвращает его отраженным на землю, но не создает света дневного, а лишь ночь делает светлой. Полная луна восходит на закате и заходит на рассвете.

Итак, дети и подростки остаются в доме или же уходят куда-то вместе, по крайней мере на всю первую ночь Танца Луны, а возможно, и на весь праздник целиком. Юноши из Общества Благородного Лавра в это время живут далеко в своих лагерях, а девочки из Общества Крови проводят ночь вместе в каком-нибудь доме или же высоко в горах, в летней хижине, если нет проливных дождей. Они держатся друг от друга подальше — мальчики с мальчиками, девочки с девочками. В эти дни они предоставлены самим себе, но держатся порознь. И присматривают за малышами.

Семейные мужчины, живущие с женщинами, как и семейные женщины, живущие с мужчинами, тоже обычно не участвуют в Танце Луны; они уходят в горы в летние хижины или остаются дома вместе с детьми, покрепче заперев двери. Если, разумеется, не хотят заняться любовью с другими партнерами — желающие всегда найдутся. Вот тебе, пожалуйста, уже ненормальность: Танец Луны предполагается как секс без зачатия, без оплодотворения, однако только люди, способные зачать дитя, имеют право танцевать его! Женщины обычно перестают танцевать этот Танец, когда им около пятидесяти, а порой и задолго до этого. Разумеется, старики-мужчины всегда его танцуют, они придают этому большое значение. Так что в эти дни под Луной всегда больше мужчин, чем женщин.

Иногда на Танец Луны приходят и лесные люди-одиночки. И люди из других городов. Иногда перед тобой в толпе танцует мужчина или женщина, которых ты ни разу прежде не видел и не знаешь, где они живут и кто их мать. В таком случае необходимо спросить: «Из какого вы Дома?», чтобы не совершить случайно инцест, если они вдруг из твоего Дома.

Вообще, просто рассказывать об этом как-то странно. Танец Луны — это воплощение вседозволенности и невоздержанности, однако существует множество всяких правил, о которых забывать нельзя. Правила эти, по-моему, остались от каких-то древних времен. И еще одно: сложно женщине воспринимать жизнь и жить так, как это делают мужчины. Вот ты потом попроси кого-нибудь из мужчин тоже рассказать тебе о Танце Луны, и он, возможно, расскажет тебе совсем другую историю! Впрочем, не знаю; для мужчин ведь тоже существует масса всяких запретов и правил.

Мужчина мог бы рассказать тебе больше, чем я, о том, например, чем заняты мужчины, пока не наступит полнолуние. В течение предшествующих полнолунию четырнадцати дней все мужчины, желающие участвовать в Танце Луны, занимаются только тем, что потеют и поют. Они используют старую потильню, что стоит у излучины ручья, возле Холма Кирпича. Как следует пропотев, они выбегают наружу и прыгают в пруд, где берут воду для полива полей. В Кастохе и Чукулмасе потильни нагревают с помощью пара от горячих источников. У нас просто устраивают огромный очаг в яме, выложенной камнями, разжигают огонь, а потом льют на камни воду. Они этим занимаются в любое время суток и выбегают из потильни совершенно голые. А пропотев и выкупавшись, приходят и поют на городской площади. Эти песни в основном и понять-то невозможно, такие они древние. Я их совсем не знаю; их поют только мужчины. Они поют их глубоким басом, такое ощущение — что животом. И песни эти звучат как далекий гром, или как сильный дождь, или как звуки молотилки, только более глубокие и мягкие. Женщины не выходят из домов, чтобы послушать эти песни. Они их слушают, находясь внутри своих жилищ или мастерских и занимаясь своими обычными делами. И делают вид, что вообще ничего не слышат.

Один мужчина из Синшана по имени Четвертый Перепел спел нам две из таких мужских песен и сказал, что никакого вреда не будет, если я их запишу, «хотя записывание древних слов-матриц имеет примерно столько же смысла, как и записывание общего количества шагов в танце!»

Песня, которую поют до Танца Луны (1)

Мейян мейян
барра амарраман
ах, эх, эйя мейян.

Песня, которую поют до Танца Луны (2)

Эхе эне эне
эхи мейян хейю.

Четвертый Перепел пел эти песни без аккомпанемента, глубоким, «нутряным» голосом, как и говорила Тёрн. (Когда такую песню исполняет группа, с повторами и вступлениями отдельных солистов, она, наверное, поется несколько минут.)

Итак, в течение пяти, потом еще пяти и еще четырех дней мужчины потеют, купаются и поют; и все соблюдают воздержание — как женатые, так и холостые. Иногда женщины поддразнивают их, но лучше этого не делать: во время Танца Луны они непременно за шутки отомстят.

Накануне полнолуния те женщины, что собираются танцевать, отправляются все вместе купаться в пруду. Если ты в этом году не хочешь танцевать, то должна сообщить об этом и сказать: «Я сегодня остаюсь с детьми в таком-то доме» или «Я сплю сегодня с девочками, которые еще не знали мужчин». Но даже и в этом случае мужчины все равно могут прийти к твоему дому, и петь там, и звать тебя, и пытаться как-нибудь выманить тебя наружу и танцевать с тобой. Всегда находится какая-нибудь глупая женщина, которая до праздника всем говорит, что не собирается в этом участвовать, и не будет танцевать, и ненавидит Танец Луны, но на самом деле так вовсе не думает: она просто хочет, чтобы мужчины пришли к ее дому и позвали ее, чтобы все слышали, как они ее зовут. И тогда она, разумеется, выйдет. А вообще-то никого нельзя заставить выйти из дому, если он действительно этого не хочет.

После того как солнце скроется за горами, женщины и мужчины постепенно собираются на городской площади. И музыка начинает играть — сперва внизу, в хеймас Обсидиана, а потом музыканты выходят наверх и идут по тропе к Стержню города и поют там, а потом направляются на городскую площадь и поют там, бьют в барабаны и играют на флейтах. О, такой музыки, как в ночь Луны, больше никогда не услышишь! Невозможно устоять на месте, так и тянет выйти в круг и танцевать. Музыка звучит у тебя в костях барабанной дробью, а мужчины еще так тихонько поют... Есть одно старинное слово в песнях праздника Луны: абахи. Мужчины повторяют его снова и снова — *абахи, абахи*, — и барабаны без конца меняют ритм, синкопируют — *абахи, абахи*. И становится все темнее, и свет луны начинает разливаться из-за сосен на вершине горного хребта. К восходу луны ты уже танцуешь в ряд с другими женщинами, просто переступая ногами на одном месте. Мужчины начинают образовывать свою линию, которая движется вперед, описывая круг, замыкая его и окружая танцующих женщин. Потом цепь мужчин распадается, и четверо или пятеро из них прорываются сквозь цепь женщин, разрывают ее на части. Теперь женщины танцуют уже в два ряда, и мужчины снова разбивают их на части, и снова, и снова, пока каждая женщина не окажется в одиночестве. Тогда мужчины могут окружить какую-нибудь одну или кто-то начнет парный танец с женщиной. И так без конца. Особых правил эти игры не имеют. Вы можете некоторое время потанцевать вдвоем, а потом мужчина перейдет от тебя к другой женщине или к группе танцующих, а перед тобой окажется какой-нибудь другой мужчина или же тебя окружит новая группа мужчин. Женщины с места почти не двигаются; пока мужчина не возьмет тебя за руку, ты остаешься на месте; только мужчины обладают свободой движения и выбора.

Музыка продолжает играть — музыкантами по большей части являются подростки из Дома Обсидиана, они еще не танцуют Танец Луны, но уже играют во время этого праздника! — и когда луна поднимается выше, женщины начинают петь. Они без конца повторяют слово абахи или трещат очень тоненькими голосами, как ночные сверчки. Именно в это время мужчинами и начинает овладевать особое возбуждение. Для начала некоторые из них выходят танцевать обнаженными, но когда женщины все вместе начинают трещать, как сверчки, то очень скоро уже все мужчины сбрасывают с себя одежду и танцуют голыми, и всем видно, что они готовы к половому акту. Они начинают обнимать и ласкать тех женщин, с которыми танцуют, а не просто танцевать с ними. Они берут их за руки или обнимают за плечи. Если же с тобой танцуют несколько мужчин, они начинают прижиматься к тебе сзади и тереться о тебя, и кому-то удается завладеть одной твоей рукой, а второму — другой, и тогда они начинают расстегивать твои одежды, так что если не хочешь, чтобы за эту ночь твою одежду превратили в грязные лохмотья, то особенно много и не надеваешь, потому что к тому времени, когда ее с тебя снимут, она скорее всего будет валяться там, где упала.

Итак, к этому времени некоторые пары уже начинают заниматься любовью, обычно стоя, и вместе с теми, кто находится рядом, начинают петь Песнь Койота. Она так называется потому, что немного похожа на вой койота, наверное, но, по-моему, она больше похожа на те звуки, которые издают люди в порывах страсти. Музыканты тоже поют песнь койота и продолжают барабанить, поддерживая ритм танца. Некоторые люди танцуют всю ночь. Другие прерывают танец, развлекаются любовными ласками, а потом снова принимаются танцевать и снова занимаются любовью, но уже с кем-нибудь другим, и снова танцуют; или же один раз совокупляются с кем-либо и отправляются домой; или поступают так, как им нравится. Женщине не полагается уходить домой до тех пор, пока мужчина с нею или ждет ее, но на самом деле, если с тебя достаточно или же тебе не нравится конкретный мужчина, ты всегда можешь уйти, ведь кругом темная ночь и так много людей, что легко затеряться в толпе. Существуют разные истории о том, как мужчины не давали женщине уйти, заставляя ее заниматься с ними любовью, обычно мстя ей за то, что она их дразнила, но при мне такого никогда не случалось; все эти истории рассказывают мужчины. Что действительно запрещается, так это уходить куда-то вместе и заниматься любовью вне городских площадей, где находятся все остальные. Если же кто-то из мужчин пробует преследовать уходящую домой женщину, она имеет право громко позвать на помощь и ославить его на весь город. Но обычно такого не случается. В конце концов, это всего лишь Танец, который просто танцуют все вместе.

Самым лучшим для меня был мой самый первый Танец Луны. В преддверии его я немного боялась. Ночь была теплая, ветреная, дожди уже кончились, вовсю стрекотали кузнечики, пятна лунного света на траве были похожи на белые озера. О, это была прекрасная ночь! Но иногда бывает, что на Танец Луны идет дождь. Тогда натягивают большой тент на шестах над всей городской площадью, и люди выходят и танцуют, однако заниматься любовью не слишком приятно — сыро и холодно, и в темноте даже трудно рассмотреть, кто там рядом с тобой. Мне больше всего нравится, когда при свете яркой луны всех хорошо видно и узнаешь каждого, и все-таки люди всегда бывают в эту ночь иными, потому что они находятся под влиянием Луны. Но когда небо в облаках — это все равно что ласкать совсем незнакомого мужчину среди других незнакомцев. Может быть, кому-то и нравится, но не мне. Мне нравится этот Танец, когда луна светит ярко!

Любой человек, если хочет, может танцевать Танец Луны каждую ночь или только одну, любую ночь из тех девяти, пока продолжается праздник. В первую ночь, в Ночь Полнолуния, народу на площади обычно больше всего, но если идет дождь, а небо проясняется лишь в одну из последующих ночей, то именно тогда может собраться целая толпа желающих потанцевать. В течение последующих ночей мужчины часто уходят танцевать в другие города. Если же ты попробуешь сделать это, то скорее всего окажешься в обществе мужчины, которого совершенно не знаешь. Ты должна тогда непременно выяснить, из какого он Дома, однако если с этим все в порядке, то ты поступишь неправильно, если ему откажешь. По правилам, если уж ты вышла танцевать, то не выбираешь и не отказываешь.

В течение восьми последующих ночей музыканты не выходят из хеймас до рассвета, а спать ложатся где-то сразу после обеда. За распорядком следят мужчины из Дома Обсидиана; они отвечают за весь этот праздник. Единственное серьезное беспокойство обычно причиняют пьяные. Как назло, среди людей всегда находится какой-нибудь старый охотник, который никак не может заставить стоять свой член и вовсю старается взбодрить его с помощью вина, но потом, естественно, у него и вовсе ничего не получается, и он напивается еще больше и совсем теряет рассудок, и тогда мужчинам, отвечающим за проведение праздника, приходится выкупать его в пруду или запереть в пустом амбаре, пока он не утихомирится. Была у нас тут, в Синшане, одна такая женщина, Бархатец из Дома Змеевика, которая вечно напивалась во время Танца Луны и никак не желала стоять на месте, как то полагается по правилам; если при ней не оказывалось ни одного мужчины, она непременно отправлялась на охоту и добывала себе кого-нибудь. Я думаю, каждого мальчишку в Синшане, который был слишком застенчив, чтобы подойти к женщине, которую действительно желал, непременно засасывало это старое болото во время Танца Луны. Однако особого вреда это юнцу не причиняло, ну а сама Бархатец зато получала удовольствие сполна! Во время Танца Вина она обычно слонялась повсюду, приговаривая: «Если я пью во время Танца Луны, то почему бы мне не заняться любовью во время Танца Вина?» И я подозреваю, что она таки занималась ею вовсю, не меньше, чем пьянствовала. Она была уже очень старой, когда перестала участвовать в Танце Луны, — лет семьдесят, а то и больше. И вскоре после этого она умерла.

Но, много или мало танцевали люди в течение девяти дней Танца Луны, на десятую ночь всему этому безумию дается обратный ход. Наступают безлунные ночи. К вечеру, когда солнце еще только начинает скрываться за вершинами гор, женщины собираются на городской площади, туда же приходят и музыканты. Женщины с песнями Темной Луны доходят до Стержня и до хеймас Обсидиана и возвращаются обратно.

Мужчины ждут их на площади для танцев. На десятую ночь они одеты в красивые одежды, главным образом черные или же, по крайней мере, в черные жилеты, расшитые серебром, — некоторые из этих жилетов, говорят, были специально изготовлены для Танца Луны и пережили более десяти поколений. Все мужчины с обнаженными головами и босые. Некоторые из них проводят древесным углем широкие полосы через все лицо от верхней губы до нижних век и от уха до уха. Они выглядят замечательно, главное — загадочно. Они встают в кружок лицом к женщинам, и когда женщины перестают петь, запевают мужчины. Они поют очень низкими голосами, точно так же, как перед началом праздника. Все это древние слова, только теперь слово *мейян* звучит как бы наоборот — *на йем*, что означает «берег реки», так что эти песни и называются «Берега Реки». Мужчины стоят и поют, а музыканты отбивают им ритм на барабанах. Женщины стоят, выстроившись в одну линию, и слушают. Они молчат и не танцуют.

Когда спеты «Берега Реки», женщины одна за другой спускаются в хеймас Обсидиана, в помещение Общества Крови, и моют руки и глаза в Лунном Бассейне, а потом идут домой. Мужчины, если хотят, остаются на площади для танцев и поют под рокот барабанов или же спускаются вниз и моются в Ручье Синшан. Потом и они идут домой. Танец Луны окончен.

Кое-что, совершаемое во время праздника Луны, не относится к священным ритуалам, это просто привычка, традиция. В Синшане, например, если какой-то мужчина хочет, чтобы определенная женщина именно с ним танцевала в эту ночь, он приходит к ней днем и дарит цветок сей. Мы однажды здорово веселились, когда какой-то дряхлый старец из Дома На Вершине Холма подарил моей матери целый букет сей, штук двадцать или тридцать. Она сказала: «Ну как я могу отказаться танцевать с таким замечательным человеком!» А в Мадидину, где я жила, когда вышла замуж, мужчины цветов не дарят, а среди бела дня отправляются вместе с женщинами купаться в Реке На.

Песни Темной Луны

Черная овца впереди,
а за ней ее ягненок.
Закрылись Небеса.
Хей хейя хей,
Дом Обсидиана,
дверь его закрыта.
Женщина Обсидиана
вскормила того ягненка
в темной овчарне.
Хей хейя хей,
дверь Дома Луны
черна, ох черна!
Сгусток крови, сгусток крови,
черный кровяной комок,
ах, черный комок священный,
я исторгла тебя с кровью.
Сверкающая, сияющая
белизна сверкающая,
сияющая белизна,
белая сияющая луна!
Согласие даю,
и эта кровь согласна,
и эта кровь черна.
Она течет сама собой.
Я исхожу этой кровью,
кровавыми сгустками,
черными комьями и
этим светом, и этой жизнью,
сверкающей, сияющей.

Кое-что еще о Танце Луны

Говорит женщина из Чумо:

По-моему, мужчины больше всего любят женщин, пока не займутся с ними любовью, а женщины больше всего любят мужчин после этого. Так что, как правило, мужчинам не так сладко после вступления в брак, как женщинам. А вот Танец Луны как бы выворачивает это правило наоборот. В течение целого месяца мужчины чувствуют себя всюду как дома. И в этот месяц никто в брак не вступает.

Когда я еще была незамужней, я любила участвовать в

Танце Луны, но когда вышла замуж, я всегда радовалась, что этот праздник наконец кончился. Я всегда выходила петь песни Темной Луны на десятую ночь и смотрела на своего мужа в кругу других мужчин, одетого в черный костюм Дома Обсидиана и выглядевшего пылким красавцем, и мне было приятно, что в эту ночь он непременно вернется домой. Он никогда, правда, не выказывал сожалений по этому поводу, но никогда ничего и не говорил. Он вообще был довольно сдержанным. Ты же знаешь, какими эти мужчины могут казаться скромниками.

Говорит мужчина из Кастохи:

Женщины для этого праздника ткут Лунные Покрывала, очень тонкие, длинные и широкие. Когда они выходят из домов на городскую площадь, они окутывают этими покрывалами головы, обматывают их вокруг себя, а свободные концы плывут за ними следом, и одним концом они все стараются прикрыть лицо, чтобы невозможно было угадать, кто такая эта женщина. Эти покрывала белые, пышные и в сумерках, при лунном свете похожи на лунные блики.

В нашем городе женщины всегда надевают Лунные Покрывала; я даже не знал, что в других городах Долины Танец Луны танцуют и без них. Такое покрывало можно постелить на землю, когда занимаешься любовью, им можно накрыться, если прохладно. Женщины утром сразу их стирают, так что в течение всего Танца Луны веревки для белья увешаны развевающимися на ветру белыми покрывалами — ты разве никогда не замечала?

Иногда женщины прячут свое лицо особенно упорно, значит, они действительно не хотят, чтобы их узнали; по-моему, это очень хорошо и правильно, именно так и должно быть. Однако ты сам должен быть внимательным и непременно заметить, если она подаст тебе особый знак, когда вы танцуете вместе, и окажется, что вы оба из одного Дома. Тогда тебе нужно поскорее перейти к другой женщине.

Говорит молодой человек из Чукулмаса:

О да, здесь девушки тоже носят эти покрывала, и старухи тоже, так что их порой невозможно отличить — все они просто женщины. Ну, разве что когда подберешься к ним совсем близко...

Девушки, которые еще ни разу не танцевали Танец Луны, прячутся у себя дома. Ты сам должен войти туда. Некоторое время ты поешь возле дома девушки и зовешь ее, но она ни за что не выходит. Так что приходится идти внутрь. Ты поешь:

Мейян, хей, мейян,
Я вхожу в дом!

Девушка прячется, но ждет тебя внутри, укутавшись в покрывало. Ты берешь ее за руку, и она выходит с тобой на городскую площадь. Такие девушки всегда прикрывают лицо.

[Отвечая на мой вопрос]: Не думаю, что кто-нибудь стал заниматься любовью впервые в жизни именно во время Танца Луны — я, например, таких не знаю. В тот год, когда ты решил участвовать в Танце Луны, ты предварительно лишаешься невинности. По-моему, было бы ужасно трудно, мучительно впервые страстно обнимать женщину, когда вокруг столько людей! Это только пожилые мужчины всегда стараются продемонстрировать прилюдно, какие они молодцы.

Танец Луны особенно мучителен, если ты влюблен. Вы с девушкой любите друг друга, возможно, вы с ней уже занимались любовью, и не раз, а тут, видите ли, наступает этот праздник. Как вам обоим танцевать на нем? Во время Танца Луны нельзя оставаться все время с одним и тем же партнером. А вдруг ей будет обидно и больно, когда ты удалишься с другими женщинами? А вдруг она сама захочет танцевать, когда тебе вовсе этого не хочется и не хочется, чтобы это делала она? Из-за Танца Луны немало разбивается любовных пар. Не знаю, как уж там насчет браков.

ПОЭЗИЯ

РАЗДЕЛ ТРЕТИЙ

Синшан

Песня Шестого Дома
Из Общества Земляничного Дерева Синшана

Падает вниз, непрерывно струится
от Танца Травы до Танца Луны.

Весь этот Дом из струй дождевых.
Каплями дождя стекают его стены
в ручьи, что вниз спешат по склонам,
к корням, что вниз уходят, в землю.

От Танца Травы до Танца Луны
вниз течет, свисает канителью.

Ива у колодца вверх растет, а ветви
у нее свисают вниз, струятся.
Абрикос, упавший в землю близ Синшана,
вверх прорастает деревцем цветущим.
Весь этот Дом построен из того,
что падает на землю.

Медитация по поводу дома
Перепелкино Перо

Автор: Лисий Дар из Дома Синей Глины, Синшан

Давно ль в Синшане он построен,
дом мой родной,
что Перепелкино Перо зовется?
Спущусь ли в Унмалин,
мой дом останется на месте,
иль поднимусь к самой Горе,
но снова к дому возвращаюсь.
Я ухожу и прихожу, он остается.
Я внутрь вхожу и выхожу наружу,
а он все тот же,
хоть пересохла штукатурка
и пол потрескался,
и крыша пропускает дождь,
и люди занимаются его ремонтом.
Он остается. Ведь люди родились в нем,
здесь и умирают. Дом остается.
Возможно, был в доме и пожар,
но люди дом восстановили.
Он продолжает оставаться здесь,
в Синшане, дом Перепелкино Перо,
и его названье — как тень его.

ТРИ КОРОТКИХ СТИХОТВОРЕНИЯ

*Подарено хеймас Обсидиана
в Синшане Лунным Чесальщиком*

В первой лощине

В воздухе громкое ржание,
дятел хлопает крыльями.
Ястреб кричит над Синшаном,
как сон, улетающий прочь.

День Девятого Дома

Пространство между мной и солнцем
прозрачного безветрия полно.
Вон пролетел канюк,
проплыл в небесной выси
в Доме Безветрия.
Застыла неподвижно ящерица
на скале отвесной.
А крыши в этом Доме нет —
прозрачность воздуха
над головою.

Дубу Долины

Никто никогда не строил
столь прекрасного дома,
как эта большая хеймас,
глубоко уходящая в землю
и с высокой-высокой крышей.

Крик ястреба над Синшаном

Автор — Ярость из Синшана

Что ты схватил
своими цепкими когтями?
Что ты ломаешь
крючковатым клювом?
Ну, что ты смотришь
золотистым глазом?
Своих детей ты кормишь
детьми моими.
Эй, ястреб, что ты там схватил?
Летаешь с криком громким
над полями.
Всегда печален крик твой
над холмами.
Кого убил ты, ястреб?
Кто твоя жертва?

Во Втором Доме

Из хеймас Синей Глины в Синшане

Я знаю, где она ступала
своими лапками,
пропахшими кедровым маслом,
по росистым травам.
Я знаю, где она лежала —
трава примята
и влажная земля согрелась
под мягким круглым ее брюшком,
под лапками поджатыми.

Я представляю: ее ушки
настороженно встали над травой
там, где она лежала,
подобные коричневым листочкам.
Но я совсем не знаю,
что за мысли роились
в маленькой ее головке,
когда она смотрела на меня.

Хейя скале

*Автор — Говорящий Камень
из Дома Синей Глины, Синшан*

О, старая скала, сохрани, прошу, мою душу.
Когда меня здесь не будет,
обернись за меня к восходу.
Медленно согрейся на солнце.
Когда меня в живых не будет,
обернись за меня к восходу.
Медленно согрейся на солнце.
Вот моя рука на твоей щеке — теплая;
вот мое дыханье на твоей щеке — теплое;
вот мое сердце бьется в тебе — теплое;
вот моя душа живет в тебе — теплая.
И ты еще долго стоять здесь будешь,
повернувшись лицом к восходу,
тепло в себе сохраняя.
Когда ж упадешь ты на землю,
когда расколешься ты на части,
когда земля вокруг иной станет,
когда твоя душа скалы погибнет,
мы с тобою вместе станем светиться,
вместе станем теплом и светом.

На втором холме

Автор — Ярость из Синшана

Когда бы ни пришла я в это место,
я замечаю:
кто-то побывал здесь,
опередил меня,
бродил здесь до меня по травам.

Следы его тонки и непонятны,
и разобрать их трудно,
но они приводят прямо к Стержню.
И дятел на дубу стучит пять раз,
потом еще четыре.

Но кто же все-таки сюда приходит
опережая солнце, и меня,
и даже дятла?
Чьи то следы на травах?

Копытца их узки, разделены надвое.
Стройны их ножки.
И они ступают грациозно,
танцуя свой священный танец.

Жрецы этой религии

Запись декламации Щедрой, дочери Ярости из Синшана

[Название выдумано мной. Автор назвала это стихотворение «гоутун онкама», то есть «Песня утренних сумерек».]

Самец большой совы ушастой
гудит, точно в пустой кувшин, —
поет свою простую хейю
он в сумерках перед рассветом,
законы ваквы точно соблюдая:
УГУ, угу-гу, У-гу-гу.

Лягушка-крошка, за которой
хищник этот ведет охоту,
притаилась в тени на дне ручья
и тоже распевает свою хейю,
не зная страха и довольная собой:
Каа-ригк, каа-ригк, каа-ригк.

Забивший из земли источник

*Запись декламации Щедрой, дочери Ярости,
из Дома Синей Глины в Синшане.*

Прямо за холмом
рядом с хейимас,
рядом с хейимас,
прямо за холмом, что рядом с хейимас
Синшана,
Синшана,
прямо за холмом
вдруг забил источник.

Кто это там танцует?
Кто это там танцует?
Это они танцуют,
это они танцуют,
ведь там, рядом с хеймас,
всегда и бывают Танцы.

Топают, танцуют,
топают, танцуют.
Острыми копытами
воду высекают
из-под камней и глины.
Тонкими ногами
воду заставляют
вылетать фонтаном.
Прыгают, танцуют,
топают, танцуют,
бьет вода фонтаном,
в родник превращаясь,
размягчая землю,
затопляя травы,
и с журчаньем громким
весело струится
средь лугов зеленых.
Солнце в ней играет.
И стремится дальше
вниз, все вниз по склону
тот ручей широкий,
что из-под копыта,
из земли пробился
родничком веселым.
Там они танцуют, землю пробивая.
Там они танцуют, воду выпуская.
Там они танцуют, топая копытцем.
Но танцуют втайне —
тайна та священна,
тайна та опасна
в Седьмом Доме Пумы,
сразу за холмами,
на стороне дикой,
от хеймас близко,
рядышком с Синшаном.

332

Возвращение в Дом На Холме

Автор — Маленькая Медведица

Мое сердце танцует, танцует,
на знакомых тропах — танцует,
и в дверях знакомых — танцует,
и в комнате каждой — танцует,
с пылинками вместе — танцует
в лучах восходящего солнца.

И в словах моих радость — танцует,
и в песнях она — танцует,
и во сне моем радость — танцует.
Даже пыль подметаю, танцуя,
убираю свой старый, но светлый,
солнцем пронизанный дом.

Это долгий-предолгий танец:
в тишине, в этих комнатах старых.
Слышен клич перепелки снаружи,
свет солнечный в окна льется...
Все эти годы так было.

Сколько раз этот пол подметали!
Отец глядел из окна когда-то,
мать за этим столом писала,
в детстве я, а потом мои дети
просыпались здесь утру навстречу —
в этом солнцем пронизанном доме.

Автор — утру в Доме На Холме

Автор — Маленькая Медведица из Синшана

Те, кто хочет драться, пусть табак курят.
Кто напиться хочет, пусть пьет свое бренди,
Кто «полетать» навострился, пусть конопли
покурит.
А кто доброй беседы жаждет, пусть вина лучше
выпьет.
Я же сейчас ничего не желаю такого.
Ранним утром воздух чистый вдыхаю и пью
только воду,
потому что сейчас мне нужны чистота и молчанье
да несколько слов на белом листе бумаги,
что вьются вкруг моей мысли в чистоте
и молчании утра.

Песня, посвященная Дому На Холме в Синшане

Автор — Маленькая Медведица

Милый мой дом,
милый мой дом,
вместе с тобой мы стареем.
Старые комнаты тихи.
Я живу здесь, и мать
моя молодой здесь жила.
Дверь, что на северо-запад выходит,
дверь, что на юго-запад выходит.
Может быть, в этих стенах
еще успеет состариться внучка
моей дочери. В этом вот доме.
Может, когда-нибудь после смерти
я загляну сюда — в дверь,
что на юго-запад выходит,
иль в другую дверь этого дома,
пройдусь по комнатам старым,
где жизнь прожила я,
по милому дому.

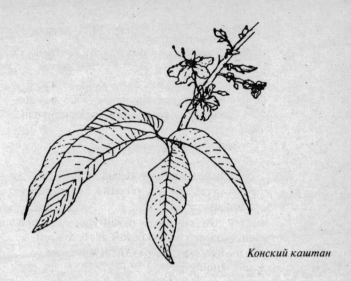

Конский каштан

Черноголовая гаичка-синичка

Автор — Излучина Реки из Дома Синей Глины, Синшан

Ах, мудрая храбрая птичка!
Восседаешь на ветке так гордо,
охорашиваешься прилежно,
точишь острое свое оружье —
меня ни за что не пропустишь.

Ну что мне сказать тебе?
Впрочем, ты на меня ноль вниманья,
нежно и тихо пропела трижды
и ко мне спиной повернулась,
храня тишину, храня молчанье лесное.

Вот в лес я вошла,
сижу у источника
с сердцем иссохшим.
Азалия удушающе пахнет —
ее цветы для крошки-колибри.

Не могу прочесть я ни слова
на грудке у воробьихи,
хоть она и подходит близко,
чтобы все прочесть я сумела.

Вода темна, молчалива,
пьют ее корни деревьев.
В трех местах она наружу выходит
среди скал и одно обретает русло

Пестрый цветочный коврик
за сине-зеленой скалою,
стеклом блестящей на солнце.

Страж мой, синичка, пропела
над вратами этого Дома,
среди мхов, близ травы,
молчанье хранящей.

Высохло сердце мое,
ибо стара я стала.
Сколько же лет белым цветом
цвела здесь азалия эта?
Сколько же лет струится
молчаливый этот источник?

Дождь будет завтра,
и завтра мне сюда не подняться.
Внизу я дождь буду слушать
и думать о птицах здешних,
бесстрашных и осторожных
в зарослях лавра, в кустах душистых,
на ветвях азалии старой,
в тени огромных деревьев этих,
что пьют тишину и молчание леса.

Ручей Синшан

*Автор — Пик из Дома Желтого Кирпича
и Общества Искателей Синшана*

Думая о быстром ручье, бегущем
меж берегами нависшими,
под дубами, ольхой и ивами,
под деревьями земляничными
и под благородными лаврами;
думая о прозрачной воде, струящейся
над пестрою галькой, выстлавшей русло,
что после излучины на равнину выходит,
стекая по склону в тени мощных лавров,
и снова, петляя, в холмах исчезает,
спускается в небольшую лощину;
думая о быстром ручье, о прозрачной воде
в чужом краю, в сухие месяцы осени,
я, конечно, в голос заплачу и в комок сожмусь,
мечтая всем сердцем вдохнуть аромат этих лавров.
И мечты мои станут этой водою,
а душа моя — камнем в струях этой воды бегущей.

Песнь, посвященная Ручью Синшан

Автор — Ярость из Синшана

И вот я здесь.
И вот я вернулась туда,
где вода из-под скал
на поверхность выходит.

Вот он, знакомый источник
с прозрачной водой, что струится
среди темных камней,
среди скал голубых — в Долину.

И вот я здесь, у истоков
самой чистой воды в Долине.
Со мною рядом колибри
с серою грудкой, с хвостом зеленым,
с горлышком красным.
Колибри со мною рядом
охотится, крылышками трепещет.

И вот я здесь,
где вода из тьмы подземелья
на поверхность выходит.
Со мною рядом колибри
в своем одеянии пестром —
висит над водой, ясноглазый,
лишь крылышки мелко трепещут.

КНИГА ВТОРАЯ

ВОСЕМЬ ИСТОРИЙ ЖИЗНИ

Истории жизни — популярный в Долине жанр. Биографии и автобиографии часто записываются и передаются в хеймас или в какое-нибудь Общество в качестве ценного подношения, подарка. Будучи в большинстве своем довольно банальными, они тем не менее являют собой как бы «стержень» или пересечение личного, индивидуального, кем-то конкретным прожитого исторического отрезка времени с общественным, безличным циклическим временем-бытием, некое соединение временного и вечного, некий священный акт.

Самая большая часть данной книги, история жизни Говорящего Камня, представляет собой автобиографию. А в этой главе собраны более короткие истории, и в них звучит целый хор голосов мужчин и женщин — жителей Долины, старых и молодых.

«Поезд» семилетнего Достаточно из Синшана — типичная краткая автобиография, преподнесенная автором в дар хеймас своего Дома: история эта повествует об очень важном событии из жизни мальчика, который искренне считает, что читатель тоже непременно ощутит его значимость для жизни Долины.

«Она Слушает» (или «Слушающая женщина») была преподнесена хеймас Змеевика в Синшане в день получения ее автором среднего имени, того самого, которое человек носит всю свою взрослую жизнь, пока не получит последнее имя.

Как и многие автобиографии, не претендующие на звание литературного произведения, эта история написана от третьего лица. В «Джунко» автор пользуется третьим лицом, рассказывая о себе самом в прошедшем времени, а в настоящем времени пишет от первого лица. Описанные здесь неудачные поиски некоей мечты духовно сильным героем представляют собой кульминационный момент данной истории — и жизни автора.

«Светлая пустота ветра», переданная Кулкунной из Телины в свою хеймас, — это описание того, что мы бы назвали бестелесным или послежизненным опытом; она изображает умирание человека как центральный момент жизни. Поскольку жизнь его была все-таки спасена Целителями (как живыми, так и уже умершими), Кулкунна сразу же вступил и сам в Общество Целителей; он чувствовал, что должен отдать некий неоплатный долг. А вот в конце той истории, которая рассказана Говорящим Камнем, мы видим совсем другую сторону подобных отношений: Целитель, спасший человеку жизнь, становился в результате полностью ответственным за эту жизнь — как и родители, которые произвели данного человека на свет. Долг и кредит в Обществе Целителей — это дело жизни и смерти, очень серьезное дело.

«Белое Дерево» — единственная простая биография во всей этой группе историй. Если чей-то друг или родственник считает, что нерассказанная история жизни этого человека заслуживает того, чтобы ее рассказали, то можно поступить так, как поступил автор «Белого Дерева», написанного после смерти основного действующего лица.

«История третьего ребенка», подписанная Пятнистым Козлом из Мадидину, однако рассказанная от первого лица, возможно, представляет собой исполненную мести и иронии биографию, которая выдается за автобиографию, или же, возможно, это чистый вымысел, или же нечто среднее между тем и другим. Вольная форма подобного «верлибра» использовалась также для плачей, сатир и фривольных песенок.

«Пес у дверей» — это запись видения, которое началось как сон, а потом получило продолжение наяву благодаря медитации в хеймас. Попросту говоря, это выдуманное путешествие, некая фантазия, которой даже не дается рационального объяснения. Однако и автор, и читатели из Долины считали ее вполне состоятельной историей жизни. Следует отметить, правда, что автор, передавший ее в хеймас Красного Кирпича в Ваквахе, не подписался.

И, наконец, в «Мечтательнице», самой длинной из представленных историй, Дятел из Телины пересказывает свою жизнь с известной прямотой и реалистичностью. Копии этой работы хранились как в хеймас Телины, так и в Архиве Ваквахи. Возможно, Дятла попросили записать эту историю ее приятели-ученые с Горы-Прародительницы — в качестве некоего образца для других людей, обремененных тем же даром, ибо она в своем произведении попыталась выразить то, что чаще всего остается невысказанным: эмоции и взаимоотношения с другими людьми человека, следующего (вольно или невольно) путем мечтаний, некоего провидца, и определить то место, которое «великое видение» занимает в обычной жизни.

ПОЕЗД

*Написано мальчиком по имени Достаточно
из Дома Змеевика (Синшан)*

Это мое первое письменное подношение. Хейя хей хейя хейя хейя. А мое первое имя, которое дали мне мои матери: Достаточно. Я живу в Третьем Земном Доме со времени Танца Луны, происходившего семь лет назад. А вот как называется дом моей матери: Синие Стены, и находится он в Синшане. После Танца Вина я отправился в путешествие из Синшана с моим двоюродным братом Маком и теткой с материнской стороны по имени Подарок. Я впервые покидал Синшан. Мы прошли Долину насквозь, до гор, высившихся на другой ее стороне, потом спустились к берегу Реки На. На другой берег мы переправились на пароме. Паромщик переправлял нас на пароме и все время тянул за какую-то веревку, а потом отправился тем же способом назад, но уже без нас. У него там еще были куры с зелеными хвостами. Потом мы немножко прошли пешком и пришли на Рельсовую Дорогу. Там пахло каким-то мылом и еще чем-то горелым. Рельсовая Дорога похожа на очень широкую лестницу, лежащую на земле и уходящую так далеко за горизонт на северо-западе и юго-востоке, что ни того, ни другого конца ее увидеть невозможно. По обе стороны от нее трава вся сострижена, а внутри этой «лестницы» насыпаны красивые гладкие камушки. Мы перешли через нее по одной из поперечных перекладин. Поднялись на холм, заросший чертополохом, и наконец, усевшись под росшими там дубами, поели немного — маринованных овощей и вареных яиц. Пока мы там сидели, вдали, далеко-далеко, послышался шум, похожий на рокот барабана. Подарок сказала: смотрите, и мы стали смотреть. Шум становился все громче и громче, потом показался и сам Поезд! Я очень испугался. Дома, когда я иногда слышал такой шум и мне говорили, что это Поезд, я всегда думал: вот, тяжело ступая, идут каменные люди. Но шум Поезда куда громче, если ты рядом. Поезд испускал клубы дыма и был похож на сцепленные друг с другом движущиеся дома. На одной из его частей, которая больше была похожа на большую тележку, сидел человек в красной шляпе, который помахал нам рукой. Я рукой махать в ответ не стал, потому что обеими руками держался за тетку и Мака. Я был очень взволнован. Подарок сказала, что это и есть Поезд и он везет вино для жителей Амаранта. Все сойки на том холме разом умолкли, когда Поезд подошел ближе, и утки тоже все поднялись в воздух с берегов Реки, так что вокруг стало темнее и я даже почувствовал их запах. Этот Поезд держал путь на юго-восток, и скоро он прошел мимо. Мы встали и вышли на заросшую чертополохом тропу, которая привела нас к Старому Озеру. Там мы с моим двоюродным братом стали жить и ловить рыбу. А через четыре дня вернулись домой и принесли свой улов. Хейя Дому Змеевика!

ОНА СЛУШАЕТ

*Подарено хеймас Змеевика в Синшане обитательницей дома
Чимбам по имени Она Слушает*

Луна ничего особенного в своей жизни не видела, и не слишком часто ходила в хеймас, и не пела песни Общества Крови, и не вела бесед со старыми людьми. Однажды она отправилась на принадлежавший ее семейству участок для сбора полезных растений на Черной Гряде близ Хиру, чтобы собрать там кое-какие семена. Она очень устала, работая на солнцепеке, и поднялась повыше в заросли карликового дуба, чтобы прилечь там и немного поспать. Она улеглась на небольшой полянке, где рядом не было ни одного ядовитого дубка, под большим земляничным деревом с пятью стволами.

344

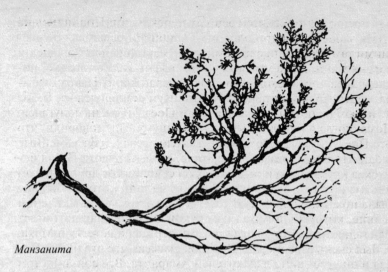

Манзанита

Вдруг кузнечики все разом смолкли. Нигде не было слышно ни звука. Она даже подумала, что начинается землетрясение, и села. Глядь, а напротив стоит какая-то женщина, вся левая сторона которой, с головы и до пят, золотисто-красного цвета, а по правой стороне ее тела вьются какие-то черные перекрученные полосы, и правая нога у нее черная, сухая и без стопы. Женщина стояла и смотрела на Луну одним здоровым, ясным глазом и одним сожженным. Потом сказала: «Снимай-ка одежду!» Девушка заплакала. «Посмотри-ка на себя, ты вся целая, мягкая и совершенно живая!» — упрекнула ее Женщина Земляничного Дерева. Девушка попыталась спрятаться от нее, закопавшись в кучу листьев земляничного дерева. «Ты глупая и, чтобы стать мудрее, должна сперва выйти замуж», — сказала Женщина, взяла своей красной рукой живую ветку земляничного дерева и ударила ею девушку наискось по грудям так, что остались полосы, а потом своей почерневшей рукой взяла сухую ветку и ударила ею девушку поперек живота так, что пошла кровь. Потом она отвернулась от Луны и сама стала ветвями дерева и небом. Луна плача отползла подальше и бросилась вниз по горной дороге, прихватив свою корзинку с семенами. Когда она пришла домой, в Синшан, мать ее, сидевшая на балконе, спросила: «Что это с тобой случилось, дочка?» Но девушка стояла и молча плакала. Мать и говорит ей: «Видно, ты побывала там, куда должна пойти я. Ну что ж, придется мне пойти. Сердце мое совсем никуда не годится, и пора мне умирать. Я не могла тебе этого раньше сказать, но теперь вижу: ты сумеешь меня услышать и понять. Наверное, ты встретила кого-то из обитателей Четырех Домов. Наверное, кто-то из них заговорил с тобой».

Девушка сказала: «Это была душа Земляничного Дерева. Но она ничего про тебя не говорила. Она велела мне выйти замуж».

Мать Луны сказала: «То же самое и я тебе говорю». Но девушка все продолжала плакать, а мать ее утешала. Вскоре после этого молодой человек по имени Виноградная Лоза из Дома Желтого Кирпича переселился к ним в дом и стал там жить. Они с Луной поженились во время Танца Вселенной. Тогда мать девушки была еще вполне здорова, но потом стала быстро слабеть и умерла через девять дней после Танца Луны. И тогда ее имя перешло к дочери. Имя ее было — Она Слушает.

Хейя земляничное дерево
Хейя земляничное дерево
Хейя земляничное дерево
Хейя земляничное дерево.

ДЖУНКО

*Передано в хеймас Желтого Кирпича в Чукулмасе Джунко
из Черепичного дома*

Он не желал разговаривать с камнями или бродить по следам пумы, когда на двадцатом году жизни поднялся на Гору-Прародительницу. Этого молодого человека звали Смотрящий На Солнце, а потом он стал тем стариком, что теперь пишет эту историю.

Он не делал никаких подношений, когда покидал Вакваху по верхней дороге, и не остановился, чтобы спеть вслух или про себя у Истоков Великой Реки. Он не попросил ни оленя, ни медведя, ни большой дуб, ни ядовитый дубок, ни ястреба, ни змею помочь ему или дать совет. Он не попросил помощи даже у Горы-Прародительницы. Он вскарабкался прямо на вершину и отправился к северо-западному хребту. Дул сильный ветер.

Он построил там дом: нарисовал на земле камнем его очертания и, стоя внутри этого нарисованного дома, громко сказал: «Мне не нужны ни живые существа, ни их души, ни их формы, ни их слова. Мне нужна вечная истина. Я сделаю все, что должен для этого сделать, я буду поститься, я принесу любое жертвоприношение, я отдам даже свою жизнь, если смогу хотя бы перед смертью увидеть то, что лежит за пределами жизни и смерти, за пределами слова и формы, за пределами всего сущего — познать вечную истину».

Дул ветер, светило солнце. Молодой человек начал свой великий пост. Четыре дня и четыре ночи он стоял там, в нарисованном доме. Но это было только начало.

Канюк чертил в небесах свои круги, скалы готовы были поведать юноше свою историю, травы молчаливо обступали его — все они были там, но их слова были ему неинтересны, ему нужна была лишь вечная истина.

На пятый день он спустился вниз, чтобы напиться и набрать воды у Источника Легкое Перо. Он напился и наполнил водой глиняный кувшин, который был кем-то оставлен в дар ручью, а потом пошел обратно на вершину — стоять в своем доме из начерченных на земле линий. В течение трех дней он отпивал по несколько глотков в день из того кувшина. На четвертый день вода кончилась, да и ноги его больше уж не держали. Но он остался на вершине, в своем нарисованном доме, только опустился на четвереньки и повторял про себя: «Я отдам даже свою жизнь, только дайте мне узнать вечную истину».

Люди из Ваквахи принесли ему воды. Люди из его Дома пришли и сказали ему, что этот его поступок — жестокая ошибка. Одна женщина из Ваквахи, из Дома Желтого Кирпича сказала ему: «Неужели ты думаешь, что стал выше самой горы только потому, что стоишь на ее вершине?» Она оставила ему миску с едой, но он к еде и не прикоснулся. Только напился воды, когда люди наконец ушли. Напившись, он почувствовал только еще большую слабость. Он даже не мог стоять на четвереньках. Он лег, но стоило ему лечь, как к нему явились сны. Он не хотел, чтобы они ему снились. Он тщетно боролся со сном и все повторял мысленно: «Дайте мне познать вечную истину, я отдам свою жизнь».

Потом он вдруг стал слышать свое имя, кто-то звал его: «Смотрящий На Солнце! Смотрящий На Солнце!»

Это имя дали ему другие люди; он не сам выбрал его. А теперь, решил он, надо сделать то, что говорит это имя. И поднял глаза к небесам — стал смотреть на солнце.

Стояло полное безветрие, на небе не было ни облачка. А он все смотрел и смотрел на сияющее солнце, пока перед глазами у него не начали вертеться колеса — и черные, и очень яркие. Колеса переплетались, вращались одно в другом, и вокруг Солнца, и вокруг Вселенной, и все еще продолжали вращаться, когда он наконец отвел от солнца свой взгляд.

Какая-то сойка забрела внутрь нарисованного на земле дома и сказала: «Так ты сожжешь себе глаза».

Смотрящий На Солнце ответил: «Я сделаю то, что должен сделать».

И продолжал смотреть на солнце. Он чувствовал себя очень плохо, и, когда солнце село и повсюду спустилась тьма, во тьме он по-прежнему видел яркие колеса и черные колеса, вращавшиеся вокруг него повсюду.

Сова подлетела к нему совсем близко и несколько раз проухала: «Ты ослепнешь!»

Молодой человек попытался заплакать, но слезы выжгло из его глаз, и он пополз по земле среди вращающихся колес, плача громко, но без слез. Все живое вокруг принялось угова-

ривать его: «Ступай вниз, сейчас же ступай вниз!» Он чувствовал даже, что Гора-Прародительница передергивается — так лошадь подергивает шкурой, стараясь согнать надоевшую муху. Он чувствовал, как земля под ним тоже вращается подобно колесу. Когда начало светать, он понял, что еще видит, и на четвереньках спустился немного вниз по склону горы. Он напился из Источника Легкое Перо и передохнул там. После этого силы частично к нему вернулись, и он смог идти на двух ногах. Он слышал, что все живое вокруг повторяет ему: «Ступай вниз!», и он пошел вниз, в Вакваху, и по-прежнему все живое вокруг твердило: «Ступай вниз! Спускайся еще ниже!» Он спустился по берегу Реки На до самой Кастохи, но и там все время слышал: «Ступай вниз!» Он не понимал, куда еще ниже можно пойти, пока не вспомнил о пещерах в Кестеце. Он узнал о них, будучи виноторговцем, и пошел туда по старой дороге. Он добрался до пещер, вошел внутрь, миновал винные склады, устроенные там, и двинулся дальше: там, в темноте из скалы били ледяные ключи. Туда совсем не проникал солнечный свет, но он видел, как даже здесь, под землей все вертятся и вертятся те яркие колеса. И он начал танцевать там, притопывая и подпрыгивая. Кровь текла у него из носа и из глаз, а он танцевал и выкрикивал: «Дайте же мне познать вечную истину!»

И тут какой-то человек принялся танцевать с ним вместе. И хотя вокруг было совершенно темно, Смотрящий На Солнце хорошо видел этого человека, и обликом своим тот не походил ни на кого из известных ему людей — ни на мужчину, ни на женщину. И этот человек спросил, танцуя: «А ты знаешь достаточно, чтобы тебе открыли вечную истину?»

Смотрящий На Солнце ответил: «Я внимательно запоминал все то, чему меня учили, я знаю все песни, я с детства хранил чистоту и никогда не знал женщины, я много постился, я танцевал священные танцы, я принес много даров, я отдал все!»

«Да, да, да, да», — сказал тот человек, танцуя. Голос его становился все выше, все тоньше, и сам он все уменьшался, но продолжал танцевать. Смотрящий На Солнце не мог теперь видеть ясно, но было похоже, что тот человек все уменьшается и уменьшается, танцуя, пока наконец не превратился в кого-то вроде мыши или большого паука, и это существо тут же убежало прочь, во тьму более мелких дальних пещер.

Люди из Цеха Виноделов тогда вошли в пещеры и окружили Смотрящего На Солнце, а потом все вместе вынесли его наружу. Сам он идти не мог. Ему дали напиться — сперва воды, а потом молока, потом дали ему съесть немного мякоти абрикосов. Когда он попил и поел, его отвезли на тележке для сена в Чукулмас в дом его матери и оставили там до выздоровления.

Но вечером он встал, вышел из материного дома и пошел прочь из города на «охотничью» сторону горы. Он зашел так далеко, как только сумел. Оказавшись в весьма уединенном месте — в одном из боковых ущелий Каньона Синего Ручья, он разорвал свою рубашку, связал из нее веревку и привязал себя к сосне так, что мог только стоять, прислонившись спиной к дереву. И он сказал: «А теперь я умру здесь от голода и жажды, если мне не будет дарована возможность хоть мимолетно познать вечную истину».

И он еще несколько раз повторил это обещание и повторял его всю ночь.

Когда занялся день, он заметил, как кто-то поднимается к нему со дна каньона среди зарослей карликового дуба и сосен. Его обожженные солнцем глаза все еще видели неясно, да и в ущелье было темновато. Он решил, что это кто-то из города идет, чтобы отыскать его и заставить прекратить голодовку, так что громко крикнул: «Эй! Не ходи сюда! Ступай назад!»

Человек остановился внизу у ручья, потом повернулся и пошел прочь. И тогда молодой человек подумал, что это ведь мог быть и кто-то из Четырех Домов, несший то, о чем он просил, и он что было сил крикнул: «Вернись! Пожалуйста, вернись!» Но тот человек уже ушел.

Привязанный к дереву Смотрящий На Солнце сказал: «Ну вот, теперь я скоро умру».

И тут же перед ним возник яркий человек, прозрачный как стекло и весь светящийся. Светящийся человек заговорил с ним: «Возьми мой дар!» Даже его голос, казалось, звенел и сверкал, но сам человек мгновенно исчез. Смотрящий На Солнце стоял и ждал в тишине. Воздух был неподвижен. Небо закрыли тучи, и повсюду разливался ровный свет. Царила мертвая тишина. Ничто не двигалось. Ничего не происходило. Только джунко пролетел меж двух сосен и уселся на ветку. Молодой человек ждал обещанного дара и вечной истины. Вскоре сойки вновь начали ругаться и вопить на верхушке той сосны, к которой он привязал себя. Но он все ждал. Пошел дождь.

Когда капли дождя упали ему на волосы, на лицо и на плечи, Смотрящий На Солнце понял, что больше ничего не случится, что именно это и должно было произойти, рассердился и решил: «Тогда я так и буду стоять, пока не умру». Он наклонил голову, чтобы дождь не смачивал ему губы, и остался там, привязанный к дереву.

Упало еще несколько крупных дождевых капель, и дождь прекратился, а через какое-то время выглянуло солнце. В тот день упрямый молодой человек ослеп окончательно. Через некоторое время его родственники и люди из его Дома, которые давно уже искали Смотрящего На Солнце, наконец его нашли. Он был уже еле жив и долго еще пребывал в беспамятстве, пока им занимались Целители. Потом он вновь постепенно обрел память, силы стали возвращаться к нему, однако лечение его продолжалось до самой зимы. Целители вернули его к жизни, только вот прежней остроты зрения вернуть ему не смогли. (Так что теперь я могу видеть все только сбоку. А прямо перед собой ничего не вижу.)

Смотрящий На Солнце женился на Цветке Сливы из Дома Обсидиана и поселился с ней в доме под названием Построенный Слишком Быстро. У них родились дочь и сын. Смотрящий На Солнце продолжал работать в Цехе Виноделов и еще пел в Обществе Целителей. Прошлой зимой его жена умерла. С тех пор мое имя Джунко.

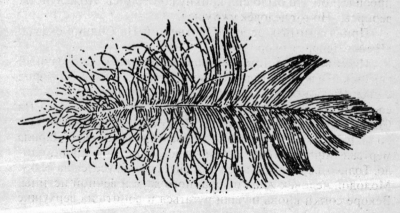

СВЕТЛАЯ ПУСТОТА ВЕТРА

Рассказано Кулкунной из Дома Красного Кирпича (Телина)

Тридцать лет назад, как мне говорили, некая болезнь, что таилась во мне издавна, стала усиливаться, отнимая у меня разум, вызывая конвульсии, заставляя сердце биться с перебоями и останавливая дыхание. Об этом я сам почти ничего не помню, но хорошо помню, что случилось в итоге.

Я оказался внутри темного дома странной формы и не разделенного на комнаты. Стены дома были такими тонкими, что ветер и дождь проникали сквозь них. Я стоял посреди этого дома. Высоко, под самой крышей в стенах было что-то вроде узеньких маленьких тусклых окошечек. Я ничего не мог разглядеть сквозь них. Мне очень хотелось увидеть, что там снаружи, узнать, в какой части города находится этот дом, и я сердито спросил вслух: «Интересно, как здесь пройти к двери? Где здесь дверь?» Ощупью продвигаясь вдоль стен, я нашел дверь и приоткрыл ее.

И тут же сильный ветер резко, с грохотом распахнул ее настежь, и весь дом содрогнулся у меня за спиной, словно пустой бычий пузырь. Теперь я стоял на какой-то огромной, залитой ярким светом площади, где свирепствовал ветер. Под ногами у меня тоже были только свет и ветер, и лишь сила ветра держала меня в воздухе.

Как только я это увидел, я подумал, что непременно упаду, если не найду какой-нибудь опоры ногам; и я действительно начал падать. Я искал хоть что-нибудь, на что можно было бы поставить ногу или зацепиться рукой, но там не было ничего, на этом ветру. Я падал, и мне было очень страшно. Я в ужасе зажмурился, но это не помогло: тьмы там не было вовсе. Я падал, и ничего невозможно было сделать. Я падал, как перышко падает из крыла пролетевшей птицы. Ветер нес меня, и я падал, кружась. Я был как перышко. Пожалуй, и бояться мне не стоило.

Как только я это понял, в меня сразу проникло все величие ветра, ясность окружавшего меня света и радость.

Но вместе с осознанием этого я ощутил какое-то неведомое течение, которое тащило меня куда-то все сильнее и сильнее. Ясный свет вокруг померк, стало темнеть и совсем стемнело; ветер стал слабее, тише, превратившись в звуки, дыхание, голоса.

Потом я снова почувствовал, что дышу сам, собственным носом и ртом, слышу собственными ушами, ощущаю собственной кожей, живу благодаря ударам собственного сердца. Некоторое время, правда, я еще не мог по-настоящему видеть и видел все лишь глазами своей души, понимая, что мои чувства могут воспринимать только самих себя, что весь мир вокруг — это они сами, они его создали, отбрасывая тени на ясную пустоту ветра. Я понял, что жизнь — это когда тебя поймают среди этих теней руки света. Я не хотел возвращаться. Но искусство Целителей заставило меня вернуться, они тащили меня, и их пение позвало меня назад, позвало меня домой. Я открыл глаза и увидел старика по имени Черный Папоротник из Общества Черного Кирпича, который сидел возле меня и пел. Голос у него был тонкий и сиплый. Он смотрел прямо мне в глаза и пел:

> Иди же, пора, иди вперед.
> Иди к нам, пора,
> Пора к нам вернуться.

Я понял, что пора мне снова начать ходить по этой земле и не возвращаться больше в тот светящийся мир. И вот с сожалением и болью, с трудом, ценой огромных усилий, в точности как говорится в Песне Сожжения, которую поют во время Ухода На Запад и погребения:

> Тяжело, тяжело.
> Нелегко.
> Но ты должен вернуться туда.

В точности так я стал своим прахом, золою. Я снова стал своим темным телом вместе с сидящей в нем болезнью.

В течение многих дней и ночей я был совершенно беспомощен, но когда наконец выздоровел, то стал значительно сильнее, чем когда-либо до этого, и благодаря строгой диете и специальным занятиям так с тех пор и остался в добром здравии.

Я много дней провел в постели под присмотром врачей, прежде чем решился спросить, почему нигде не видно Черного Папоротника, но, только сказав его имя вслух, вспомнил, что этот старик давно уже умер, еще когда я был совсем ребенком.

Когда Целители вылечили меня окончательно, я стал учиться, стремясь тоже стать врачом. Тем, кто передал мне все свои знания и песни, я дарю песню, которую Черный Папоротник подарил мне, призывая меня вернуться из того мира света и ветра лет тридцать назад. Эта песня хорошо помогала при лечении людей, пребывавших в состоянии шока, а также при кризисных состояниях, вызванных лихорадкой.

БЕЛОЕ ДЕРЕВО

Автор — Танец Овцы из Дома Обсидиана (Синшан)

Он родился в Доме Желтого Кирпича в самом начале сезона дождей. Мать его жила в Синшане, в Доме На Вершине Холма. Это тогда был совсем новый дом; мать, бабушка и тетка этого человека, а также их мужья строили дом целый год и окончили как раз перед тем, как человек тот появился на свет. Его первое имя было Двадцать Один День.

Характер у него был мягкий, но довольно замкнутый, ум живой и серьезный. А разговоры разговаривать попусту он не слишком любил.

Он был хорошо образован — учился как у себя в семье, так и в своей хеймас, участвовал во всех церемониях своего Дома, а потом, в тринадцать лет, вступил в Общество Сажальщиков и годом позже, когда надел некрашеные одежды, в Общество Благородного Лавра. В юности он изучал искусство выращивания плодовых деревьев под руководством брата своей матери, ученого из Общества Сажальщиков из Дома Желтого Кирпича, а еще он учился у самих садовых деревьев всех сортов.

Когда ему исполнилось девятнадцать лет, он поднялся на гору в Вакваху на Танец Солнца. Он жил там в хеймас Желтого Кирпича, учился и пел до самого Танца Вселенной. После этого он в одиночку совершил восхождение на Гору-Прародительницу.

Вернувшись из этого похода, он перебрался в Кастоху, где поселился у своих родственников по Дому, изучая искусство садоводства, ибо сады Кастохи славились всюду как самые плодоносные и красивые. Вскоре он принял свое среднее имя Ясная Погода и надел рубаху из крашеного полотна — перешел жить в дом к женщине из Дома Змеевика. Ее звали Холм, и была она из Дома На Холме, что в Кастохе. Она была лесником и занималась в основном теми дубами, древесина которых идет у плотников на отделку и для особо тонкой работы. Несколько лет муж трудился с нею вместе, разыскивая, отбирая, срубая и сажая новые дубы. И присоединился к ее Цеху.

Но каждый раз, возвращаясь из очередной экспедиции в Кастоху, он продолжал работу над скрещиванием различных сортов груш. В те времена ни один из сортов груш в Долине не был достаточно хорош: они становились жертвами гусениц, им требовался особый режим полива, иначе деревья чувствовали себя плохо и неважно плодоносили. Чтобы добыть различные саженцы, он ходил с Искателями на Чистое Озеро и в долину Долгий Звук, спрашивал совета у жителей северных районов через ПОИ. Несколько саженцев ему прислали из садов, что расположены у Реки В Сорок Рукавов, далеко на севере; эти саженцы ему привезли торговцы, которые были родом из тех мест и занимались тем, что обменивали копченого лосося на вино. Путем скрещивания северных груш с местной дикой грушей, которую он отыскал где-то в дубовых рощах между Кастохой и Чукулмасом, ему в итоге удалось вывести невысокое крепкое и очень засухоустойчивое дерево с отличными плодами, и он вернулся в Синшан, чтобы посадить там несколько таких груш. Теперь они известны всем: это та самая коричневая груша, что растет в большинстве садов Долины, и люди называют ее груша Ясной Погоды.

Все те годы, что он путешествовал, а Холм много времени проводила в лесах, они подолгу не жили вместе. У них не было общих детей. Через какое-то время Холм решила совсем прекратить семейную жизнь, перестала вести хозяйство, оставила дом и превратилась в настоящую лесную женщину. Ясная Погода тогда перешел жить в дом другой женщины из Дома Обсидиана по имени Черная Овца. Она тоже жила в Кастохе, в доме Сорочьем. У нее уже была дочка. Потом у них с Ясной Погодой родился общий сын.

Ясная Погода начал изучать яблони из садов Верхней Долины, работая над скрещиванием сортов и пытаясь помочь горным яблоням противостоять болезни, от которой у них свертывались листья. Он также в течение многих лет серьезно занимался изучением почв в предгорьях, присматриваясь, где и какие деревья лучше растут. Но как раз когда его работа была в самом разгаре, Черная Овца стала прихварывать, у нее сильно ослабел слух, а потом и зрение.

Они переехали из дома ее матери вместе с дочерью и сыном в Синшан, где несколько лет прожили в Старом Красном доме. Они трудились вместе с местными Целителями, и Черная Овца училась, как нужно быть больной, а Ясная Погода — как заботиться о ней, когда ей необходима будет его помощь. Он работал садовником и принимал участие во всех церемониях своего Дома и всех Цехов и Обществ, членами которых являлся. Продолжать изучение почв предгорий он, к сожалению, больше не мог. Черная Овца еще девять лет прожила, жестоко страдая, став глухой и слепой.

Когда она умерла, ее дочь вернулась в дом своей бабушки в Кастоху. Ясная Погода с сыном жили вместе с одним семейством из Дома Желтого Кирпича. В это время он как раз получил свое последнее имя, данное ему членами Общества Сажальщиков во время Танца Вина: Белое Дерево. Он продолжал работать в садах Синшана, сажал деревья, ухаживал за ними, обрезал сучья, подчищал и удобрял землю, собирал плоды и отбирал лучшие саженцы. Он стал членом Общества Зеленых Клоунов и танцевал Танец Вина, и Танец Вселенной, и Танец Луны, пока ему не исполнился восемьдесят один год. Он умер от воспаления легких, поработав под дождем в сливовых садах Синшана.

Белое Дерево был отцом моего отца. Это был добрый и молчаливый старик. Я пишу это для библиотеки, принадлежащей его хейимас в Синшане, и сделаю еще одну копию для библиотеки его хейимас в Кастохе, чтобы Белое Дерево еще хоть какое-то время вспоминали добром, когда сажают грушевые деревья или хвалят наши сады.

ПРИМЕЧАНИЕ ПЕРЕВОДЧИКА

С. 354. *...изучал искусство выращивания плодовых деревьев под руководством брата своей матери... а еще он учился у самих садовых деревьев всех сортов.*

Мы, пожалуй, скорее скажем, что он учился у своего дяди тому, как надо ухаживать за садовыми деревьями; однако это будет не совсем точный перевод повторяющегося суффикса -*оуд* со значением «с, вместе с». Таким образом, учиться «вместе с» (дядей и деревьями в данном случае) — это не просто передача неких сведений кем-то кому-то, но некие отношения, скорее похожие на родство, ибо они считаются взаимными. Подобная точка зрения кажется безнадежно противоречащей определениям субъекта и объекта, принятым в науке. Тем не менее оказывается, что генетические эксперименты и опыты Белого Дерева были технически весьма искусны и что он был достаточно сведущ также и в теории. Совершенно определенно он достиг именно тех результатов, к которым стремился, и полученный в итоге сорт плодового дерева получил его имя: типичный случай контроля Человека над Природой. Это выражение, впрочем, невозможно перевести на язык кеш, в котором нет ни одного слова со значением «природа», но в разговоре о ней используется местоимение «она», обозначающее живое существо женского рода. Так или иначе, народ Кеш воспринимал грушу, выведенную Ясной Погодой, как результат сотрудничества человека и нескольких грушевых деревьев. Такая разница в восприятии представляется достаточно интересной, а отсутствие заглавных букв, возможно, не совсем обычным.

ИСТОРИЯ ТРЕТЬЕГО РЕБЕНКА

Рассказано Пятнистым Козлом
из Дома Обсидиана (Мадидину)

Моя мать не собиралась беременеть мной,
она была слишком ленива, чтобы сделать аборт,
и мое первое имя было Неосторожность.
Она была из Дома Обсидиана,
из города Мадидину,
а дом ее назывался Пятнистые Камни.
Жители Мадидину похожи на гравий,
похожи на песок,
похожи на бедную почву.

Отец мой был из Дома Синей Глины,
он жил в Синшане,
в семействе своей матери.
Жители Синшана похожи на чертополох,
похожи на крапиву,
похожи на ядовитый дубок.

Муж моей матери тоже был из Дома Синей
Глины,
он жил в Мадидину,
в ее семействе.

Я человек никому не нужный,
никудышный,
с маленькой душою.
Я не учился как следует танцевать,
или как следует петь,
или как следует писать.
Я не люблю возделывать землю,
я никаким мастерством не владею,
животные бегут от меня прочь.

Мои старшие сестра и брат были сильнее меня
и никогда меня не ждали,
никогда ничему меня не учили.
Муж моей матери был их отцом,
но любил и привечал только их,
а меня никогда даже не учил ничему.
Мать моей матери была со мной нетерпелива,
она считала, что мне не следовало рождаться,
она говорила, что меня и учить-то не стоит.

Я никогда не танцевал ни одну вакву,
пока мне не исполнилось тринадцать.
Никто в нашей хеймас не желал научить меня
песням,
никто не желал научить меня танцам.
В четырнадцать я надел некрашеные одежды,
и люди из Дома Синей Глины из Синшана взяли
меня
в Путешествие За Солью,
но мне никаких видений не являлось.

Когда мне исполнилось пятнадцать,
ко мне все время стала приставать одна девчонка
из Дома Синей Глины и все вокруг слонялась.
Она заставила меня пойти Во Внутренние Земли
с нею.
И забеременела.
Мы поженились,
но у нее случился выкидыш.
Она сложила мои вещи за порогом,
пришлось мне возвращаться в дом матери своей.

Я был там никому не нужен,
мне приходилось целый день работать на поле,
помогая мужу матери моей,
помогая матери своей на электростанции,
помогая своей бабке, которая лечила животных.

Была там девушка в некрашеных одеждах из Дома
Змеевика,
и я все время за нею увивался,
пока она со мной Во Внутренние Земли не сходила.
Ее родители не разрешили нам жить в их доме,
сказали, она слишком молода для брака,
сказали, я им там не нужен.
Тогда мы с ней отправились в Телину
и стали жить с одной семьей из Дома Змеевика,
работая там, где придется.

Люди в Телине — как мухи,
они — как москиты,
они — как оводы.
Считают себя великодушными, раз живут
в большой Телине,
считают себя важными, раз там бывают большие
танцы,
считают себя всезнайками, раз там большие
хеймас.
Они уверены, что все делают правильно,
а другие люди невежественны
и должны поступать по их указке.

Я там все время с кем-нибудь ссорился,
и эти люди ссорились со мною,
а молодые люди сами задирались
и делали мне больно.
Меня сбивали с ног,
мне выбили и расшатали зубы.
Они вели нечестную борьбу,
и я взялся за нож
и брюхо одному из них вспорол.

Тогда они ужасно расшумелись,
меня обратно в Мадидину отослали
и девушку мою прогнали тоже.
Она вернулась к матери своей,
а я к своей — не стал.

Ушел я в нашу хижину в горах.
Там было холодно,
там было одиноко,
все время шли дожди.
И там я заболел,
я простудился сильно, горел в жару,
и чуть я в одиночестве не умер.
Потом отправился в Синшан.
Мать моего отца взяла меня к себе,
и я остался в Доме На Вершине Холма.
Они твердили мне, чтоб вел себя разумно,
что следовало больше мне учиться,
что нужно осмотрительнее быть.

Ловить мы рыбу часто уходили в устье На,
в соленые болота и рукава ее,
но мы поймать умели мало на этих топких
берегах.
И местные сказали, что липну я к одной девчонке,
а было все как раз наоборот,
она все время рядышком болталась.
Пошел я раз к Реке,
но та девчонка потащилась следом
и там со мной Во Внутренние Земли вошла.

Хотели мы остаться в Унмалине,
но тамошние жители сказали,
что эта девушка для брака не созрела,
ей следует домой немедленно вернуться,
то есть в Синшан.
А в Синшане люди полны злобы,
во все суют свой нос
и чересчур провинциальны.
Они все время докучали нам
и даже в Унмалине,

а в итоге из Дома Синей Глины люди пришли
и увели ее обратно в Синшан,
я ж в Тачас Тучас отправился.

Мне в Тачас Тучас печально было,
там у меня ни дома, ни семьи
и никого, кто был бы другом мне.
А люди там — ну точно скорпионы,
иль на гремучих змей похожи,
или на страшных ядовитых пауков.
Какая-то старуха из Дома Красного Кирпича
все время ко мне липла в этом Тачас Тучас
и поселила меня в своем доме,
заставила меня на ней жениться.
Я там долго прожил,
не покладая рук работал для той старухи
и ее семьи я целых десять лет.
А дочь старухи была взрослой,
и у нее своя уж дочка подрастала,
и эта девушка в меня влюбилась,
живя все там же, в доме своей бабки
и ни на миг меня не оставляя.
Она заставила меня заняться с ней любовью.

Она сказала матери и бабушке об этом,
она в хеймас обо всем сказала,
и городу всему стало известно.
Меня там люди просто застыдили,
стараясь оскорбить меня, унизить,
в итоге же они меня прогнали.
Никто из Тачас Тучас мне не верил,
никто в свой дом не брал,
никто не стал мне другом.

Нет смысла города менять и дальше —
они все одинаковы,
и люди всюду тоже.
Себялюбивые, жестокие и маленькие души
у тех, кто порожден людьми.
Отныне буду жить я в Мадидину,
где я никому не нужен,
где мне никто не верит,
где никто меня не любит.
Я стану жить здесь в материнском доме,
где нет мне места, где мне жить противно
и где никто не хочет, чтоб я оставался.

И буду делать ту работу, которая мне не по нраву.
Я стану жить здесь, чтоб еще лет девять их злить,
потом еще лет девять
и еще лет девять.

СОБАКА У ДВЕРЕЙ

*Запись сновидения; подарено хейимас Красного Кирпича в Ваквахе,
но не подписано*

Я оказался в городе, который, безусловно, принадлежал
Долине, однако не был ни одним из девяти известных ее городов. Место было совершенно мне незнакомое. Я точно
знал, что живу в одном из домов этого города, но никак не
мог его отыскать. Я сходил сперва на городскую площадь, потом на площадь для танцев, потом решил, что мне следует
зайти в хейимас Красного Кирпича. Площадь для танцев окружали не пять хейимас, а только четыре, и я не знал, которая
из них моя. Я спросил какого-то человека: «А где же у вас еще
одна хейимас?» И он ответил: «У тебя за спиной». Я обернул-
ся и между высокими крышами хейимас увидел убегавшую
прочь собаку. Надо сказать, что все это мне снилось.

Проснувшись, я последовал за той собакой. И пришел к
глубокому колодцу, обложенному по краю камнем. Я оперся
руками о бортик, заглянул в колодец и увидел там небо. И я,
оказавшись между двумя небесами — вверху и внизу, воскликнул: «Неужели всему этому должен когда-нибудь прийти
конец?»

Ответ был таков: «Да, всему на свете должен прийти конец».

«Должен ли пасть мой город?»

«Он уже вот-вот падет».

362

«Должны ли быть забыты Великие Танцы?»

«Они уже забыты».

В воздухе потемнело, земля дрогнула, стены зашатались. Дома начали разрушаться, туча пыли скрыла горы и солнце, и ужасный холод пронизал воздух. Я вскричал: «Неужели мир на пороге своего конца?»

Ответ был таков: «У него нет конца».

«Но мой город разрушен!»

«Он уже вновь отстраивается».

«Но я должен умереть, а стало быть, забыть все, что я знал!»

«А ты помни».

Потом из тучи пыли вышла та собака и подошла ко мне, неся в пасти маленькую сумочку, сплетенную из травы.

В этой сумочке были души людей со всего света — маленькие, как семечки укропа, очень маленькие и черные.

Я взял сумочку и пошел дальше рядом с собакой. Когда небо начало светлеть и пыль в воздухе немного улеглась, я увидел, что горы, окружавшие нашу Долину, разрушены. Там, где они только что были, теперь раскинулась большая равнина. По этой равнине я и шел следом за собакой куда-то на северо-восток в толпе других людей, каждый из которых нес такую же сумочку, как у меня. В некоторых сумочках были семена, а в некоторых — маленькие камешки. Эти камешки терлись друг о друга и будто шептали: «Не ищи конца в конце. С нашей помощью построишь, с нашей помощью разрушишь». Разобрав, что они говорят, я, забывший прежде свой путь, вдруг вспомнил его и сразу вышел на берег Реки На, заросший ивами, и по берегу пришел в город Телину, а там — мимо хеймас Красного Кирпича прямо к своему родному дому. Но та собака уже оказалась у дверей дома, она рычала и скалила зубы, не давая мне войти.

МЕЧТАТЕЛЬНИЦА

История жизни Дятла из Дома Змеевика (Телина)

Мои мать и тетка рассказывали, что когда я еще только начинала говорить, я часто беседовала с такими людьми, которых сами они ни видеть, ни слышать не могли, и, кроме того, я говорила то на нашем языке, то на каком-то совсем незнакомом. Я ничего об этом не помню, зато хорошо помню, что всегда удивлялась, когда родные утверждали, что, например, в той или иной комнате или в саду «никого нет», тогда как везде всегда было полно народу. Чаще всего эти люди вели себя тихо, занимались своими делами или просто шли мимо. Я уже догадывалась, что никто из окружающих с ними не заговаривает, да и сами они нечасто обращали на нас внимание и не всегда отвечали мне, когда я пыталась с ними поговорить; но мне и в голову не приходило, что другие люди их совсем не видят!

Однажды я здорово поспорила со своей двоюродной сестрой, когда та сказала, что в прачечной никого нет, а я отлично видела там несколько человек, которые что-то передавали друг другу и беззвучно смеялись, словно играя в какую-то забавную, веселую игру. Моя сестра была старше меня, и она сказала, что я все вру. Я заревела и попробовала изо всех сил пихнуть ее, чтобы она шлепнулась. Вот и сейчас я еще помню, какой меня тогда охватил гнев. Я ведь говорила о том, что видела собственными глазами, и даже подумать не могла, что она-то этих людей в прачечной не видит! Я решила, что она сама врет только для того, чтобы назвать врушкой меня. Долго еще жили во мне после этого гнев и стыд, и долго мне не хотелось даже смотреть на тех людей, которых все остальные не видят и даже не хотят о них говорить. Когда я этих людей замечала, я отворачивалась, пока они не уходили. Раньше я считала, что все это мои родственники, что все они из нашей семьи, так что видеть их мне было приятно и весело; но теперь я почувствовала, что доверять им нельзя, раз они навлекают на мою голову такие неприятности. Конечно, я переворачивала все с ног на голову, но тогда рядом не нашлось никого, кто мог бы это мне как следует объяснить. Семья моя вообще не слишком склонна была к размышлениям и рассуждениям на подобные темы, а я, кроме школы, бывала только в нашей хеймас, да и то только летом, перед началом игр.

Когда я стала отворачиваться от тех людей, которых часто видела раньше, они почти все ушли и больше не приходили. Осталось только несколько, и я почувствовала себя одинокой.

Я любила проводить время со своим отцом, Оливой из Дома Желтого Кирпича; это был человек немногословный, очень осторожный в своих мыслях и словах, мягкий и незлобивый. Он занимался починкой и приведением в порядок солнечных батарей и генераторов, проводки и электроприборов в домах и хозяйственных постройках. Вся его работа была связана с Цехом Мельников. Он не возражал, когда я увязывалась за ним, если я вела себя тихо, так что я ходила с ним повсюду, стараясь держаться подальше от нашего шумного, вечно занятого семейства. Когда отец заметил, что меня интересует его ремесло, он начал учить меня. Матери мои особого энтузиазма по этому поводу не проявили: моя бабушка из Дома Змеевика была с самого начала недовольна тем, что получила в зятья Мельника, а моя мать всегда хотела, чтобы я занялась медициной. «Если уж у нее есть третий глаз, то и надо его использовать хорошенько», — заявили они и послали меня учиться к Целителям на Белый Сернистый Источник. И хотя я там действительно очень многому научилась и учителя мне тоже нравились, но сама работа была не по душе. У меня не хватало терпения на все эти чужие болезни и несчастные случаи, порой кончавшиеся смертью; куда интереснее была та опасная, словно исполняющая страстный танец энергия, с которой работал мой отец. Я часто своими глазами видела мощные электрические токи, испытывая при этом всплеск эмоций, мне слышались звуки нежной и тихой музыки, а еще — чьи-то голоса, которые пели и говорили где-то вдали, так что понять их было трудно; все это происходило, когда я работала с солнечными батареями и электрическими проводами. Отцу я об этом не говорила. Если и он тоже слышал или чувствовал что-либо подобное, то предпочитал помалкивать, храня свои чувства вне Дома слов.

Детство мое было таким же, как и у всех, разве что я училась в Обществе Целителей, работала вместе с отцом и любила бывать одна; и еще, возможно, я меньше остальных своих сверстников любила детские шумные игры. Кроме того, хотя я обошла всю Телину вместе с отцом и знала там все улицы, проходы и дома, мы никогда из города никуда не уходили. Летней хижины у моей семьи не было, и никто из моих родственников никогда даже просто так не поднимался в горы. «К чему покидать Телину? — говорила в таких случаях моя бабушка. — Здесь же есть все!» И правда, летом в городе было очень приятно, даже когда стояла жара; люди по большей части перебирались в горы, так что в прачечной было мало народу, а опустевшие дома приобретали совершенно иной, загадочный облик, и все улицы, сады и площади были пустынны, окутаны ленью и тишиной. И всегда именно летом, чаще в самый разгар жары, в полдень, я видела тех людей: они брели по Телине, поднимались вверх по течению Реки... Их трудно описать, и я понятия не имею, кто они были такие. Небольшого роста, они ступали по земле почти бесшумно, шли гуськом или по три-четыре человека друг за другом; кожа на руках и ногах у них была гладкой и нежной, лица округлые, покрытые какими-то линиями или метками, нарисованными возле губ или на подбородке; глаза у всех были узкие и иногда казались распухшими и воспаленными, словно они чересчур много курили или плакали. Они всегда очень тихо шли по городу, не глядя по сторонам и не говоря ни слова, а потом поднимались вверх по течению Реки. Когда я их видела, я всегда произносила четыре главные хейи. Сердце мое сжималось, когда они уходили в молчании. Они казались такими далекими и шли, окутанные печалью.

Когда мне было уже почти двенадцать, моя двоюродная сестра прошла обряд и надела одежды из некрашеного полотна. По этому поводу наша семья устроила пышное празднество, раздарив при этом множество самых различных вещей, о существовании которых я даже и не подозревала. На следующий год наступил мой черед, и мы снова устроили большой праздник, хотя подарки были не такими щедрыми, потому что теперь у нас осталось уже не так много. Я вступила в Общество Крови как раз перед Танцем Луны, а праздник в мою честь был устроен во время Летних Танцев. В самом его кон-

це обычно бывали скачки и всякие игры на лошадях, потому что на эти Танцы к нам прибывали люди из Чукулмаса.

До этого я никогда даже не сидела на лошади. Те юноши и девушки, что участвовали в конных играх и скачках на стороне Телины, привели для меня спокойную кобылу и подсадили меня к ней на спину, вложив в руки поводья, а потом лошадь тронулась с места. Я чувствовала себя диким лебедем! То была радость в чистом виде, и я могла разделить ее со всеми остальными всадниками; нас всех объединяло замечательное ощущение праздника, общего возбуждения, вызванного играми и скачками, красотой и страстной силой лошадей, которые, наверное, считали, что праздник устроен специально для них. Та кобыла, например, за один день научила меня ездить верхом. И даже во сне мне снилось, как я сижу у нее на спине, а на следующий день я снова ездила верхом и на третий день уже участвовала в скачках на годовалом жеребчике, принадлежавшем какому-то семейству из Чукулмаса. Мой жеребчик прищел вторым в том заезде, когда на нем ехала я, и первым, когда на нем был мальчик, что его вырастил. В течение всего этого шумного и яркого празднества, возбужденная скачками и окруженная друзьями, я как никогда радостно ощущала свое детство, но я уже покидала свой Дом, да и чересчур растерялась от того, что мне было сразу дано так много. Я отдала свое сердце тому рыжему жеребчику, на котором участвовала в скачках, и тому мальчику из Чукулмаса, который его вырастил и был мне братом по Дому Змеевика.

Все это было очень давно, и здесь совсем нет никакой его вины; он об этом даже и не узнал никогда. То, что пишу я, принадлежит мне одной; для себя одной я вспоминаю все это.

Итак, Летние игры в нашем городе закончились, и всадники умчались вниз по течению Реки в Мадидину и Унмалин, а я осталась — тринадцатилетняя, считающаяся теперь взрослой, но без коня.

Я стала носить одежду из некрашеного полотна, которую готовила для себя весь предшествующий год, и часто ходила в Общество Крови, разучивала там вместе с другими разные песни и мистерии. Те юноши, что так дружески отнеслись ко мне во время Летних игр, остались моими добрыми приятелями и когда видели, что мне до смерти хочется покататься верхом, они давали мне какую-нибудь лошадку из своего хозяйства. Я научилась играть в ветулу и помогала ухаживать за лошадьми в конюшне и на Пастбище Полукопыта, которое находилось на северном склоне у Лунного Ручья, а еще одно пастбище было на холме под названием Толстая Бочка. Как-то раз я сказала в Обществе Целителей, что мне очень хотелось бы уметь лечить лошадей, и они послали меня учиться этому искусству у одного старика по имени Спорщик, который был великим ветеринаром, лечившим и лошадей, и всякий домашний скот. С животными он разговаривал, и они его понимали. Так что ничего удивительного, что он умел их лечить. Я все время прислушивалась к нему. Он произносил какие-то древние слова, похожие на слова старинных песен, и еще он знал множество способов молчания и дыхания; то же самое за ним вслед делали и животные; но я никогда так и не смогла разобрать, что же они говорили.

Спорщик сказал мне однажды:

— Я на будущий год умру, примерно к Танцу Травы.

И я спросила:

— Откуда ты знаешь?

— Один бык мне сказал, — ответил он, — когда заметил вот это. Видишь? — И он вытянул перед собой обе руки, держа их неподвижно: по внешней их стороне то и дело пробегала едва заметная дрожь или слабые судороги, свойственные севаи.

— Чем позже это начинается, тем дольше можно с этим прожить, — сказала я со знанием дела, поскольку училась в Обществе Целителей, но он мне ответил:

— Еще один Танец Вселенной, еще один Танец Вина — так мне сказал тот бык.

В другой раз я спросила Спорщика:

— Как же мне лечить лошадей, если я не умею с ними разговаривать? — Мне казалось, что я мало чему успела от него научиться.

— Ты и не сможешь, — ответил он. — По крайней мере так, как это делаю я. Да и зачем ты вообще здесь?

Я засмеялась и выкрикнула, как тот человек из пьесы:

> Для чего я рожден?
> В чем цель моей жизни?..
> Ответьте мне сразу!
> Ответьте немедля!

Я чуть с ума тогда не сошла. Я совершенно растерялась, я ничего не понимала, и все остальные занятия мне были безразличны.

Однажды, когда я явилась в хеймас Обсидиана на очередное песнопение Общества Крови, одна женщина по имени Молоко — я тогда считала ее старухой — встретила меня в дверях, посмотрела на меня своими одновременно острыми и какими-то подслеповатыми, как у змеи, глазами и сказала:

— А ты зачем сюда явилась?

Я ответила ей:

— Чтобы петь вместе со всеми, — и поспешила пройти мимо, но понимала, что спросила-то она вовсе не об этом.

Летом я отправилась вместе с танцорами и наездниками Телины в Чукулмас. Там я встретила того юношу, теперь уже молодого мужчину. Мы поговорили о рыжем жеребчике и о той белой лошадке, на которой я ездила во время игры в ветулу. Когда он погладил своего чалого по боку, я сделала то же самое, и наши руки ненадолго соприкоснулись.

Потом прошел еще год, и снова наступила пора Летних игр. Вот так оно и пошло: я ни о чем не думала и не заботилась, кроме Танца Лета и этих игр.

Старый лошадиный доктор умер в первую ночь Танца Травы. Я тогда ходила в Дом Воссоединения и учила песни Ухода На Запад и потом спела их для него. После кремации я совершенно забросила все занятия. Я не могла разговаривать с животными или какими-нибудь другими существами. Я ничего не видела ясно в своем будущем и никого не слушалась. Я снова стала работать вместе с отцом, как прежде, а еще ездила верхом, ухаживала за лошадьми и тренировалась в игре в ветулу, чтобы иметь возможность участвовать в Летних играх. Моя двоюродная сестра была окружена целой толпой подружек, которые болтали, играли в кости на миндаль и печенье, а иногда — на колечки и сережки, и я тоже старалась быть с ними вместе почти каждый вечер, но не видела вокруг себя ни одного настоящего человека. Все комнаты казались мне совершенно пустыми. Никого не встречала я ни на площадях, ни в садах Телины. Никто, печалясь о чем-то, не брел вверх по течению Реки...

Когда солнце повернуло к югу и в Телину снова съехались и сошлись танцоры и наездники из Чукулмаса, я участвовала в игрищах и скачках, проводя целые дни в полях. Люди говорили: «Эта девушка прямо-таки влюблена в рыжего жеребца из Чукулмаса» — и поддразнивали меня, но не очень обидно, всем ведь известно, как подростки порой влюбляются в лошадей, даже песен немало сложено о такой любви. Но этот жеребец понял, что здесь что-то не так, и больше не позволял мне командовать собой.

Через несколько дней всадники поехали дальше, в Мадидину, а я осталась.

Вещи порой бывают очень упрямыми и непокорными, однако в них одновременно заключена и некая сладостная готовность служить; они понимают, как ты к ним относишься, и отвечают тебе тем же. Электричество очень похоже на лошадей: безрассудное и своевольное, но одновременно полное готовности подчиниться и стать надежным помощником. Если ты чересчур небрежен или тороплив, лошадь или обнаженный электрический провод может стать твоим врагом, и весьма опасным. В тот год я несколько раз сильно обожглась и получила удар током, а однажды даже устроила пожар в доме, плохо соединив провода и не заземлив их. Люди учуяли запах дыма и погасили огонь, прежде чем он успел наделать бед, но мой отец, который и привел меня в свой Цех, был так встревожен и рассержен, что запретил мне работать с электричеством до следующего сезона дождей.

К Танцу Вина в тот год мне исполнилось пятнадцать. Я впервые напилась допьяна. Ходила по всему городу, кричала, разговаривала с людьми, которых больше никто не видел, — так мне рассказывали на следующий день, но сама я ничего не могу об этом вспомнить. И я решила тогда, что если снова напьюсь, но, может, не так сильно, то опять увижу тех людей, которых так часто видела раньше, когда они были повсюду и спасали меня от одиночества. Так что я стащила вина у наших соседей по дому — они разлили большую часть откупоренного на праздник бочонка по бутылкам — и в одиночестве отправилась на берег Реки На, где уселась на сухие листья под низко склонившимися ивами и выпила вино.

Я выпила первую бутылку целиком и спела несколько песен, большую часть второй бутылки просто разлила и отправилась домой. Дня два после этого я прохворала. Но потом снова стащила вино и на этот раз выпила сразу две бутылки. Никаких песен я петь не стала. Голова у меня закружилась, меня затошнило, и я уснула. Утром я проснулась там же, на берегу под ивами, на холодных камнях, чувствуя ужасную слабость и озноб. Семья моя начала после этого случая беспокоиться на мой счет. Ночь в тот раз была душной, я вполне могла сказать, что нарочно осталась спать на улице, чтобы было прохладнее; но моя мать всегда знала, если я врала. Она решила, что я, должно быть, занималась любовью с каким-нибудь юношей, но по какой-то причине не желаю признаваться в этом. Ей было неловко и стыдно, ведь я по-прежнему носила некрашеную одежду, тогда как, с ее точки зрения, мне уже не полагалось этого делать. Меня страшно рассердило ее недоверие, и все же я ничего не сказала ей в свое оправдание и не стала никак объяснять свой поступок. Отец мой понимал, что на душе у меня кошки скребут, но, поскольку я украла вино и не ночевала дома вскоре после того, как устроила пожар, он тоже больше сердился, чем беспокоился. Ну а моя двоюродная сестра в это время была влюблена в одного юношу из Дома Синей Глины, и все остальное ее совершенно не интересовало. Наши с ней общие подружки, с которыми мы когда-то вместе крали сласти в кладовой, приучились курить коноплю, что никогда мне не нравилось; и хотя те мои друзья, с которыми я вместе каталась верхом и ухаживала за лошадьми, по-прежнему были добры ко мне, я почему-то стала еще больше сторониться людей и даже лошадей. Мне не хотелось видеть мир таким, какой он есть. И я начала создавать себе свой мир.

Я придумала вот что: тот молодой человек из моего Дома в Чукулмасе испытывает те же чувства, что и я, так что мне надо непременно отправиться в Чукулмас после Танца Травы. А потом мы с ним уйдем вместе в горы и станем лесными людьми. Мы возьмем с собой рыжего жеребца и поселимся в предгорьях Горы-Сторожихи или еще дальше; мы дойдем до заросших травами дюн, что расположены к западу от равнины Долгого Звука, где, как он однажды рассказывал мне, живут на свободе табуны диких лошадей. Люди из Чукулмаса порой отправляются туда, чтобы поймать дикую лошадку, но вообще-то в этих краях никаких людских поселений нет. Мы бы жили там совсем одни, приручая лошадей и катаясь на них верхом. Рассказывая сама себе об этом выдуманном мире днем, я считала, что мы будем жить как брат и сестра; однако по ночам, лежа в постели одна, в своих мечтах я видела совсем иное. Миновал Танец Травы. Я отложила свой уход в Чукулмас, убедив себя, что лучше отправиться туда после Танца Солнца. Я еще никогда не танцевала Танец Солнца как взрослая, и мне очень хотелось попробовать; а после этого, сказала я себе, я непременно уйду в Чукулмас. Но при этом я отлично сознавала, что, уйду я или не уйду, это не будет иметь ровным счетом никакого значения, и тогда больше всего на свете мне хотелось умереть.

Тяжело признаваться в этом самой себе. Все время стараешься спрятать эти мысли поглубже, забыть о них за суетой и ожиданием иных событий. Я с нетерпением ждала, когда начнется Двадцать Один День, как если бы с началом подготовки к Танцу Солнца вся моя жизнь должна была тоже начаться заново. Накануне первого из Двадцати Одного Дня я отправилась в свою хеймас.

Стоило мне ступить на первую ступеньку приставной лестницы, как внутри у меня все похолодело и сплелось в тугой комок. В эту ночь состоялось долгое пение. Но губы мои были немы, и голос не желал выходить из горла наружу. Я хотела выбраться из хеймас и убежать, промучилась этим желанием всю ночь, но не знала, куда же мне пойти.

На следующее утро были образованы три группы: одна должна была в полном молчании направиться вдоль северо-западной гряды в дикие края, другая — с помощью конопли и особых грибов — впасть в транс, а третья все это время обязана была бить в барабаны и петь. Я никак не могла решить, к какой же группе мне присоединиться, и именно это больше всего огорчало меня. У меня вдруг начался сильный озноб, и я направилась к лестнице, но не смогла даже ногу на ступеньку поставить.

Старая Целительница по имени Желчь, у которой я училась когда-то в Обществе Целителей, в это время как раз спускалась по лестнице вниз. Она пришла сюда, чтобы петь со всеми вместе, однако по привычке, свойственной всем Целителям, внимательно посмотрела на меня и сказала:

— Ты плохо себя чувствуешь?

— По-моему, я заболела.

— Почему ты так думаешь?

— Я хочу танцевать и не могу выбрать танец.

— Ну а петь со всеми ты можешь?

— У меня голос пропал.

— А в транс не входила?

— Я этого боюсь.

— Ну а как насчет путешествия?

— Я не могу выйти из этого дома! — громко воскликнула я и снова вся затряслась.

Желчь откинула голову назад, отчего подбородок ее утонул в складках полной дряблой шеи, и задумалась, поглядывая на меня. Она была низенькой темноволосой морщинистой старухой. И она сказала:

— Ты уже напряжена до предела, девочка. Ты что, сломаться хочешь?

— Может быть, оно было бы и лучше.

— А может быть, было бы лучше расслабиться?

— Нет, это еще хуже.

— Ну хорошо, ты сама так решила. А теперь пойдем.

Желчь взяла меня за руку и повела к двери в самую дальнюю, внутреннюю комнату хеймас, где находились люди Внутреннего Солнца.

— Я не могу войти туда, — сказала я. — Я еще слишком молода, чтобы учиться этому.

— Душа твоя достаточно стара, — ответила Желчь. И то же самое она сказала Черному Дубу, который вышел из круга и подошел к двери, встречая нас. — Вот твоя старая душа и молодая и тянут слишком сильно в разные стороны.

Черный Дуб, который был спикером Дома Змеевика, заговорил с Желчью, но я была не в состоянии понять то, о чем они говорили. Едва дверь во внутреннюю комнату за нами закрылась, как волосы у меня на голове встали дыбом, а в ушах зазвенело и запело. Я увидела там круглые яркие огни, то вспыхивавшие, то исчезавшие в полной тьме — в этом помещении света не было вовсе, только какое-то неясное свечение, просачивающееся сверху, из узенького окошка под самой крышей. И этот слабый свет начал завиваться кругами. Черный Дуб повернулся ко мне и что-то сказал, но как раз в этот момент у меня и началось то видение.

Я видела не человека по имени Черный Дуб, но сам Змеевик. Каменное существо, не мужчину, не женщину, вообще не человека, однако по форме похожее на очень большого и крупного человека с синевато-зеленой кожей, покрытой синими и черными прожилками, какие бывают у камня змеевика. У существа этого не было волос, а глаза — без ресниц и совсем непрозрачные — двигались очень медленно. Змеевик как бы с трудом поднял эти свои глаза и посмотрел на меня.

Я скорчилась от ужаса и опустилась на пол. Я не могла ни заплакать, ни заговорить, ни встать, ни двинуться с места. Я была точно мешок, полный одного лишь страха. Я совсем сжалась в комок на полу и почти перестала дышать, пока какой-то камень, может быть, то была рука Змеевика, не ударил меня довольно сильно по голове, повыше правого уха. Я потеряла равновесие, и было очень больно, так что я заплакала, даже зарыдала от боли и после этого снова смогла дышать. Кровь в том месте, куда меня ударили, не шла, но там вздулся здоровенный желвак.

Я сидела, скорчившись на полу, и постепенно приходила в себя после того удара. Нескоро снова посмотрела я вверх. Змеевик все еще стоял там. Да, он так и стоял там. Через некоторое время я увидела, как медленно движутся его руки. Они неторопливо поднимались вверх и сошлись примерно на уровне пупка. Потом снова разошлись и растянули живот в стороны. И в камне открылось длинное и широкое отверстие, какая-то щель, похожая на дверь в некое помещение, куда — я это знала — я должна буду войти. Я встала, все еще горбясь и трясясь от страха, и сделала один шаг внутрь этого камня.

Но там не было никакого помещения. Там был сплошной камень, и я оказалась внутри этого камня. Там не было света, там не было места, там было нечем дышать. Я думаю, что все остальное мое видение было связано именно с пребыванием внутри этого камня, то есть именно там-то все и произошло; однако, согласно своей человеческой природе, люди должны хоть что-нибудь видеть, и все вокруг меня как бы менялось и превращалось в вещи и существа, словно я попадала в иные места.

Мне казалось, что эта скала из змеевика треснула, развалилась на куски, смешалась с красноземом и через какое-то время я сама тоже попала в землю, став как бы частью почвы. Теперь я могла чувствовать то, что чувствует почва. Я чувствовала, как дождь вливается в меня, падая с небес. Я чувствовала — и отчасти это было подобно способности видеть, — как дождь падал сверху и просачивался в меня, падал с небес, которые сами казались сплошным дождем.

Я как бы засыпала и снова просыпалась, но спала не полностью, а постигая нечто во сне. Я начала ощущать камни и корни, а вдоль своего левого бока — бег холодной воды и услышала ручеек, возникший в сезон дождей. Подземные источники грунтовых вод питали этот родник, он поднимался и журчал рядом со мной, протекал сквозь меня, просачивался во тьме сквозь почву и камни. Возле того ручейка во мне росли большие глубокие корни деревьев, и между ними повсюду тонкие бесчисленные корешки трав, луковицы незабудок, слышался стук сердца бурундука, дыхание спящего крота... Я начала подниматься вверх по одному из больших корней конского каштана, потом — по его стволу и вышла наружу, на лишенную листьев ветвь, проползла до самого ее края, к маленьким боковым веточкам. Там я лежала и смотрела на непрерывные нити дождя. По ним я взобралась на плывущее в вышине облако, похожее на гигантскую лестницу, и по этой лестнице — на тропу ветра. Там я остановилась, ибо боялась ступить прямо на крылья ветра.

Койотиха сошла вниз по тропе ветра. Она явилась мне в виде худой женщины с жесткими серовато-коричневыми волосами, росшими у нее на голове и на руках, и с тонким длинным лицом. Глаза у нее были желтые. Двое ее детей пришли с нею вместе, но в виде детенышей койота.

Койотиха посмотрела на меня и сказала:

— Не бойся. Ты можешь посмотреть вниз. Можешь посмотреть назад.

Я посмотрела назад и вниз, содрогаясь под порывами ветра. Внизу и за моей спиной виднелись темные верхушки деревьев; над лесом сияла радуга, а на листьях играли отблески света. Я подумала, что на этой радуге, должно быть, есть люди, но не была уверена в этом. Внизу и далеко впереди виднелись покрытые пожелтевшей от летнего зноя травой холмы и меж ними — река, что текла в море. Кое-где в воздухе подо мной было так много птиц, что я не видела земли, видела только отражавшийся на их крыльях свет.

У Койотихи был высокий певучий голос, в котором как бы одновременно слышались несколько голосов. Она сказала:

— Хочешь подняться еще выше?

Я ответила:

— Я хотела бы пойти к Солнцу.

— Ну так иди вперед. Все это моя страна. — Сказав это, Койотиха шагнула мимо меня прямо на крылья ветра и побежала по ним на четвереньках, как все койоты, вместе со своими щенками. Я одна осталась стоять там, на ветру. Пришлось и мне тоже двинуться вперед.

Мои шаги по крыльям ветра были широкими и неторопливыми, как у танцующих Танец Радуги. При каждом шаге мир внизу выглядел иначе. При одном он был светлым, при другом — темным. При следующем шаге его словно затягивало дымом, а потом дым разлетался, будто его и не бывало. При следующем долгом шаге черные и серые облака пепла или пыли скрыли все вокруг, а шагнув еще разок, я вдруг увидела песчаную пустыню, где ничего не росло и ничто не дви-

Гора-Прародительница

галось. Я сделала еще один шаг, и все внизу превратилось в сплошной город — только крыши и улицы, по которым спешило множество людей; люди шныряли по этому городу и были похожи на насекомых в пруду, когда посмотришь сквозь увеличительное стекло. Я сделала еще шаг, и мне стали видимы глубины океана, передо мной обнажилось его дно, и лава медленно изливалась из трещин в океанском дне, и огромные пустынные каньоны вдали, в тени стен, поддерживавших континенты, почему-то были похожи на канавы, какими окапывают у нас стены амбаров. И еще один долгий шаг сделала я на крыльях ветра и увидела поверхность нашего мира, пустынную, гладкую и бледную, как личико младенца, которого видела однажды: он родился без передних долей головного мозга и без глаз. Я сделала еще шаг, и ястреб встретил меня в лучах солнца в застывших небесах над юго-западными склонами Горы-Прародительницы. Шел дождь, и облака на северо-западе были по-прежнему темны. Капли дождя сверкали на листьях деревьев в лесу и в ущельях, которыми изрезаны были горные склоны.

Из того видения, что открылось мне в Девятом Доме, я кое-что могу рассказать — словами, письменно, — а кое-что спеть под аккомпанемент барабана. Но для большей части увиденного я так и не подобрала ни нужных слов, ни музыки, хотя с тех пор я большую часть своей жизни посвятила именно тому, чтобы найти и эти слова, и эту музыку. Я не умею нарисовать то, что вижу, ибо моей руке не дарована способность придавать изображенному предмету сходство с настоящим.

Мне все-таки кажется, что гораздо лучше это могло бы быть нарисовано, чем рассказано, и вот почему: там не было ни одного человека. Рассказывая что-то, вы говорите: «Это сделал я» или «Это увидела она». Когда же не существует ни меня, ни ее, то как бы не существует и самой истории. Я существовала, пока не попала в Девятый Дом; там существовал ястреб, но меня там не было. Ястреб был; был и неподвижный, застывший воздух. Если смотреть на вещи глазами ястреба, то лишаешься собственной души. Твое собственное «я» смертно. А это — Дом Вечности.

Итак, из того, что видели глаза ястреба, я здесь могу словами рассказать следующее.

То была вселенная энергии. То было пересечение энергетических полей всех живых существ, всех звезд и скоплений светил, всех миров, животных, умов, нервов, пыли, кружевной пены вибрации, которая существует сама по себе, и все было связано друг с другом, каждое было частью другой части чего-то еще, большего, и каждая часть в этом конгломерате была, таким образом, понятна только в качестве составляющей целого, безграничного и незамкнутого.

В Пунктах Обмена Информацией нас учат, что информационная сеть Столицы Разума распространяется над всей поверхностью нашего мира вплоть до Луны и других планет, находящихся от нас на невообразимом расстоянии, где-то там, среди миллиардов звезд; во время моего видения вся эта обширнейшая паутина предстала передо мной как мгновенная вспышка света на одной из волн океана энергии и показалась мне крохотной пылинкой на одном из зернышек травы, произрастающей на бесконечных лугах. Образ света, танцующего на волнах океана, или пылинки в солнечном луче, сияние света на зрелых травах, блеск искр, взметнувшихся над костром, — это все, что у меня есть: никакой образ не способен вместить видение, заключающее в себе все образы. Музыка способна выразить это полнее и лучше, чем слова, но я не музыкант и не поэт и не могу воспользоваться музыкой слов. Пена и блестки слюды на скалах, сверкание волн в солнечных лучах, пляшущие водяные брызги и пыль, работа больших ткацких станков, которые тоже будто танцуют, — все танцы отразились в тот миг в видении ястреба и в моем мозгу; и поистине все это отразилось бы в нем, если бы разум мой был чист и достаточно силен. Но ни один разум и ни одно зеркало не смогут удержать это видение и не разрушиться.

Потом начался какой-то спуск или же меня понесло прочь, и я увидела некоторые вещи, которые могу описать. Вот одна из них: в том меньшем пространстве или мире, не знаю, как его следует называть, боги или волшебные существа разыгрывали всевозможные ситуации. Сама будучи человеком, я вспоминаю эти существа тоже в виде людей. Один из них, например, придал конкретную форму вибрации энергии, направив ее по кругу. Он был очень силен, однако искалечен. Он работал, как кузнец в кузнице, создавая замкнутые колеса энергии, обладающие страшной мощью, исторгающие пламя. Он, их создатель, был сожжен ими до черноты и вот-вот мог рассыпаться в горстку праха, которая уместилась бы в морской раковине; глаза у него стали как гончарная печь, когда ее откроешь после обжига, а волосы — как горящие проволочки, но он все продолжал сворачивать петли энергии, замыкая ее в колеса, запирая силу внутри другой силы. Все вокруг этого существа теперь было черным и пустым, только эти колеса вращались, мололи, перетирали. Были там и другие существа, метавшиеся словно птицы, несомые бурей, летящие с криком над этими огненными колесами и пытающиеся остановить их вращение, однако, попав под такое колесо, они буквально взрывались огненными перьями. Сам Мельник теперь казался тоненькой оболочкой, содержащей тьму, он ослабел, выжженный дотла, и тоже попал во вращение и горение этих колес, что-то без конца перемалывавших, и его самого наконец перемололо, превратив в тончайшую черную пыль. Колеса эти, вращаясь, все увеличивались в размерах, соединялись друг с другом, пока вся машина, зацепившись зубцами, не остановилась и не взорвалась, не разлетелась, сверкнув, на куски. Каждое колесо, взрываясь, ярко вспыхивало, и в этой вспышке представали лица, глаза, цветы, чудища, горящие на кострах, взрывающиеся, гибнущие, превращающиеся в черную пыль. И все кончилось, лишь мелькнул световой блик во вселенной энергии, и тьма поглотила ее, точно пузырек пены, точно одно мелькание челнока, точно блестку слюды. Черная пыль улеглась по форме открытых спиралей. Потом начала двигаться и шевелиться, и внутри ее родилось некое мерцание, словно пылинки танцевали в солнечном луче. Это начала свой танец черная пыль. Потом танец постепенно замер, и где-то близко, слева кто-то заплакал, словно маленький зверек. То плакала я сама, плакал мой разум и мое «я», ощутившее себя в этом мире; и я снова начала становиться самой собой; однако душа моя, свидетельница увиденного, противилась этому. И лишь разум мой продолжал упорно тащить ее из Девятого Дома обратно ко мне, зовя и плача, и она наконец вернулась.

Я лежала на правом боку на земляном полу в маленькой теплой комнате, где стены тоже были земляными. В темноте светились лишь красные спирали электронагревателя. Где-то неподалеку пели люди, мелодия была простая, однообразная. Я держала в левой руке кусок змеевика — зеленоватый, с темными пятнышками, совсем круглый, точно водой обкатанный камешек, хотя осколки змеевика нечасто бывают такой формы, чаще они трескаются и крошатся. Он был как раз такой величины, чтобы я могла, сжав пальцы, спрятать его в ладони. Я долгое время сжимала этот круглый камень и слушала пение, пока не уснула. Когда же через некоторое время окончательно проснулась, я почувствовала, что камень у меня в ладони становится как бы менее материальным, что пальцы мои проваливаются в него, а он уже почти неощутим, он исчезает... И вот он исчез совсем. Я немножко была этим опечалена: я ведь мечтала, как было бы замечательно — вернуться из Правой Руки, зажав в ладони кусочек того мира; но чем яснее становилась моя голова, тем быстрее растворялась и эта тщеславная мысль. Впрочем, через много лет тот камешек вернулся ко мне. Я шла вдоль берега Лунного Ручья со своими сыновьями, которые тогда еще были совсем маленькими. И младший из них увидел тот камешек в воде и подобрал его и назвал «другим миром». Я сказала сыну, чтобы он сберег его и положил в свою плетеную корзинку с крышкой. Он так и сделал. Когда он умер, я снова опустила этот камешек в воду Лунного Ручья.

Я пробыла под воздействием того видения первые двое суток Танца Солнца, который празднуется Двадцать Один День. Я чувствовала себя очень слабой, утомленной, и меня оставили в хеймас на весь праздник. Я могла слушать Долгое Пение и порой выходила в другие комнаты хеймас; мне были рады даже в самой дальней потайной комнате, где пели и танцевали в честь Внутреннего Солнца и где у меня было то видение. Я обычно садилась, слушала и посматривала на них вполглаза. Но если я пыталась наблюдать более внимательно, или подпевать, или хотя бы касаться большого барабана, слабость тут же накатывала на меня, точно волна на прибрежный песок, и приходилось снова прятаться в той маленькой комнатке с земляными стенами и потолком и ложиться на землю, точнее — погружаться в землю.

И вот однажды утром меня разбудили, чтобы я послушала

веселый Гимн Зиме, и впервые за Двадцать Один День я взобралась по лестнице на крышу хеймас и увидела солнце.

На тех людей, что танцевали Танец Внутреннего Солнца, была и в дальнейшем возложена забота обо мне. Они рассказали мне, что я была в опасности и что если теперь мне явится иное видение, то я должна постараться его нарушить, ибо еще слишком слаба для дальнейших испытаний. Мне не велели танцевать и все время приносили мне разные лакомства, они так ласково уговаривали меня поесть, что отказаться было невозможно, так что в конце концов я стала есть с удовольствием. После Дня Восхода мной очень заинтересовались некоторые из ученых в хеймас и взяли меня под свою опеку. Моими учителями и наставниками стали Черный Деготь из моего Дома и Молоко из Дома Обсидиана. И я начала учиться подробно излагать свое видение.

Сперва я думала, что учиться тут нечему: всего-то и нужно, что рассказать увиденное.

Молоко работала со словами; Черный Деготь — со словами и барабаном, а еще он пел старинные песни. Они заставляли меня продвигаться очень медленно, рассказывать по крохотному кусочку, иногда — произносить всего лишь одно слово и без конца повторять то, что я оказалась в состоянии вспомнить, в такт старинной священной мелодии, чтобы все было изложено как можно точнее и правдивее и стало впоследствии достоянием слушателей.

Когда же наконец благодаря их методике я начала понимать, *что* это на самом деле такое — рассказать то, что явилось тебе из иного мира, — и когда невероятная сложность и бесчисленные живые детали моего видения вспомнились вновь, ошеломив меня и заполонив собой все мое воображение, лишая меня способности описать их, я испугалась, что перепутаю и забуду все это еще до того, как успею ухватить хотя бы один фрагмент того удивительного спектакля, и что даже если я и припомню потом кое-что, то все равно никогда ничего понять не смогу. Мои наставники подбадривали меня и усмиряли мое нетерпение. Молоко говорила:

— У нас-то кое-какой опыт в подобных вещах есть, а у тебя никакого. Ты просто должна научиться говорить о небесных явлениях земным языком. Ну вот послушай: если бы новорожденного отнесли на вершину горы, смог бы он спуститься назад, прежде чем научится ходить?

Черный Деготь объяснял мне, что, по мере того как я

учусь воспринимать рассудком то, что восприняла тогда лишь зрительно, я постепенно приближаюсь к существованию как бы в обоих Мирах одновременно, а потому, говорил он, «спешить тебе совершенно некуда».

— Но ведь это же займет долгие годы! — говорила я.

— Ты уже занимаешься этим тысячу лет. Желчь говорила верно: душа у тебя старая.

Меня все эти намеки очень беспокоили, я зачастую не могла понять, шутит Черный Деготь или действительно так думает. Молодых всегда задевают подобные вещи, и какой бы там старой ни была моя душа, разуму моему было всего пятнадцать лет. Мне потребовалось прожить еще довольно долго, прежде чем я начала осознавать, что многие вещи можно сказать только шутя, хотя за шуткой будет скрываться истина. Я должна была полностью вернуться в Дом Койота из Дома Ястреба, чтобы понять это, и я до сих пор порой об этом забываю.

Черный Деготь вечно шутил, пугал меня, поддразнивал, но вообще-то он был очень добрый, и я его совсем не боялась. А вот Молока я боялась с тех самых пор, когда она посмотрела на меня в Обществе Крови и спросила: «Зачем ты здесь?» Она была очень умной, ужасно много знала и была главной Исполнительницей Песен этого Общества. Она обращалась со мной спокойно, была терпеливой, беспристрастной, но никогда не была мягкой, и я ее боялась. С Черным Дегтем она держалась вежливо, но было совершенно ясно, что за этой вежливостью скрывается презрение. Она полагала, что место настоящего мужчины в лесу, или в поле, или в мастерских какого-нибудь Цеха, а не среди священных и умных вещей. В Обществе я как-то слышала ее насмешливое шутливое замечание: «Мужчина, что занимается любовью с помощью мозгов, думает, наверное, с помощью пениса». Черному Дегтю ее мнение о нем было прекрасно известно, однако мужчины-интеллектуалы, мужчины-ученые привыкли, что в их физических возможностях женщины всегда сомневаются, а достижения преуменьшают; он, казалось, не обращал внимания на высокомерие Молока в отличие от меня: я порой пыталась защищать его от ее нападок, а однажды даже заявила запальчиво:

— Хоть он и мужчина, но думает ничуть не хуже, чем женщина!

Ничего хорошего из этого, разумеется, не вышло; и хотя мои слова и были отчасти справедливы, я все равно не могла

381

рассказать Черному Дегтю, мужчине и к тому же мужчине из моего собственного Дома, то, что было для меня важнее всего; ну а Молоку, женщине высокомерной и жесткой, всю свою жизнь прожившей девственницей, можно было даже и не пытаться что-либо объяснять. Я как-то раз начала было, чувствуя настоятельную в том потребность, но она сама меня остановила.

— То, что мне следует знать об этом, я знаю, — сказала она твердо. — Видение — это нарушение законов! Видение должно быть с кем-то разделено, но нарушение законов разделено не может быть ни с кем.

Я ничего из этого не поняла. Я очень тогда боялась выйти из хеймас и снова окунуться в прежнюю жизнь, снова пойти неверным путем, заблудиться среди неверных решений и отчаянных действий. Прошло примерно с полмесяца после Танца Солнца, и я особенно остро это почувствовала и стала говорить, что слаба и больна и не могу пока покинуть хеймас. На это Черный Деготь радостно заявил:

— Ага! Значит, пора тебе домой возвращаться!

Я решила, что более черствого человека на свете нет. Во время занятий с Молоком я, по-прежнему тревожась, начала плакать, а потом не выдержала и выпалила:

— Лучше бы мне никогда это видение не являлось!

Молоко быстро глянула мне прямо в глаза — словно хлыстом по лицу хлестнула! — и сказала:

— У тебя вовсе и не было никакого видения.

Я, съежившись, недоумевая, смотрела на нее.

— Ничего у тебя не было. Ничего. Эта хеймас никуда не денется. Можешь жить здесь, забившись в угол, или занять все помещение, или уйти отсюда — словом, поступай как хочешь, — так сказала Молоко и ушла прочь.

Я осталась в маленькой комнате одна и стала рассматривать ее, эту маленькую теплую комнатку с земляными стенами, полом и крышей — всю под землей. Да, вся она была сплошная земля. Но за этими земляными стенами было небо — сплошное небо. Эта комнатка стала для меня вселенной энергии. Я была заключена внутри своего видения. А не оно — во мне.

Так что я вышла из хеймас и отправилась домой, чтобы продолжать жить и оставаться на правильном пути.

Большую часть времени я проводила в хеймас с Черным Дегтем или же в Обществе Крови, где со мной занималась

Молоко. Здоровье мое наладилось, однако я по-прежнему чувствовала себя вялой, сонной и мало помогала своей семье. Все мои родственники, за исключением отца, отличались вечной занятостью, беспокойством и неутомимостью, это были люди, жадные до работы и разговоров, но совершенно не умевшие хоть сколько-нибудь побыть в покое. Среди них после целого месяца, проведенного в хеймас, я чувствовала себя камешком, попавшим в горный ручей, где его со всех сторон толкают, трут и обкатывают. Но я с удовольствием ходила на работу вместе с отцом. Молоко тогда сама посоветовала ему брать меня с собой. Черный Деготь не был с ней согласен и утверждал, что это занятие опасно для души, однако Молоко ответила ему терпеливо и высокомерно, как и всем мужчинам:

— Об этом не беспокойся. Именно благодаря опасности она и обрела свою способность.

Итак, я вернулась к работе с электричеством. Я училась этому мастерству прилежно, была осторожной и больше уже пожаров не устраивала. Еще я училась у Черного Дегтя играть на барабане, а у Молока — рассказывать мистерии. Но время тянулось так медленно, нестерпимо медленно, и страх мой продолжал расти: страх и нетерпение. Образ всадника верхом на рыжем жеребце уже не так часто присутствовал в моих мыслях, как прежде, однако же именно он-то и был средоточием моего страха. Я никогда больше не ходила на скачки, держалась подальше от прежних друзей, которые, как и я, любили лошадей, и старалась не появляться близ пастбищ, где паслись лошади. Я пыталась даже не вспоминать о том Танце Лета, о тех играх и скачках. И выбросила из головы все мысли о любви, хотя сестра моей матери снова вышла замуж, и они занимались любовью каждую ночь в соседней комнате, производя при этом довольно-таки много шума. Я начала бояться и ненавидеть себя, постилась и проходила обряды очищения, но все это меня только ослабляло.

Я ничего об этом не говорила Черному Дегтю: мне было стыдно; но я никогда не говорила об этом и с Молоком, и в последнем случае мне мешал страх.

Итак, миновал Танец Вселенной, следующим праздником должен был быть Танец Луны. Мысль об этом все больше и больше пугала меня; я чувствовала себя загнанной в угол. Когда наступила первая ночь Танца Луны, я спустилась в свою хеймас, намереваясь все время оставаться там и заткнуть уши, чтобы не слышать любовных песен. Я начала было наигрывать на барабане одну из мелодий, которую Черный Деготь запомнил во время своих видений, когда сам себе казался стрекозой. Почти сразу же я впала в транс и оказалась в Доме Гнева.

В этом доме было черно и жарко, только что-то желтоватое поблескивало вокруг, словно молнии в грозовой туче, а под ногами и за стенами что-то невнятно гудело. Там была еще какая-то старая женщина, очень черная, с огромным количеством рук. Она окликнула меня, но не тем именем, которое я тогда носила, — Ягодка, а совсем другим — Дятел: «Эй, Дятел, поди-ка сюда! Эй, Дятел, поди-ка сюда!» Я понимала, что Дятел — это мое новое имя, но не подходила.

Та старуха и говорит мне:

— И чего ты все время дуешься? Взяла бы да занялась любовью со своим братом из Чукулмаса! Неисполненное желание ведет к порче и саморазрушению. *Ты не должна* — так говорят рабовладельцы, *мне не следует* — рабы. Несвободная энергия вращает колеса Зла. Посмотри, что ты тащишь за собой! Как можешь ты крутить свое колесо, как можешь ты управлять энергией, будучи вся опутана такими цепями? Предрассудки! Все это предрассудки!

И я вдруг заметила, что обе мои ноги прикреплены ремнями с пряжками к огромному валуну из змеевика, так что я совсем не могла двигаться. Я подумала, что если упаду, то этот валун полетит за мной и в итоге раздавит меня, превратит в лепешку.

А та старуха вдруг как заорет:

— Что это ты носишь на голове? Это ведь никакое не покрывало для Танца Луны! Да и все это предрассудки! Предрассудки!

Я подняла руки и нащупала на голове тяжелый шлем из черного обсидиана. Оказывается, я все видела и слышала сквозь эту черную полупрозрачную оболочку, закрывавшую мне и глаза, и уши.

— Сними его, Дятел! — велела старая женщина.

— Только не по твоему приказу! — ответила я.

Я с трудом могла ее видеть и слышать, потому что шлем все тяжелее давил мне на голову и все плотнее обхватывал ее, а привязанный к моим ногам валун все тянул меня куда-то назад...

Она закричала:

— Постарайся вырваться! Ты превращаешься в камень! Постарайся вырваться!

Я ни за что не желала ее слушать. Так уж я решила не подчиняться ей. Руками я еще глубже надвинула обсидиановый шлем себе на глаза, и на уши, и на лоб, пока мое лицо совсем в него не провалилось, и шлем не стал частью меня самой, и я не шагнула назад, и не вошла прямо в камень, вросла в него. А потом я стояла там совершенно неподвижно, тяжелая и твердая, однако ходить я могла и могла теперь нормально видеть и слышать — когда это темное полупрозрачное стекло не прикрывало мои глаза и уши, а стало как бы их частью. Я увидела, что дом тот весь объят пламенем, что он дымится и рушится, — горело все: и пол, и стены, и крыша. Какая-то черная птица, может быть ворона, летала из одной комнаты в другую в этом дыму. Старуха тоже горела, горела ее одежда и плоть, тлели волосы. Ворона летала вокруг нее и кричала мне: «Сестра, уходи отсюда, лучше уходи отсюда скорее!»

Ничего иного, кроме самого гнева, в Доме Гнева нет. И я сказала:

— Нет!

Ворона закаркала, потом сказала:

— Сестра, набери воды, набери воды из источника!

Потом она взвилась вверх и вылетела наружу сквозь горящую стену дома. И в этот миг она оглянулась и посмотрела на меня: у нее было лицо мужчины, прекрасное и сильное, обрамленное густыми вьющимися волосами, взметнувшимися вверх. Потом стены горящего дома обрушились и превратились в стены хеймас Змеевика, где я и сидела, наигрывая на барабане. Я, видно, так с тех пор и играла на барабане, но только какую-то совершенно неведомую мне раньше мелодию.

После этого видения меня стали звать Дятлом — ученые согласились, что лучше пользоваться тем именем, которое дала тебе сама Праматерь, даже если не сделаешь того, что она тебе велела. Вскоре я отправилась в горы к Истокам Великой Реки, как мне велела та ворона; и после этого я наконец освободилась от страха перед своим желанием.

Центральное видение — оно и есть центральное, оно не предназначено ни для чего, что не связано с ним самим. То, что я видела в Девятом Доме, по природе своей было словно облако или гора. Мы привыкаем к видениям, извлекаем из них какой-то смысл, черпаем в них образы, живем благодаря

им, но они существуют вовсе не для нас и не про нас, во всяком случае, служат нам не больше, чем весь окружающий нас мир. Мы сами — часть этих видений. Бывают и другие сны и видения, все они дальше от центра и ближе к душе смертного; одно из них — видение перемен, оно рассказывает о личной жизни человека. То видение, в котором Праматерь назвала меня новым именем, и было как раз одним из таких видений перемен.

Наступило лето, и люди пришли в наш город из Чукулмаса. Мой брат по Дому Змеевика во время скачек уже не гарцевал верхом на своем рыжем жеребце: на нем сидела какая-то девушка из Дома Обсидиана, а он ехал рядом на гнедой кобыле. Рыжий жеребец выиграл все скачки, и его очень все хвалили. Говорили, что после этого лета он в скачках больше участвовать не будет, а станет племенным производителем. Я на скачках была только среди зрителей. Как и во время игр. Трудно сказать, что я тогда чувствовала. У меня все время стоял колючий комок в горле, и я без конца повторяла про себя: «Прощай! Прощай!», однако то, с чем я в те часы прощалась, уже миновало. Я все еще оплакивала минувшее и тем не менее оставалась спокойной. Девушка та оказалась отличной наездницей и была очень красивая, и я подумала, что они, возможно, собираются стать мужем и женой, но это не причинило мне боли, я даже почти не думала об этом. Мне только хотелось уйти подальше от Телины и начать жить той жизнью, которая была мне показана в видении перемен.

И вот в самую жару я отправилась с Черным Дегтем в горы к Источникам Великой Реки На, что близ Ваквахи.

Там, на Горе-Прародительнице, я жила в гостевой комнате хеймас Змеевика и занималась главным образом тем, что помогала их электрику налаживать хитроумную проводку вокруг хеймас, а также в Архиве и на Пункте Обмена Информацией.

По утрам я выходила из дому с восходом солнца. Стоя на крыльце, я видела вокруг только пышные белые облака тумана. Летний туман наполнял Долину, пока первые лучи солнца не развеивали его и не освещали скалистые вершины горной гряды. И я всегда пела, как меня научили еще в детстве:

> Здесь Долина Пумы,
> где горный бродит лев,
> где он просыпается, светясь,
> прекрасный из Седьмого Дома!

Позже, во время сезона дождей, эта пума, видно, сама взошла на Гору-Прародительницу, отчего вершины всех гор и Источники скрылись среди темных облаков и серого тумана. Просыпаться окруженной молчанием этих не дающих дождя и все скрывающих туч было все равно что просыпаться навстречу новому сну, все равно что дышать тем же воздухом, что и горный лев.

Живя на Горе-Прародительнице, я большую часть дня проводила в хеймас, а спала всегда только там. Я работала вместе с учеными, прорицателями и толкователями видений из Ваквахи над техникой повтора видений и их изложения с помощью слов, а также над их передачей с помощью музыки. Я не слишком много времени уделяла танцам или рисованию, поскольку у меня не было к этому способностей, зато упорно тренировалась в пересказе, в переложении своих видений в словесную форму, а также на язык барабана.

У меня, как и у многих людей, были несколько преувеличенные представления о трудностях жизни прорицателей и толкователей видений. Я считала, что они ведут напряженное аскетичное существование, всегда устремленное к невыразимому. На самом же деле это была довольно скучная, самая обыденная жизнь. Когда людям являются видения, они, естественно, о себе заботиться не могут, и когда возвращаются «оттуда», то порой страшно утомлены, или возбуждены, или ошеломлены, и в любом случае им прежде всего необходимы тишина и покой, без каких бы то ни было отвлекающих моментов и вопросов. Иными словами, это сродни отдыху после родов или любой другой тяжелой интенсивной работы. Совершающего тяжкий труд кто-то непременно должен поддерживать и защищать. Возрождение видений и пересказ их словами требуют того же, хотя и не настолько тяжелы.

В гостевом доме я постилась перед великой ваквой; я вообще ела совсем мало, внимательно глядя, что именно я ем, и выпивала немножко вина, разбавленного водой. Если вы собираетесь вызвать видение или повторить видение, являвшееся вам прежде, то вам вовсе не хочется вызывать их каждый раз разными способами, то входя в транс, то благодаря голоданию, то под воздействием алкоголя либо конопли, или же распевая специальные песни. Во всем этом самое главное — умеренность и постепенность. Если же человек уже находится в состоянии экстаза, тогда, конечно, дело совсем другое; это даже не работа, это самосожжение.

Так что та жизнь, которую я вела в Баквахе, была скучной и мирной, каждый день примерно одинаковой от сезона к сезону, и она совершенно устраивала меня, она была мне приятна, она успокаивала мою душу и разум, и я ничего иного для себя не желала. Работа, проделанная мной за эти годы на Горе-Прародительнице, заключалась в повторе и пересказе того видения Девятого Дома, которое было мне даровано самым первым; я передала все, на что была способна, ученым из Дома Змеевика для записей и толкований. Они были добры ко мне, среди них я чувствовала себя как в своей родной семье, это и была моя семья, мой Дом, и в этом Доме я снова ощущала себя ребенком, а не человеком, добровольно отправившимся в ссылку. Мне казалось, что я наконец пришла домой и всю оставшуюся жизнь буду рассказывать свои сны, играть на барабане, погружаться в транс и выходить из него, буду танцевать на прекрасной площади Пяти Высоких Домов и утолять жажду из Источников Великой Реки На.

Танец Травы в тот год, мой третий год жизни в Баквахе, танцевали поздно. Через несколько дней после его окончания и за несколько дней до начала Двадцати Одного Дня я как раз собиралась подняться по лестнице хеймас Змеевика, когда ко мне подошла Женщина-Ястреб. Я думала, что это одна из обитательниц хеймас, пока она не крикнула по-ястребиному: «Кийир, кийир!» Я обернулась, и она сказала:

— Танцуй Танец Солнца на вершине Горы, Дятел, а после этого ступай вниз. Пожалуй, пора тебе уже научиться красить свою одежду. — Она рассмеялась и вылетела как ястреб прямо в дверь у меня над головой.

Ко мне подошли какие-то люди, я же все стояла в молчании у лестницы. Люди слышали крик ястреба, а кое-кто и видел, как птица вылетела в дверь хеймас.

После этого у меня не было ни новых видений, ни повторных видений Девятого Дома, ни каких-либо еще.

У меня отняли этот дар и освободили меня. Этот дар на самом деле оказался тяжким бременем. Трудно было возвращать назад собственные видения, делить их с кем-то, отдавать их и терять навсегда снова и снова. Все это было свыше моих сил, и я вовсе не жалела, что перестала заниматься этим. Но когда я поняла, что скорее всего вообще утратила всякую способность видеть подобные сны и вскоре должна буду покинуть Вакваху, то весьма опечалилась. Я вспомнила о тех людях, которых считала своей семьей давным-давно, когда еще была ребенком, еще до того, как мной овладел тот страх. Они ушли из моей жизни, и теперь я тоже должна уйти, оставить теперешнюю свою семью, этих родных мне людей, и жить среди чужих всю оставшуюся жизнь.

Один мужчина из Дома Змеевика, житель Ваквахи по имени Олений Язык, который многому научил меня, и пел со мною вместе, и всегда дарил меня своей дружбой, заметил, что я подавлена и мрачна, и сказал:

— Послушай. Ты, наверно, считаешь, что все для тебя кончено? Ничего подобного! Ты думаешь, что все двери закрыты? А они все распахнуты настежь! Помнишь, что сказала тебе Койотиха в самом начале?

— Она сказала, чтобы я не боялась, — ответила я.

Олений Язык кивнул и засмеялся.

— Но Женщина-Ястреб сказала, чтобы я потом спустилась с вершины Горы, — сказала я.

— Она же не сказала, чтобы ты никогда туда больше не возвращалась.

— Да, но я утратила свою способность, и видения ко мне больше не приходят!

— Но у тебя ведь осталась голова на плечах! Ну вот где, по-твоему, центр твоей жизни, Дятел?

Я подумала, хотя и не слишком долго, и ответила:

— Там. В том первом видении. В Девятом Доме.

Он сказал:

— Твоя жизнь вращается вокруг этого центра. Только не ослепляй свой разум страстным желанием вернуть то видение! Ты же понимаешь, что видение — это не настоящая жизнь, это не ты сама действуешь в нем. Даже ястреб кружит вокруг своего ястребиного желания. И ты обойдешь вокруг своего Дома и обнаружишь, что дверь его открыта настежь.

Я танцевала тогда Танец Солнца на самой вершине Горы-Прародительницы, как велела мне та Женщина-Ястреб, и после этого почувствовала, что мне пора уходить. В Ваквахе было несколько человек, которые вызывали у себя различные видения путем длительного голодания или принимая наркотики и жили постоянно среди галлюцинаций; они, видимо, так никогда и не узнали, что такое видение, порожденное воображением, мечтой, и жили как-то нечестно, все время переделывая мир. Я боялась, что если останусь там, то, возможно, вскоре начну подражать им, как о том предупреждал меня Олений Язык. В конце концов, я уже однажды ступала на этот ложный путь. Так что я распрощалась со всеми своими друзьями и холодным ясным утром отправилась вниз, в Долину. Молодой краснокрылый ястреб кружил с криками надо мной, и крики эти — «кийир! кийир!» — звучали так печально, что я даже заплакала.

Итак, я вернулась в дом своей матери в Телине. Мой дядя женился и переехал, так что в моем распоряжении теперь оказалась отдельная небольшая комнатка; это было чудесно, потому что моя двоюродная сестра вышла замуж и родила ребенка и дом стал ужасно перенаселенным и беспокойным. Впрочем, он и прежде был таким. Я снова стала работать вместе со своим отцом, набираясь у него опыта как в теории, так и в практике, и через два года стала членом Цеха Мельников. Мы с отцом по-прежнему часто работали вместе. Жизнь моя была почти такой же спокойной, как и в Ваквахе. Иногда я проводила несколько дней в хеймас, играя на барабане; видения меня более не посещали, однако безмолвие, что возникало как бы внутри барабанного боя, было именно тем, что мне требовалось.

Один сезон сменялся другим, а я все думала над теми словами Женщины-Ястреба. Как-то раз я делала новую электропроводку в старом доме Семь Ступеней на северо-восточной окраине Телины. Был жаркий полдень, один из жильцов этого дома принес мне лимонада, и мы с ним разговорились и продолжили нашу беседу на следующий день. Он был из Дома Синей Глины, родом из Чукулмаса; когда-то он женился на женщине из Дома Змеевика, и у них родилось двое детей, но младший оказался больным севаи. И эта женщина бросила детей и мужа, оставила дом своей матери и перебралась на другой конец города, чтобы там выйти замуж за мужчину из Дома Красного Кирпича. Я ее знала, в детстве мы с ней когда-то вместе играли и безобразничали, но с этим мужчиной я никогда прежде не встречалась. Его звали Тихая Вода, и жил он по-прежнему в доме бабки своих детей. Он работал в основном аптекарем да еще иногда дубил кожи и занимался домашним хозяйством. Мы с ним много разговаривали и очень сошлись характерами. Мы и потом не раз встречались, чтобы поговорить. Потом стали заниматься и любовью и решили пожениться.

Отец мой был против этого, потому что у Тихой Воды было уже двое детей, так что мне иметь детей, видимо, вообще не следовало, но это меня вполне устраивало. Бабушка и мать вообще как-то не слишком тепло относились ко всем моим начинаниям, потому что в итоге я всегда их разочаровывала, к тому же они совсем не хотели, чтобы в нашем доме поселились еще трое людей — там и так повернуться было негде. Но и это тоже, как ни странно, меня устраивало. В итоге все, о чем я мечтала в течение долгих лет, воплотилось в жизнь.

Мы с Тихой Водой и его малышами устроились на нижнем этаже в доме Семь Ступеней, а на втором этаже жила бабушка мальчиков. Это была женщина довольно ленивая, но добродушная и очень любила своего зятя и внуков, и мы с ней отлично уживались. Мы прожили в этом доме четырнадцать лет, и у меня всегда было все, что я хотела, и я была довольна и счастлива, как овца с двумя ягнятами на безопасном пастбище, где полным-полно сочной травы. Все эти годы прошли точно один долгий летний день на огороженном крепкой оградой поле или в тихом доме, где плотно прикрыты все двери, чтобы в комнатах сохранилась прохлада. То был день моей жизни. До него и после него были сумерки и тьма, когда вещи и их тени сливаются воедино.

Наш старший сын — к великому удовольствию моей бабушки — отправился учиться в Общество Целителей на Белый Сернистый Источник, едва надев некрашеные одежды, а к тому времени, как ему исполнилось двадцать, он уже по большей части даже и жил в хеймас у Целителей. Младший умер, дожив до шестнадцати лет. Постоянное соседство с жестоко страдающим от боли, все больше слабеющим, теряющим способность управлять своими конечностями и неумолимо слепнущим братом и заставило нашего старшего сына стать Целителем. Что же касается меня, то мне радостно было жить рядом с бесстрашной душой младшего мальчика. Он был похож на ястребка, который залетел к вам на минутку, чтобы согреться, и даже дался в руки, отважный и не способный причинить вреда, но только смертельно раненный. Когда он умер, Тихая Вода ужасно затосковал и стал мечтать о своем старом доме. Вскоре он перебрался в Чукулмас и стал жить в доме своей матери. Иногда я ходила его навестить.

Я же вернулась в дом своего детства, где по-прежнему жили моя бабушка, мать, отец, тетка, двоюродная сестра, ее муж и двое ее детей. И по-прежнему семейство не знало покоя, вечно все были чем-то заняты и очень много шумели; я там себя чувствовала совершенно не к месту. Я часто ходила в хеймас играть на барабане, но и это было совсем не то, чего мне хотелось. Мне очень не хватало Тихой Воды, но время было упущено, и поздно нам было начинать снова совместную жизнь. Нет, мне хотелось чего-то другого, но чего именно, я никак не могла понять.

В Обществе Крови однажды мне сказали, что Молоко, которая теперь стала действительно ужасно старой, перенесла удар. Мой сын пошел со мною вместе навестить ее и очень хорошо ее подлечил; и, поскольку она жила совсем одна, я переехала к ней на время, чтобы быть под рукой, пока она еще нуждалась в помощи после болезни. Это оказалось удобно и приятно нам обеим; но она в это время была занята поисками своего последнего имени и училась умирать, так что, хотя я и могла оказать ей в этом некоторую помощь, а также кое-чему от нее научиться, все равно это было не то, чего хотелось мне самой.

Однажды, незадолго до Летних Танцев я работала в хранилищах над Лунным Ручьем. Цех Мельников установил там новый генератор, и я занималась проверкой провода, подключенного к молотилке, который кое-где нуждался в дополнительной изоляции; должно быть, над проводом изрядно

потрудились мыши. Я работала там, вдали от всех, в темной пыльной узкой щели, слушая мышиную возню у себя над головой и под стенами сарая. Вскоре я краем глаза заметила, что в этой щели со мной вместе находятся еще какие-то люди, внимательно наблюдающие за моими действиями. Кожа у них была серовато-коричневого цвета, руки длинные, гибкие и тонкие, а ладошки и ступни очень белые; глаза у них ярко горели. Я никогда их раньше не видела, но они почему-то показались мне знакомыми. Я сказала, продолжая работать:

— Я бы хотела, чтобы вы не оголяли провода, потому что может начаться пожар. Мне кажется, в таком большом зернохранилище можно найти еду и получше изоляции!

Эти люди тихонько засмеялись, и самый темнокожий из них сказал высоким нежным голосом:

— Нам спать пора.

И они, оглянувшись на меня, бесшумно и быстро исчезли. Но там остался кто-то еще. От страха у меня слегка екнуло сердце. Сперва я никак не могла как следует разглядеть этого человека в полумраке, потом увидела, что это Черный Деготь.

— Ты уж больше не ездишь верхом на лошадях, Дятел? — спросил он.

— Езда верхом — это для молодых, Черный Деготь, — откликнулась я.

— А ты разве старая?

— Мне скоро сорок.

— И неужели ты совсем не скучаешь по скачкам?

Он поддразнивал меня в точности так, как когда-то дразнили меня за то, что я влюблена в рыжего жеребца.

— Нет, об этом я не скучаю.

— О чем же ты скучаешь?

— У меня сынок умер.

— Почему же ты должна скучать о нем?

— Он же мертв.

— Как и я, — сказал Черный Деготь. И это было правдой. Он умер пять лет назад.

И тут я поняла, о чем именно я тосковала, чего хотела. Это было всего лишь желанием не быть больше запертой в Земных Домах. Мне бы совершенно не требовалось то входить туда, то выходить, если бы я могла видеть тех, кто это делает постоянно. Вот как Черный Деготь. И он тоже посмеялся немножко, как те мыши.

Он больше ничего не говорил, но просто наблюдал за мной из темного уголка. Когда я закончила свою работу, он исчез. Когда я уходила из хранилища, я заметила, что там на одной из балок живет сова; она спала.

Я пошла домой, то есть к Молоку. За ужином я рассказала ей о Черном Дегте и о мышах.

Она внимательно слушала и вдруг начала тихонько плакать. После удара она очень ослабела, и ее яростный нрав порой оборачивался слезами. Она сказала:

— Ты всегда была впереди меня, всегда шла впереди!

Я никогда прежде не понимала, что она мне просто завидует. И сейчас очень опечалилась, узнав об этом, но все же мне хотелось смеяться над тем, как бессмысленно мы тратим порой свои чувства.

— Кто-то же должен отворять двери! — сказала я. И показала ей на людей, что входили в комнату, это были люди, похожие на тех, каких я обычно видела в раннем детстве. Я понимала, что они мне родня, но не знала, кто они такие. Я спросила Молоко: — Кто они?

Сперва она была ошарашена моим вопросом, да еще и видеть как следует не могла, она все время жаловалась на это. Но потом те люди стали что-то говорить ей, а она — им отвечать. Порой они говорили на нашем языке, а порой я совсем не понимала их речи, но Молоко отвечала им с охотой.

Когда Молоко устала, они тихонько ушли прочь, и я помогла ей улечься в постель. Когда она уже совсем начала засыпать, я увидела, как вошел маленький ребенок и лег с нею рядом. Она обняла его рукой. И каждую ночь после этого, до самой зимы, когда Молоко умерла, этот ребенок приходил к ней и спал в ее постели.

Как-то я заговорила с ней об этом, спросив: «Это твоя дочка?» И Молоко посмотрела на меня своим единственным зрячим глазом, как прежде, яростно — точно хлыстом ударила, — и заявила: «Не моя, а твоя!»

Так что теперь я живу в этом доме с дочерью, которую никогда не носила во чреве — это дитя моей первой любви. Здесь же живет и остальная моя семья. Иногда, подметая пол, я вижу, как клубится в солнечном луче пыль, танцует, кружится, завивается в спирали, посверкивает.

С. 367. ...*ветулу*

Игра, несколько напоминающая поло. В нее играют, сидя на спине лошади и используя специально открытую с одного края плетеную корзинку на длинной ручке, с помощью которой мяч подхватывают и бросают; см. главу «Игры» в разделе «Приложения».

с. 368. ...*севаи*

Севаи значит «заключенный в оболочку». Это генетическое заболевание, поражающее двигательные нервы и главным образом симпатическую нервную систему. Очевидно, происхождением своим севаи обязано остаточным промышленным токсинам, до сих пор содержащимся в почве и воде. В некоторых регионах планеты севаи встречается довольно редко, в других — весьма часто. В Долине примерно каждый четвертый новорожденный рождался мертвым из-за севаи; точно такому же заболеванию подвержены и животные. Как говорит Дятел, чем позже болезнь проявит себя, тем более медленно и щадяще она развивается, однако всегда неизбежно ведет к утрате способности двигаться, к слепоте, параличу и смерти.

С. 380. ...*ученые*

Айяш означает одновременно и «учитель» и «ученик», учащийся и получивший знания, как, впрочем, и наше слово «ученый». Учеными в хейимас были как женщины, так и мужчины с религиозными или исследовательскими склонностями; они и были хранителями Дома.

С. 381 ...*в обоих Мирах...*

Не очень часто встречающийся образ двух Рук Мира, то есть Пяти Домов Земли и Четырех Домов Неба.

НЕСКОЛЬКО КОРОТКИХ ТЕКСТОВ ИЗ ДОЛИНЫ

Сова, койот, душа

Из библиотеки Ваквахи

 Сова летала во тьме, махая крыльями совершенно бесшумно. Тогда не существовало никаких звуков. И сова сказала себе: «Ху-гу, ху-гу». Сова слышит себя — возникает звук, свидетельствующий о существовании совы и о времени, ибо он звучит четыре раза.

Звук расходится кругами в темном воздухе над океаном тьмы, вырвавшись из клюва совы. Подобно частичкам ила, сломанным травинкам и крылышкам насекомых на поверхности водоема вещи тоже начинают существовать, двигаться кругами от центра к внешнему краю. У самого клюва совы звук громок, и там вещи движутся быстрее и более уверенно, их очертания более определенны. Чем шире расходятся круги, тем медленнее движутся вещи, очертания их расплываются, они цепляются друг за друга, сплетаются, ломаются... Но сова взлетает все выше и летит все дальше, прислушиваясь, занимаясь охотой. Один — это еще не все, как и единожды — это еще не всегда. Сова — это не все, а всего лишь сова.

Койотиха шла во тьме очень печальная и одинокая. Во тьме нечего было поесть, ничего нельзя было увидеть, даже пути видно не было. Она села во тьме и завыла: «Яу, яу, яу, яу, яу». Койотиха слышит себя; и благодаря этому смерть начинает существовать в пространстве и во времени, ибо крик Койотихи звучит пять раз.

Смерть сияет. Она окружена сиянием. Благодаря Смерти сияние разливается на поверхности воды, в воздухе, само бытие наполнено сиянием. Ближе к сердцу Койотихи сияние

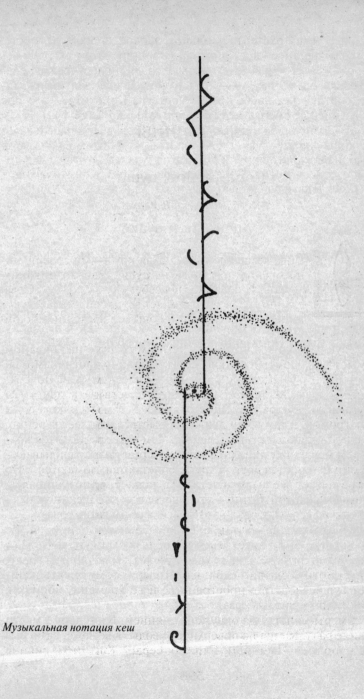

Музыкальная нотация кеш

сильнее, и там растет все сильное, теплое, способное гореть. Чем дальше от сердца Койотихи, чем шире этот круг, чем вещи ближе к его краям, тем больше среди них обгорелых, слабых, бесформенных, холодных. Койотиха идет дальше и дальше, охотясь на живых, поедая мертвых. Койотиха — это еще не жизнь и не смерть, а всего лишь самка койота.

Душа, поющая и святящаяся, движется все дальше и дальше к краю круга, туда, где холод и тьма. Душа, молчаливая и холодная, входит в круг и стремится туда, где другая душа поет и светится у огня. Сова летает бесшумно; Койотиха ходит во тьме; душа слушает, затаившись.

Личность и душа

Подарено хеймас Змеевика Старым Кроликом из Телины

Во время Танца Травы поют такую песню: «Вселенная есть, и все, что здесь есть, есть внутри этого дома домов».

Ну что ж, в таком случае Вселенная — это живое существо, верно? Мы ведь обращаемся к камню, как к человеку: «Хейя!»; радостно кричим встающему солнцу: «Хейя, Священное! Здравствуй!» И мы выкрикиваем, словно обращаясь к живому существу, в полном одиночестве в диком краю: «Благослови меня, как я благословляю тебя, и помоги мне в слабости моей!» Кого же мы приветствуем? Кого благословляем? Кто помогает нам?

А может, во всех этих вещах живет одно существо, одна душа, которую мы приветствуем в камне и в солнце, которой доверяем во всем и просим ее благословения и помощи? Может быть, единство Вселенной проявляется именно в этой единой душе, и единство каждого существа со многими другими — знак или символ этой единой души? Может быть, и так. Люди, которые говорят, что это так и есть, называют эту душу обратной стороной своей души, обратной стороной всего вечного, божеством. Мыслящие более лениво, возможно, скажут, что внутри скалы живет дух, а внутри солнца — некое свирепое, яростное существо, но эти же люди утверждают, что и Бог во Вселенной живет, как человек в своем доме или койот в диком краю, он сам построил его и поддерживает в нем порядок. Эти люди верующие. И вовсе они не лениво мыслят.

Однако же кое-кто из людей больше склонен думать, а не верить слепо. Им все интересно, и они спрашивают, кто же он, тот, кого мы приветствуем, благословляем, кого просим о благословении? Сама ли это скала, или солнце само по себе, или же все остальные вещи? Может, и так. В конце концов, мы все живем в таком доме, который сам себя создал и сам наводит в себе порядок. Почему же душа должна чего-то бояться в своем собственном доме? Чужих здесь нет. Стены этого дома — жизнь, двери его — смерть; и мы, трудясь, входим и выходим из него.

По-моему, это друг друга мы приветствуем, благословляем и помогаем. И это друг друга мы поедаем. Мы одновременно и сборщики, и то, что собирают. Мы строим и разрушаем; мы создаем и уничтожаем и сами бываем уничтожены; мы рождаем человека и убиваем людей, мы берем кого-то за руку и тут же эту руку выпускаем. Люди, способные думать, и другие животные, растения, камни и звезды, все мыслящие существа или те, за которых мыслит кто-то другой, думая о них, те, которые способны видеть сами, или те, которых видят другие, те, которые содержат что-то или сами содержатся в чем-то, — все мы обитатели Девяти Домов Бытия, танцующие один и тот же танец. Это моим голосом говорит Голубая Скала, и слово, что произнес я, стало ее именем. Это моим голосом говорит Вселенная, и слово, которое она произносит, когда я слушаю ее, это я сам. Да славится Бытие. И я не знаю, к чему она, эта слепая вера.

И я думаю так: испуганный, я буду верить в чью-либо помощь; ослабев, я буду благословлять того, кто сильнее; страдая, я постараюсь выжить. Я думаю, что следует идти именно этим путем: попросив о помощи, я умолкну и стану слушать. Я никому не стану прислуживать, но не стану и запирать ни одну из своих дверей. И я думаю, что, следуя этому, проживу в Долине так хорошо, как сумею, и умру здесь, тоже как сумею, войдя в открытую дверь.

Список вещей, которые будут нужны через четыре дня, считая от сегодняшнего

Запись сделана на клочке грубой бумаги, найденном возле хеймас Унмалина, неподалеку от одного из пастбищ

1. Что-нибудь остроконечное, но округлой формы, типа стручков.

2. Несколько осколков неглазурованной посуды из красной глины.

3. Тонкая медная проволока, накрученная на деревянную палочку.

4. Искусственные или естественные предметы цилиндрической формы, любые, какие найдутся, но по крайней мере с одним широким концом и не имеющие сквозного отверстия.

5. Какая-нибудь записка или пометки чернилами на плотной бумаге.

6. Маленькие диски, способные отражать свет.

7. Семена чиа или мертвые муравьи.

8. Молодой осел.

9. Дождь.

Вороны, гуси, камни

Некоторые замечания, сделанные в разговоре со мной одним старым человеком из Дома Змеевика, жителем Кастохи по имени Грецкий Орех из Дома На Том Конце Моста, и записанные с его разрешения

Уже по одной только вороньей походке можно догадаться, что они связаны с такими вещами, какие всем нам знать необходимо. Но они вовсе не желают рассказывать об этом.

Ну а походка гусей приводит вас к мысли, что уж эти-то не знают ровным счетом ничего, верно? Но когда вы видите гусей в полете или же слушаете, как они переговариваются на воде, собравшись в большие стаи, хотя они и в полете тоже непрерывно переговариваются — они вообще говорят почти так же много, как люди, и знают гораздо больше людей о дикой стороне этих гор — так вот, когда вы видите их в полете, видите, как они пишут в небесах какие-то слова, то просто мечтаете научиться читать то, что они там пишут!

Не все камни одинаково чувствительны. Большая часть базальтов, например, ко всему равнодушна. Базальты ни к чему не прислушиваются. Они, возможно, все еще думают о том огне, что пылал в темноте. Камень змеевик, напротив, чрезвычайно восприимчив и чувствителен. Он происхождением своим обязан как воде, так и огню, он двигался вверх, всплывая меж других пород камней, чтобы выбраться на поверхность, на воздух, и он всегда на грани надлома, разрушения, обращения в прах. Змеевик всегда слушает и говорит. А вот кремень — камень странный. Он всегда накрепко заперт. Песчаник — это камень для наших рук, они друг друга

отлично понимают: У нас здесь, в Долине, известняков нет; лишь Искатели порой приносят отдельные куски известняка. Насколько я сумел понять по этим кускам, известняк — камень смертный и обладающий разумом; это камень, созданный из наших жизней. Говорят, что в тех местах, где земля в основном состоит из известняковых пород, реки текут как бы сквозь нее в подземных пещерах и не выходят на свет. Любопытное, должно быть, зрелище. Я бы хотел повидать такие пещеры. Гранит с Гор Света — это некое содружество камней, очень красивых и сильных. Когда в нем есть вкрапления слюды, то слюдяные блестки сверкают, как солнечный свет на поверхности моря, и это совершенно замечательное зрелище! Обсидиан — это, конечно же, стекло, того же происхождения, что и пемза и застывшая лава, которой много в окрестностях Ама Кулкун. Они все имеют свойства стекла — режущие края, текучесть, — и все они задерживают свет. Это опасные камни.

В общем, камни живут не так и не с такой скоростью, как мы. Однако можно найти себе камень — большой валун или маленький агат в ручейке — и смотреть на него внимательно, касаясь его ладонями или держа в руках, прислушиваться к нему или даже немножко с ним разговаривать или напевать, что-то ему объясняя или, наоборот, сидя неподвижно и молча, и тогда тебе до какой-то степени, возможно, удастся проникнуть в душу этого камня, и камень тоже отчасти проникнет в твою душу, если, разумеется, ты ее для него раскроешь. Камни по большей части живут долго. Они существовали за много тысячелетий до того, как мы нагнали их на этом пути, и будут жить очень долго после нас. Некоторые из них очень стары, это внуки тех камней, которые впоследствии стали Землей и Солнцем. Даже если бы мы ничего больше не могли узнать у них, одного этого уже было бы достаточно — их долгого, долгого века. Но в камнях заключено гораздо больше — огромные запасы знаний и то, что можно понять только с помощью камней. Они помогут людям, которые с удовольствием работают с ними, внимательно изучают их и относятся к ним разумно, с должным уважением и осторожностью.

Душа черного жука

Из библиотеки Общества Черного Кирпича в Синшане

Существуют души, о которых слышали большинство людей и о которых суеверные люди непременно порасскажут вам столько, что совсем заговорят; но чем более достоверные сведения хочет разум получить о душах, тем труднее человеку разумному вообще говорить о них. Очень трудно познать душу; она сама знает, что можно дать узнать о себе. Образы — это способ познания души. Слова — это образы образов. У самой глубокой из душ, например, такой образ: она пахнет подземным царством и похожа на жука, на крота или на черного червя. Иногда ее называют еще душой черного жука, или черным шнурком, или душой смерти. Это не тень и не образ тела — как и само тело, живое или мертвое, отнюдь не является образом души. Душа черного жука ест экскременты, а испражняется пищей. Когда остальные души бодрствуют вместе с телом, эта душа обычно спит и пробуждается, когда они ложатся спать; они расходятся, даже не взглянув друг на друга. Когда умирает плоть, оживает душа-смерть. Эта та часть существа, которая все забывает. Именно она совершает ошибки, порождает несчастные случаи и множество снов. Говорят, она живет в фундаменте всех Девяти Домов. Она нежно принимает свое тело после его смерти и уносит во тьму. Когда дождь падает на оставшуюся после кремации золу, душа-смерть может даже подняться наверх и подышать воздухом. Она слепа и невероятно богата. Если вы спуститесь туда, где она обитает, то получите многочисленные дары. Проблема только в том, как все это унести с собой. Если говоришь с глубинной душой, то лучше всего закрыть глаза, а когда от нее уходишь, не оглядывайся назад! Когда дождь падает на погребальный костер, души смерти выползают на поверхность, поднимаются в воздух, и воздух темнеет от множества этих душ. Обычно они поднимаются на поверхность в самом начале сезона дождей, когда ночи становятся все

длиннее, а в воздухе вечно висит дымная пелена. Как раз в это время строится Дом Воссоединения. Члены Общества Черного Кирпича надевают воротник или даже куртку из кротового меха, когда они поют свои песни, или учат умирать, или предаются видениям. Черный шнурок может быть повязан вокруг локтя танцовщика из этого Общества или обхватывать ему грудь или голову. Черный Жук может показать им путь к познанию. Но путей познания этой души не существует. Эта душа самая сокровенная и спрятана глубже всех. Человек умирает, чтобы ее достигнуть.

Хвала дубам

Наставление из хеймас Змеевика в Синшане

Пять дубов — Круглоголовый с длинными желудями, что растет на выходящих к морю склонах гор, Морщинистая Кора из нашей рощицы, покрытый серой корой Дуб по имени Длинная Чаша, Великий Горный Дуб, Дубильный Дуб, который цветет, как конский каштан, хотя желуди у него самые обычные, — все они сохраняют листву в дождливый сезон.

Четыре дуба — Синий Листок, которому требуется сухая земля у корней, Тонковолокнистый с холмов, Красный Листок с черной корой, что растет высоко в горах, и Долинный с толстенным стволом, тенистый, воспетый поэтами и растущий близ водоемов и на залитых солнцем холмах, — все они свои листья в дождливый сезон теряют.

Таковы девять благородных и прекрасных дубов, полных жизни, благоуханных в мужском и женском цветении, дающих приют множеству птиц и зверьков, а также полчищам насекомых, отбрасывающих густую тень, обеспечивающие пищей другие народы, величайшие богачи, которые заслуживают самой высокой похвалы.

Слова/Птицы

Текст взят в Обществе Земляничного Дерева

То, что годится для слов, может оказаться непригодным для вещей, и то, что два высказывания, если они противоречат друг другу, не могут быть оба верны, вовсе не значит, что противоположностей не существует. Слово — это не вещь; у слов и вещей разные пути и разные жизни. Верно то, что город создается из камня, глины и дерева; однако верно и то, что город создается из людей. Эти выражения отнюдь не отрицают друг друга. Верно, что пролетающая своим путем птица может уронить перо, как верно и то, что порыв ветерка может вырвать это перо у нее из крыла; верно и то, что я, обнаружив это перо у себя на пути, решу, что упало оно специально для меня. Слова, сказанные здесь о пере, частично противоречат друг другу. Верно, что все сущее должно оставаться таким же, каким было создано, и что Ничто — это лишь игра иллюзий над бездной пустоты. Верно, что существует Все и существует Ничто. Эти слова полностью отрицают друг друга. Мир нашей жизни — это сплетение нитей, благодаря которому они держатся вместе и в то же время отдельно друг от друга. Этот мир — как мост, перекинутый над глубоким каньоном, над рекой, текущей в глубине его, в пропасти, а слова — это птицы, что перелетают над этой пропастью туда и обратно. Они не могут быть одновременно на обоих берегах. Однако могут перелететь на противоположный берег и вернуться обратно. Человеку требуется целая жизнь, чтобы перейти по этому мосту на другую сторону. А эти птицы летают туда-сюда прямо над пропастью, с одного берега на другой, весело щебечут и поют песни.

Но здешним кошкам это безразлично

Несколько изречений, мудрых поговорок и мелких камешков из Долины

Ты зачем так старательно в доме прибираешь?
Да говорят, землетрясение будет.

Если бы на свете всего было хотя бы по одному, тут бы свету и конец пришел.

Чрезмерная рассудительность — это нищета.

Когда я боюсь, то прислушиваюсь к тому, как молчит, затаившись, полевая мышь.

Когда я не боюсь ничего, то прислушиваюсь, как молчит, затаившись, кот, что охотится на мышей.

Если ты не будешь учить машины и лошадей тому, чего ты от них хочешь, они сами начнут учить тебя делать то, что хотят они.

Идти туда, куда уже ходил, — прирост. Идти назад — опасность. Лучше обойти кругом.

Множество, Разнообразие, Количество, Изобилие.

Редкостность, Чистота, Качество, Воздержанность.

Ничто не может сделать воду лучше, чем она есть.

Больше, чем требуется, — это жизнь.

Долина — это Дом Земли и Путь По Левой Руке Вселенной. Великая Гора — это Стержень хейийя-иф. Чтобы пойти Путем Правой Руки, нужно подняться на Гору, потом с нее попасть в Дом Неба, и тогда, оглянувшись назад, можно увидеть Долину такой, какой ее видят мертвые.

Быть прямодушным — значит не быть памятливым. Памятливый способен удерживать в памяти множество самых различных вещей, понимая их связь между собой и их соотношение.

Завоевывать — значит проявлять неосторожность. Осторожность позволяет человеку наилучшим образом соотнести свои устремления и поступки и не навредить при этом ни собственным намерениям, ни другим существам.

Только брать — значит лишать себя радости. Радость — принимать такие дары, которые не получишь ни от чересчур памятливого, ни от слишком осторожного.

О да, это великий охотник: одна стрела в колчане, одна мысль в голове.

Возможно, где-то кошки и бывают зеленого цвета, но здешним кошкам это безразлично.

Все горы мира — в одном маленьком камешке.

Обладание — это обязанность, сохранение в наличии — обуза.

«Похожий» и «иной» — слова-зародыши, из них вылупляются мысли.

«Лучше» и «хуже» — слова-паразиты, после них от яйца остается одна скорлупа.

О заботе можно спросить только заботливо, о радости — радостно.

Прочти, что гусеницы написали на листке земляничного дерева, и пройди сторонкой.

ПАНДОРА БЕСЕДУЕТ С АРХИВИСТКОЙ
ИЗ БИБЛИОТЕКИ ОБЩЕСТВА
ЗЕМЛЯНИЧНОГО ДЕРЕВА В ВАКВАХЕ

ПАНДОРА:
Племянница, это поистине прекрасная библиотека!

АРХИВИСТКА:
В городе, расположенном у Истоков Великой Реки, и должна быть прекрасная библиотека.

ПАНДОРА:
Хотя скорее это похоже на кабинет редких книг.

АРХИВИСТКА:
Да, это старые и очень ветхие книги. Вот, например, этот свиток — что за четкая каллиграфия! А какая бумага! Из льна. Она даже ни чуточки не потемнела. А вот бумага из молочая. Тоже отличной текстуры.

ПАНДОРА:
Сколько же лет этому свитку?

АРХИВИСТКА:
О, наверное, лет четыреста, а может, пятьсот.

ПАНДОРА:
Все равно что для нас Библия Гутенберга. Так, значит, у вас здесь немало старинных свитков и книг?

АРХИВИСТКА:
Ну, здесь их больше, чем где бы то ни было еще. Старинные вещи ведь очень уязвимы, верно? Так что люди приносят их сюда. Кое-что, конечно, просто хлам.

ПАНДОРА:
Как ты решаешь, что выбросить, а что сохранить? Эта библиотека на самом деле не так уж и велика, если учесть, сколько создается письменной продукции у вас в Долине...

АРХИВИСТКА:
О да, пишут и пишут без конца!

ПАНДОРА:
И еще приносят свои «шедевры» в качестве даров в хейимас...

АРХИВИСТКА:
Все дары священны.

ПАНДОРА:
Но тогда библиотеки должны были бы стать просто гигантскими, если не выбрасывать ни книг, ни прочих подношений. Как же вы решаете, что сохранить, а что уничтожить?

АРХИВИСТКА:
Это очень сложный вопрос. Обычно это делается произ-
вольно, часто неправильно и не по справедливости и очень
возбуждает людей. Мы производим чистку библиотек хейимас каждые несколько лет. Здесь, в библиотеке Общества
Земляничного Дерева в Ваквахе мы делаем это каждый год
между Танцами Травы и Солнца. Это тайная церемония. Участие в ней принимают только члены Общества. Выглядит как
оргия. Этакий безумный всплеск любви к чистоте собственного жилища — инстинкт гнезда, кампания по сбору, вывер-
нутая наизнанку, перевернутая с ног на голову. Уничтожение
запасов.

ПАНДОРА:
И вы уничтожаете ценные книги?

АРХИВИСТКА:
О да! Кому хочется быть похороненным под их грудой?

ПАНДОРА:

Но вы ведь можете хранить важные документы и наиболее ценные литературные произведения в электронной памяти, в ПОИ, где они совсем не займут места...

АРХИВИСТКА:

Так и поступают в Столице Разума. Их интересуют копии буквально всего на свете. Кое-что мы им отдаем. И вообще, что значит «не займут места»? Разве «место» — это всего лишь часть пространства?

ПАНДОРА:

Но нечто неуловимое... информация...

АРХИВИСТКА:

Уловимое или нет, но ты либо оставляешь вещь себе, либо отдаешь ее. Мы полагаем, что безопаснее ее отдать.

ПАНДОРА:

Но ведь не в этом суть хранения информации и ее выдачи! Тот или иной материал хранится для всех, кому бы он ни понадобился. Информация передается дальше, и дальше это основополагающий акт развития человеческой культуры!

АРХИВИСТКА:

«Хранение приумножает, дарение ведет к процветанию». Хотя любое дарение в чем-то несправедливо; возможно, для него требуется более дисциплинированный разум. Люди из Союза Дуба, обладающие этим свойством, историки, ученые, писатели, рассказчики, часто приходят сюда, они постоянно присутствуют здесь, вон вроде тех четверых, что бродят среди книг, что-то копируют, пишут какие-то рефераты. Книги, которые не читает никто, уходят быстро; книги, которые люди читают, тоже уходят, но только позже. Однако все они уходят обязательно. Книги смертны. Они тоже умирают. Книга — это деяние; она занимает место во времени, а не только в пространстве. Это не просто информация, но связь времен, зависимость.

ПАНДОРА:

Разговоры на эту тему вечно ведутся в Утопии. Мне удалось растормошить тебя, и теперь ты отвечаешь интересно, красноречиво и почти убедительно. Но можно бы и лучше!

АРХИВИСТКА:

Ах, тетушка, я, право, не знаю. А что, если бы вопросы задавала я? Что, если бы я спросила тебя, как ты относишься к моему несколько странному употреблению слова «безопаснее»? И насколько опасным тебе представляется бесконечное приумножение и хранение информации, как это делается в вашем обществе?

ПАНДОРА:
Ну, я...

АРХИВИСТКА:
Кстати, кто у вас контролирует хранение информации и ее выдачу? До какой степени материалы, хранящиеся в памяти, доступны каждому желающему их получить и до какой степени эта информация доступна тем, кто точно знает, что «она там есть», обладает необходимым уровнем образования, чтобы ею воспользоваться, и возможностями для получения такого образования? Как велико число грамотных людей в вашем обществе? Сколько из них разбираются в компьютерах? Сколько достаточно компетентны, чтобы пользоваться электронными библиотеками и банками памяти? Как велик тот объем информации, который доступен обычным людям, не принадлежащим ни к правительственным, ни к военным, ни к ученым кругам и даже не слишком богатым? Что значит «информация классифицирована»? Что именно в этой области покупается за деньги? В государстве, даже демократическом, при любой иерархии власти не станет ли хранение информации еще одним, дополнительным источником могущества для тех, кто и так уже облечен властью, еще одним поршнем в гигантской государственной машине?

ПАНДОРА:
Племянница, да ты, черт побери, настоящая луддитка!

АРХИВИСТКА:
Нет, ничего подобного. Машины мне очень нравятся. Стиральная машина — мой старый друг. Печатный станок, что стоит здесь, — пожалуй, даже больше чем друг. Знаешь, когда в прошлом году умер Источник, я напечатала на этом станке его поэму, целых тридцать копий, чтобы люди взяли домой или подарили хеймас. Это вот последняя копия.

ПАНДОРА:
Это хорошо. Но ты сплутовала! Твой вопрос был скорее риторическим.

АРХИВИСТКА:

Видишь ли, если культура того или иного общества имеет как устную, так и письменную литературную традицию, то люди в нем обычно хорошо владеют риторикой. Но мой вопрос отнюдь не был простой уловкой. Как же вы все-таки добиваетесь того, что информация не превращается в собственность и оружие властей предержащих?

ПАНДОРА:

Благодаря отсутствию цензуры. Благодаря наличию публичных библиотек. Обучая людей читать. И пользоваться компьютерами, и копаться в банках памяти. И еще у нас есть пресса, радио, телевидение, которые не полностью зависят от правительства или рекламы. Не знаю, что еще. Если честно, становится все труднее.

АРХИВИСТКА:

Я вовсе не хотела огорчить тебя, тетушка!

ПАНДОРА:

Я никогда не была такой, как эти чересчур разумные и самоуверенные жители Утопии. Они всегда и здоровее, и разумнее, и логичнее, и правильнее, и добрее, и упорнее, и мудрее, чем я, моя семья и все мои друзья. Люди, у которых на все есть ответ, чрезвычайно скучны, племянница! Скучны, скучны, скучны.

АРХИВИСТКА:

Но у меня вовсе нет ответов на все вопросы, и это совсем не Утопия, тетя!

ПАНДОРА:

Черта с два, именно она и есть!

АРХИВИСТКА:

Это просто мечта, явившаяся людям в плохие времена, заветная мечта тех людей, что ездят на снеговых санях, создают ядерное оружие, а директорами тюрем сажают пожилых домашних хозяек. Это критика той цивилизации, которая возможна только для людей, этой цивилизацией созданных; утверждение, претендующее на то, чтобы служить отрицанием; стакан молока для души, изъязвленной кислотным дождем; пацифистские призывы Жакерии и каннибальский танец дикарей в забытых богом кущах Дальнего Запада.

ПАНДОРА:
Как ты можешь так говорить!

АРХИВИСТКА:
Но это правда.

ПАНДОРА:
Давай-ка лучше спой хейю, как и подобает настоящему дикарю.

АРХИВИСТКА:
Хорошо, если и ты споешь со мною вместе.

ПАНДОРА:
Я не умею петь ваши хейи.

АРХИВИСТКА:
Я с радостью научу тебя, тетушка.

ПАНДОРА:
Что ж, племянница, учи.

ПАНДОРА И АРХИВИСТКА ПОЮТ:

> Хейя, хейя, хей,
> хейя, хейя.
> Хейя, хей, хейя,
> хейя, хейя.
> Хей, хейя, хейя,
> хейя, хейя.
> Хейя, хейя, хей,
> хейя, хейя.

(Эта хейя поется четыре раза. Ее можно повторять четыре раза, или пять, или девять — или столько раз, сколько вам захочется. А можно и не петь вообще)

ОПАСНЫЕ ЛЮДИ

ПО ПОВОДУ ДАННОГО РОМАНА

В Долине был наиболее распространен роман бытовой, а не героический и не любовный; такие произведения повествовали о повседневной жизни обычных людей в реально существовавших селениях, которые порой находились совсем рядом с тем местом, где проживали сами читатели. Те элементы романов, которые мы можем охарактеризовать как фантастические или сверхъестественные, вовсе не казались таковыми ни авторам, ни читателям; по правде сказать, наиболее часто высказываемой в адрес подобных романов претензией была их чрезмерная реалистичность, правдоподобность, недостаток воображения — короче говоря, «они никогда не выходили за пределы Пяти Земных Домов».

Такой роман обычно содержал некие вполне конкретные фактические данные, основанные на реальных и хорошо известных событиях прошлого, или же по крайней мере использовал подлинные имена реальных людей, живших несколько поколений назад. Как почти во всей художественной литературе и драме кеш, действие романов разворачивалось в реально существующем (или существовавшем) городе и доме. Изобретение, например, некоего десятого города Долины, никогда не существовавшего дома или чего-то подобного воспринималось как неумелое использование художественного воображения, как нечто, прямо противоречащее реальной действительности, а не расширяющее ее границы.

Довольно большой по объему роман «Опасные люди», написанный Словоплетом из Телины, был, разумеется, особенно популярен именно в этом городе, где, собственно, и происходит действие, однако он также был широко известен по всей Долине и распространялся в рукописном виде, причем количество копий достигало ста и более. Оценки благодарных читателей, а также критиков всегда были неизменно высоки. Это прекрасный образец романного творчества. Для своей книги я выбрала и перевела его вторую главу, которая в некотором отношении является примером принципа, по которому построен и весь роман: речь идет о встрече двух людей, об их взаимозависимости или об их разрыве друг с другом, а затем судьба одного из них прослеживается до его встречи с другим персонажем, и так далее (подобно тому как повторяется рисунок хейийя-иф). Однако в столь изощренном и мудром произведении, как «Опасные люди», подобная структура воспроизводится отнюдь не механически, хотя ее присутствие и ощущается постоянно. Самым необычным элементом книги является использование Словоплетом различных двусмысленностей, намеков, эквивоков и лжесвидетельств — для создания и поддержания ореола таинственности вокруг того, куда же «в действительности» исчезла жена Камедана, с кем и почему.

Обычно я даю имена собственные в переводе; мне кажется это правильным, ибо имена у жителей Долины всегда были значимыми и их значения находили и находят самый живой отклик в восприятии людей. Перевод, однако, может порой придать повествованию фальшивый налет фамильярности, а с другой стороны, вызвать ощущение совершенно ненужной отстраненности. Например, имя Камедан значит «заходить в камыши» или «он заходит в заросли камыша или тростника» — это слишком длинно и чересчур необычно для нашего уха; если уж его переводить, то просто необходимо было бы сократить его до «Камыша» или «Тростника». Итак, при переводе этого единственного отрывка я оставила все имена собственные в их исходной форме, что, быть может, позволит читателю взглянуть по-новому на тех людей и предметы, которые эти имена носили. Между прочим, имя Словоплет на языке кеш звучит как Арравна.

417

Опасные люди

Сухой сезон был в самом разгаре, стояла жара, и смолка цвела вовсю, готовая через месяц созреть. Однажды ночью, незадолго до полнолуния, малыш из дома Шамши вдруг заговорил в темноте и попросил:

— Мама, убери этот свет! Пожалуйста, мамочка, убери этот свет!

Камедан, не вставая, на четвереньках перебрался через комнату и прижал мальчика к груди, приговаривая:

— Твоя мама скоро вернется, Анютины Глазки. А сейчас спи, пожалуйста.

Он спел ребенку колыбельную, но уснуть тот не мог; он все смотрел на луну за окном, а потом расплакался и закрыл лицо ладонями. Камедан еще крепче прижал его к себе и почувствовал, как он дрожит. Когда рассвело, мальчик метался в жару, очень ослабел и соображал плохо.

Камедан тогда сказал Шамше:

— По-моему, надо отнести его к Целителям.

— А зачем? — откликнулась Шамша. — Не суетись без толку. Вот он выспится как следует, мой внучок, и лихорадку у него как рукой снимет.

Камедан никогда не умел спорить с ней и, оставив сынишку спящим, отправился в ткацкие мастерские. В то утро они возились с мощным ткацким станком, натягивая десятифутовую основу для парусины, и он работал увлеченно, на какое-то время совсем забыв о ребенке, но, как только с основой было покончено, сразу бросился домой.

У городского Стержня он встретил Модону с луком за плечами, который направлялся на «охотничью» сторону горы стрелять оленей, и поздоровался:

— А вот и ты, человек из Общества Охотников, здравствуй!

— А вот и ты, Мельник, — ответил ему Модона и продолжал свой путь, но Камедан сказал ему:

— Послушай, моя жена, Уэтт, вроде бы тоже где-то там, на дикой стороне горы. Я все думаю, может, она заблудилась? Пожалуйста, стреляй поосторожней! — Он знал, что, по слухам, Модона попадает в упавший с дерева листок на лету. — И еще одно: не мог бы ты громко окликать ее по имени в тех местах, где не будешь выслеживать оленя? Мне все время кажется, что она там разбилась или поранилась и не в состоянии сама добраться домой.

— А я слышал, один человек, что в Унмалин ходил, рассказывал, будто Уэтт там видели, — сказал охотник. — Да они, конечно же, ошиблись.

— Я тоже думаю, что они, наверно, ошиблись, — сказал Камедан. — Может, они просто видели кого-то похожего на Уэтт.

— А есть ли такие женщины, что похожи на Уэтт? — спросил охотник.

Камедан растерялся. Потом сказал:

— Я должен идти домой, сынок у меня заболел.

И поспешил дальше, а Модона тоже пошел своим путем, пряча улыбку.

Малыш лежал в жару, и Камедан очень расстроился. И хотя Шамша сказала ему, что тревожиться не стоит, да и другие обитатели дома говорили то же самое, Камедан все время оставался возле больного. Ближе к ночи температура у мальчика спала, он начал разговаривать, улыбаться и даже немного поел, а потом спокойно уснул. Ночью же — а это как раз была ночь, предшествующая полнолунию, — когда луна заглянула в северо-западное окошко, малыш громко воскликнул:

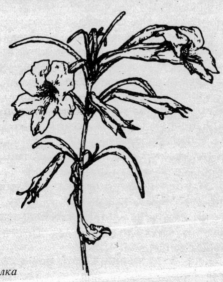

Клейкая смолка

— Ах, мамочка! Иди ко мне, иди скорей!

Камедан, спавший с ним рядом, проснулся и коснулся его лба рукой. Мальчик был горячий, как головешка. Камедан намочил в воде несколько лоскутов и обернул ими голову и грудь малыша, а также его запястья, а потом осторожно напоил его холодной водой, в которой была растворена вытяжка из ивовой коры. Жар несколько спал, и к рассвету ребенок наконец смог уснуть. Утром, когда все встали, он крепко спал, и Шамша сказала:

— Прошлой ночью, конечно же, был кризис. Теперь ему нужен только покой. Ты ступай себе, ты здесь не нужен.

Камедан отправился в мастерские, но никак не мог сосредоточиться, и все валилось у него из рук.

В тот день ему помогал Сахелм. Обычно он внимательно наблюдал за действиями Камедана и старался во всем подражать ему, учась его мастерству; но в этот день он видел, что Камедан сам без конца ошибается, а один раз даже вынужден был вмешаться и сказать: «По-моему, это не совсем правильно», чтобы Камедан не сломал станок и не запутал нитки на бобине. Камедан выключил электричество, сел на пол и, свесив голову до полу, закрыл лицо руками.

Сахелм тоже сел на пол с ним рядом, скрестив ноги.

Солнце было в зените. Луна находилась как раз на противоположном конце небесной оси.

В мастерской было душно и жарко, а пыль, которая вечно плясала в воздухе, когда работали ткацкие станки, сейчас висела неподвижно.

— Пять дней назад, — проговорил вдруг Камедан, — моя жена Уэтт покинула хеймас Обсидиана. В хеймас мне сказали, что, по ее словам, она собиралась подняться на Ключ-Гору. В Обществе Крови женщины подтвердили, что она собиралась встретиться с какими-то танцовщиками на поляне, на самой вершине Ключ-Горы, однако туда не пришла. Ее мать утверждает, что Уэтт отправилась в Кастоху и собиралась несколько дней провести там в доме своей тетки, жены тещиного брата. Сестра Уэтт говорит, что та, возможно, пошла в Нижнюю Долину, как часто бывало до ее замужества; она тогда пешком, одна, доходила до морского побережья и обратно. Модона говорит, что люди видели ее в Унмалине.

Сахелм молча слушал.

— Наш малыш, — продолжал Камедан, — просыпается весь в жару, когда в окошко заглядывает луна, и зовет мать, а

420

его бабка говорит, что ничего тут особенного нет. Я же просто не знаю, что делать. Не знаю, где искать Уэтт. И не хочу оставлять мальчика. Но я должен что-то сделать — и ничего сделать не могу! Спасибо, что хоть ты выслушал меня, Сахелм.

Камедан встал и снова включил ткацкий станок. Сахелм тоже встал, и они стали работать вместе. Нитка все время рвалась, бобина цеплялась, и Сахелм сказал:

— Плохой, видно, сегодня день для нас, ткачей.

Но Камедан продолжал работать, пока станок окончательно не вышел из строя. Только тогда он остановил его и сказал Сахелму:

— Оставь меня одного; я попытаюсь распутать попавшие в станок нитки. Может, у меня хоть это получится.

— Позволь лучше мне сделать это, — предложил Сахелм. — А твой малыш, должно быть, очень рад будет поскорей увидеть тебя.

Но Камедан ни за что не хотел уходить, и Сахелм решил, что лучше к нему не приставать. Он вышел из мастерской и направился к Лунному Ручью, на поле, где выращивались съедобные и лекарственные травы. Он еще утром видел там Дьюи, и она была по-прежнему там — сидела под дубом Нехага и ела свежие листья салата. Остановившись в тени огромного дуба, Сахелм сказал:

— А вот и ты, доктор! Здравствуй.

— А это, значит, ты, человек из Четвертого Дома? Ну здравствуй, присаживайся, — откликнулась она.

Он сел с нею рядом. Она выжала сок лимона на листья салата и подала ему. Когда они покончили с салатом, Дьюи сорвала в саду апельсин, и они вместе его съели. Потом они спустились к Лунному Ручью, вымыли руки и вернулись в тень большого дуба Нехаги. Весь день до того Дьюи поливала, полола, подрезала пасынки и собирала созревшие растения, и воздух наполнялся ароматами трав там, где она проходила, и там, где стояли корзины, полные срезанных пасынков и стеблей, прикрытые сеткой, и там, где она разложила на льняной скатерке розмарин, кошачью мяту, лимонник и руту, чтобы высушить их на солнце. Коты все крутились поблизости, мечтая добраться до кошачьей мяты, особенно когда, нагретая солнцем, она начала благоухать совершенно нестерпимо для кошачьего обоняния. Дьюи дала каждому коту по одному стебельку, но если кто-то из них потом приходил и просил еще, она швыряла в него камешками, отгоняя подальше. Одна старая серая кошка возвращалась особенно упорно; она была такая толстая, что ударов мелкими камешками даже не замечала, и такая жадная, что ничто ее не пугало.

— Ты чего это забрел сюда и откуда? Устал ведь небось? — спросила Дьюи у Сахелма.

— Я прямо из ткацкой мастерской пришел, мы там с Камеданом весь день работали, — ответил юноша.

— Это ведь муж Уэтт? — спросила Дьюи. — Так она еще не вернулась?

— А откуда она должна вернуться?

— Кто-то говорил, что она отправилась к Источникам Реки.

— Интересно, она сама сказала этим людям, что идет туда?

— Этого они мне не говорили.

— Ну а кто-нибудь из них видел, как она туда направлялась?

— Да и об этом они мне как-то не докладывали, — ответила Дьюи и рассмеялась.

— Ну так вот, — сказал Сахелм. — На самом деле получается, что она отправилась одновременно в пять совершенно различных мест! Люди говорили Камедану, что она, во-первых, пошла на Ключ-Гору к Источникам, во-вторых — на встречу с танцорами, в-третьих, в Кастоху, в-четвертых — в Унмалин и, наконец, — на берег Океана. Он все пытается понять, где она. Похоже, ему она вообще ничего не сказала о том, что куда-то собирается уходить, а просто исчезла.

Дьюи бросила в толстую кошку желудем — та теперь подбиралась к кошачьей мяте с юго-восточной стороны. Кошка отошла метров на десять, села к ним спиной и принялась вылизывать задние лапы. Дьюи наблюдала за кошкой. Потом сказала:

— Очень какая-то странная эта твоя история! А может, все эти люди просто врут?

— Не знаю. Камедан говорит, что его маленький сынишка просыпается и плачет по ночам, а бабушка ребенка утверждает, что беспокоиться тут не о чем.

— Что ж, очень возможно, она и права, — сказала Дьюи, чьи мысли были заняты мятой и кошкой, горячим солнцем и тенью дуба, Сахелмом и ею самой — Дьюи среди всего этого.

К этому времени Дьюи уже около сорока лет прожила в Третьем Доме. Она была маленького роста, полногрудая, с тяжелыми бедрами и гладкими изящными руками и ступнями; она обладала, быть может, несколько излишне медлительными и спокойными манерами, весьма скрытным характером и при этом проницательным, отлично тренированным умом. Когда Дьюи вступала в Общество, она назвала себя Ходящей Во Сне. Дьюи была матерью теперь уже совсем взрослой дочери, однако замуж за отца этой девушки, мужчину из Дома Обсидиана, так и не вышла. Как и ни за кого другого. Они с дочкой жили в доме сестры Дьюи, который назывался Сохранившийся при Землетрясении, но гораздо чаще ее можно было найти где-нибудь на свежем воздухе или же в Обществе Целителей.

— У тебя дар, Сахелм, — сказала она.

— У меня тяжкое бремя, — возразил он.

— Так отнеси его Докторам, а не Мельникам, — сказала она.

Сахелм показал пальцем: теперь старая толстая кошка медленно подбиралась к кошачьей мяте с юго-западной стороны. Дьюи бросила в нее куском коры, но та все равно успела ухватить несколько стебельков. Дьюи встала, отогнала кошку к самому ручью, вернулась, вся запыхавшаяся, и снова села рядом с Сахелмом в тени дуба.

— Как может один человек отправиться сразу в пять мест? — спросил он.

— Один человек может отправиться только в одно место, а четверо при этом могут соврать.

— А зачем им врать?

— Может, просто из вредности.

— А что, Камедан сделал что-нибудь такое, чтобы ему вредить?

— Никогда он ничего такого не делал, насколько я знаю. Но, кажется, ты упоминал Модону? Так он действительно знает, куда именно пошла Уэтт?

— По-моему, Камедан упоминал его.

— Учти, кроме вредности, еще существует лень, — куда проще объяснить, чем поинтересоваться. А помимо вредности и лени, есть еще тщеславие — люди не могут допустить, что не знают, куда она пошла, вот и говорят с уверенностью: она отправилась на Ключ-Гору, она ушла в Вакваху, она улетела на Луну! Ох, не знаю я, куда она пошла, зато знаю кое-какие причины, по которым ничего не знающие люди непременно будут утверждать, что уж они-то знают все.

423

— А почему же она сама ему ничего не сказала, когда собиралась уходить?

— Вот этого не знаю. А ты хорошо знаком с Уэтт?

— Нет. Я работаю с Камеданом.

— Она такая же красивая, как и он. Когда они поженились, люди называли их Авар и Булекве. Когда они танцевали во время Свадебной Ночи, они были похожи на Людей Радуги. Все смотрели и удивлялись.

Она показала пальцем: старая толстая кошка кралась вдоль участка, по самой его кромке прямехонько к кошачьей мяте. Сахелм бросил в кошку желудь и попал ей в пушистое брюхо; кошка высоко подпрыгнула и бросилась прочь вдоль ручья. Сахелм засмеялся, и Дьюи тоже. На ветвях дуба, где-то высоко затрещала сойка, ей откликнулась белочка. Пчелы в зарослях лаванды гудели так, словно там все время что-то кипело и бежало на плиту.

— Лучше бы ты не говорила, что она улетела на Луну, — проговорил Сахелм.

— Мне и самой жаль, что я глупость сболтнула. Не подумала, вот с языка и сорвалось пустое слово.

— Мальчик тоже из Дома Обсидиана, — сказал Сахелм.

Не зная о том, что сын Уэтт болен, Дьюи не поняла, почему Сахелм сказал эти странные слова. Она уже устала от бесконечного разговора об Уэтт, ей хотелось спать после того, как она насытилась салатом, и после всего этого длинного жаркого дня. Она попросила:

— Пожалуйста, последи немножко за котами, а? Если тебе, конечно, пока что делать нечего. А я вздремну.

На самом деле она не заснула и время от времени посматривала на Сахелма из-под ресниц и упавших на лицо прядей волос. Он сидел неподвижно, скрестив ноги, положив руки на колени, с совершенно прямой спиной. Он был значительно моложе Дьюи, но сейчас, сидя вот так неподвижно, юнцом не выглядел. Когда он о чем-то рассказывал, то всегда казался мальчишкой; когда застывал в неподвижности — стариком, старым камнем.

Подремав немного и чувствуя себя отдохнувшей, Дьюи сказала:

— Хорошо ты сидеть умеешь.

— Меня этому хорошо научили — сидеть, смотреть и слушать, — ответил он. — Когда я подростком учился в хеймас Желтого Кирпича в Кастохе, мой учитель говорил мне, что нужно сидеть достаточно неподвижно и достаточно долго, чтобы увидеть каждое движение и услышать каждый звук во всех шести направлениях, а самому стать седьмым.

— И что же ты увидел? — спросила она. — Что услышал?

— Вот здесь, сейчас? Все и ничего. Разум мой был неспокоен. Он не желал сидеть неподвижно. Он все время бегал туда-сюда, как белка вон там, в ветвях дуба.

Дьюи рассмеялась. И подобрала с травы утиное перышко, скорее даже пушинку, легкую, как дыхание. Она сказала:

— Твой ум — белка, а Уэтт — потерянный белкой желудь.

— Ты права, — сказал Сахелм. — Я думал о ней.

Дьюи дунула на перышко, и оно, взлетев в воздух, плавно опустилось на сушащиеся травы. Потом она заметила:

— Становится прохладно.

Встала и пошла проверять, насколько подсохли травы, собирая их в широкие плоские корзины, похожие на подносы, или связывая в пучки, чтобы потом подвесить и досушить. Она сложила плоские корзины одну на другую стопкой, и Сахелм помог ей отнести их в кладовую, которой пользовались фармацевты из Общества Целителей. Кладовая находилась неподалеку от северо-западной городской площади и была похожа на землянку — наполовину вкопанная в землю, с каменными стенами и крышей из кедровых бревен. Все дальнее помещение в ней было занято травами, сушащимися и уже высушенными. Дьюи, войдя в кладовую, запела песню и, развешивая и раскладывая новые травы, допела ее до конца, почти прошептав про себя последние слова.

Стоя в дверях, Сахелм сказал:

— Ну и пахнет здесь. Прямо голову потерять можно.

— Прежде чем разум научился видеть, он познал запах и вкус, а также прикосновение, — откликнулась Дьюи. — Даже слух — тоже своего рода прикосновение к предмету, только очень легкое. Очень часто в этом Доме человек должен закрыть глаза, чтобы научиться видеть.

— Зрение — это дар солнца, — сказал молодой человек.

— И луны тоже, — сказала целительница.

Она дала ему пучок сладкого розмарина, чтобы носить в волосах, и, протягивая траву, сказала:

— Именно то, чего ты боишься, тебе и нужно, по-моему. Мне не хотелось бы отдавать тебя Мельникам, человек из Кастохи!

425

Сахелм взял веточку розмарина и понюхал ее, но ничего не сказал.

Дьюи вышла из кладовой и направилась к себе, в дом Сохранившийся при Землетрясении.

Сахелм пошел к себе, в дом Между Садами, самый последний в среднем ряду городских домов, где он жил с тех пор, как Кайликуша отослала его прочь. Семья из Дома Желтого Кирпича отдала ему свободную комнату с балконом. В тот вечер была его очередь готовить ужин для всех, и, после того как они поели и убрали со стола, он снова вышел на улицу и направился к дому Шамши. Солнце село у него за спиной, полная луна поднималась прямо перед ним над северо-восточной грядой. Он немного постоял в саду, когда увидел восходящую луну между двумя домами. Он стоял неподвижно, не сводя глаз с луны, а та поднималась все выше и сияла все ярче своим белым светом на темно-синем небе.

В это время какие-то нездешние люди как раз входили в Телину вдоль юго-восточной Руки — три ослика, три женщины, четверо мужчин. У людей были заплечные мешки, а шляпы низко надвинуты на лоб. Один из мужчин тихонько отбивал ритм на маленьком барабане, висевшем у него на шее. Кто-то из соседнего дома поздоровался с незнакомцами с балкона второго этажа: «Эй, люди Долины, вот и вы, здравствуйте!» На балконах других домов тоже стали появляться люди, чтобы посмотреть, откуда это так много чужеземцев сразу пришло в их город. Путешественники остановились, и мужчина с маленьким барабаном ногтями выбил последнюю, очень четкую и чистую мелодию из Песни Дождя и громко воскликнул:

— Эй, жители Телины, значит, вы здесь живете счастливо и красиво! Здравствуйте! Мы пришли к вам как двуногие, так и четвероногие, всего вместе двадцать шесть ног у нас, и ноги эти еле волочатся от усталости, но мы все равно готовы танцевать на цыпочках от радости, говорить по-человечьи и кричать по-ослиному, петь и играть на своих флейтах и барабанах, больших и маленьких, потому что мы идем от одного города к другому туда, куда нам нужно, а придя туда, мы, когда нам нужно, останавливаемся там, устраиваемся, раскрашиваем свои лица, переодеваемся и изменяем для вас мир!

Кто-то спросил с балкона:

— А какую пьесу вы играете?

Барабанщик ответил:

— Сыграем такую, какая вам по душе!

Люди начали выкрикивать названия пьес, которые хотели бы посмотреть. Барабанщик на каждое предложение отвечал:

— Да, эту мы сыграем, да-да, и эту мы тоже сыграем.

Он был готов сыграть их все хоть на следующий день прямо на центральной городской площади.

Какая-то женщина крикнула из окошка:

— Это тот самый город, который вам нужен, артисты, и время тоже подходящее!

Барабанщик засмеялся и махнул рукой одной из пришедших с ним женщин, которая стояла отдельно от остальных, вся залитая лунным светом, там, где лунные тучи, пронизывая воздух, скользили по земле между садовыми деревьями и между домами. Барабанщик сыграл пять аккордов и еще пять, и актеры запели Мелодию Продолжения, и та женщина, высоко воздев руки, исполнила танец из спектакля «Тоббе», изображая духа пропавшей жены. Танцуя, она то и дело вскрикивала слабым тонким голосом, а потом шагнула во тьму и исчезла в густой тени, отбрасываемой домом, — и всем показалось, что она исчезла по-настоящему. Барабанщик сменил ритм, флейтистка взяла свою флейту и начала танцевать танец с притопываниями, и так, перекликаясь и играя пьесу на ходу, актеры двинулись дальше, по направлению к городской площади, но теперь видны были только девять теней из десяти.

Та женщина, что танцевала первой, прошла дальше в тени вдоль стен неосвещенных домов, пока не добралась до дома Шамши, стоявшего среди огромных олеандров, покрытых белыми цветами. Там, залитый белым светом, застыл мужчина, не сводивший глаз с луны. Женщина заметила его еще раньше — он неподвижно стоял спиной к актерам, которые

427

пели и играли на музыкальных инструментах, и к ней, танцевавшей танец призрака.

Она довольно долго, скрываясь в тени олеандров, смотрела на него, а он по-прежнему не сводил глаз с луны. Потом она прошла, прячась в тени, к Виноградникам Шепташ и села там в укромном местечке, под виноградными лозами. Оттуда она продолжала наблюдать за неподвижным человеком. Когда луна в небе поднялась еще выше, женщина прошла по кромке виноградника до угла абрикосового сада, что находился за Домом Благополучия, и некоторое время постояла, прячась в тени его террас и балконов, следя за незнакомцем. Он по-прежнему не шевелился, и она скользнула прочь, не замеченная никем, пробираясь обратно к городской площади, где остальная часть ее труппы уже располагалась на ночлег.

Сахелм продолжал стоять неподвижно, теперь его голова была откинута назад, лицо поднято, глаза внимательно глядели на луну. Для него каждое движение собственных век было подобно медленному раскату барабанной дроби. И ничего больше не замечал он вокруг, только свет луны да грохот тьмы.

Значительно позже, когда уже были погашены огни в домах, а луна висела над кромкой юго-западных гор, к нему подошел Камедан и окликнул его по имени: «Сахелм! Сахелм! Сахелм!» Когда он в четвертый раз произнес имя «Сахелм!», мечтатель шевельнулся, вскрикнул, содрогнулся и упал на четвереньки. Камедан помог ему встать, приговаривая:

— Пойди к Целителям, Сахелм, пожалуйста, ради меня.

— Я ее видел, — сказал Сахелм.

— Пожалуйста, ступай к Целителям, — уговаривал его Камедан. — Я боюсь брать мальчика с собой, боюсь и оставить его дома одного. Остальные там все с ума, видно, посходили и не желают ничего предпринять!

Глядя на Камедана в упор, Сахелм повторил:

— Я видел Уэтт. Я видел твою жену. Она стояла возле твоего дома. У северо-восточных окон.

Камедан сказал лишь:

— Мой мальчик умирает, — и выпустил руки Сахелма. Тот не смог устоять на ногах и снова упал на колени. Камедан повернулся и бегом бросился назад к своему дому.

Он влетел в комнату, подхватил ребенка, завернул его в одеяло и понес к дверям. Шамша бросилась за ним, накинув одеяло на плечи, седая, с растрепанными волосами, падавшими ей на глаза.

— Ты что, спятил? С ребенком же все в порядке! Что это ты делаешь? Куда ты его несешь? — Потом она влетела в комнату к Фефинум и Таи, громко крича: — Муж вашей сестры сошел с ума, остановите же его!

Но Камедан уже выбежал из дома и устремился к хеймас Змеевика, к Целителям.

Там не было никого, кроме Дьюи, которая в полнолуние спать не могла. Она читала при свете лампы.

Камедан сказал перед дверью нужные слова и вошел, неся на руках ребенка.

— Этот мальчик из Первого Дома, по-моему, очень болен, — проговорил он, обращаясь к Дьюи.

Дьюи встала, приговаривая, как это делают все врачи в подобных случаях:

— Ну-ну-ну, посмотрим-ка, что у нас тут такое?

Она не торопилась и была спокойна. Показала на тростниковую лежанку, и Камедан положил мальчика туда.

— Он у тебя задыхается? Весь горит? Похоже, лихорадка, да? — спрашивала она и, пока Камедан отвечал на ее вопросы, наблюдала за мальчиком, который почти совсем проснулся, очень испугался и тихонько хныкал. Камедан же спешил выговориться:

— Прошлую ночь и за ночь до этого он горел как в огне. Днем жар у него спадает, но стоит луне взойти, он снова и снова зовет мать. Но никто в доме не обращает на это внимания, все твердят мне, что с ним все в порядке.

Дьюи сказала:

— Отойди-ка вон туда, на свет. — Она пыталась заставить Камедана хоть ненадолго оторваться от ребенка, но несчастный отец ни за что не хотел оставить его хотя бы на миг. Тогда она велела ему: — Говори, пожалуйста, спокойнее и тише. Один маленький человечек очень хочет спать, а еще он немножко напуган. Как давно он живет в Лунном Доме?

— Три зимы, — отвечал Камедан. — Его имя Торил, но у него есть прозвище, мать зовет его Анютины Глазки.

— Ну что ж, хорошо, — сказала Дьюи. — Да, такой мальчик с золотистой кожей и хорошеньким маленьким ротиком действительно похож на цветочек. Так, ну сейчас-то у нашего цветочка никакого жара нет или почти никакого. Дурные сны ему снятся, верно? Плачет по ночам и просыпается, верно?

Так было? — Она говорила неторопливо и спокойно, и Камедан отвечал ей почти таким же тоном:

— Да, он плачет, даже когда я беру его на руки, и становится ужасно горячим.

Целительница сказала тогда:

— Видишь, здесь очень тихо, и свет здесь спокойный, и человек здесь засыпает очень легко... Пусть он теперь поспит. Иди-ка сюда. — На этот раз Камедан последовал за ней охотно. Они остановились на другом конце комнаты, возле лампы, и Дьюи сказала: — Ну а теперь вот что: я ничего как следует не поняла; пожалуйста, расскажи мне снова, что у него не в порядке.

Камедан заплакал и сказал:

— Она не приходит. Он зовет, но она не слышит и не приходит. Она ушла навсегда.

Мыслями Дьюи все еще была в той книге, которую читала до прихода Камедана, а потом все ее внимание целиком переключилось на ребенка, так что лишь когда он заплакал и сказал эти слова, она наконец вспомнила, о чем ей рассказывал днем в тени дуба Сахелм.

Камедан продолжал, на этот раз громче:

— Бабушка ребенка говорит, что все в порядке, не о чем беспокоиться, но как это: мать исчезла, ребенок болен — и не о чем беспокоиться!

— Тише, — сказала Дьюи. — Пожалуйста, говори тише: дай ему поспать. А теперь вот что: действительно никуда не годится таскать малыша туда-сюда. Пусть он всю ночь проспит здесь, и ты, разумеется, тоже будешь с ним. Если поможет лекарство, дадим лекарство. Если нужно будет «вынесение приговора», мы сделаем и это, хотя, может быть, консилиум будет нужен даже для вас обоих; и вообще, утро вечера мудренее, так что все, что нам с утра покажется разумным и правильным, особенно после того, как мы все обсудим и осмотрим ребенка, мы и станем делать. А сейчас и для тебя тоже самое лучшее — лечь и постараться заснуть, так мне кажется. Сама я во время полнолуния спать не могу и посижу вон там, на пороге. Если малыш заплачет, если ему что-нибудь привидится или он нечаянно проснется, то я буду на месте; я все равно не усну и буду внимательно слушать и все услышу. — Говоря так, она уже расстилала на полу возле кушетки матрас, а потом прибавила еще: — А теперь, брат мой из Дома Змеевика, пожалуйста, ложись. Ты устал не меньше, чем твой

430

сынок. Если тебе захочется поговорить еще, ты проснешься и увидишь, что я сижу у порога; ты можешь даже не вставать и разговаривать со мной, а я буду тебе отвечать. Наконец-то наступает ночная прохлада, самое лучшее время для сна. Тебе там удобно?

Камедан поблагодарил ее и некоторое время лежал молча.

Дьюи спела себе под нос старинную песню, как бы убаюкивая его. Голосом своим она владела отлично; она пела все тише и тише, пока песня не стала звучать почти как легкое дыхание, а потом замерла совсем. Через некоторое время Дьюи слегка пошевелилась, чтобы Камедан понял, что песнь окончена, если он все еще не уснул и ему хочется поговорить.

— Я не понимаю этих людей из дома матери моего сына! — сказал Камедан. Он уже привык к манере Дьюи вести себя и даже в темноте понял, что она его слушает, а потому продолжал: — Когда Мельник женится и входит в такую семью, чья жизнь и работа связаны только с Пятью Земными Домами, да еще если они люди консервативные, суеверные и уважающие старые порядки, то это, знаешь ли, совсем нелегко. Нелегко для всех. Я это понимал, я понимал, каково им приходится. Именно поэтому я и вступил в Цех Ткачей, когда женился. От природы-то у меня склонность к технике, вот ведь в чем дело. Нельзя же совсем не обращать внимания на собственные задатки, верно? Надо только постараться использовать их на благо себе и другим, чтобы они не мешали тебе жить с другими людьми, с твоей семьей. Когда я увидел, как жители Телины ходят в Кастоху за парусиной, потому что никто здесь никогда не пользовался ткацкими станками, чтобы ткать парусину или хотя бы широкий холст, я подумал: вот это как раз для меня, такую работу они должны понять и одобрить, а заодно и я смогу применить здесь свои способности и свои умения, которые получил в Обществе Мельников. Я уже четыре года член Цеха Ткачей. Кто еще, кроме меня, в Телине делает ширококосновные полотна? Простыни, парусину, широкий холст? С тех пор как Хоуне покинул мастерские, всю подобную работу делаю я. Теперь вот еще у меня есть ученики — Сахелм и Азоле Вероу, и у них уже хорошо получается. Я их учитель, они уважают меня. Но ни одно из моих достоинств ничуть не ценится в семье моей жены. Им совершенно неинтересно, какую работу я делаю сейчас, для них я все равно «Мельник». Они не только меня не уважают, они мне не доверяют! Они до сих пор жалеют, что она не вышла замуж за кого-нибудь другого. Этот ребенок — он, с их точки зрения, ребенок Мельника. К тому же он всего лишь мальчик. Он им совершенно безразличен. Пять дней, целых пять дней миновало с тех пор, как она ушла, не сказав ни слова, а им хоть бы хны, только и делают, что бубнят: не волнуйся, чего это ты так расстраиваешься, да она всегда, бывало, хаживала на побережье одна! Они делают из меня дурака — таким они хотели бы меня видеть. Встает луна, и мой сынок снова начинает плакать и звать мать, а они все повторяют: да что ты, все в порядке! Ложись и спи, дурак!

Голос его невольно зазвучал громче, и ребенок шевельнулся во сне. Камедан умолк.

Через некоторое время Дьюи тихонько попросила:

— Расскажи мне, как это случилось, что Уэтт ушла.

— Я вернулся домой после работы, — начал Камедан, — мы возились с генератором на Восточных Полях. Меня специально туда позвали на небольшой совет; ты ведь знаешь, там кое-что нужно сделать, и люди из Общества Мельников должны были посоветоваться и решить, как быть. На это ушел целый день. Ну вот, вернулся я домой, а Таи как раз готовил обед. Больше никого дома не было, и я спросил: «А где Уэтт и Анютины Глазки?» Таи ответил: «Твой сын с моей женой и дочерью, а Уэтт ушла в горы, к Источникам». Вскоре из садов вернулась Фефинум с обоими малышами. Откуда-то пришла и бабушка. Потом появился дед. Мы вместе поели, и я решил подняться немного по склону Горы навстречу Уэтт, чтобы вместе с ней вернуться домой. Но она так домой и не пришла. Ни в ту ночь, ни потом.

— А скажи-ка мне, Камедан, что ты сам обо всем этом думаешь? — спросила Целительница.

— Я думаю, что она ушла не одна. С кем-то еще. И, по-моему, не собиралась оставаться с этими людьми надолго. Я не слышал о том, что кто-то пропал. Или что кто-то откуда-то не вернулся. Возможно, она где-нибудь совсем недалеко. Она вполне могла просто забрести на ту сторону Горы и заблудиться в лесу. Или осталась в чьей-то летней хижине из тех, что повыше, в горах. А может быть, она ненадолго отошла с той поляны на вершине, где они танцевали, просто чтобы побыть одной, и упала в трещину или поранилась. С людьми ведь всякое случается, они могут ногой в ловушку попасть, и упасть неудачно, и лодыжку сломать в этих ущельях. Там ведь совсем дикие места, на южной стороне Горы, да и на юго-восточной тоже. Там и троп-то нормальных нет — так, охотничьи тропинки, там заблудиться ничего не стоит. Там если разок неправильно свернешь, сразу заплутаешь. Со мной такое один раз случилось. Так я в итоге вышел к Чукулмасу, хотя считал, что весь день иду на юго-запад! Я просто своим глазам поверить не мог — решил, что каким-то образом забрел в совсем чужой город в Долине Ошо. Ну а когда увидел Башню Чукулмаса, то очень удивился и думаю: а она-то как здесь оказалась? Никак я этого понять не мог. Потом выяснилось, что ходил я по кругу. Вполне возможно, что с Уэтт получилось как раз наоборот: она думала, что поворачивает назад, а пошла совсем в другую сторону и сейчас, возможно, уже где-то далеко за пределами Долины, среди людей Ошо, и совсем не представляет, как ей попасть домой. Или же — и вот это-то беспокоит меня больше всего — с ней случилось какое-то несчастье, может, сломала руку или ногу и никто не слышит ее криков о помощи, и она будет лежать в ущелье, пока не приползет гремучая змея. У меня просто все мысли путаются, когда я об этих гремучих змеях думаю.

Камедан умолк. Дьюи тоже некоторое время молчала. Потом сказала:

— Так, может, стоит подняться на Ключ-Гору и громко позвать ее? Или, может быть, у вас есть собака, которая хорошо знает Уэтт и сумеет ее отыскать по следу?

— Ее мать, сестра и все остальные родственники говорят, что это было бы глупо; все они считают, что Уэтт пошла в нижнюю часть Долины, к устью Великой Реки На, или наверх, к Источникам. Фефинум уверена, что Уэтт отправилась вниз по течению. Она часто делала это и раньше. Возможно, сейчас она уже возвращается домой. Я понимаю, это глупо с моей стороны — так беспокоиться. Но мальчик все просыпается по ночам, все плачет и зовет ее.

Дьюи не ответила. Некоторое время спустя она принялась еле слышно напевать благословляющую песню Дома Змеевика:

> Где трава растет, иди смело, ступай легко.
> Где трава растет, иди смело.

Камедан знал эту песню. Он не стал петь вместе с Дьюи, но просто слушал. Она пела очень-очень тихо, и голос ее звучал все слабее, пока песня не превратилась в почти неслышное дыхание. После этого они больше не разговаривали, и Камедан уснул.

Утром мальчик проснулся рано и некоторое время изумленно озирался вокруг. Знакомым здесь был только отец, спавший рядом с лежанкой. Анютины Глазки никогда еще не спал на большой лежанке с ножками, и ему было чуточку страшновато: казалось, что можно выпасть из такой высокой постели, но и этот страх был ему почему-то приятен. Некоторое время он лежал тихо, а потом слез с лежанки, перешагнул через ноги отца и направился к двери, чтобы выглянуть наружу. На пороге, свернувшись в клубок, спала незнакомая женщина, так что он пошел в другую сторону, во внутреннюю комнату. Там он увидел множество прекрасных стеклянных кувшинов, разноцветных бутылочек и коробочек различной формы, множество керамических сосудов и плошек и еще несколько машинок с ручками, которые можно было повернуть. Он повернул все ручки, до каких смог дотянуться, а потом снял с полки сперва один кувшинчик из цветного стекла, потом второй, пока вокруг него на полу не оказалось более чем достаточно разноцветной посуды. Тогда он начал расставлять их по росту. В некоторых что-то было, и оно гремело, если кувшин потрясти. Он потряс все кувшины по очереди. Потом открыл один, чтобы посмотреть, что там внутри, и увидел серый грубого помола порошок, который он принял за песок. В другом был тоже песок, только гораздо более мелкий и белый. В синем стеклянном кувшинчике была какая-то черная вода. В красном — коричневый мед; мед прилип к его пальцам, и он облизал их. Мед на вкус был почему-то горьковатый, точно сырые желуди, но мальчик был голоден и продолжал облизывать пальцы. Он как раз открывал следующий сосуд, когда заметил, что та женщина стоит в дверях и смотрит на него. Тогда он сразу прекратил свои исследования и застыл, окруженный разноцветными кувшинами и бутылочками. Черная вода, что была в одном из них, вытекла на пол и впиталась, потому что пол был земляной. Увидев это, он почувствовал, что ему нестерпимо хочется писать, но не решился даже сдвинуться с места.

— Так-так-так, — сказала Дьюи. — Значит, ты, Анютины Глазки, с утра пораньше за работу принялся!

Она вошла в аптеку, и мальчик сел на пол, съежившись, чтобы казаться незаметнее.

— Это вот что такое? — спросила Дьюи и подняла с пола красный кувшинчик. Потом посмотрела на малыша, взяла его ручонку и понюхала. — У, какая липкая! Ну, Анютины

Глазки, теперь тебе запора не миновать, — заявила она ему. — Вот когда ты станешь Целителем, тогда, пожалуйста, приходи и пользуйся всеми этими вещами. А пока ты до врача еще не дорос, лучше ничего здесь не трогай. Давай-ка выйдем на улицу.

Мальчик громко расплакался в ответ. Он все-таки не выдержал и описался.

— О Источник Желтой Реки! — воскликнула Дьюи. — Давай-ка побыстрее выходи отсюда!

Но он ни за что не хотел вставать, так что ей пришлось подхватить его на руки и вытащить на крыльцо.

Проснувшийся Камедан вышел к ним. Мальчик стоял смирно, а Дьюи обмывала ему попку и ножки.

— С ним все в порядке? — спросил Камедан.

— Он весьма заинтересовался профессией врача, — сказала Дьюи.

Мальчик захныкал — стал проситься к отцу на ручки. Дьюи подняла его и отдала Камедану; мальчик оказался между ними в лучах восходящего солнца, объединяя их словно стержень. Он крепко обнимал отца за шею и ни за что не желал смотреть на Дьюи, потому что ему было стыдно.

— Послушай-ка, братец, — сказала Дьюи Камедану, — вместо того чтобы сегодня с утра отправляться в мастерские, пойди-ка лучше куда-нибудь вместе с малышом, поработайте вместе немножко, только в полдень постарайся увести его в тень и непременно позаботься, чтобы там, куда ты пойдешь, воды для питья было в достатке. Так ты сможешь сам убедиться, болен твой мальчик или здоров. По-моему, ему просто давно хотелось побыть с тобой, ведь матери-то дома нет. Ты можешь вернуться сюда к исходу дня с ним вместе, и тогда мы обсудим, нужны ли ему целительные песни или «вынесение приговора», а заодно поговорим и о других вещах. Поговорим, посмотрим. Хорошо?

Камедан поблагодарил ее и ушел, неся сынишку на плечах.

Прибравшись в аптеке, Дьюи отправилась домой, чтобы вымыться и позавтракать. А потом прямиком пошла к дому, где жил Камедан. Ей хотелось поговорить с родней Уэтт. По дороге ей встретился Сахелм, который сказал:

— Я ночью видел Уэтт.

— Ты ее видел? Где же?

— У дома.

— Так сейчас она дома?

— Этого я не знаю.

— Кто еще видел ее?

— Не знаю.

— Уэтт-видение или же Уэтт во плоти?

— Не знаю.

— Кому ты об этом говорил еще?

— Никому, только тебе.

— Ты сумасшедший, Сахелм, — заявила Целительница. — Что же ты тут ночью делал? Луной любовался?

— Я видел Уэтт, — снова сказал Сахелм, но Целительница только рассердилась и отрезала:

— Все видели Уэтт! И все в разных местах! Если она здесь, то должна быть у себя в доме, а не около него. А остальное — просто бред сумасшедших. Я иду сейчас в дом ее матери, чтобы поговорить с женщинами. Пойдем со мной вместе, если хочешь.

Сахелм ничего не ответил, и Дьюи продолжила свой путь по огородам. Он смотрел, как она пробирается сквозь заросли олеандра к дому Шамши. Кто-то на верхнем балконе дома вытряхивал одеяла и развешивал их на перилах для проветривания. День уже наливался жарой. На огородах повсюду виднелись желтые цветы кабачков и помидоров, а цветы баклажанов были просто прекрасны. Сахелм со вчерашнего дня, когда его угостили листьями салата с лимоном, ничего больше не ел, и голова у него слегка кружилась. Вдруг он почувствовал, что находится одновременно как бы в двух различных местах: один «он» стоял среди цветущих кабачков, а другой — находился на склоне неведомого холма и беседовал с какой-то женщиной, одетой в белое. И женщина эта сказала ему:

— Я Уэтт.

— Нет, ты не Уэтт.

— А кто же я тогда?

— Этого я не знаю.

Женщина засмеялась, закружилась, закрутилась волчком. И голова у Сахелма тоже пошла кругом. А потом он снова весь очутился в одном месте — почему-то стоял на четвереньках между кустами помидоров. Какая-то женщина стояла с ним рядом и что-то ему говорила.

Он сказал:

— Так, значит, ты Уэтт!

— Ты это о чем? — спросила его женщина. — Ты идти-то можешь? Давай-ка уходи поскорей с солнца. Может, ты слишком долго постился? — Она помогла ему подняться, а потом, поддерживая за плечи, отвела в тень, под навес, где были сложены сетки для сушки трав и фруктов — здесь начинались виноградники Педодукса. Она легонько подтолкнула его, чтобы он сел. — Ну что, не лучше тебе? — спросила она. — Я помидоры собирать пошла, вижу, ты там с кем-то разговариваешь, а потом ты упал. С кем это ты там разговаривал, а?

— А ты кого-нибудь видела? — спросил он.

— Не знаю. Кусты такие густые, что мне плохо видно было. Вроде бы там какая-то женщина была.

— А в чем она была, просто в белом платье или из некрашеного полотна?

— Не знаю. Я здешних людей вообще плохо знаю, — сказала женщина. — Она была стройная, сильная, молодая, с очень длинными волосами, заплетенными в косы, и в свободной белой рубахе, перепоясанной тканым разноцветным поясом; в руках у нее была корзинка.

— Да, я постился, — сказал Сахелм, — чтобы войти в транс. Наверно, мне надо теперь пойти домой и отдохнуть немного.

— Сперва съешь что-нибудь, — сказала ему молодая женщина. Она отошла в сторонку и сорвала несколько слив и желтых грушевидных помидоров. Она принесла все это Сахелму и проследила, чтобы он поел. Ел он очень медленно.

— Ух, какие сочные, — сказал он.

— Ты очень ослаб, — сказала она. — Тебе нужно поесть как следует, так что съешь все — это плоды твоих садов, поданные тебе чужестранкой. — Когда Сахелм покончил с едой, женщина спросила: — А в каком доме ты живешь?

— В доме Меж Садов, — ответил он. — А ты живешь в доме Шамши, вон там. Вместе с Камеданом.

— Больше нет, — сказала она. — Ну а теперь давай-ка вставай. Покажи мне, где стоит твой дом, что расположен между садами, и я тебя туда провожу. — Она проводила его к дому, поднялась по лестнице на второй этаж, вошла в ту комнату, где он жил, расстелила ему постель и велела: — А теперь ложись. — И как только он повернулся, чтобы лечь, она тут же ушла.

Выйдя из дома, женщина увидела какого-то мужчину, который спускался в Телину между Холмами Телори по тро-

437

пинке вдоль ручья, и шел он с «охотничьей» стороны, неся на плече убитого оленя. Она поздоровалась с ним.

— Хейя, гость, идущий из Правой Руки, к тебе мое слово и моя благодарность! Здравствуй же, Охотник из Телины!

— Здравствуй, Танцовщица из Ваквахи! — откликнулся он.

Она некоторое время шла с ним рядом.

— Очень красивый он, этот олень из Дома Синей Глины, что отдал себя тебе. Ты своими песнями, должно быть, хорошо убеждать умеешь. Расскажи-ка мне, как у тебя охота прошла.

Модона рассмеялся:

— Я вижу, ты понимаешь, что в охоте главное — рассказать о ней. Ну так вот, поднялся я на Ключ-Гору засветло и заночевал в одной охотничьей хижине, которую хорошо знаю, очень укромное местечко. На следующий день я выследил оленей. Я приметил, какая олениха ходит с двумя самцами, какая — с одним, а какая с самцом и годовалым теленком. Я видел, где они встречаются и собираются и как ведут себя олени-самцы, когда остаются одни. Я выбрал вот этого остророгого олешка и решил ему спеть и уже начал петь про себя, но в сумерках он сам явился ко мне и умер от моей стрелы. Я спал рядом со смертью, и в утренних сумерках ко мне подошел койот, который тоже пел. Теперь я несу этого мертвого оленя в хеймас; им там нужны оленьи копыта для Тан-

ца Воды, а шкура пойдет Дубильщикам, а мясо старым женщинам из моего дома, чтобы они его навялили впрок, а рога... Может, тебе нужны эти рога для твоего танца?

— Нет, рога мне не нужны. Отдай их своей жене!

— Такого существа на белом свете нет, — заявил Модона.

Запах крови, мяса и шерсти убитого животного был острым и сладким. Голова оленя покачивалась совсем близко от плеча танцовщицы, в такт шагам Модоны. Семена травы и засохшие стебельки прилипли к открытому оленьему глазу. Заметив это, танцовщица мигнула и протерла свои глаза. Потом сказала:

— Откуда ты узнал, что я из Ваквахи?

— Я уже видел, как ты танцуешь.

— Но только не в Телине!

— Может, и не здесь.

— Может, в Чукулмасе?

— Может быть.

Она засмеялась и сказала:

— А может быть, в Кастохе? А может быть, в Ваквахе? А может быть, в Абаба-бадаба-не? Ну, так или иначе, а сегодня вечером ты сможешь увидеть, как я буду танцевать в Телине. Какие все-таки странные мужчины у вас здесь!

— Что же они такого сделали, что заставили тебя так думать про них?

— Один из них видит, что я танцую, когда я вовсе не танцую, другой не видит, что я танцую, когда я исполняю танец.

— Что же это за мужчина такой? Камедан?

— Нет, — ответила она. — Камедан живет вон там, — и она показала на дом Шамши, — хотя тот странный мужчина утверждает, что это я живу там. А сам он живет вон там, — и она показала вдоль руки города в сторону дома Меж Садов, — и у него бывают странные видения среди помидорных кустов.

Модона промолчал. Он все продолжал искоса посматривать на нее поверх мертвого оленя, стараясь не поворачивать при этом головы в ее сторону. Они подошли к огородам, и Изитут остановилась со словами:

— Я пришла сюда, чтобы нарвать помидоров для нашей труппы.

— Если твоим актерам еще и мясо понадобится, то пожалуйста, вот оно. Вы здесь, наверно, несколько дней пробудете? Тушу сперва ведь непременно нужно подвесить.

— Но ведь это мясо нужно старым женщинам из твоего дома, они собирались вялить его.

— Я дам им сколько нужно.

— Вот настоящий охотник! Всегда все раздает! — сказала танцовщица, смеясь и показывая свои зубки. — Мы пробудем здесь по крайней мере четыре или пять дней.

— Если вам нужно мясо на все это время, я могу подстрелить еще олененка на жарево. Сколько вас всего?

— Девять и еще я, — сказала Изитут. — Этого оленя вполне достаточно; мы и так будем переполнены мясом и преисполнены благодарности. Скажи, что нам сыграть на пиру, который ты для нас устроил?

— Сыграйте «Тоббе», если можно, — сказал Модона.

— Мы сыграем «Тоббе» на четвертый день.

Она рвала помидоры, желтые грушевидные и маленькие красные, и складывала в корзинку. День был жаркий и солнечный, наполненный разнообразными ароматами, цикады пронзительно орали вокруг, не умолкая ни на минуту. Мухи слетались на кровь, застывшую на шкуре мертвого оленя.

— Тот человек, которого ты встретила здесь, — сказал Модона, — тот мечтатель, которому все что-то мерещится, пришел сюда из Кастохи. Он все время немножко притворяется сумасшедшим. Но на самом деле он не входит в Четыре Дома, а всего лишь бродит возле них, смотрит и что-то бормочет, кого-то обвиняет, что-то свое придумывает.

— Лунатик какой-то, — сказала Изитут.

— А из какого ты Дома, женщина из Ваквахи?

— Из Дома Луны, мужчина из Телины.

— А я из того же Дома, что и этот олень, — сказал Модона, приподнимая голову животного так, чтобы казалось, что он смотрит перед собой. Язык оленя распух и торчал из почерневших губ. Танцовщица отшатнулась и двинулась прочь, срывая помидоры с высоких остро пахнущих кустов.

— А что вы будете играть сегодня вечером? — спросил охотник.

Изитут ответила ему из-за кустов:

— Я это узнаю, когда вернусь к своим и принесу им помидоры. — И она двинулась дальше, продолжая рвать плоды.

Модона пошел на площадь для танцев. Возле своей хеймас он остановился, положил мертвого оленя на землю и отрезал своим большим охотничьим ножом все четыре копыта.

440

Потом обчистил их, вытер об траву, скрутил веревкой и привязал к бамбуковой палке, а палку воткнул в землю возле юго-западного угла хеймас, чтобы копыта просохли на солнце. Потом спустился в хеймас — умыться и поговорить. Но когда он снова поднялся по лестнице на крышу, вылез наружу и спустился с западной стороны, то туши оленя не обнаружил. Он изумленно огляделся, но ее там не было.

Он обошел всю хеймас кругом, потом всю площадь для танцев, торопливо и жадно ища глазами хотя бы следы. Несколько человек подошли к нему и поздоровались, и он спросил:

— Тут у меня мертвый олень лежал, да вот только куда-то подевался. Вы не знаете куда?

Они засмеялись.

— Учтите, тут двуногий койот бродит, — сказал тогда Модона. — А если увидите остророгого оленя, что сам ходит без копыт, дайте мне знать! — И бегом бросился мимо Стержня на городскую площадь.

Труппа актеров из Ваквахи в полном составе сидела кружком в тени галереи и угощалась хлебом, овечьим сыром и желтыми и красными помидорами, запивая все это сухим бетеббес. Изитут тоже была с ними, ела и пила. Она сказала:

— А, вот и ты, мужчина из Дома Синей Глины! Здравствуй! А где же твой братец?

— Вот это и мне бы знать хотелось, — промолвил он. И осмотрел палатки и галерею. За галереей в воздухе висела целая туча мух, и Модона глянул, что там, но это оказались всего лишь останки мертвой собаки, над которыми мухи и устроили свое пиршество. Никакого оленя видно не было. Модона снова подошел к актерам и сказал им:

— Хорошо, что вы и к нам заглянули, жители Долины! Я рад вашему приходу! Не видел ли кто из вас случайно мертвого оленя? Он тут мимо не проходил?

Модона старался говорить как ни в чем не бывало, однако выглядел рассерженным, да и руки выдавали его гнев. Актеры смеяться не стали. Один из мужчин вежливо ответил:

— Нет, мы ничего такого не видели.

— Это был мой вам подарок. Если увидите этого оленя, забирайте его себе, он ваш, — сказал охотник. И посмотрел на Изитут. Она спокойно ела и даже не взглянула на него. Он повернулся и пошел назад, на площадь для танцев.

На сей раз он заметил на земле кое-какие следы у юго-западной стены хеймас Синей Глины. Он очень внимательно все осмотрел и увидел, что чуть дальше примята и поломана сухая трава, а след тянется прочь от хеймас. Он пошел по следу и на самом берегу Реки, точнее, под берегом, увидел что-то белое. Модона подошел ближе, глядя в оба. Белое существо шевельнулось. Потом встало во весь рост и повернулось к охотнику лицом. У его ног лежал мертвый олень, которого оно ело. Потом существо показало зубы и громко закричало.

И тут Модона увидел женщину в белых одеждах. Но потом в голове у него что-то перевернулось, и перед ним оказалась большая белая собака.

Он наклонился, подобрал с земли несколько камней и что было силы стал швырять ими в собаку, крича:

— Уходи! Оставь оленя в покое!

Когда камень угодил собаке в голову, она пронзительно взвизгнула и побежала прочь, бросив оленя. Бежала она вдоль ручья, к домам.

Мать этой собаки была хечи, а отец — дуи, так что собака выросла необыкновенно крупной и сильной, мех у нее был густой и белый, без единого пятнышка, а глаза — синими. Она с детства очень привязалась к Уэтт, когда-то они играли и повсюду ходили вместе, и когда Уэтт уходила куда-нибудь из города, она всегда брала собаку с собой. Она звала ее Лунной Собакой. Выйдя замуж за Камедана, Уэтт уже гораздо реже звала собаку на прогулку или просила что-нибудь посторожить, а остальных людей собака за хозяев не признавала и ни за что не желала ни с кем дружить, даже в собачьей стае держалась особняком. Теперь Лунная Собака сильно постарела и утратила остроту слуха; с недавних пор она стала худеть. Голод и придал ей сил утащить мертвого оленя от хеймас и сволочь его вниз на берег Реки. Она почти полностью объела одну ляжку, когда ее настиг Модона. Обезумев от боли, ибо камень рассек ей морду от глаза до уха, собака бросилась к дому, где жила Уэтт.

Шамша и все, кто был в доме, услышали ее царапанье и подвывание под дверью, которая специально была закрыта, чтобы и в полдень в доме сохранилась прохлада. Фефинум, услышав, как воет и плачет собака, воскликнула испуганно:

— Она вернулась! Она пришла обратно! — И забилась, съежившись, в самый дальний угол комнаты.

Шамша вскочила и громко заявила:

— Да это просто дети играют на крыльце, и чего ты боишься — стыд какой! Здесь у нас никогда тихо не бывает, — пояснила она Дьюи и загородила своим телом перепуганную дочь.

Дьюи посмотрела на них, подошла к двери и приотворила ее чуть-чуть, чтобы посмотреть, кто там просится в дом.

— Это всего лишь белая собака там плачет, — сказала она. — По-моему, Уэтт раньше часто брала ее с собой.

Подошла посмотреть и Шамша.

— Да, но только это было уже давно, — сказала она. — Дай-ка я ее прогоню. Она, должно быть, спятила — чего это она вдруг сюда явилась да еще в дом влезть старается. Старая совсем, из ума выжила. Уходи, уходи, убирайся, тебе говорят! — Шамша взяла метлу и замахнулась ею на Лунную Собаку, но Дьюи остановила ее и попросила:

— Пожалуйста, погоди-ка минутку, не гони ее. Мне кажется, эта собака поранилась и просит о помощи.

Она вышла на улицу и внимательно осмотрела голову Лунной Собаки, заметив у нее кровь на белой шерсти повыше глаза. Лунная Собака сперва попятилась и зарычала, но потом поняла, что Целительница совсем ее не боится, успокоилась и стояла неподвижно. Когда руки Дьюи коснулись ее, собака почувствовала исходившую от них добрую силу и вовсе не возражала, когда Дьюи принялась обследовать ее рану.

— До чего же ты красивая, старая собака! — сказала ей Дьюи. — Хотя для собаки окрас у тебя довольно необычный, такой бы скорее овце подошел; к тому же ты явно не предавалась обжорству в последнее время, насколько можно судить по твоим торчащим ребрам. Ну, что же с тобой случилось? Налетела на ветку? Нет, пожалуй, больше похоже, что в тебя кто-то камнем запустил, а ты увернуться не успела. Ничего, это не очень больно, старая собака. Шамша, дай мне, пожалуйста, немного воды и чистую тряпочку, чтобы ей ранку промыть.

Старуха принесла тазик с водой и несколько лоскутов, ворча при этом:

— Совсем она бесполезная, собака эта, и возиться с ней ни к чему.

Дьюи стала промывать рану. Лунная Собака не сопротивлялась, стояла спокойно и терпеливо, только задние ноги у нее чуть-чуть дрожали. Когда Дьюи закончила свою работу, собака несколько раз вильнула хвостом.

— А теперь, пожалуйста, ложись, — сказала ей Целительница.

Лунная Собака посмотрела ей в глаза и легла, положив голову на вытянутые передние лапы.

Дьюи почесала ей за ухом. Шамша ушла в дом, а на порог выглянула Фефинум. Дьюи сказала:

— У нее, возможно, легкое сотрясение мозга. Удар был сильный.

— А она нормальной-то будет? — крикнула из дома Шамша.

— Наверное, — ответила Дьюи. — Скорее всего у нее уже через денек все пройдет, если дать ей хорошенько выспаться где-нибудь в тихом уголке и не тревожить ее. Сон — удивительное лекарство. Я сама не очень-то много спала, к сожалению, прошлой ночью! — Она отнесла в дом тазик и тряпки. Фефинум сидела к ней спиной за кухонным столом и резала огурцы, собираясь их мариновать. Дьюи сказала: — Это ведь та самая собака, что всегда ходила вместе с Уэтт, верно? Как Уэтт ее называла?

— Не помню, — сказала Шамша.

Фефинум, не поворачивая головы, проговорила:

— Моя сестра называла ее Лунная Собака.

— Похоже, она специально пришла сюда, чтобы отыскать Уэтт или же помочь нам найти ее, — сказала Дьюи.

— Она глухая, слепая и совсем выжила из ума, — сказала Шамша. — Она бы не смогла учуять и мертвого оленя, даже если б об него споткнулась. И вообще, я что-то не понимаю, что ты там такое говоришь? Зачем мою дочку искать-то? Любой, кто хочет с ней повидаться, может сходить в Вакваху, и для того чтобы дойти туда, собака вовсе не нужна.

Пока женщины переговаривались между собой, Камедан с сынишкой поднялись по ступеням крыльца и остановились на веранде, услышав женские голоса через раскрытую настежь дверь. Камедан только глянул на белую собаку и сразу же, не говоря ни слова, вошел в дом. Мальчик же остался снаружи и некоторое время внимательно смотрел на Лунную Собаку. Та лежала, положив голову на передние лапы, и тоже смотрела на него. Ее хвост тихонько мел доски веранды. Анютины Глазки шепотом сказал ей:

— Лунная Собака, ты знаешь, где она?

Лунная Собака нервно зевнула, показав все свои желтые зубы, и, лязгнув ими, захлопнула пасть. Потом посмотрела на мальчика.

— Ну тогда пошли, — сказал Анютины Глазки. Он подумал было, что надо бы сказать отцу, что он уходит искать свою маму, но все взрослые в этот момент разговаривали где-то внутри дома, а ему не хотелось оказаться сейчас там, среди них. Он был, правда, не прочь снова повидать ту женщину-Целительницу, только ему было стыдно, что он тогда написал на пол. Он так и не вошел в дом, а стал спускаться по ступеням крыльца, оглядываясь через плечо на Лунную Собаку.

Лунная Собака встала, слегка поскуливая, потому что ей одновременно хотелось поступить так, как велела Дьюи, и сделать то, о чем ее просил Анютины Глазки. Она снова нервно зевнула, а потом, опустив голову и хвост, пошатываясь, последовала за мальчиком. На нижней ступеньке он остановился и стал ждать, чтобы собака пошла вперед и показала ему дорогу. Она тоже немного подождала, чтобы как следует разобраться, чего именно он от нее хочет, а потом направилась прямо к Реке. Анютины Глазки вполне поспевал за ней и шел рядом. Когда собака остановилась, он погладил ее по спине и сказал:

— Ну что, пошли дальше, собачка? — И они пошли дальше. Вскоре город остался позади, а они все шли и шли на северо-запад по заросшему ивняком речному бережку, по самой кромке воды, вверх по течению Великой Реки На.

ПРИМЕЧАНИЯ

С. 432. ...*Ни в ту ночь, ни потом.*
Рассказ Камедана в некоторых деталях отличается от событий того вечера, когда исчезла Уэтт, рассказанных автором романа в первой главе.

С. 436. ...*Уэтт-видение или же Уэтт во плоти?*
Небесный вариант имени и земной: Уэттез — Уэтт.

С. 442. ...*Мать этой собаки была хечи, а отец — дуи.*
Породы собак; см. главу «Некоторые из прочих народов Долины» в Приложении.

ПАНДОРА, КРОТКО ОБРАЩАЯСЬ
К БЛАГОСКЛОННОМУ ЧИТАТЕЛЮ

Когда я возьму вас с собой в Долину в конце сезона дождей, вы увидите слева и справа голубые холмы, радугу над ними, а под радугой виноградники. И вы, возможно, скажете: «Вот оно где, то самое!» Но я отвечу: «Нет, чуть дальше». И я надеюсь, мы пройдем еще немного, и вы увидите крыши домов в небольших городках, и склоны холмов, желтые от дикого овса, и канюка, высоко парящего в небе, и женщину, поющую на берегу заводи, у ручья, и, возможно, вы скажете: «Давай остановимся здесь, это оно!» Но я попрошу: «Нет, пройдем еще чуть дальше». И мы пойдем дальше, и вы услышите перепелов, кричащих у истоков Великой Реки, а оглянувшись, увидите, как струится среди диких холмов эта Река, огибая их, извиваясь и поблескивая на равнине, и вы скажете: «Разве это не твоя Долина?» И тогда я смогу ответить только одно: «Напейтесь воды из этого источника и немного отдохните здесь: у нас впереди еще долгий путь, и я не могу пойти по нему без вас».

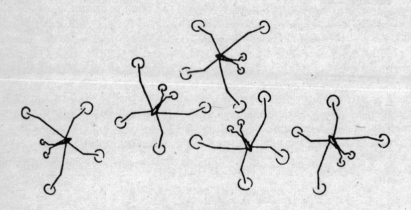

ЧАСТЬ III

ГОВОРЯЩИЙ КАМЕНЬ

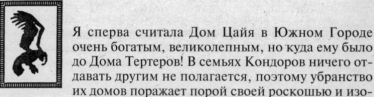

Я сперва считала Дом Цайя в Южном Городе очень богатым, великолепным, но куда ему было до Дома Тертеров! В семьях Кондоров ничего отдавать другим не полагается, поэтому убранство их домов поражает порой своей роскошью и изобилием самых различных вещей; а поскольку слуги и рабы, обслуживающие эти дома и хозяйства, живут там же, то и людей в этих поместьях великое множество и отношения между ними очень сложны. Дом Тертеров представлял собой как бы целую деревню, кочевое племя, осевшее в одном месте. Я хоть и редко выходила за стены, окружавшие сад, но воспринимала Дом Тертеров как чрезвычайно процветающий и богатый. Таким он и оказался, однако с некоторых пор я поняла, что Дайяо оценивают богатство и процветание несколько иначе, чем Кеш: они гордятся теми вещами, которые у них скопились.

Чем ближе родство Истинного Кондора с Великим Кондором, тем выше его могущество и общественное положение и тем больше бывает при этом богатство его дома. Тертеры по мужской линии восходили к двоюродному брату самого Великого Кондора. Тертер Гебе в юные годы был выбран Великим себе в приятели и компаньоны и оставался его советником в течение многих лет, и сейчас он все еще был в чести у сына Великого Кондора, который должен был стать следующим Великим. Однако старый Кондор все больше боялся утратить власть, видя, как взрослеет его сын, и в конце концов

447

пошел против него, а стало быть, и против Тертера Гебе, и зеркало славы Тертеров замутилось.

Насколько я могла понять из разговоров дочерей Кондора, — а некоторые из них были весьма строптивыми и осведомленными особами, хоть и сидели взаперти за высокими стенами, — с тех пор как Кондоры поселились в Саи, они поставили себе целью славить Единственного путем умножения собственного богатства и власти, захватывая чужие земли и жизни, заставляя другие народы служить им. В течение трех поколений их армии насаждали такую политику среди народов Страны Вулканов. Однако этот край был довольно малолюден, да и тамошних жителей не всегда удавалось застигнуть врасплох. Койоты и дикие лошади, люди и гремучие змеи — никто из обитателей этой страны не желал становиться рабом. На скудной земле здесь произрастали лишь жалкие кустарники, сорные травы да шалфей, так что теперешний Великий Кондор приказал своим войскам отправиться на юг и на запад, пока не найдут богатые, плодородные земли, за которые бы стоило «биться и выиграть». Мой отец, Тертер Абхао, и был одним из предводителей тех армий, что были посланы на розыски подобных земель. Он продвинулся далее других на юго-запад, первым добрался до Чистого Озера и до Долины Реки На. Его армия по пути не чинила никаких разрушений и не воевала с местными жителями, а просто шла все дальше и дальше, как это делают торговцы или народ Свиней, ненадолго останавливаясь то там, то тут, иногда прося помочь продуктами, иногда крадя их, выясняя все о наличии дорог и полезных ископаемых. В итоге они прошли Долину насквозь и на какое-то время задержались в ней. Из своего первого похода в Долину, во время которого он и женился на моей матери, отец вернулся в Саи и заявил: «Долина Реки На — самое прекрасное место, какое я когда-либо видел». Его отец, Тертер Гебе, пошел к Великому Кондору и сказал: «Наши армии должны отправиться на юг и на запад и расчистить путь следующим за ними солдатам, тьонам и женщинам, которые будут строить новую Столицу в этой Долине во славу Единственного».

Сперва Великий Кондор следовал этому плану, воюя с народами, жившими к юго-западу от Страны Черной Лавы; но поскольку жители Страны Вулканов предпочитали отступать и скрываться, но не вступать в бой, а еще потому, что каждый из военачальников постоянно восхвалял его и льстиво утверждал, что он, Зеркало Единственного, дескать, способен совершить все, что угодно, он верил во всемогущество своих армий, готовых повиноваться любому его приказанию. И, веря в это, он послал одну из армий на северо-запад, в Страну Шести Рек, чтобы подчинить себе прибрежные города, а другую — вниз по течению Темной Реки, чтобы собрать дань с живущих там народов, а потом еще одну, под командованием моего отца, отправил далеко на юго-запад, чтобы они попытались завоевать Долину и вернулись с богатой добычей тамошнего вина по дорогам, которые должны были построить для этого обращенные в рабство местные жители. А еще они должны были построить большой мост через Болотную Реку и еще один — через Темную Реку. Когда мне это рассказали, я сразу вспомнила, как мой отец пытался построить мост через речку в Синшане.

Тертер Гебе и Тертер Абхао оба пытались объяснить Великому Кондору, что невозможно решить все задачи сразу, как невозможно «биться и выиграть» все эти обширные земли и покорить столько разных народов; они убеждали его, что к такой цели следует продвигаться значительно медленнее, взяв за исходную точку какой-либо свой приграничный город, но Великий Кондор воспринял подобный совет как оскорбительный для воплощенного в нем Единственного и не внял ему. Когда же сын его стал с ним спорить, вступившись за обоих Тертеров, Великий решил, что вот подходящий повод и пришла пора дать выход своему гневу и ревности. Он велел запереть собственного сына в дальних комнатах Дворца, и там сын Великого жил с тех пор уже долгие годы. Так рассказывали мне женщины. Кое-кто из них, правда, считал, что сын Великого был отравлен и давно умер, другие полагали, что он еще жив, но ему постоянно дают малыми дозами яд, который настолько ослабил его разум, что он превратился в злобное и тупое животное. Тертер Задьяйя Беле даже слышать подобных разговоров не желала и болтунов наказывала. С ее точки зрения, Великий Кондор не мог совершить подобной несправедливости, как не мог и сын Великого хоть в чем-то стать неполноценным. Однако она отлично понимала, что та семья, в которую она некогда вошла, теперь пребывает в немилости.

Когда мой отец во второй раз покинул Долину, он рассчитывал вернуться туда примерно через год с очень большой армией, состоящей как из Истинных Кондоров, так и из про-

стых солдат, чтобы основать в Долине новую Столицу. Однако Великий Кондор передумал и отослал его на юг — завоевывать Долину — с отрядом в сто сорок человек.

К этому времени жители всех земель между Столицей Кондора и Долиной Реки На были готовы воевать за свои владения с солдатами Кондора. Моему отцу тогда потребовалось шесть лет, чтобы снова попасть в нашу Долину. Когда наконец он вышел к Чистому Озеру и путь этот его стараниями стал относительно безопасным, на этом пути полегли почти сто человек из его отряда. Многие погибли в бою, кое-кто позорно бежал. Мой отец тогда в одиночку пошел в Синшан, осознав, что скорее всего этот город он никогда больше не увидит. Он понимал, что непременно должен вернуться в Саи и доказать Великому Кондору, что, следуя его приказу, выиграл крайне мало, зато потерял очень много. Те, кто принимает на себя власть, обязаны принимать на себя и вину, и мой отец был готов к этому.

Сперва все складывалось не так уж плохо, лучше, чем того опасались отец и другие члены его семьи. Великий Кондор, разумеется, результатами похода был недоволен, однако дурные вести понемногу уже просачивались во Дворец и раньше — через посланников и благодаря Обмену Информацией (только одному Великому во всей Столице было дано право пользоваться системой компьютерной связи, и происходило это всегда во Дворце). Между тем советники Великого Кондора строили новые планы и старательно вкладывали их в голову своему престарелому повелителю, и он гораздо больше интересовался этими планами, чем поражениями находившейся в походе армии.

Я не понимаю, почему сами военачальники позволяли

ему, никогда не покидавшему Дворца, воплощать все эти идеи в жизнь и губить столько людей, но именно так и обстояли дела.

Все планы по-прежнему были направлены на ведение войны, но теперь вместо обычных ружей армии должны были быть оснащены куда более разрушительным, поистине ужасным оружием. Я много слышала об этих планах, когда уже вышла замуж и жила у мужа.

Ну а теперь пора рассказать и о том, как я вышла замуж.

Живя в Доме Тертеров, я вскоре заболела. Кожа у меня стала нездорово бледной, я не могла спать по ночам, зато днем вечно была сонной, мерзла и тряслась от озноба. Если бы я была дома, в Синшане, я бы непременно провела четыре-пять ночей в своей хейимас, спела бы там целительные хейи, как следует выспалась или попросила бы кого-нибудь из Целителей зайти к нам и дать мне какое-нибудь лекарство. Да если бы я была дома, я бы вообще не заболела. В Саи я плохо себя чувствовала прежде всего потому, что постоянно сидела взаперти. Если отец приходил ко мне, я всегда просила его вывести меня погулять. Он делал это дважды: приводил мою дорогую гнедую кобылку, а сам садился верхом на своего мерина, и мы на целый день уезжали в заснеженные дикие места, заваленные черными обломками лавы. Во время второй прогулки отец повел меня куда-то вниз, в одну из выжженных лавой пещер — длинную трубу, по которой лава текла, как река, выжигая нутро скалы, теперь холодное и черное, точно сам страх. Зимние ветры со свистом мели по этим пустынным землям, и все же они были красивы, и, даже когда от холода у меня выступали на глазах слезы, все-таки лучше было быть на таком ветру, чем в душных комнатах Дома Тертеров. Даже в чужой черной пустыне я была ближе к Долине, чем за закрытыми дверями отцовского дома. Там, за этими дверями, я сама всегда оставалась чужой.

Когда я болела, дочери Кондора стали ко мне добрее, и Тертер Задьяйя Беле даже выделила мне с помощью занавесей отдельный уголок, где мы с Эзирью могли укрыться от всех. Там мы разговаривали, пряли или шили, там я могла рассказывать Эзирью о родном доме и уноситься туда душой. Я поведала ей о Копье, а она мне — об одном молодом человеке, который отправился в качестве конюха вместе с армией в Страну Шести Рек. Мы часто говорили о своих возлюбленных и о том, удастся ли нам снова их увидеть, думали вслух, какими они были и какими могли бы стать.

Моя затянувшаяся болезнь беспокоила отца, но его беспокоило и многое другое. Я понимала: он жалеет, что взял меня с собой в свою страну, в Столицу Кондора. Мое появление здесь сослужило ему дурную службу. Другие Истинные Кондоры говорили, метя в него: «Мужчины порой, бывает, совокупляются с животными, да только щенков своих домой не притаскивают и всякую грязь тоже в дом не тащат». А Тертер Задьяйя прямо заявила мне, что, пока я буду жить в Доме Тертеров, отцу никогда уже не вернуть своей былой славы.

— Тогда отошлите меня назад, — сказала я. — Отпустите меня в Долину. Я дорогу знаю!

— Не болтай глупостей, — сказала она.

— Ну так чего же вы от меня хотите? Чтобы я умерла? — рассердилась я.

— Ничего я от тебя не хочу, — прошипела Тертер Задьяйя. — И лучше бы ты помолчала. Дай Тертеру Абхао жить спокойно. Ты, девчонка, тревожишь его своими капризами и всякими глупостями. Он великий воин!

Я уже не раз слышала эту песню, но она продолжала:

— Теперь ты человек, а не животное. И если будешь вести себя как человек, для тебя можно будет подыскать приличного мужа.

— Мужа! — потрясенная, воскликнула я. — Но я же еще девственница!

— Рада это слышать, — сухо сказала она.

Я страшно смутилась и пробормотала:

— Но для чего же девственнице муж?

Тут уже потрясена была она.

— Замолчи сейчас же! — крикнула она. — Дрянь! — И вышла из комнаты, и не разговаривала со мной снова в течение целого месяца, и даже не смотрела на меня.

Примерно в то время, когда в Долине празднуют Танец Вселенной, отца моего послали в Страну Шести Рек, чтобы помочь тамошней измученной армии вернуться домой, в Саи, через населенные враждебными народами земли. Это было опасное путешествие, мне нечего было и надеяться поехать с ним вместе. Прошли весна и лето, а он все не возвращался.

Один за другим миновали все Великие Танцы — но только здесь никто их не танцевал.

452

Я попыталась спеть Песню Двух Перепелок и еще кое-какие песни, но голос мой звучал отчего-то фальшиво — слишком он был одинок в этой чужой стране. Когда настало время
Танца Воды, я вспомнила о кувшине из синей глины в нашей
хеймас и о том роднике, что впадал в Ручей Синшан под азалиями и душистыми кустарниками, а над ними, выше по
склону росли карликовые сосны, темные ели и красные земляничные деревья. Я попыталась спеть некоторые Песни Воды, принадлежавшие моему Дому, — спеть в этой сухой стране. Я вспомнила о той слепой женщине, теперь уж, наверно,
умершей, о Старой Пещере, которая все это предвидела.
И чуть с ума не сошла от тоски. Я вытащила перо большого
кондора, которое хранила в своей заветной корзинке, положила его на черепичную крышку электронагревателя в нашей
комнате и подожгла. Оно отвратительно завоняло и скрючи-
лось. И там, где оно только что было, я увидела мужчину в военных доспехах Кондора, который лежал ничком в узком
ущелье среди сушняка и колючего чертополоха, рот и глаза
его были открыты и неподвижны, как у мертвого, — это был
мой отец. Я стала плакать и кричать, ухая как сова, и никак не
могла остановиться.

Ко мне привели доктора, мужчину, который дал мне какого-то зелья, чтобы я успокоилась и уснула. Когда на сле-

дующий день я проснулась, вся разбитая и со смущенной душой, врач пришел снова, пощупал мне пульс и осмотрел меня. Он вел себя как-то странно: отчасти уважительно, потому что я все-таки была дочерью Кондора, а отчасти насмешливо и презрительно, потому что я была женщиной; ну а когда он обнаружил, что у меня менструация, он стал очень раздражительным и едва сдерживал отвращение, словно я была больна какой-то отвратительной заразной болезнью. Мне стало ужасно не по себе, особенно когда он меня касался, однако я старалась вести себя спокойно. Я была настолько напугана тем, что открылось мне в Четырех Домах, что хотела только одного — лежать спокойно и никого не видеть. Я подумала, что стоит, наверное, рассказать о том видении Тертер Задьяйе, чтобы она передала это моему деду, так что я попросила позвать ее. Она пришла и встала на противоположном конце комнаты в дверях. Доктор тоже остался послушать.

— Внутренним оком я случайно увидела дурную вещь, — сказала я. Тетка молчала. И я вынуждена была продолжать: Я видела Тертера Абхао мертвым. Он лежал ничком там, в горах... — Тетка по-прежнему молчала. Тогда доктор обратился к ней:

— Эта девушка чересчур нервная, хотя у нее обычное женское недомогание. Впрочем, такие вещи отлично лечатся с помощью молодого мужа! — И он улыбнулся. Но Тертер Задьяйя удалилась, так и не сказав ни слова.

Однако еще до конца месяца я узнала от кого-то из дочерей Кондора, что Тертер Задьяйя готовит мою свадьбу с каким-то Истинным Кондором из Дома Ретфороков. Та женщина очень хвалила этого молодого человека, уверяя меня, что он красивый и добрый. «Он никогда не будет бить свою жену», — сказала она упоенно. Она хотела, чтобы я обрадовалась такому известию. Но другая женщина, из более злобных, сказала: «Это каким же идиотом нужно быть, чтобы жениться на нечистой? Неужели только ради того, чтобы стать поближе к Великому Кондору?» Она намекала, что этот человек женится на мне только для того, чтобы породниться с Тертерами. И тут вступила Эзирью и разъяснила мне все насчет этого молодого человека по имени Ретфорок Дайят. Он, младший из четырех братьев, не был ни солдатом, ни Воином Единственного, а потому особого положения в обществе не занимал, однако само семейство Ретфорок считалось богатым. Дайяту было тридцать пять лет — Дайяо всегда большое значение придавали возрасту людей, потому что у них была особая числовая система определения счастливых и несчастливых дней, которую они начинали вести с детства, — и у него уже было пятеро детей от другой жены. Я же должна была стать той, кого они называли «жена-куколка». После того как первая жена уже успевала родить достаточно много детей, мужчины Кондора часто брали себе вторую жену, «куколку», хорошенькую и молоденькую. Такая «куколка» не обязана была приносить в семью мужа ни денег, ни добра в качестве приданого, как это делала его первая жена, и от нее вовсе не ждали никаких детей — самое большее, одного-двух. Я решила, что мне повезло. С тех пор как Задьяйя заговорила о замужестве, я все время боялась. Жены Кондоров обязаны были все время рожать детей, буквально одного за другим, поскольку считалось, что именно для этого Единственный и создал женщин; у одной из них в Доме Тертеров было семеро детей и старшему всего десять лет, и за это бесконечное вынашивание и вскармливание ее восхваляли мужчины и ей завидовали женщины. Если бы они умели рожать сразу по нескольку детенышей, как химпи, то именно так бы и делали. По-моему, это тоже было связано с образом жизни Дайяо, вечно ведущих с кем-нибудь войну. В конце концов, ведь и химпи тоже размножаются так быстро потому, что большая часть их гибнет в молодости.

Ну что ж, раз я должна была стать чьей-то женой, то даже хорошо, что для меня выбрали роль «жены-куколки»; к тому же я уже видела своего отца мертвым и не представляла, как убежать из Саи, а потому решила, что в данной ситуации лучше всего действительно выйти замуж. Не имея здесь матери, а теперь потеряв и отца, я лишилась даже той небольшой власти в Доме Тертеров, какой обладала. Но, может быть, выйдя замуж за Кондора, я все-таки обрету кое-какую власть в Доме Ретфороков? Нет, видно, я тогда совсем еще была глупа. Прожив целый год с людьми, которые ставили животных и женщин на одну ступень и одинаково презирали их, которые не считали женщин за людей, я тоже начала думать и действовать, как они. И сама уже не считала то, что делаю, заслуживающим уважения или хотя бы внимания.

Итак, меня выдали замуж как дочь Кондора, обрядив в белоснежные одежды: у Дайяо знак того, что невеста — девственница. Наряд мой был прекрасен, да и свадьба была довольно веселой. Она продолжалась целый день, играли музыканты, все танцевали, выступали акробаты, и было полно вкусного угощения и питья. Я пила медовое бренди и здорово опьянела. Я была пьяна, когда вместе с мужем отправилась в Дом Ретфороков, и еще не протрезвела, когда мы легли в постель. В спальне мы с ним провели тогда пять полных дней и ночей. Мои страхи, тоска, стыд и гнев — все прорвалось внезапно во взрыве оглушающей страсти. Я ни за что не отпускала его от себя, я наполняла и осушала его, точно кувшин с вином. Я от него научилась всяким любовным штучкам, а потом ему же преподавала его уроки, только в сорока различных вариациях. Он с ума сходил по мне и не мог разлучиться со мной даже на день в течение всего этого года. Раз уж у меня в жизни было так мало счастья, я хотела получить хотя бы удовольствие и получала его так часто, как только могла.

Первая жена моего мужа, Ретфорок Сьясип Беле, сперва побаивалась меня, ну и ревновала, конечно, но только потому, что ей объяснили: я животное, опасное и лишенное разума, вроде дикой собаки. Больше всего она боялась, что я причиню зло ее детям. Она вовсе не была такой уж глупой, всего лишь чрезвычайно невежественной. Она никогда нигде не бывала, знала только женскую половину в двух домах Саи — у отца и у мужа и рожала детей через лето с тех пор, как ей исполнилось семнадцать. Когда она обнаружила, что я не кусаюсь, не ем детей и даже умею говорить на ее родном языке, она стала меня привечать и следила, чтобы к нам обеим, ко мне и Эзирью, все остальные женщины в доме относились хорошо. Она была разговорчивой смешливой женщиной, не слишком склонной к раздумьям, но восприимчивой и живой. Она сообщила мне, что рада моему появлению, ибо теперь Дайяту есть с кем заниматься любовью, потому что она устала от его постоянных требований, да и во время беременности и кормления ребенка любовные игры были ей неприятны. Однако она предупредила меня:

— Когда я захочу родить следующего, тебе придется отослать Дайята в мою спальню, по крайней мере на одну ночь!

— Еще одного ребенка! — воскликнула я, не веря собственным ушам.

— Эти-то все девочки, только один мальчик, — пояснила она.

— Ну и что? — удивилась я. — А ты не хотела бы забеременеть от человека, который тебе действительно нравится?

Эти мои слова повергли ее в недоумение, и она долго и

непонимающе смотрела на меня, а потом рассмеялась и сказала:

— Айяту, да ты, оказывается, действительно дрянь! А кроме того, если уж честно, в этом доме мне ни один мужчина не нравится. По-моему, из здешних мужчин мы с тобой получили лучшего.

Я с ней согласилась. Наш муж и правда грубостью отнюдь не отличался; напротив, он был весьма добродушен и довольно привлекателен внешне.

— Но только не вздумай даже намекать ему, что ты можешь хотя бы просто думать о каких-то других мужчинах, — предупредила она меня. — Он на этот счет очень чувствительный. — И она поведала мне, что женщина, изменившая мужу с другим мужчиной, непременно будет убита семьей мужа. Я в это не поверила. Конечно, люди убивают друг друга из ревности или от гнева, а порой и в пылу страсти, это я знала, но Сьясип имела в виду нечто иное. Она сказала: — Нет-нет, если ты это сделаешь, тебя непременно убьют на глазах у всех, чтобы смыть позор с Дома. Ты теперь принадлежишь Дайяту, разве ты этого не понимаешь? Ты принадлежишь ему, и я принадлежу ему — таков порядок вещей.

Я вспомнила, как мой отец говорил на площади Синшана: «Но она же принадлежит мне!» Теперь у меня открылись оба глаза, и я поняла весь смысл его слов.

Ранней весной мой муж сказал:

— Айяту, с запада получены хорошие вести: Тертер Абхао одержал победу и возвращается со своей армией в Саи.

— Мой отец мертв, — тупо сказала я.

Ретфорок Дайят только рассмеялся в ответ и сказал:

— Да он сейчас здесь, во Дворце!

Но и этому я не поверила, пока не увидела отца собственными глазами, когда он пришел в Дом Ретфороков повидаться со мной. Он очень исхудал и выглядел страшно усталым, но был вполне жив, а вовсе не лежал со сломанной спиной, ничком, в узком ущелье, в диком краю. И все же, когда я увидела его перед собой живым, я как бы одновременно увидела его и там — словно совместились изображения на стеклянных пластинках.

Мы разговаривали с удовольствием и были очень нежны друг с другом. Отец сказал:

— Я рад, что ты вышла замуж, Айяту. Как тебе живется здесь, в этом доме? Неплохо?

— Да, все хорошо, и Дайят добр ко мне, — ответила я. — А нельзя ли мне съездить домой, в Долину?

Он посмотрел на меня, отвернулся и покачал головой.

— Если бы ты смог проводить меня хотя бы до Южного Города, то оттуда я сумела бы добраться и одна. Я весь тот путь очень хорошо помню и знаю все его приметы, — сказала я.

Он размышлял несколько секунд, а потом сказал:

— Послушай, Айяту, поскольку ты сама выбрала жизнь здесь, то теперь твое решение переменить нельзя. Если ты сбежишь от мужа, то обречешь меня на вечный позор и презрение. Теперь ты принадлежишь Дому Ретфороков. Вот и оставайся лучше с ними. Здесь ты достаточно далеко от нашей семьи, а у нас сейчас дела далеко не блестящи. Постарайся как-то прижиться здесь и выброси из головы мысли о Долине!

— У меня в голове вполне хватает места всему, — возразила я. — В ней умещается и Долина, и ваша Столица, и я до сих

пор не знаю, сколько еще туда может влезть. Но один лишь ты можешь вашу Столицу сделать для меня родным домом.

— Нет, — сказал он, — по-моему, это сделать можешь только ты сама.

Это было справедливо. И я продолжала жить в качестве «жены-куколки» у Дайята. Вскоре я узнала, что осторожные слова моего отца при нашем свидании — правда: он уже был в немилости и любой позорный проступок способен был бросить на него такую тень, что в дальнейшем это могло стать опасным для его жизни. Единственное, что я могла для него сделать, — это вести себя тихо и терпеливо, поскольку Великий Кондор и его советники хотели обвинить отца в том, что война в Стране Шести Рек проиграна.

Мои слова о том, что немилость правителя может повлечь за собой опасность для жизни человека, звучат, разумеется, странно; позор и стыд уже сами по себе достаточно плохи у нас в Долине, но здесь, где даже родственные отношения напоминают сражение, они были просто смертоносны. Наказание в таких случаях следовало жестокое. Я уже говорила, что онтик могли ослепить за то, что она осмелилась читать или писать; женщину за прелюбодеяние могли убить; я сама, правда, этого не видела, но каждый день собственными ушами слышала о разных жестокостях, когда до полусмерти избивали детей или рабов, сажали под замок непокорных онтик или тьонов, а потом — и я об этом еще расскажу — стало куда хуже. Даже просто жить стало страшно в условиях вечно ведущейся с кем-то войны. Дайяо, похоже, никогда ничего не обсуждали все вместе, не устраивали жарких споров, не порицали и не хвалили друг друга прилюдно, намереваясь осуществить тот или иной план. Все делалось согласно раз и навсегда установленному закону, или же поступал приказ от Великого, и если что-то получалось не так, то вроде бы оказывалось, что не приказ тому виною, а только те, кто этот приказ исполнял. Ну а вина обычно влекла за собой и наказание. Я каждый день училась быть все более и более осторожной. Училась вне зависимости от того, хотела я этого или нет. Училась быть воином. Там, где жизнь превращена в постоянное сражение, человеку ничего другого не остается — только драться.

Ретфороки от немилости Великого не страдали; напротив, они стали чуть ли не фаворитами Великого Кондора. Глава нашего семейства, Ретфорок Ареман, и его младший брат, мой муж Дайят, часто ходили во Дворец. Мой муж, который любил поговорить не меньше, чем заниматься любовью, рассказывал мне обо всем, что он там делал, видел и слышал. Мне нравилось его слушать, это было действительно интересно, хотя порою и казалось весьма странным, а то и страшным, словно история о привидениях. Он рассказывал мне, что случилось с сыном Великого Кондора: когда тот попытался бежать из своей тюрьмы во Дворце, где так долго томился, его предали те, кто, казалось бы, обещал служить ему верой и правдой; его поймали и в наказание за неповиновение Закону Единственного он был убит. То, как именно он был убит, Дайят рассказывал особенно подробно. Ни один смертный не смеет поднять руку на Сына Великого, так что его связали и стали пропускать сквозь него ток высокого напряжения, пока не остановилось сердце; таким образом, считалось, что убило его электричество, что опять же полностью соответствовало Закону Единственного. Все его жены, содержанки, дети и рабы были также убиты. Я спросила:

— Но кто же теперь станет следующим Великим Кондором?

И Дайят поведал мне, что у того есть еще один сын, пока совсем маленький и пока что живой.

Он также рассказывал мне о том оружии, которое готовятся создать Дайяо. Теперь уже армии, покидающие Саи, отправлялись не захватывать чужие земли, а привозить медь, свинец и другие металлы из тех мест, жители которых занимаются их добычей и имеют какие-то их запасы; по сути дела, они превратили в своих рабов жителей Сенха, которые работают в шахтах, добывая железную руду, — этот город расположен там, где Облачная Река впадает в Темную Реку, — и отобрали у них все запасы руды, которой жители Сенха торговали с Синшаном и другими городами. Необходимые инструкции по использованию руды и созданию Великого Оружия были получены, насколько я догадываюсь, благодаря Обмену Информацией. Надо сказать, что Дайяо были весьма искусными мастерами в том, что касалось обработки металлов и изготовления различных механизмов; кроме того, среди них, видимо, были отличные инженеры, способные с полным пониманием разобраться в полученных инструкциях. Не уверена, правда, что они понимали, как использовать этот источник информации для общего блага, поскольку ни один из них, за исключением Великого Кондора и самых высокопоставленных его Воинов, не имел доступа к Обмену Информацией, а ограниченные знания, как известно, — это знания извращенные. Однако я и сама неважно во всем этом разбираюсь, а потому не могу, наверное, быть до конца уверенной в справедливости собственных суждений. В общем, так или иначе, сбор нужной информации и материалов для создания Великого Оружия и само его изготовление заняли четыре года.

За это время я дважды была беременна. Первую беременность я прервала сама, потому что мой муж изнасиловал меня, когда я отказалась заняться с ним любовью, а никаких предохраняющих от беременности средств у меня не было. Любая Дочь Кондора оставила бы все так как есть и родила бы ребенка, которого зачала после такого насилия над собой, но я мириться с этим не стала. Оказалось нетрудно добыть нужное средство у тьонов, которые устраивали прерывание беременности куда чаще, чем рожали, и в этом мне помогла Эзирью. Через два года, когда мне исполнился уже двадцать один год, я сама захотела ребенка. Эзирью и Сьясип были мне хорошими подругами, но я все равно ужасно скучала, потому что дома совершенно нечем было заняться, разве что без конца прясть, шить и болтать, вечно находясь взаперти и вечно на людях; я просто мечтала побыть одна, а потому — вечно ощущала себя одинокой. Я все время думала, что мой ребенок непременно должен походить на детей Долины, ведь он будет частью меня, а я — часть Долины, и только Долина может стать нашим родным и дорогим домом. Возможно, та часть моей души, что была подобна туго натянутой струне между Столицей Кондора и Синшаном все это время, несколько расслабится и вернет мне покой, когда ребенок согласится войти в мое чрево. Так что я перестала пользоваться противозачаточными средствами, и через три месяца мы с Дайятом открыли нашему ребенку двери в этот мир. Потребовалось так много времени, потому что ни он, ни я уже не могли жить свободно, да и питались не так хорошо, как прежде, и хотя

461

Дайят все еще очень любил поболтать со мной, у него уже порой не хватало сил для частых занятий любовью. Быть фаворитом Великого Кондора было столь же нелегко, как и оказаться у него в немилости. А все богатство Саи теперь уходило на достижение одной-единственной цели, поставленной Великим Кондором, — создание Великого Оружия. Все было принесено этому в жертву. Эти Дайяо были поистине героическим народом.

Первое Великое Оружие представляло собой нечто вроде домика из железных пластин, поставленного на колеса, которые вращались внутри неких лент, сделанных из соединенных между собой металлических звеньев, благодаря которым «железный домик» мог взбираться на любую крутизну, ползя по склону словно гусеница, и колеса при этом ни за что не цеплялись и не вязли в земле. В движение их приводил мощный мотор, помещенный внутри «домика». Машина эта была такая мощная, что выворачивала с корнями деревья и сносила дома, если они попадались у нее на пути, а еще на ней были укреплены мощные пушки, способные стрелять большими снарядами и огненными бомбами. В общем, новая машина была громадная и удивительная, и когда она двигалась, то словно гром гремел. Новое оружие продемонстрировали жителям Столицы за городскими стенами. Я тоже пришла, укутавшись в шарф, вместе со всеми женщинами из Дома Ретфороков. Мы видели, как легко машина разрушает стену из кирпича, с грохотом и содроганием пробираясь по обломкам, огромная и слепая, с толстой мордой и торчащей словно пенис пушкой. Трое Кондоров вылезли из ее нутра, точно три мухи из кукурузного початка — такими они рядом с ней казались маленькими и мягкотелыми. Машине дали имя — Разрушитель. Она предназначалась для того, чтобы двигаться впереди армии, прокладывая дорогу, которую Кондоры назвали Путь Разрушений. Я вернулась в свой уголок в Доме Ретфороков и прилегла на красные ковры, представляя себе, как этот Разрушитель пробивается в Синшане сквозь ряды старых дубов, зовущихся Гаирга, как он выворачивает их с корнями, проезжает по ним и вламывается прямо в стену дома Высокое Крыльцо, сокрушает его, а потом наезжает на крышу хеймас Синей Глины, и крыша проваливается под его тяжестью. Я представила себе его металлические гусеницы, набитые крошками кирпича, крушащие амбары с зерном и скотом, вдавливающие животных и детей в грязь, пережевывающие их кости, как мельничные жернова пережевывают зерно. Я долго не могла выбросить из головы эти мысли, даже после того как Разрушитель провалился в какую-то подземную пещеру в нескольких милях к югу от Столицы и сам себя уничтожил — раздавил собственным чудовищным весом, скользя по выжженной лавой каменной трубе. И потом мне часто виделось во сне, как он ожил в этой подземной трубе, в этой пещере, и вновь движется, проламываясь сквозь толщу земли, сокрушая тьму.

Тогда Великий Кондор задумал создать машины, названные Птенчиками. Это были летающие машины, этакие кондоры с искусственным мотором. Дайяо не использовали воздушных шаров, однако умели делать легкие планеры и отлично управляли ими в полете, срываясь с утесов над черными полями застывшей лавы в жаркие летние месяцы, словно настоящие кондоры или канюки. Полеты на планерах считались чуть ли не священным видом спорта, занятием очень достойным и весьма популярным среди молодых воинов Кондора. Так что идея постройки летательного аппарата с двигателем вызвала особенно много шума. Дайят, однако, не разделял всеобщих восторгов. Братья Ретфороки уже достаточно много средств, сил и души вложили в создание Разрушителя, и, когда тот обрел свой печальный конец, они сразу утратили все расположение Великого и уже не ходили ежедневно во Дворец, хотя наказаны не были. Дайят был раздражен и мрачен и фыркал при упоминании о планах создания Птенчиков и о тех, кто этим занимался. Для Птенчиков требовалось значительно меньше металла, чем для Разрушителя, зато значительно больше топлива, что и являлось, по мнению Дайята, самым опасным их недостатком. Великий Кондор отправил одну из армий буквально на край света, чтобы закупить или выменять нужное количество горючего; на путь туда и обратно им потребовался почти целый год, однако добытого топлива хватило бы только на несколько дней для одного-единственного Птенчика. Люди Кондора стали тогда изготавливать горючее из спирта, который добывали из зерна и даже из навоза, и два Птенчика, в каждом из которых могли находиться одновременно два человека, начали перелеты до Кудкун Эраиан и обратно. Первый день их полета превратился в Саи в настоящий праздник. Снова все мы, женщины, вышли из домов, укутанные в шарфы, и даже онтик веселились и танцевали, когда над ними пронеслись на своих неподвижных черных крыльях могучие Птенчики. В тот день я видела самого Великого Кондора. Он вышел на балкон Дворца, чтобы посмотреть на этот полет. Считалось, что женщинам нельзя смотреть на Великого, ибо они могут осквернить его своим нечистым взором, но мне было все равно, оскверню я его или нет; я заботилась лишь о том, как бы кто не заметил, что я украдкой смотрю на него. Он был весь в золоте и в черном с золотом шлеме Кондоров с опущенной маской-клювом, так что я видела вообще-то не самого человека, а только его блестящую оболочку — почти ни кусочка живой плоти. Видимо, для Великого Кондора внешность — первое дело.

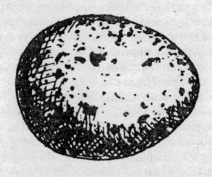

Мой ребенок в тот день еще жил во мне, однако явно подумывал о том, чтобы перебраться во Второй Дом, то есть в мой Дом Синей Глины. Прошло еще несколько дней, и он окончательно решил, что пора ему родиться на свет; так я стала матерью маленькой дочки, крепенькой и сложенной удивительно пропорционально. Когда я впервые увидела ее «розовый цветок» и поняла, что это девочка, я мысленно произнесла благодарственную хейю, ибо если бы она решила родиться мальчиком, то мальчик непременно «принадлежал» бы моему мужу и стал бы Кондором. Но поскольку она решила родиться девочкой, то никому особенно нужна не была, кроме меня, Эзирью и Сьясип. Ее фамильное имя было Ретфорок, и служитель их Единственного назвал ее Данарью, что значит Женщина, Дарованная Единственному. Имя звучало приятно, и я звала ее так в присутствии мужа и остальных родственников, но, когда мы с ней оставались одни, я называла ее одним из тех имен, какие обычно дают некоторым перепелкам в Синшане: Экверкве — Бдительная Перепелка.

Так называют одну птичку из стаи, которая всегда сидит на ветке и внимательно смотрит вокруг, пока остальные спокойно пасутся на земле в сезон дождей, до наступления брачного периода. Глазки у моей малышки были ясные, словно у перепелки-наблюдательницы, и она была вся такая кругленькая, пухленькая, а на макушке небольшой хохолок — настоящая перепелочка.

Что же касается нас, взрослых, то мы ни полнотой, ни пухлостью как раз не отличались. Продовольствия в Саи в те годы было очень мало, и еда была скудной. Единственный некогда повелел Великому Кондору построить Столицу на залитой лавой равнине, чтобы обезопасить ее от врагов, однако в этой черной пустыне почти ничего не росло, и жители города вынуждены были доставлять пищу издалека. А поскольку они упорно продолжали плодиться и рожать как можно больше детей, им приходилось уходить в поисках пропитания все дальше и дальше, к тому же многие из тьонов и онтик, которые раньше выращивали зерно и овощи, или разводили скот, или охотились, были теперь заняты на великих стройках и делали Оружие, а также снабжали это оружие горючим. Зерно, которое должны были бы съесть люди и животные, теперь пожирали машины. Воины Единственного стройными колоннами проходили по улицам Саи в священных процессиях и пели:

> Наша пища — победа,
> А битва — вино,
> С Единственным все нам на свете дано!
> Единственный все завоюет!
> А смерти не существует!

Но я-то держала в своих руках крохотное смертное существо, я кормила ее грудью, давая ей пищу, иначе новорожденная просто умерла бы. Ну а она, моя Бдительная Перепелка, в свою очередь, давала пищу моей душе — своей жизнью, своими нуждами поддерживала меня. Даже если Единственный — это не просто слово, то что иное, кроме пищи, способно поддержать его плоть?

Жертвоприношения, которые совершали Дайяо, должны были принести им благополучие и покой, когда их Птенчики отправятся на войну. Беда только в том, что все люди, жившие где-либо по соседству со страной Кондора, давно уже перекочевали в другие места или же, если и остались, готовы были воевать, но не платить дань ни продуктами, ни рабами, ни чем-либо еще. Это стало ясно уже всем, и, по мере того как жизнь в Саи становилась все труднее, тот давешний план Тертеров передвинуть Столицу к югу, в более благодатные и цветущие районы, снова начал широко обсуждаться. Беспокойный дух кочевников Дайяо все еще был жив в них, и образ их жизни по большей части был куда лучше приспособлен к условиям кочевья, а не оседлости. Женщины в семье Ретфорок вовсю вели разговоры о том, чтобы отправиться под крылом Великого Кондора к югу, где, конечно же, будет полно еды, много травы и деревьев, где много скота и всяких интересных вещей, и, надо сказать, мужчины слушали их с любопытством, хотя вроде бы на болтовню женщин, считавшуюся глупым пустословием, им не следовало обращать внимания. Но поскольку у Дайяо не принято было обсуждать что-либо публично, на каком-нибудь собрании или совете, как это обычно делают все нормальные люди, то и не находилось способа уладить все разногласия и прийти к общему решению. Так что в итоге бродившие в воздухе идеи стали мнениями, согласно которым люди со временем разделились на разные враждебные друг другу группировки.

Кондоры Ретфорок все же оказались среди тех, кто требовал, чтобы Столица осталась на прежнем месте, там, куда указал Палец Света, а по огненному следу Птенчиков пусть идут только солдаты, когда начнется война. И хотя женщины у нас в доме продолжали лелеять мечту о более подходящем месте для житья, они тоже боялись переселения, потому что большая их часть всю свою жизнь провела за стенами города, в домах, на женской половине. Они так же мало знали о других городах и народах, как и я в детстве, когда впервые ходила с бабушкой в Кастоху. Даже Воины Кондора были весьма невежественны в том, что касалось жизни других народов, особенно их обычаев и образа мыслей, хотя порой по нескольку лет жили среди чужеземцев. В Обществе Искателей говорили, что торговля и познание мира идут рука об руку, как и невежество с войной. А еще, по-моему, раз Дайяо считали, что все на свете принадлежит Единственному, то и решали все просто — не так, так эдак. Они и представить себе не могли, что решений может оказаться более двух.

Экверкве еще не исполнилось и года, когда начались волнения среди захваченных в рабство людей, которых заставляли работать в полях, на шахтах и в мастерских; к тому же некоторые тьоны тоже начали вольничать, воровать и даже уходили в леса или на восток, где жили вместе с зайцами в зарослях полыни. На одной из шахт в горах, недалеко от Круглого Озера, несколько мужчин-онтик убили охранников и сбежали далеко в Серебряные Горы. Я узнала об этом потому, что Великий Кондор приказал убить десятерых онтик из числа жителей Столицы, чтобы отплатить за смерть десяти солдат Кондора, убитых на шахте. Это было бы справедливо, если бы все Кондоры были по одну сторону, а все не-Кондоры — по другую: либо так, либо этак. Десять мужчин привязали к столбам напротив Дворца Великого в самом конце широкой красивой центральной улицы. Воины Единственного громко помолились Единственному, и солдаты Кондора подняли ружья, прицелились и расстреляли этих онтик в упор. Связанных. Этого я сама не видела, но мне об этом тут же рассказали. Это называлось Экзекуцией; она осуществлялась согласно Закону Единственного. Когда я об этом услышала, в моей душе будто что-то оборвалось. Я увидела залитую солнечным светом центральную площадь в Кастохе, но не мать свою я увидела там: я увидела черных стервятников, которые, опустив головы, рвали клювами собственные животы, вытаскивали внутренности и пожирали их. Я бросилась в комнату к Экверкве, взяла ее на руки, и мы долгое время сидели с ней на полу в уголке, пока кошмарное видение не растаяло у меня перед глазами и не прошла вызванная им дурнота. Но с этого дня у меня уже не осталось ни желания, ни терпения быть Женщиной Кондора и следовать законам Единственного. Я окончательно поняла, что живу среди людей, которые идут по ложному пути. И мне хотелось одного: чтобы моя дочь прежде всего, ну и я сама, конечно, оказались от них подальше — где угодно, только в другом месте.

Прошло довольно много времени, прежде чем я смогла воплотить свои мечты в жизнь, ибо Саи все больше и больше походил на гигантский муравейник, который ведет войну с другим таким же муравейником: город был заперт и полон отчаяния. Когда Великий Кондор послал своих Птенчиков, чтобы они сбросили зажигательные бомбы на леса и деревни народа Зиаун, живущего к юго-западу от Кулкун Эраиан, некоторые соседние народы присоединились к народу Зиаун, чтобы вести ответную войну. Они строили совместные планы, встречались и обсуждали их, а также передавали друг другу секретные сведения через Пункты Обмена. Они, разумеется, не могли причинить никакого вреда Птенчикам, когда те находились в полете, даже если все одновременно стреляли из ружей, и не могли пробраться на поле, с которого Птенчики взлетали и куда возвращались, ибо оно охранялось целой армией солдат Кондора; однако кто-то из них в одиночку, возможно, мужчина или женщина из числа беглых онтик, которые отлично знали, что и где расположено и как следует вести себя с Кондорами, ночью пробрался на склад и поджег цистерны с хранившимся в них топливом. Цистерны взорвались. Этот человек выбраться не успел и сгорел заживо, но Птенчики остались без горючего. Пока создавался новый запас топлива, Великий Кондор приказал молодым воинам на планерах облететь деревни народа Зиаун и обстрелять их, однако планеры сбить было очень легко, так что ни один из них назад не вернулся. Что же касается урожая этого года, то осенью не только зерно, но и картофель, турнепс и прочие корнеплоды были превращены в топливо для Птенчиков; амбары Столицы были буквально выпотрошены; в ход пошли даже семена диких трав. Все песни были только о том, как славно умереть во имя Единственного. Мужчины Дайяо должны были стремиться перебить всех врагов до одного, а женщины — восхвалять их за это.

Однажды ранней осенью, когда Экверкве шел третий годик, у меня появилась возможность пойти в гости в Дом Тертеров вместе с еще одной женщиной из Дома Ретфороков, у которой там тоже были родственники. Мы много раз просили на это разрешение, и наконец нам его дали и велели нескольким рабам-мужчинам сопровождать нас. Экверкве сама шла за руку со мной от Дома Ретфороков до Дома Тертеров по столичной улице, с обеих сторон окруженной слепыми стенами домов. Единственный раз в жизни она проделала этот путь.

Тертер Гебе умер год назад, и теперь главой семейства стал мой отец, однако он давно уже жил взаперти, как женщины Дайяо, словно желая быть позабытым Великим Кондором и Воинами Единственного, которые теперь каждый день производили Экзекуции тех, кого называли врагами Великого Кондора, — словно вырывали свои собственные внутренности.

Тертер Абхао не видел своей внучки целых два года.

Отец сидел в той самой комнате, куда несколько лет назад водили меня, чтобы познакомиться с Тертером Гебе. Он выглядел сильно постаревшим, был очень бледен, совершенно облысел и сильно горбился, словно сгибался под непосильной ношей. Сердце у меня сжалось, когда я увидела его таким: я не ожидала, что он так ослабеет. Впрочем, и все остальные в этом доме выглядели плохо. Отец казался совсем больным, однако, взглянув на Экверкве, улыбнулся в точности так, как когда-то в Долине улыбался мне. Во всяком случае, так мне показалось.

— Так, значит, это и есть Данарью Белела, — проговорил он, когда девочка подошла к нему. Она его совершенно не боялась; ей вообще нравились все мужчины, как это часто бывает с маленькими девочками.

— Да, — сказала я, — для народа Дайяо она, конечно, Данарью, но у нее есть и свое собственное имя: Экверкве. Так у нас называют ту перепелку, которая громко выкрикивает свое имя «Экверкве!», заметив опасность, и тогда вся стая спасается бегством и прячется или улетает.

Он посмотрел на меня как-то очень внимательно, но моя дочка пошлепала его по руке, чтобы привлечь к себе внимание, и сказала:

— Это меня зовут Экверкве.

— Очень хорошее имя, — одобрил он. — Ну а ты, Айяту, как поживаешь?

— Скучаю, — сказала я. — Здесь совсем нечего читать. — Я нарочно использовала глагол языка кеш «читать».

Он снова некоторое время молча смотрел на меня.

— Сова, — сказал он тоже на кеш и снова улыбнулся. — У тебя еды-то хватает? Ты очень худая.

— Для живота вполне хватает, но голодает мой ум, — ответила я. — Отец, мы с тобой когда-то проделали путешествие только в одну сторону.

Он кивнул, но еле заметно. Какое-то время он наблюдал за малышкой, что-то изредка говорил другим людям, быв-

шим в той же комнате, — Кондорам и дочерям Кондора из его семьи и Дома Ретфороков. Но через некоторое время он наклонился и сказал мне, но так, чтобы никто больше не слышал:

— Когда они будут вспоминать обо мне, то, возможно, вспомнят и о тебе...

В его глазах я видела площадь перед Дворцом, столбы с привязанными людьми и лужи крови на каменных плитах.

— И прежде всего нам нужно спасти девочку! — договорил он.

Сердце мое так и подскочило; я выдохнула:

— Так ты пойдешь?..

Он покачал головой и шепнул:

— Погоди.

Вскоре, когда люди из Дома Ретфороков собрались уходить, отец заявил:

— Эту ночь Айяту Беле проведет здесь — я так давно не видел своей внучки!

Женщины Ретфорок в замешательстве зашептались; старшая из них сказала:

— О, могущественный Кондор, муж этой женщины, Кондор Ретфорок Дайят, возможно, будет этим весьма недоволен, ибо он не давал своей жене разрешения ночевать здесь.

Другая поддержала ее:

— Ведь это же не внук, а всего лишь внучка!

Ну а третья, самая вредная ханжа, намекнула:

— Могущественный Кондор Тертер Абхао мог бы тоже оказать честь Дому Ретфороков, если бы когда-нибудь сам посетил его.

Никогда не смогли бы мужчины превратить женщин в рабынь, сделать их полностью от себя зависящими, если бы сами женщины этого не захотели. Я всегда ненавидела мужчин Дайяо за то, что они вечно повелевали своими женами; еще более ненавистны мне были их женщины за то, что подчинялись этим приказам и охотно их выполняли. Я вся вспыхнула, точно больше уже не в состоянии была удерживать накопленный за эти долгие годы жизни в Саи гнев; но тут, к счастью, вмешался мой отец — поистине великий и хитроумный военачальник:

— Ну хорошо, но ведь могущественный Кондор Ретфорок Дайят не станет так уж сердиться на свою жену, если она задержится здесь всего на несколько часов? Я сам отошлю ее домой сегодня же вечером, после обеда.

С этим они спорить не могли и удалились, оставив меня у отца, и Эзирью осталась со мной вместе. Стоило им уйти, как отец быстро послал одного слугу туда, другого сюда и велел нам приготовиться к бегству. У него было очень мало времени, и он мог дать нам в сопровождение только двух человек из своего дома, но сам поехать с нами или хотя бы послать с нами своих солдат, как он надеялся, уже был не в состоянии. Я сказала:

— Но они же пошлют за нами погоню?

И он ответил:

— Ранним утром я тоже уеду из дому — отправлюсь с патрульным отрядом, и они, конечно, погонятся за мной, предполагая, что я взял тебя с собой, как и в тот раз, когда впервые привез тебя сюда.

Мы переоделись в одежду тьонов и стоя попрощались в вестибюле Дома Тертеров. Я спросила отца:

— А ты когда-нибудь приедешь ко мне?

Он прижимал к себе внучку, которую все время держал на руках. Она была сонная и уютно устроилась у него на плече, головкой прижавшись к шее. Он чуть отвернулся, склонившись щекой к головке ребенка, так что я даже не сразу поняла, с ней он говорит или со мной.

— Скажи своей матери, чтобы больше не ждала, не ждала меня, — проговорил он. Потом погладил Экверкве по волосам своей огромной ручищей и бережно передал ее мне.

— Но тебя ведь накажут... тебя ведь... — Я не могла выговорить это слово — столбы, веревки, кровь стояли перед глазами.

— Нет-нет, — сказал он. — Ты убежала, когда не входила больше в мою семью и жила в другом доме. Да и меня утром здесь уже не будет, так что наказывать будет некого. Мне дан приказ пройти с патрульным отрядом в западном направлении от Белой Горы; мы просто выйдем чуть раньше, вот и все. Ничего там, в горах, со мной не случится.

И тут до меня дошло, что он утром отправится в то самое ущелье, где тогда привиделся мне лежащим ничком. Но подобные знания невозможно высказать вслух, и ничего нельзя сделать, чтобы предотвратить неизбежное; так что я поцеловала его, и он на мгновение крепко прижал меня и девочку к себе, а потом мы ушли, оставив его в том доме.

471

Мы выбрались на улицу через заднюю калитку в сгущавшихся ранних сумерках.

Один из наших сопровождающих был мне знаком: он был в отряде отца, когда я приехала вместе с ними из Долины; это был умелый мрачноватый человек по имени Арда. Второго я не знала, имя его было Дорабадда, и он служил под началом моего отца во время похода в Страну Шести Рек. Они отличались той верностью своему хозяину, что так высоко ценилась Дайяо; они были похожи на пастушьих собак, надежных, всегда готовых действовать и безрассудно смелых; они подчинялись только приказам хозяина и его тайным желаниям, во всем ориентируясь лишь на него одного.

Ворота города всегда тщательно охранялись, и те, кто входил и выходил из него, подвергались порой настоящему допросу, но у нас никаких осложнений не возникло. Дорабадда сказал, что Эзирью и я — служанки одного из высокопоставленных лиц во Дворце, но теперь нас отсылают обратно в деревню: «Обе уже никуда не годятся, обе беременны». Последовало множество шуток на тему Воинов Единственного, которые по Закону должны были бы оставаться девственниками в течение всей жизни и которых простые солдаты ненавидели и боялись. Дорабадда болтал с охранниками легко и свободно и вывел нас из Столицы без малейших подозрений и задержки. И вот мы оказались за пределами Саи. Огни города, оставшегося позади, сверкали и переливались среди черной равнины в вечерних сумерках, и это было дивное зрелище. Всю ночь, пока мы медленно пересекали залитую лавой равнину, Столица светилась у нас за спиной. Мы передавали спящую Экверкве друг другу; но порой она ненадолго просыпалась и внимательно вглядывалась во тьму: наша перепелочка стерегла стаю. Ей прежде редко доводилось видеть звезды.

Едва забрезжил рассвет, мы свернули с большой дороги и пошли по самому краю равнины, а с наступлением дня укрылись в какой-то пещере и весь день проспали там. А еще мы разговаривали в пути, и я узнала много такого, о чем понятия не имела, живя в Доме Ретфороков. Арда сказал, что мы непременно должны держаться подальше от деревень и ферм тьонов, потому что те, весьма вероятно, нападут на нас, чтобы ограбить или убить мужчин и изнасиловать женщин. Я сказала:

— Но вы же Кондоры! Вы можете приказывать тьонам!

— Когда-то это действительно было так, — ответил он.

Вот я и выяснила, что за пределами городских стен все приказы Великого и подчинение им кончаются и начинаются беззаконие и беспорядок. Мы шли через земли Дайяо по ночам, прячась, стараясь держаться подальше от человеческого жилья.

Потом началось то, что Дайяо называют «попасть из мясорубки в котел с кипящим супом», а мы — «из огня да в полымя»: покинув владения Великого Кондора, мы оказались на территории тех народов, что стали жертвами и врагами Дайяо.

Когда мы добрались наконец до Темной Реки, Арда сказал, что теперь мы можем идти и днем, и я предложила:

— В таком случае вам, Арда и Дорабадда, следует вернуться домой. Ступайте и скажите Тертеру Абхао, что с его дочерью все в порядке и вы расстались с ней уже на пути к дому.

— Но он приказал нам доставить тебя в Долину, — возразил Арда.

— Послушай, — сказала я, — вы стали мне добрыми друзьями, но если вы останетесь со мной до конца, то причините мне только зло. В вашем присутствии и я, и Эзирью, и Экверкве — люди Кондора. Без вас — мы всего лишь две слабые женщины с маленьким ребенком, которые, разумеется, ни с кем не воюют.

Но эти воины, желая непременно выполнить данный им приказ, возвращаться отказались. Я же решительно отказывалась продолжать путь с ними вместе. Я не хотела, чтобы их из-за нас убили, как не хотела, чтобы убили нас из-за того, что мы идем с людьми Кондора. Поскольку я не хотела даже покидать лагерь, который мы разбили на берегу Темной Реки, пришлось обсуждать все сначала, и мы проговорили несколько часов. Для этих мужчин оказалось чрезвычайно трудно как не послушаться своего командира, то есть моего отца, так и послушаться меня, женщины; однако они прекрасно понимали, что я права: путешествовать с ними нам было куда опаснее, чем без них. Наконец они решили по предложению Дорабадды следовать за нами примерно на расстоянии часа ходьбы и делать вид, будто они за нами гонятся. Это было хорошее разрешение нашего спора во всем, за исключением одного: они по-прежнему подвергались серьезной опасности. Но они упорно уверяли нас, что на это обращать внимание в данном случае не стоит, так что мы обняли их и оставили в лагере у реки и втроем — Эзирью, Экверкве и я — пошли дальше на север по берегу Темной Реки к высоким холмам.

Вскоре мы попали в страну, жители которой называют себя Феннен. Теперь мы вели себя совершенно иначе, чем в начале пути: мы шли только днем и по самым открытым местам, а если подходили близко к какому-нибудь жилью, то нарочно шумели и громко разговаривали, чтобы люди непременно услышали нас и увидели. Мы объяснялись в этой стране в основном с помощью жестов и еще немножко на языке ТОК, которому я обучилась еще в Синшане; Экверкве болтала куда лучше нас обеих, поскольку малыши всюду говорят примерно на одном и том же языке и все их понимают. К концу четвертого дня после того, как мы расстались с Ардой и Дорабаддой, нас приютила на ночь одна семья, жившая в деревянном доме близ Больших Ручьев. Вместе с ними мы поужинали подслащенным молоком и кашей из желудевой муки, и нас уложили в теплые и мягкие постели. Я спала крепко и сладко — впервые по-настоящему спала с тех пор, как мы начали свое путешествие, однако, проснувшись утром, услышала, как обитатели этого дома что-то обсуждают за окном, и по их интонациям догадалась: случилось что-то дурное. Используя жесты и язык ТОК, я выяснила, что произошло. Из засады им удалось убить одного из наших друзей; заслышав, как те говорят на дайяо, они сразу стали стрелять. В одного попали с первого выстрела, и он был мертв, а второму удалось бежать. Не знаю, кого из них, Арду или Дорабадду, они убили, как не знаю и того, добрался ли второй до Саи невредимым. С тех пор как я покинула Столицу Великого Кондора, до меня оттуда не долетало ни словечка, ни весточки.

Я расплакалась от горя и чувства собственной вины, и Эзирью все пыталась успокоить меня, опасаясь, что эти Феннен догадаются, откуда мы сами. Эзирью ни на один час во время нашего путешествия не оставлял страх. Но старшая женщина в том семействе, что приютило нас, увидев мои слезы, тоже заплакала и объяснила мне с помощью всяких знаков и отдельных слов, что слишком много кругом войны, слишком много убийств, что молодые мужчины в ее доме сошли с ума и не расстаются с ружьями ни днем ни ночью.

Мы продвигались вперед очень медленно, потому что ножки у моей Экверкве были еще очень коротенькие. Хотя уже наступила осень, но мне казалось, что день ото дня делается все светлее.

В лощине, у слияния Темной Реки и великой Болотной Реки, среди холмов под местным названием Локлатсо (так они и помечены на наших картах, хранящихся в хеймас), мы встретили нескольких человек, которые шли на северо-восток. Увидев одного из них еще издали на склоне холма, я решила, что он мне снится или же это призрак, существо из Четырех Небесных Домов: я узнала его лицо. Это был отчим моих троюродных брата и сестры из Мадидину по имени Вечный Меняльщик, который позже взял себе имя Червь, вступив в Общество Воителей. Этого человека я знала с детства. Спутники его были мне незнакомы, хотя, судя по их сложению и одежде, они тоже пришли из Долины: невысокие, довольно полные, с короткими руками и ногами, и лица у них были круглыми, как у всех жителей Долины, и волосы были заплетены, как принято в Обществе Воителей, в косы. Вдруг один из них обратился к своим спутникам на моем родном языке, на том самом кеш, на котором в течение семи лет я разговаривала лишь во сне с собственной душой.

— Вон там какие-то женщины идут! — сказал он.

И тогда я пошла им навстречу и тоже крикнула:

— Вечный Меняльщик! Так, значит, это все-таки ты, муж моей родной тетки! Как дела у вас в Мадидину?

Мне уже было все равно, духи они или настоящие люди, члены Общества Воителей или друзья — они были из Долины, из моего дома, и я бросилась к ним и обняла того, кто носил теперь имя Червь. Он был так изумлен, что, хоть и был Воителем, позволил мне, женщине, обнимать его, а потом, вглядываясь мне в лицо, изумленно спросил:

— Северная Сова? Неужели это ты?

— О нет! — воскликнула я. — Нет, теперь уже нет, я Женщина, Возвращающаяся Домой!

Вот оно и пришло ко мне само — мое среднее имя, имя взрослых лет моей жизни.

В ту ночь мы разбили лагерь вместе с мужчинами из Долины в ивовой роще на холмах Локлатсо и проговорили до поздней ночи. Я просила их рассказать мне все, что они могут вспомнить о Синшане и о Долине, а они спрашивали меня обо всем, что мне было известно насчет людей Кондора, ибо сами они направлялись в Саи. Рабская часть моей души, к которой я уже успела привыкнуть, еще оказывала на меня большое влияние, и мысли у меня были как у рабыни, так что уже через несколько минут я начала врать им. Я боялась, что они могут заставить нас пойти с ними в качестве проводников и переводчиков. Они уже один раз попросили меня об этом, еще в самом начале, и я отказалась, и это было совершенно нормально, но потом они снова попросили меня, и еще раз, и тогда уж я постаралась их запугать как следует — я никогда прежде не огорчала и не пугала так никого из мужчин Долины. Сперва я просто рассказала им то, что знала: пути, ведущие к Столице Кондора, стали куда более опасными и будут становиться все опаснее для каждого чужака, а сам народ Дайяо переживает сейчас времена великой смуты, насилия и голода.

Червь слушал меня с отрешенным лицом настоящего Воителя, с тем самым выражением, которое всегда озадачивало меня: он как бы обладал неким высшим знанием, которое мне было недоступно. Потом он сказал:

— У людей Кондора есть страшное оружие. Летающие машины и зажигательные бомбы. У них в руках великая сила, они самые могущественные в этой части света.

— Это верно, — подтвердила я. — Но они, между прочим, еще и убивают друг друга и голодают!

Один из незнакомцев, родом из Телины, имени его я не помню, сказал Червю презрительно:

— Это же какая-то женщина, беженка! Что она понимает! — И пожал плечами.

А юноша в некрашеных одеждах, сын этого человека, спросил меня:

— А ты видела полет Великого и Единственного Кондора?

— Есть там человек, которого называют Великий Кондор, — ответила я, — но только он не летает. Он даже и не ходит! И никогда не покидает того Дворца, в котором живет.

Я не совсем поняла, что имел в виду этот юноша: то ли он спрашивал о Великом Кондоре, то ли хотел поговорить о Птенчиках. Впрочем, неважно. Они не желали слушать меня, хотя я могла бы рассказать им многое, да и я не желала знать, зачем они направляются в Саи. Но я заметила, что Червь, несмотря на весь свой высокомерный вид, начал проявлять явное беспокойство, и совсем перестала говорить, какой Дайяо дурной народ и как он уничтожает сам себя. Я стала вести себя так, как ведут себя в присутствии мужчин женщины Дайяо, улыбаясь, соглашаясь со всем, делая вид, что меня, в общем, интересует только собственное благополучие и маленькая дочь. Мысль о том, чтобы вернуться хотя бы на один шаг назад, заставляла меня лгать без зазрения совести. Так что, когда Червь спросил, есть ли какие-нибудь войска Кондора на дороге, идущей вдоль Темной Реки, я ответила:

— Не знаю. По-моему, мы каких-то солдат там видели, но я не знаю названий тех мест. А может, мы их видели, когда проходили сосновым лесом? Или мимо вулканов? Впрочем, возможно, это вовсе и не были солдаты Кондора, может, кто-то из местных. Понимаешь, мы ведь на эту дорогу выбрались по чистой случайности; мы тут целый месяц скитались, ели коренья и ягоды, потому-то мы и худые такие. Я даже и сказать толком не могу, в каких местах мы побывали! — И дальше я продолжала в том же духе, чтобы они не вздумали брать меня с собой в качестве проводника.

Когда же они спросили, кто такая Эзирью, я снова солгала не моргнув глазом. Эзирью все время по мере возможности старалась не попадаться им на глаза; она была просто в ужасе от присутствия этих незнакомых мужчин. Я сказала:

— Она ушла от своего мужа и вынуждена была убежать из дому. Как и я. — А потом прибавила: — Вы ведь знаете, люди Кондора беглых жен убивают. А если обнаружат их в обществе мужчин, то и этих мужчин убивают тоже.

Это была моя самая лучшая выдумка, потому что так дела обстояли и вправду. Это-то все и решило. Наутро Воители из Долины двинулись своей дорогой к Столице Кондора, предоставив нам продолжать путь на юго-запад. Когда мы расставались, я сказала им:

— Идите осторожно и будьте очень внимательны, люди Долины! — А юноше из моего Дома я сказала: — Братец, когда будешь в пустыне, вспомни о бегущих ручьях. И в темном доме вспомни о священном сосуде из синей глины. — Эти слова, которые когда-то сказала мне Старая Пещера, были единственным, что я могла ему дать. Может, они и пригодились ему когда-нибудь, как уже пригодились мне.

Я не знаю, что стало с этими людьми после того, как мы с ними расстались на холмах Локлатсо.

После Локлатсо мы шли уже по таким местам, которые не слишком подверглись вредному влиянию Столицы Кондора. Когда много лет назад я проезжала здесь с отцом и его солдатами, мы вынуждены были держаться подальше от человеческого жилья и скрывались как койоты. На этот раз я путешествовала как человек. В каждом городе и в каждой деревушке, куда бы мы ни приходили, с нами непременно затевали беседу. Я все-таки очень плохо знала ТОК, а многие здешние жители знали только свой собственный язык, однако мы научились с помощью знаков и жестов объяснять все самое необходимое, ну а гостеприимство ведь само в Реке плавает, как у нас говорится. Не все из этих людей были так уж щедры душой, однако ни один из них не прогнал нас голодными. Детишки в деревнях радовались встрече с новой подружкой, только поначалу были чересчур застенчивы и прятались. Но Экверкве, которой каждый день приходилось встречаться с незнакомыми людьми и которая охотно играла с любыми детьми, стала у нас очень умной и храброй и тут же отправлялась их разыскивать. Дети что-то кричали на самых различных языках, и она тоже кричала в ответ — на дайяо, на кеш, на феннен, на клатвиш — и они учили песенки друг друга, слов которых не понимали. Как сильно отличалось путешествие в ее обществе от путешествия на север в обществе моего отца! Только Эзирью находила его трудным. Она ведь уходила все дальше и дальше от родного дома, а не приближалась к нему, и она боялась мужчин: не остерегалась, разумом признавая различия, но просто боялась, как боится заблудившаяся собака, которая ждет, что ее ударят. Женщине Дайяо вне стен дома ее отца или мужа все мужчины представляются опасными, потому что для мужчин Дайяо все женщины, не находящиеся под защитой других мужчин, — потенциальные жертвы; они и называют их не «женщины» и не «люди», а «подстилки». Эзирью и о себе думала именно так и была уверена, что насилия ей не избежать; она просто не способна была доверять всем тем незнакомцам, у которых мы останавливались. Она всегда держалась рядом со мной, за моей спиной, и я прозвала ее Женщина-Тень. Часто я думала о том, что идти ей со мной не следовало и что я поступила неправильно, приведя ее с собой в Долину; однако она бы просто не отпустила меня тогда; в тот вечер, когда мы так спешно покидали Дом Тертеров, она сказала мне, что скорее умрет, чем останется жить в Саи без меня и Экверкве. И ее дружба была для меня большим утешением и подмогой во время нашего путешествия. Хотя ее страх порой заражал и меня и сильно действовал мне на нервы, но он же и придавал мне храбрости, когда я, например, должна была успокаивать ее и говорить: «Видишь, бояться нечего, эти люди никакого зла нам не причинят!» — и первой шла им навстречу.

Для маленьких ножек нашей перепелочки десять миль в день были очень большим переходом. Мы добрались до перевоза близ Икула, где лодки перетягивали на тот берег с помощью каната, и перебрались через Болотную Реку вместе с несколькими жителями побережья Амарант, которые везли домой золото из высокогорных рудников. Потом мы втроем отправились на запад через болота, потом свернули южнее, вдоль череды холмов, добрались до места под названием Утуд, где начинается дорога в Чирьян, и пошли по этой дороге через холмы. То были дикие края. На этой дороге мы не встретили ни одной живой души. Всю ночь, правда, нам на склонах высоких холмов пели койоты — песни Безумной Старухи и песни Высокой Луны; в траве было полно мышей; олени и горные козы в кустарнике бросались при виде нас врассыпную или же весь день наблюдали за нами, скрываясь в зарослях. Неумолчно ворковали горлинки, а по вечерам в воздухе становилось темно от гигантских стай голубей и других птиц; в полдень мы всегда видели над собой выписывающего круги краснокрылого ястреба. По пути я собирала разные перья и сохранила их; то были перья девяти разных птиц. Пока мы шли по этим местам, выпал первый дождь. Я шла и пела песнь, подаренную мне дождем и найденными мною перьями. Слова лились сами собой:

> Мир нельзя познать до конца,
> можно только идти вперед,
> вперед и вперед, без конца,
> по спирали хейийя — вперед.
> И вот уже ты высока:
> пред тобою склоняются травы.

Когда я вернулась в родную Долину, я принесла с собой эту песню и перья девяти разных птиц из дикого края, где пролегает путь койота, а из тех семи лет, которые я прожила в Столице Человека, я принесла то, что у меня осталось: мою женскую сущность и мою дочь Экверкве, а еще я привела свою подругу Тень.

Мы сперва спустились вдоль Ручья Буда в Глубокую долину, потом вдоль Ручья Хана-иф к Реке На, напевая все время священные песни. Мы были очень голодны, поскольку питались только семенами трав и тем немногим, что находили на этих холмах, а мне не хотелось терять время на собирательство, это слишком кропотливая и медленная работа, даже если того, что ты собираешь, вокруг тебя много; я все время торопила своих спутниц. Мы прошли вдоль излучины Реки, мимо Большого Гейзера и Купален и оказались в Кастохе.

Там мы сразу отправились в хеймас Синей Глины. И я сказала тамошним людям:

— Меня зовут Женщина, Возвращающаяся Домой. Я из Синшана, из Дома Синей Глины. Это моя дочь Экверкве; она родилась в Столице Великого Кондора; она тоже из этого Дома. Это моя подруга Эзирью из Столицы Великого Кондора; она не принадлежит ни одному Дому, но она самый близкий нам человек.

И люди в хеймас приветливо приняли нас.

Пока мы оставались там, я рассказала о тех людях, которых мы встретили в Локлатсо, и мне сообщили, что некоторое время назад состоялось собрание всех жителей Долины, где решался вопрос об Обществе Воителей, и с тех пор это Общество перестало существовать. А ведь Червь и его спутники ничего мне тогда об этом не сказали!

Ученые люди из хеймас Синей Глины в Кастохе очень советовали мне непременно подняться в Вакваху и передать в Библиотеку и на Пункт Обмена Информацией все, что я знаю о деяниях и намерениях народа Дайяо. Я сказала, что обязательно сделаю это в самое ближайшее время, но сперва мне хотелось бы сходить в мой родной город.

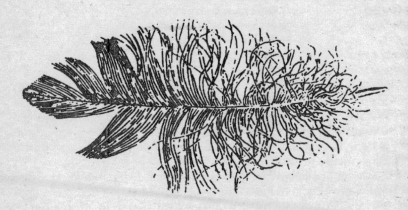

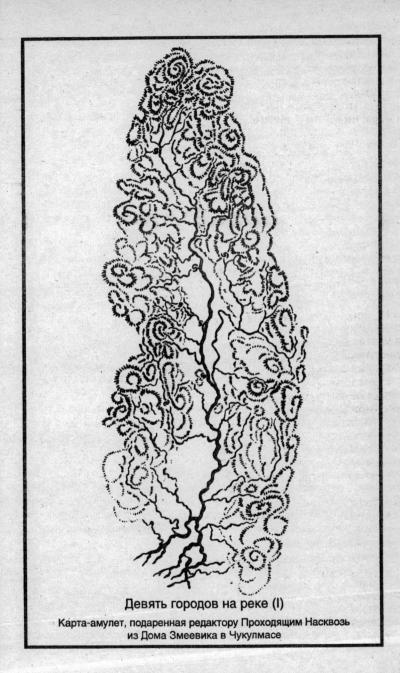

Девять городов на реке (I)

Карта-амулет, подаренная редактору Проходящим Насквозь
из Дома Змеевика в Чукулмасе

И вот мы пошли вдоль юго-западного берега Реки по Старой Прямой Дороге в прекрасную Телину. Там мы переночевали в хеймас и на рассвете двинулись дальше. Шел сильный частый дождь, хороший дождь. Мы с трудом могли разглядеть далекие холмы на той стороне Долины, тонувшие в серой пелене, а справа от нас высились уже совсем знакомые отроги Ключ-Горы, Горы Свиньи и Горы Синшан, сквозь туман и потоки дождя казавшейся огромной.

> Иду туда, иду туда,
> Иду туда, куда путь мой,
> Там и умру — в Долине.
> И они туда, и они туда,
> Следом за мной и за рекой
> Дождевые тучи — в Долину.

Мы свернули на тропу Амиу, ведущую через поля Синшана, прошли мимо Голубой Скалы и дальних поскотин, перебрались через Ручей Хечу по бревенчатому мостику для скота. Под дождем ручей весело журчал. Я видела скалы, тропинки, деревья, поля, амбары, ограды, калитки, ступеньки для того, чтобы перелезать через изгородь, рощи — знакомые моему сердцу места! Я говорила им приветственные слова и называла их имена Экверкве и Тени. Мы подошли к мосту через Ручей Синшан и остановились под большой ольхой близ дубовой рощи на склоне холма. Я сказала Экверкве:

— Вон там, видишь, на тропе у калитки загона? Там теперь всегда для нас будет стоять твой дедушка и мой отец, Тертер Абхао. Туда он пришел однажды ко мне пешком. Туда он потом приехал за мной на своем огромном коне и привел кобылку для меня. Проходя здесь, мы всегда будем с тобой вспоминать его, сколько бы дней ни пришло на смену сегодняшнему.

— Вон он там! — сказала, внимательно глядя вперед, Экверкве. Моя дочь видела то, что видела я в своих воспоминаниях. Тень не видела ничего.

Мы прошли по мосту и оказались в городе. Он ведь всего четыре шага в длину, этот мост.

Когда мы повернули направо вдоль Ручья Каменного Ущелья, мимо прошли какие-то дети — я их не знала. Это было странно! Я вся похолодела с ног до головы. Но Экверкве, которая приучилась здороваться со всеми незнакомыми людьми, выпустила мою руку, посмотрела на детей и поздоровалась с ними своим тоненьким голоском и на их родном языке. Она сказала:

— А вот и вы, дети Долины! Здравствуйте!

Двое тут же убежали и спрятались за кузню. Двое оказались смелее и остались, рассматривая нас, незнакомок. Одна из девочек начала было — еще более тоненьким голоском, чем у Экверкве:

— А вот и вы... — но не знала, как назвать нас.

— Из какого же вы дома, дети Долины? — спросила я, и мальчик лет восьми или девяти мотнул головой в сторону дома Чимбам. И тут я поняла, что это, должно быть, сын Рыжей, родившийся за год до того, как я покинула Синшан, и я сказала: — Возможно, ты один из моих братьев по Дому. А не из семейства ли ты Рыжей? — Он кивнул в знак согласия. Я спросила: — А скажи-ка мне, пожалуйста, братец, живет ли еще кто-нибудь из семейства Синей Глины в доме Высокое Крыльцо?

Он снова утвердительно кивнул, но все еще слишком стеснялся, чтобы ответить вслух. Так что мы пошли дальше, и во мне вдруг заговорил новый страх. Как же это я не подумала раньше, что и в Синшане тоже прошло целых семь лет?

Я ведь так и не спросила тогда ни Червя, ни людей в хеймас в Кастохе и Телине ничего о своей семье, потому что мне и в голову не приходило, что в ней могли произойти какие-то перемены.

Мы остановились у нижней ступеньки северо-восточной лестницы, что вела сразу на балкон второго этажа нашего дома. Я посмотрела на своих спутниц: на маленькую насквозь промокшую перепелку в лохмотьях, но с сияющим личиком и на худую ясноглазую Тень, которая стояла, кутаясь, как и я, в черный плащ. Мой отец дал нам эти плащи в ночь нашего бегства; они были точно такие же, как у людей Кондора. Цвета застывшей лавы, цвета Кондора, цвета той ночи, когда мы покидали Его Столицу. Я сняла свой плащ, свернула его и перекинула через руку, прежде чем ступить на первую ступень лестницы, ведущей в мой дом. Ноги сами вспоминали расстояние между ступеньками. Руки узнавали мокрые от дождя перила. Всей душой впитывала я этот знакомый запах промокшего от дождя дерева. Глаза мои узнали дверную раму и дверь из дуба, как всегда, чуть приоткрытую, чтобы дать залететь внутрь пропитанному дождем ветру. Медведь ушел передо мной. Койот пришел со мной вместе. Я сказала:

— В этом доме я родилась и теперь вернулась сюда. Можно ли мне войти?

Довольно долго я слышала лишь свое собственное дыхание. Потом моя мать, Зяблик, подошла к двери и широко распахнула ее, глядя на нас испуганными глазами. Она стала еще меньше ростом и выглядела как-то странно. Одежда у нее была, прямо скажем, грязноватой.

— Ну вот и ты, моя мать! — сказала я ей. — Здравствуй! Смотри, а это Экверкве, которая сделала меня своей матерью, а тебя — своей бабушкой!

— Бесстрашная умерла, — сказала мать. — Она умерла. Теперь уже много лет с тех пор миновало.

В дом она нас впустила, но меня не касалась и отшатнулась, когда я хотела до нее дотронуться. Какое-то время, по-моему, она никак не могла разобраться, кто же такая Экверкве, не могла понять, что теперь она сама бабушка, потому что, когда я еще раз произнесла это слово, она снова заговорила о Бесстрашной. Она не смотрела на Тень и ничего не спрашивала о ней, как если бы вообще ее не видела.

Моя бабушка умерла через два года после того, как я покинула Синшан. После ее смерти дед возвратился назад в Чумо и тоже вскоре умер. Так мне рассказали люди. Зяблик в течение пяти лет жила в доме одна. Поскольку Союз Ягнят тоже прекратил свои собрания и действа, она теперь сторонилась людей, не ходила в нашу хейимас, не танцевала во время праздников. Летом она больше не селилась в нашей хижине, а уходила значительно выше в горы и там жила в полном одиночестве. Старинная подруга моей бабушки, Ракушка, и мой побочный дед Девять Целых сильно беспокоились о ней, однако она не желала ни с кем жить вместе: ни с людьми, ни с овцами, принадлежавшими нашей семье, ни даже со старыми плодовыми деревьями, оливами с серой листвой. Ее душа

Гора Души

484

очерствела, и чувства будто засохли и отвалились сами собой. В том-то и заключается опасность движения назад по пути жизни, как это сделала моя мать, снова взяв свое детское имя. Она не пошла вперед по спирали, а просто замкнула первый и единственный круг. Она была похожа на хворостинку, выпавшую из костра и потухшую под дождем. Она одновременно и противилась тому, чтобы мы жили с нею вместе, и не возражала против того, что мы там живем; ей все в общем-то было в этой жизни безразлично. Она просто не позволяла ничему в ней более изменяться. И я в душе дала ей ее последнее имя: Пепел. Но никогда не произносила его вслух до того дня, когда все ее имена были преданы огню в Ночь Оплакивания Усопших во время Танца Вселенной — в тот год, когда она умерла.

Многие жители Синшана были искренне рады моему возвращению. Моя старинная подруга Сверчок, которая теперь звалась Излучина Реки, а когда-то играла со мной в игру Шикашан, бросилась мне навстречу со всех ног и даже заплакала от радости, а позже она сложила замечательную песню о моем путешествии и возвращении домой и подарила ее мне. Гранат, который раньше носил имя Утренний Жаворонок и тоже когда-то играл с нами вместе, женился на женщине из Унмалина, но часто приходил в Синшан поболтать со мной. Постаревший Дада, который так и не обрел разума, все время дарил мне перышки разных птиц и повторял, как он рад, что я наконец вернулась; он часто поджидал меня возле хеймас с опущенной головой и куриным перышком в руках, которое и протягивал мне неловко, но, когда я брала перышко и заговаривала с ним, он всегда только улыбался, еще ниже опускал голову и бочком, бочком старался уйти. Некоторые старые собаки тоже еще помнили меня и приветствовали как друга. Что же касается людей, то среди них были, конечно, и такие, кто боялся заразы и ни за что не хотел даже близко подходить ко мне; они сторонились и Тени, и даже маленькой Экверкве. Некоторые особенно суеверные люди дули в нашу сторону, когда мы проходили мимо, чтобы случайно не вдохнуть тот воздух, который мы выдыхали. Они были уверены, что у них головы станут задом наперед, если они заразятся от нас Болезнью Человека. Синшан ведь действительно очень маленький город. А в маленьких городках всегда полно всяких старинных верований, как летучих мышей в пещере. Но были и в этом маленьком городке люди с благородной и щедрой душой, которые могли и хотели помочь мне и понять меня, и теперь я сама тоже вполне готова была принять любой их совет, отбросив страх и ложную гордость, мучившие меня в ранней юности.

Мой отец был «человеком, не имевшим Дома», и отец моей дочери — тоже, так что только через свою бабушку, мою мать, Экверкве могла считаться жительницей Долины и дочерью Дома Синей Глины. Однако об этом в хеймас не было сказано ни слова, и дети ни разу не дразнили мою дочь полу-человеком или полукровкой. Я думаю, действительно со временем из Долины исчезла некая болезнь, поразившая ее тогда, когда там подолгу жили люди Великого Кондора. Некоторые, впрочем, так и остались искалеченными, как моя мать, например; однако и они больше уже не были больны.

Эзирью не пожелала сохранить свое прежнее имя, а приняла имя Тень, и мне довольно долго казалось, что она и правда хочет стать тенью, то есть как бы одновременно существовать и не существовать. Она была все время страшно напряжена, не верила ни в себя, ни в других людей. Она не умела даже просто погладить кошку, а овцы казались ей сперва не менее страшными, чем дикие собаки; ей потребовалось очень много времени, чтобы выучить наш язык, и она совершенно терялась от наших обычаев и традиций. «Я здесь чужая! Я ведь нездешняя! Мне в ваш мир, где вы так счастливы, видно, ход заказан!» — говорила она мне, когда все праздновали Танец Солнца, а вокруг городской площади и площади для танцев деревья чудесным образом расцвели зимой цветами из перышек и раковин, позолоченных желудей и вырезанных из дерева птичек. «Зачем дети залезли на деревья и привязывают к веткам деревянные цветы? Зачем люди в белых одеждах подходят ночью к нашим окнам и пугают Экверкве? Почему ты не ешь это мясо? Как же Сойка и Одинокий Олень могут пожениться, если оба они мужчины? Я никогда ничего здесь не пойму!»

Однако она уже начинала кое в чем разбираться и довольно быстро осваивалась; и хотя многие еще не совсем доверяли ей, как и она им, большинство жителей Синшана успели полюбить мою подругу за ее добродушие, искренность и щедрость, а кое-кто даже особенно чтил ее именно потому, что она была женщиной народа Дайяо. Такие люди говорили:

— Это первая и единственная женщина из племени Кондоров, что сама пришла к нам; она сама по себе великий дар.

486

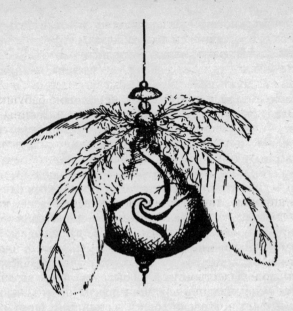

Прожив примерно год в доме Высокое Крыльцо, Тень однажды заявила мне:

— Жить в Синшане легко. И быть здесь легко. В Саи было тяжело; там все тяжело — даже просто быть. А здесь легко!

— Работать здесь тоже тяжело, — возразила я. Мы с ней как раз сажали хлопок на поле Амхечу. — Ты небось никогда так тяжело не работала в Саи. А я там вообще ничего не делала, разве что занималась этим проклятым шитьем.

— Нет, я не об этих трудностях говорю, — попыталась она объяснить мне. — Животные ведь живут легко? Они же не создают себе сами лишних трудностей в жизни? Вот и здесь люди живут — как животные.

— Как онтик, — сказала я.

— Да. Пусть онтик. Здесь даже мужчины живут легко, как животные. Здесь все принадлежат всем. У Дайяо мужчина принадлежит только себе самому. И считает, что все остальное тоже принадлежит ему — женщины, животные, разные вещи и даже сама Вселенная.

— У нас это называется «жить вне мира», — сказала я.

— Там очень тяжело жить! — продолжала она. — Тяжело — и мужчинам, и всем остальным.

— Ну а что ты думаешь о мужчинах Долины? — спросила я.

— Они мягкие, — сказала она.

— Как это «мягкие»? Как заливное из угря? — с улыбкой спросила я. — Или мягкие, как поступь пумы?

— Не знаю, — сказала она. — Они странные. Я никогда не пойму ваших мужчин!

Но это оказалось впоследствии не совсем так.

Все те годы, что я прожила в Саи — до замужества и после, — порой мне все же вспоминался мой троюродный брат Копье, но не с болью и гневом, как когда я покидала Долину, а с каким-то ноющим чувством, которое было мне отчасти даже желанно и приятно, потому что не походило ни на одно из тех чувств, которые я испытывала в Саи. И хотя Копье сам отвернулся тогда от меня, все же и в детстве, и в юности нас с ним всегда тянуло друг к другу, ибо это сердца наши выбрали друг друга, и, несмотря на то что он был от меня далеко и я не могла тогда даже надеяться когда-либо увидеть его вновь, он по-прежнему был как бы частью моего существа, частью Долины, он всегда был у меня в сердце, друг души моей. Иногда, особенно в последние месяцы беременности, я подумывала о смерти, как это часто бывает у женщин, занятых только мыслями о предстоящих родах; и когда я думала о своей собственной смерти, о том, что могу умереть в этом чужом краю, далеко от Долины, и лечь в эту бесплодную камени-стую землю, меня охватывало такое безнадежное отчаяние и слабость, что сердце и сейчас сжимается, как тогда, стоит мне вспомнить об этом. В такие плохие дни мне иногда помогали мысли о высокогорных лугах, о трепещущих тенях метелок овса на скалах и еще, конечно, воспоминания о том, как Копье сидел тогда на берегу Малого Ручья Конского Каштана и разглядывал колючку у себя в пятке, а потом сказал: «А, это ты, Северная Сова! Может, тебе эту проклятую колючку разглядеть удастся?» Вот какие мысли поистине вдыхали в меня тогда жизнь.

Сестра Копья, которая в детстве звалась Пеликаном, а теперь получила имя Лилия, жила в их прежнем доме в Мадидину, выйдя замуж за человека из Дома Обсидиана, но сам Копье, когда Общество Воителей прекратило существовать, перебрался в Чукулмас. В год, когда я вернулась домой, под конец сухого сезона он снова переселился в Мадидину, в дом своей сестры. Мы с ним впервые встретились, когда он пришел в Синшан на Танец Воды.

В тот год и я участвовала в Танце Воды. Я исполняла Танец Оленьих Копыт, когда увидела Копье в окружении людей из Дома Синей Глины; Экверкве с Тенью тоже были там. Закончив танец, я подошла к ним. Копье поздоровался со мной и сказал:

— Какое хорошее у тебя теперь имя — Женщина, Возвращающаяся Домой. Неужели тебе снова придется куда-то уходить отсюда, чтобы его оправдать?

— Нет, — сказала я, — я учусь оправдывать свое имя, живя на одном месте.

Я видела, что ему очень хочется спросить меня о том, чего я так и не сказала ему тогда, осенним вечером в винограднике, много лет тому назад: о том, что в душе своей я дала ему новое имя. Он так и не спросил меня об этом, ну и я ему называть это имя не стала.

После Танца Воды он стал часто бывать в Синшане. Он был членом Цеха Виноделов, славился как ловкий виноторговец и работал на винокурнях обоих городов.

Несколько лет он прожил с какой-то женщиной в Чукулмасе, однако они так и не поженились. В Мадидину он жил один, в доме своей замужней сестры. Когда я начала вновь часто видеть его в Синшане, я вскоре поняла, что он пытается придумать, как ему превратить нашу старую дружбу во что-нибудь новое. Это меня тронуло, потому что я была благодарна ему за то чувство, воспоминания о котором так помогли мне в чужой стране, где я тогда боялась умереть, а еще его внимание мне попросту льстило. Гордость моя была когда-то сильно уязвлена тем, что он от меня отвернулся, и старая рана еще не совсем зажила. Однако теперь он не был мне особенно нужен — ни как друг, ни тем более как любовник. Он был красивым стройным мужчиной, но я все еще чувствовала в нем Воителя. Он был слишком похож на мужчин Дайяо. Нет, не на моего отца, ибо тот хоть и был Истинным Кондором и солдатом всю свою жизнь, но по характеру и складу ума вовсе воякой не был. Копье куда больше походил на моего мужа Дайята, который ни разу и не участвовал ни в одном бою, однако всю свою жизнь превратил в войну, в непрерывную цепь побед или поражений. Большая часть мужчин, состоявших некогда в Обществе Воителей и оставшихся в Долине, приняла новые имена, однако Копье свое прежнее имя сохранил. И теперь, глядя на него, я замечала, как беспокойны и тоскливы порой его глаза; нет, он не смотрел на мир ясным взором пумы. Я придумала для него тогда неправильное имя; имя Копье подходило ему куда больше.

Окончательно убедившись, что он интересует меня разве что как старый приятель и родственник, я уже спокойно принимала его у нас в доме, да и Тень всегда была рада его видеть. Это меня немножко беспокоило. Умная, своенравная, обладавшая сильной волей Эзирью, часто в Саи получавшая нагоняй из-за своего непослушания или дерзкого поведения по отношению к «старшим», здесь была нежной и мягкой, настоящей Тенью, вечно нерешительной, с вечно потупленным взором. Именно такое поведение и нравилось моему братцу. Может быть, он пытался заставить меня ревновать, но не только: ему явно нравилось разговаривать с Тенью. Тот, кто всю свою жизнь превращает в войну, первым делом, по-моему, бросается в бой с человеком другого пола, стремясь подчинить его, одержать победу. Тень была слишком умна и слишком великодушна, чтобы желать подчинить себе Копье или кого бы то ни было, и, кроме того, знания и воспитание, которые она получила среди Дайяо, уже подготовили ее к участи побежденного, «любящего противника». Мне не нравился тот важный, напыщенный вид, который Копье напускал на себя в ее присутствии. Однако она со времени своего появления в Синшане становилась все сильнее; и в ее глазах теперь было куда больше от взгляда пумы, чем в его. Я подумала, что если так будет продолжаться, то Синшан сумеет навсегда убить в ней рабыню-онтик, никогда даже и не узнав, что она ею была.

Если Эзирью, став Тенью, оказалась совсем другим человеком, то и Айяту начала превращаться в другую женщину, в Женщину, Возвращающуюся Домой. Однако, как я и сказала Копью, мне еще требовалось научиться быть ею. И на это ушло немало времени.

В Саи я просто места себе не находила, мечтая о какой-нибудь работе. В Синшане я такую работу нашла сразу. Страшно много нужно было сделать по дому. Моя мать совершенно запустила и сам дом, и сад, и огород; наш ткацкий станок покрылся пылью; она отдала всех наших овечек в городское стадо. Удовольствие что-то делать, что-то создавать умерло в ней вместе со всеми остальными огнями ее души.

Возможно, помня, что любовь сделала с жизнью моих родителей, я сторонилась любого мужчины, который мог зажечь подобную страсть и во мне. Я еще только начинала учиться видеть и вовсе не желала, чтобы меня ослепили. Ведь мои родители никогда друг друга по-настоящему не видели. Для Абхао Ивушка из Синшана всегда была лишь мечтой, сном, а жизнь, наступавшая после этого сна, была везде, но только не с ней. Для Ивушки Кондор Абхао был целым миром — все остальное не имело смысла, только он один. Так что они не отдали свою великую страсть и верность никому более; они даже по-настоящему и друг другу ее не отдали; она досталась тем людям, которых на самом деле даже и на земле-то не было: женщине-мечте, мужчине-богу. И все это было растрачено зря: ни один не получил от другого столь великого дара. Моя мать словно выбыла из жизни после всего этого, попусту израсходовав свою страсть и любовь. И теперь ничего не осталось ни от ее великой любви, ни от нее самой. Она была пуста, холодна и бедна душой.

Тогда я решила стать богатой. Если моя мать не может согреть свое тело и душу, то хоть я, по крайней мере, постараюсь сделать это. Уже в тот первый год, что я провела дома, я успела соткать праздничный плащ для танцев и подарить его нашей хеймас. Я соткала его на станке Бесстрашной, который до той поры стоял никому не нужный в нашей дальней комнате. Я ткала и посматривала на серебряный полумесяц подаренного мне бабушкой браслета, который туда-сюда мелькал на моей руке над рамой станка.

Ракушка присматривала за нашими овечками во время окота, а после стрижки отдавала их шерсть в хранилище; семье все еще принадлежали пять овец: два валуха и три ярочки. Когда я шла в овчарню, я всегда брала Экверкве с собой. Она была готова учиться всему и у всех, в том числе и у любых животных, которых видела на пастбищах и на окрестных холмах. В Столице Кондора она не видела никого, кроме людей, так что учить ее приходилось многому. Во время нашего путешествия в Долину она все время шла пешком, и ее окружали живые обитатели Небесных Домов; она «попробовала молока Койотихи», и теперь, в Долине, ей хотелось быть с овцами и коровами в хлеву и на псарне со щенками; как и все остальные дети, она готова была возиться с ними целый день. Сады и лес, где собирали, например, ягоды, нравились ей куда меньше; работа там движется медленно, а результат не так-то скоро увидишь, разве что во время сбора яблок или других фруктов. Искусству собирательства обучаются постепенно, и понимание его пользы приходит не сразу.

В хозяйстве у Девяти Целых всегда держали химпи, и он дал нам четырех детенышей из одного выводка. Я подновила старую клетку под верандой и научила Экверкве ухаживать за химпи. Она чуть не удушила их сперва по недомыслию от излишнего рвения, а потом как-то позабыла дать им воды, так что зверьки чуть не умерли от жажды. Экверкве горько плакала, мучимая угрызениями совести, и кое-чему все-таки научилась, а еще она научилась отлично свистеть, подражая химпи. У кошки, что жила на первом этаже, родились котята, и парочка пестреньких котят перекочевала в наши комнаты. Однажды возле наших плодовых деревьев я нашла козленка-подростка, хромого и окровавленного; дикие собаки убили его мать и сильно покусали самого малыша. Я как сумела подлечила козочку, принеся ее домой, а потом некоторое время держала в загоне, пока она совсем не поправилась. Поскольку козочка была приблудной, то стала принадлежать нашему семейству, и вскоре у нас уже было пять коз, очень хорошеньких, рыжевато-коричневых с черными пятнами и длинной шерстью, из которой получалась превосходная пряжа.

Я всегда больше всего любила заниматься гончарным ремеслом, но теперь, когда в хозяйстве были овцы, козы и хороший ткацкий станок, похоже, следовало больше времени уделить прядению шерсти и ткачеству. Так я и поступила. Я взяла то, что мне было предложено, ибо сама хотела давать. Трудности с ткачеством были в одном: я не любила сидеть дома. Тех семи лет, проведенных за запертыми дверями и окнами, с меня было вполне достаточно. Так что в течение всего сухого сезона, от Танца Луны до Танца Травы, я вытаскивала станок на балкон, где очень приятно было работать.

Тень, которую в Саи воспитали как «горничную», не умела даже готовить. Они с Экверкве вместе учились этому мастерству. Моя мать уже привыкла к обществу Тени; она крайне редко с ней говорила, однако, похоже, полюбила ее и охотно работала с нею вместе. Тень также училась работать в саду вместе с моей матерью и Ракушкой. Через некоторое время она даже начала заглядывать вместе с другими женщинами в Общество Крови и слушать там наставления, а еще она стала посещать нашу хеймас Синей Глины; и на третий год ее жизни в Синшане, во время Танца Воды ее приняли в Дом Синей Глины как мою сестру, живущую в моей семье; да я и считала ее своей сестрой, поскольку с тех пор, как мы с ней еще девочками познакомились в Доме Тертеров, я с ее стороны видела одну лишь любовь и преданность. Позже она вступила в Общество Сажальщиков. Однажды, когда мы с ней расчищали участок земли у нас в саду от старых тяжелых черных кирпичей, а глина так и липла к лопате огромными комьями, так что одной приходилось сперва глубоко поддеть кирпич и некоторое время держать его на лопате, пока вторая другой лопатой счищала с него землю, так вот, пока мы в поте лица занимались этой тяжелой работой под мелким холодным дождиком, она сказала мне:

— Мой отец был тьоном и продал меня в Дом Тертеров, когда мне было всего пять лет, чтобы меня там выучили на горничную и я никогда не возилась бы с землей. А теперь ты только посмотри на меня! — Она попыталась поднять ногу, но та так глубоко увязла в мокрой земле, что только башмак зачавкал. — Да я просто влипла в эту землю! — сказала она и стряхнула тяжеленный кирпич, лежавший у нее на лопате, а потом передала лопату мне, и мы продолжали копать.

Мы не часто разговаривали с ней о Столице Кондора. Даже ей, по-моему, те годы казались похожими на лихорадочную, беспокойную ночь, которая длинна, темна и полна разных черных мыслей и немых страданий; такую ночь не станешь лишний раз вспоминать при солнечном свете.

Я забыла рассказать еще о том, что в тот год, когда я вернулась домой, после Танца Солнца, я, оставив дома Экверкве, Тень и Зяблика, одна отправилась в Кастоху и Вакваху, чтобы рассказать там историю своей жизни с народом Дайяо и ответить на вопросы, которые могут задать мне ученые люди, — о самих Дайяо, об их оружии и военных планах. В те годы они получали довольно много информации по сети Обмена; я узнала, например, что Птенчики снова летают и сожгли уже несколько городов на юго-западе от Кулкун Эраиан, однако не замечено никакого продвижения армий Кондора за пределы их собственной страны. Как раз в эти дни через Пункт Обмена Информацией из Страны Шести Рек пришло известие о том, что, по свидетельству очевидцев, один из Птенчиков прямо в воздухе загорелся и упал, весь объятый пламенем; ученые из Ваквахи запросили подтверждение этих сведений, и такое подтверждение было ими получено от Столицы Разума. Множество людей теперь пользовалось сетью Обмена Информацией, от Северной Горы до побережья Внутреннего Моря и дальше, вплоть до Озера-Кратера и даже еще севернее, так что обо всем, что происходило в Столице

Кондора, тут же становилось известно, и, как мне сказали, никого уже невозможно было застать врасплох и никто не оставался без помощи, если просил о ней. Я слушала их и отвечала на вопросы, стараясь рассказывать как можно подробнее, однако мне самой в те времена ничего не хотелось узнавать о Дайяо; мне тогда хотелось одного: чтобы все связанное с ними в моей жизни, осталось далеко позади, — а потому я при первой же возможности вернулась домой.

Я снова пришла в Вакваху вместе с Экверкве, когда моей дочери исполнилось уже девять лет, но на Пункт Обмена Информацией мы заходить не стали, а отправились на высокогорные Источники, туда, где берет начало Река На, и там танцевали на празднике Воды — ведь именно там в лучах солнца начинает сверкать вода, дающая жизнь нашей Долине.

Когда я уже года два или три прожила дома и хозяйство мое понемногу наладилось, а потому мне уже не нужно было трудиться от зари до зари не покладая рук, у меня появилось время подумать и о других вещах. Я стала более внимательно слушать то, о чем говорили в хеймас, и чаще беседовать с моим побочным дедом и с Ракушкой; они оба были умные, отзывчивые и великодушные люди. Они всегда ко мне хорошо относились и обо мне заботились. Теперь, когда они уже сильно постарели, пришло время мне заботиться о них и наконец принять у них то, что они предлагали мне когда-то. Я была счастлива, давая без счета, ибо дом наш теперь был полон, а Ракушка и дед от души хвалили меня за созданное мной благополучие; но я-то знала, что по-настоящему благополучной они меня не считают, потому что я по-прежнему плохо разбиралась в истории, поэзии и прочих умных вещах. У меня, например, не было никаких своих песен, кроме одной целительной ваквы, которую еще в детстве я получила в подарок от того старика с Большого Гейзера, и еще песня Дождя и Перьев, которую я получила в дар от Небесных Домов, возвращаясь домой по горной дороге. Девять Целых сказал мне:

— Если хочешь, я подарю тебе Круг Оленя, внучка.

Это был великий дар, и я довольно долго раздумывала, прежде чем приняла его, не веря в собственные возможности. Я ответила деду:

— Слишком много пару, чтобы его можно было впустить в такой маленький котелок!

Но он возразил:

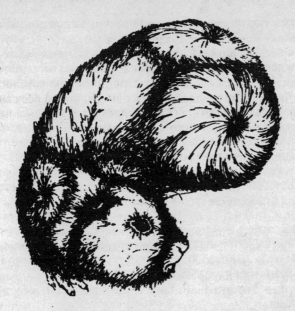

— Котелок-то пустой, так что пару в нем поместится достаточно.

И мы с ним весь дождливый сезон встречались ранними утрами в хеймас, чтобы разучивать там Круг Оленя, пока я не выучила его весь. Это по-прежнему самое большое мое сокровище.

После этого я принялась читать архивы в библиотеке Общества Земляничного Дерева, а потом отправилась в библиотеку этого Общества в Телину и в хеймас Синей Глины в Вакваху, где продолжала много читать и слушать умных людей. Я не так уж много могла дать сама, однако мне там было дано очень многое.

Когда Копье и Тень поженились, у нас в двух комнатах оказались как бы две отдельные семьи, что было уже явно слишком. Кроме того, мне было не слишком приятно жить под одной крышей с Копьем, которого я когда-то, пусть даже очень давно, так сильно желала. Я не могла полностью доверять ни ему, ни себе самой. И хотя я пела для них Свадебную Песню — пела от всей души! — все же старые чувства всегда могут неожиданно воскреснуть и поглотить тебя целиком, подобно тем пещерам, которые выжигает раскаленная лава. А у меня самой не было в постели ни одного мужчины с тех пор, как я покинула черные, залитые лавой равнины страны Кондора.

В ту весну я впервые танцевала Танец Луны. На лето Зяблик, Экверкве и я перебрались в нашу летнюю хижину, а Тень и Копье поселились на другом конце Долины неподалеку от Сухих Водопадов. После Танца Воды мы все снова собрались вместе в доме Высокое Крыльцо, и я решила сходить в Телину. Экверкве напросилась со мной. Мы ненадолго останавливались в доме моей тетки, жены моего сводного дяди, по имени Виноградная Лоза, которая была больна севаи и постепенно слепла; она любила поговорить о былых счастливых днях. Дочерей у нее не было, так что дом ее теперь стал очень тихим, а ведь когда-то в нем было столько шуму и детской возни. Ей нравилось рассказывать Экверкве, как я в детстве называла этот дом «горой» и как она тогда просила меня остаться жить с ней в этой «горе». Теперь же она все повторяла:

— Ну вот, не только Сова, но и Перепелка пришли пожить в моей горе!

И тогда Экверкве, хотя все знала прекрасно, обязательно спрашивала:

— А кто такая эта Сова?

В общем, они с огромным удовольствием болтали и болтали, словно два ручейка в дождливый сезон.

В Телине я каждый день ходила в библиотеку Общества Земляничного Дерева и читала все подряд по истории нашего края. Один мужчина из Дома Змеевика, родом из Чумо, тоже каждый день приходил туда, и мы с ним иногда беседовали. Он впервые в своей жизни покинул Чумо — он немного прихрамывал — упал в детстве, и ему пешком путешествовать было трудно. Он даже не задумывался ни о каких путешествиях, пока не прожил на свете сорок лет. К этому времени он уже долго и очень успешно лечил людей в Обществе Целителей; у него был настоящий дар, причем дар настолько большой, что целительство порой истощало собственные его силы. Он вылечил так много людей и приобрел так много пожизненных должников в Чумо, что совершенно измучился, пытаясь как-то разобраться с ними, и пришел в Телину, чтобы немного отдохнуть. Он ходил в хеймас к Целителям только петь. Вообще, это был тихий и застенчивый человек, однако рассказывать умел очень интересно. Каждый раз после беседы с ним мне хотелось поговорить еще.

Однажды он сказал:

496

— Знаешь, Женщина, Возвращающаяся Домой, если бы мы могли разделить с тобой одну постель, я непременно оказался бы в ней, вот только не знаю, где эту постель приготовить.

— У меня в Синшане есть широкая постель, — ответила я, — в доме Высокое Крыльцо.

— В твой дом я предпочел бы прийти как твой муж. А тебе, может быть, вовсе не хочется снова иметь мужа или — такого мужа, как я?

Я действительно уверена не была, а потому ответила:

— Что ж, я поговорю с Виноградной Лозой. Она в юности жила в Чумо. Может быть, ей даже приятно будет на некоторое время поселить в своем доме мужчину из родного города.

Итак, он переселился в дом к Виноградной Лозе и прожил там с нами вместе до Танца Солнца. Мы вместе праздновали Двадцать Один День. Экверкве теперь спала в одной комнате с Виноградной Лозой, а я — с Ольхой. Чувствовала я примерно вот что: если я и хотела мужа, то Ольха был мужем вполне хорошим; однако, быть может, лучше было бы мне все-таки замуж не выходить. Мои мать и бабушка не слишком удачливы были в браке, да и у меня тоже был один муж, которого я покинула без всякого сожаления и никогда больше о нем не вспоминала. С Ольхой я, правда, уживалась отлично, к тому же, женившись на мне, он мог бы оставить измучивших его должников в Чумо, что было бы только справедливо, и начать все заново в Обществе Целителей в Синшане. Это был хороший повод, чтобы нам пожениться. Но я все еще продолжала раздумывать. Ведь я по-прежнему оставалась дочерью Кондора и женой Кондора — довольно невежественной, не слишком умной и развитой, еще только превращающейся в настоящего человека. Я была, можно сказать, сырьем, и мне требовалась хорошая обработка. Хотя мне уже исполнилось целых двадцать шесть лет, по-настоящему из них я жила только девятнадцать — в Долине. В девятнадцать выходить замуж слишком рано. Я поведала эти свои мысли Ольхе. Он слушал очень внимательно, не переспрашивая и не перебивая. Именно это качество в нем мне особенно нравилось — удивительная способность внимательно и молча слушать других. Это был особый дар; и его манера вести себя меня восхищала.

Через несколько дней после этого разговора он сказал:

— Отошли меня назад в Чумо.

— Это же не дом моей матери, — возразила я. — Я не имею права отослать тебя.

— А я не могу оставить тебя, хотя мне следует это сделать, — сказал он. — Я только отнимаю у тебя силы. А то, что я должен давать тебе, ты брать не хочешь или тебе это не нужно.

На самом деле он хотел сказать, что нуждается во мне сам. Он говорил очень страстно и в то же время очень сдержанно, с удивительным самообладанием. И слова его были чистой правдой. Я не хотела, чтобы он нуждался во мне. Но, помимо этого, была и еще одна правда. Однажды водомерка сделала мне подарок, которого я и не хотела, и не понимала, однако все же приняла; и, вполне возможно, именно он-то и составлял до сих пор основу моего благополучия.

И я сказала Ольхе:

— Похоже, мужья на нашей половине дома Высокое Крыльцо надолго в своих семьях не задерживаются; один все время возвращался назад в Чумо, а другой — вообще в чужие края. Тебе тоже нет необходимости жить со мной слишком долго. Ты можешь вернуться в Чумо всегда, как только тебе этого захочется. Так что поживи с нами хотя бы недолго.

Итак, мы отправились в Синшан на праздник Вселенной, но в танцах Свадебной Ночи участия не принимали. Экверкве еще на месяц осталась с Виноградной Лозой, а Тень и Копье перешли жить в дом Сливовых Деревьев, где пустовала комната на втором этаже с тех пор, как внук Ракушки женился и перебрался к жене в дом На Холме. Другая семья, что жила в нашем доме на первом этаже, освободила для нас одну из маленьких северных комнат, так что мы с Ольхой спали там. В Синшане наша жизнь пошла даже лучше, чем в Телине. Он никогда больше не заговаривал о женитьбе и ни разу не напомнил о тех словах, что сказал мне когда-то: что в мой дом хотел бы войти моим мужем. Я помнила об этом, но все еще раздумывала. «Я ни за что не попадусь на ту же удочку, на которую попались мои родители, — думала я. — Я не позволю его страсти поглотить всю мою жизнь. Я сама должна прежде стать настоящим человеком. И тогда если под Луной или при солнечном свете явится такой мужчина, которого я полюблю всей душой, я возьму его в мужья, если захочу». Так оно и шло. Только вот что-то не встречался мне такой человек, который нравился бы мне больше, чем Ольха.

В Обществе Целителей Синшана он вел себя очень осмотрительно, и я многому научилась, наблюдая за его сдержанно-бережными манерами. Он понимал, что кое-кто из не слишком умных людей среди Целителей вполне может ревниво отнестись к его врачебному искусству, и осторожно из-

бегал какого бы то ни было соперничества. А еще ему не хотелось из-за своего дара снова нагромождать пожизненные долги, как это было с ним в Чумо; так что те люди, которым ему разрешалось оказывать медицинскую помощь, были больны либо раком, либо севаи, то есть были не только неизлечимы, но и даже самое малое облегчение дать им было очень сложно. Как-то раз под его опекой оказались сразу трое таких людей, и он постоянно посещал их всех, пел для них целительные песни и заботился о них как мог. И вот однажды кто-то из его завистников злобно сказал: «Этот тип из Чумо кружит возле умирающих, как канюк какой-то!» Он услышал это и страшно смутился. Он ни за что не хотел сказать мне, в чем дело, но я видела, что с ним что-то не так, и расспросила одну Целительницу, по имени Смеющаяся, и она мне рассказала. Я невероятно рассердилась, мне было очень за него обидно, однако ему я себя не выдала, рассмеялась и пошутила:

— Все мне в мужья почему-то кондоры да канюки попадаются!

Я назвала его мужем. Он прекрасно слышал это, но не сказал мне ни слова.

Он просто замечательно ладил с Экверкве, да и Зяблик чувствовала себя в его обществе совсем неплохо. Порой вечерами он пел тихонько, почти неслышно, какую-нибудь из длинных целительных песен, и, когда моя мать слушала его, лицо ее становилось нежным, задумчивым и спокойным. И хотя из-за своей хромоты Ольха никогда не ходил с отарами на Гору Овцы, он все-таки оставался уроженцем Чумо, и овцы ему доверяли, а та коза, которую я когда-то израненной нашла на склоне Горы Синшан, всегда мчалась к нему со всех ног, стоило ей его увидеть. Поскольку и он, и коза оба хромали, зрелище было забавное, особенно когда они, подпрыги-

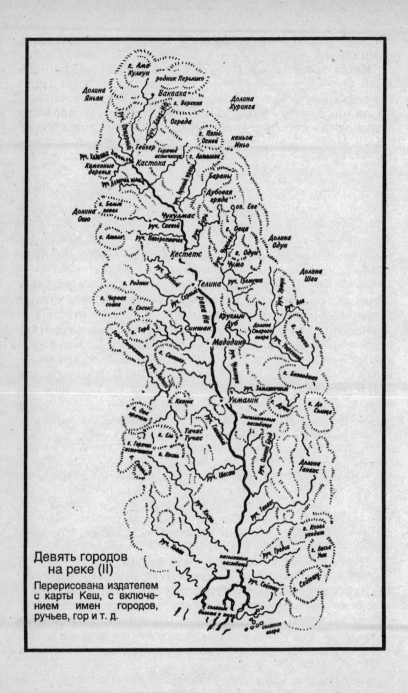

Девять городов
на реке (II)

Перерисована издателем
с карты Кеш, с включе-
нием имен городов,
ручьев, гор и т. д.

вая, шли степенно впереди, а все козы Синшана тащились за ними следом.

Когда умер Девять Целых, я стала исполнительницей Круга Оленя в нашей хеймас, а за этим последовали и другие обязанности. Я чувствовала себя уже совсем уверенно, и порой мне даже хотелось, как то делала моя мать, провести лето в одиночестве где-нибудь высоко в горах, подальше от людей. Но я этого не делала, хотя всегда поднималась в Дом Койота сразу после Летних танцев или перед Танцем Травы.

Иногда кто-нибудь из жителей Чумо проходил через наш город, и эти люди всегда останавливались у Ольхи в нашем доме. Один из них оказался его «должником», которому он в возрасте шести лет удалил воспаленный аппендикс, и теперь Ольха был, несомненно, ответствен за сохранение этой жизни. Тот мальчик стал уже почти взрослым, и его мать чуть не каждое лето приходила с ним вместе навестить спасителя своего сына. И всегда говорила Ольхе:

— Когда же ты назад-то вернешься? Такой-то и такой-то очень в тебе нуждаются, а такой-то все просил меня узнать, когда ты собираешься назад, в Чумо?

Все это были те люди, которых Ольха когда-то лечил. Он очень любил своего побочного сына, которого прозвал Вырезанная Кишка, умного веселого мальчика, но мать его вызывала у Ольхи неприязнь, пробуждая чувство стыда и неловкости. Я прекрасно видела, что после встреч с ними он начинал думать о своей прежней жизни. И вот однажды, когда они, в очередной раз погостив у нас, ушли, он сказал мне:

— По-моему, я должен вернуться в Чумо.

Я тоже времени даром не теряла, и ответ ему был у меня готов:

— Ольха, те люди, которых ты когда-то лечил в Чумо, теперь сами заботятся друг о друге. А здесь сейчас есть люди, которым ты действительно очень нужен. Как, например, без тебя умрет тот старик из Северо-Западного дома? И долго ли проживет без твоей помощи одна хорошо знакомая тебе женщина из дома Высокое Крыльцо?

И он остался в Синшане, и люди из Дома Синей Глины в том же году спели для нас Свадебную Песню на вторую ночь Танца Вселенной. А потом Ольха вступил в Общество Черного Кирпича и стал учиться их мастерству. Дважды он даже ездил в Вакваху. Когда заболела моя мать, он очень о ней заботился, а когда ей пришла пора умирать, он прошел с ней вместе по Пути На Запад столько, сколько было допустимо.

Я тоже пошла с ними вместе, следуя за Ольхой словно та хромая коза, а потом моя мать пошла дальше одна, а мы с ним вместе вернулись домой. В наш дом.

Вот и вся история моей жизни. Здесь, пожалуй, можно поставить точку. Все, что я могла принести в Долину извне, я принесла; все, что я сумела вспомнить, записала; ну а все остальное было мной прожито и еще будет пережито снова. Я прожила здесь, в этом доме, пока не стала Говорящим Камнем, а мой муж — Камнем Слушающим, а перепелочка — Сияющей; и здесь, в этом доме, Желудь и Луна сделали меня бабушкой, которая сидит теперь за ткацким станком.

ПРИМЕЧАНИЯ

С. 494. *...Я была счастлива, давая без счета...*

С. 495. *...мне там было дано очень многое.*
«Пребывать в благополучии, давать, дарить» на языке кеш обозначается словом *амбад*, «учиться» — словом *андабад*, а «дар» в значении «талант» или «способности» — словом *бадаб*. Говорящий Камень пытается использовать некоторую непереводимую игру слов, чтобы показать, что и полученное ею образование кое-что значит.

ПОСЛАНИЯ, ОТПРАВЛЕННЫЕ ЧЕРЕЗ СЕТЬ ОБМЕНА ИНФОРМАЦИЕЙ ОТНОСИТЕЛЬНО ВЕЛИКОГО КОНДОРА

Большая часть информации, поступавшей на Пункт Обмена Информацией в Ваквахе, оставалась в памяти компьютера в течение двадцати четырех часов, а потом автоматически стиралась, ибо обладала, как правило, сиюминутной значимостью — то были сообщения от партнеров по торговле и обмену, информация о графике движения поездов, объявления о различных празднествах, на которые приглашались жители других районов и стран, сводки погоды, предупреждения о возможных наводнениях, пожарах, землетрясениях, извержениях вулканов или об отдаленных природных явлениях, которые могли оказать влияние на местные условия. Иногда в этот перечень попадали и сообщения о деятельности людей, особенно если она затрагивала интересы жителей более чем одного региона; тогда включался принтер и данная информация печаталась для дальнейшего распространения и, возможно, для дальнейшего хранения в архивах.

Приведенные ниже документы носят как раз такой характер.

Они хранились в архиве Общества Земляничного Дерева в Ваквахе. (Разумеется, вся подобная информация, как и все прочие данные, поступавшие в компьютерную сеть от людей или из Столицы Разума, хранилась в главном Банке Памяти, однако извлечь ее оттуда было довольно сложно.)

Документ 1

(Информация относительно народа Кондора; собрана и передана Шор'ки Ти' из народа Реквит, проживающего на Долгом Лугу, Окруженном Ивами)

Собирающийся ежегодно совет земледельцев Реквита решил, что необходимо отправить послание во все Пункты Обмена Информацией, находящиеся к западу от Гор Света, а также вдоль всех рек, впадающих во Внутреннее Море и в Океан к югу от устья реки Ссу Нноо. Подготовить послание было поручено мне, поскольку я предложил эту идею первым. Народ Реквит считает исключительно важным пресечь деятельность народа Кондора, который стал в наши дни главным рассадником войн и смуты.

Получить краткую справку об этом народе можно в Центральном Банке Памяти, используя коды 1306611 /3116 /6 /16 и 1306611 /3116 /6 /6442. Вот сокращенное изложение содержащейся в ней информации. Они называют себя Дайяо или Народ Единственного. По языку родственны народам, проживающим в районе Великих Озер, и, возможно, были высланы из этого района на запад много лет назад. Вели кочевой образ жизни в прериях и пустынях к северу от Оморнского Моря. Примерно сто двенадцать лет назад начали постепенно переходить к оседлому образу жизни. Власть захватил тогда человек по имени Каспиода. Дайяо следовали за ним на запад до берегов Темной Реки. Каспиода умер недалеко от Сухих Озер. Его власть перешла к сыну, и тот возглавил свой народ, однако был убит двоюродным братом по имени Астиода, который назвал себя Великим Кондором. Он отвел своих подданных обратно в залитые лавой равнины, заявив, что некий «палец света» указал ему то место, где Дайяо следует основать поселение и осесть. Там они построили город. Они называют его Столицей Кондора. Стали цивилизованным народом, весьма агрессивным и склонным к войнам и разрушительству.

Причинили много зла и причинят его еще немало, если им не помешать. Требуется совет.

Документ 2

(Ответ на послание Шор'ки Ти' от ученых Дома Змеевика из Долины Великой Реки На)

Ваша просьба весьма своевременна. Мы обсудили все это и пришли к выводу, что сами были чрезмерно доверчивы и самоуверенны, тогда как давно уже пора было принять должные меры. Люди Кондора, одни мужчины, без женщин, неоднократно в течение семнадцати лет посещали нашу Долину, приходя всегда с севера. Мы делили с ними пищу и кров, когда они нас об этом просили, но никогда не работали с ними вместе, не выдавали за них замуж наших женщин и не танцевали с ними священных танцев. Но их болезнь тем не менее распространилась и в нашем обществе. Были созданы культы. Когда большая группа людей Кондора полгода прожила в Нижней Долине, среди тамошних жителей внезапно проявилось множество разногласий, распространились нелепые суеверия и сильно ослабело доверие друг к другу. Если будет совершенно необходимо начать с ними настоящую войну, то мы, конечно же, примем в ней участие. Но если было бы возможно установить просто некий карантин, то подобный выход представляется нам более удачным. Просим все народы, живущие к северо-востоку от нас и в непосредственной близости от Лавовых Полей, а также все Пункты Обмена Информацией сообщать о любых агрессивных действиях со стороны народа Кондора.

Документ 3

(Послание народа Вават из Тахетса по поводу народа Кондора)

В течение двух поколений мы вели войну с этим больным народом...

[Далее следует поток различных сообщений и требований, поступивших от двадцати двух различных народов этого региона. Мно-

504

гие из них носят обвинительный или даже панический характер; самым горьким представляется послание из Вемеве Маг, деревни, расположенной к юго-востоку от Северной Горы.]

Два года назад они убили одиннадцать человек и увели с собой восемь наших женщин и всех лошадей. Они приходят каждую зиму и отнимают у нас почти все продукты. Если вы попытаетесь воевать с ними, то лучше сперва обзаведитесь ружьями и пулями, ибо у них все это есть.

Совет, данный жителями Белого Взгорья, находящегося далеко на восточном побережье Внутреннего Моря, носил в высшей степени «этический» характер и был принят пострадавшими не слишком хорошо, ибо им посоветовали: «Не воюйте с этими больными людьми, а лечите их простым примером терпения и человеколюбия», на что Реквит ответили кратко: «А вы поживите здесь, на севере, и попробуйте «полечить» их сами».

Однако война так и не разразилась. Если Столица Кондора и предпринимала попытки расширить свои территории, двинув войска в юго-западном направлении, то это было встречено единодушным сопротивлением всех без исключения жителей региона. Но мечты Цайяо о создании собственной империи были уничтожены в первую очередь ими же самими.

Причины этого крушения могут показаться не совсем понятными, поскольку народ Кондора имел доступ ко всем ресурсам Банка Памяти через систему Обмена Информацией. Кондоры теоретически могли подслушать все споры и перехватить все планы враждебных им народов, пользуясь Обменом, ибо вся информация передавалась совершенно открыто. Невозможно было как-либо ограничить доступ к ней; любое кодированное послание всегда сопровождалось пояснениями по расшифровке кода. Напрашивается единственно возможный вывод: крайне ограниченным было использование системы Обмена Информацией самими Кондорами: лишь некая каста избранных имела доступ к компьютерам, и они, по всей вероятности, занимались главным образом поисками информации о необходимых им материальных ресурсах и технологиях, не прислушиваясь особенно к местным сообщениям, среди которых струился бесконечный поток жалоб, советов и угроз со всех концов света. Народ Кондора, видимо, в то время был чрезвычайно самоизолирован; их способ коммуникации с другими народами сводился исключительно к агрессии, подавлению, эксплуатации и насильственной культурной ассимиляции. В этом отношении они находились явно в невыгодном положении среди интровертных, однако вполне склонных к сотрудничеству народов, живущих на границе с их страной.

И снова возникает вопрос: почему им не удалась попытка создать мощное, не имеющее себе равных оружие, почему эта попытка оказалась столь бездарной, тогда как в их распоряжении были хранящиеся в Банке Памяти инструкции по производству любого оружия, какое только можно себе вообразить от греческого огня до пулеметов и водородных бомб?

Велико, разумеется, искушение ответить просто: Столица Разума давным-давно пришла к выводу, что подобные игрушки отнюдь не хороши для человечества, а потому сделала инструкции по их изготовлению недоступными для людей... Или же, возможно, предоставила по запросу Кондоров искаженные инструкции, обеспечив, таким образом, производство неэффективного оружия... Однако Столица Разума не несет ответственности ни за какие действия потомков своих создателей. Если люди овладеют атомным оружием и взорвут собственную планету, значит, так тому и быть; расположенные далеко в космосе Станции Обмена Информацией уцелеют и в этом случае, и каждая из них сохранит свою память и будет способна воссоздать работу всех остальных участков сети и даже большей части Вселенной — хотя, если человечество само себя уничтожит, у компьютера может возникнуть некоторая проблема: будет ли осмысленным воспроизводить это человечество снова? А значит, отнюдь не Столица Разума помешала народу Кондора добиться успеха с помощью танков и аэропланов. Безусловно, получив соответствующий запрос, компьютер обеспечил бы Кондоров всей информацией по тем вопросам, которые мы отнесли бы к стоимости и эффективности всех этих танков, аэропланов, ракет или любого другого сложного оружия, и продемонстрировал бы всю безнадежность подобного проекта в отсутствие всемирной технологической системы и экосистемы Эры Индустриального Развития, да еще на планете, почти полностью исчерпавшей запасы всех своих энергетических ресурсов и прочих материалов, на которых и базировалась Эра Индустриального Развития. Все это было заменено кажущейся эфемерной и архисложной технологией Столицы Разума, с одной стороны, которой не требовалось тяжелое машиностроение, и даже космические корабли и станции служили ей лишь паутиной нервных окончаний, а с другой стороны, гибкой системой не слишком определенных взаимодействий в сети гуманоидных культур, которые при своем невысоком уровне развития, огромном количестве и бесконечном разнообразии производили различные ценности и обменивались ими более или менее активно, но не стремились централизовывать свою промышленность, не вывозили свои товары на кораблях в слишком далекие страны, не строили слишком хороших дорог и не были заинтересованы в предприятиях, требующих героических жертв, по крайней мере, в материальном плане. Создать, скажем, электрическую батарею с мощностью, равной удару молнии, было не таким уж простым делом, однако при соответствующей необходимости это оказалось возможным. Технология Долины была полностью адекватна нуждам ее населения. Сконструировать же танк или бомбардировщик было так трудно и настолько бессмысленно, что об этом просто и речи быть не могло в рамках экономики Долины. Ведь стоимость создания, производства, управления и обеспечения горючим подобных машин даже в самый пик Эры Индустриального Развития была чудовищна, именно это навечно истощило планету, заставив большую часть ее населения жить в рабстве и нищете. Возможно, вопрос о неудачной попытке Кондоров создать империю с помощью сверхмощного оружия состоит не в том, почему они потерпели крах, но в том, зачем они вообще пытались это сделать. Однако на этот вопрос жители Долины дать ответ не способны.

И снова можем мы спросить: поскольку Кондоры все-таки получили доступ к железной руде, меди, цинку и золоту в районах близ Внутреннего Моря и не стеснялись брать то, что им было нужно, силой, почему же они не воспользовались своим превосходством и, обладая столь драгоценными металлами, стали строить анахроничные танки и бомбардировщики, а не создавать хороший арсенал стрелкового оружия, пушек, гранат и тому подобного — ведь тогда они были бы непобедимы для своих практически беззащитных и скудно вооруженных соседей? А одержав над ними победу, Дайяо действительно могли стать творцами истории!

На это, я думаю, ответ у жителей Долины мог бы найтись хотя бы в следующих изречениях: «Большой народ чаще всего погибает от своей же болезни» или «Разрушение обречено на саморазрушение». Этот ответ, однако, основан на противоположной нашей точке зрения: то, что мы называем силой, могуществом, в нем названо болезнью, а то, что мы считаем успехом, — смертью.

Возможно, генетические изменения, наследие Эры Индустриального Развития у всей человеческой расы, которые я воспринимаю как катастрофические, — низкая рождаемость, малая продолжительность жизни, высокий уровень врожденных уродств — тоже имеют свою оборотную сторону? Возможно ли, чтобы естественный отбор с течением времени оказал воздействие не только на физические и интеллектуальные, но и на социальные качества? Быть может, люди Долины Реки На, Реквит, Феннен, люди с Побережья Амарант и с Хлопковых Островов, с Облачной Реки и с Темной Реки, с Болотной Реки и из Гор Света на самом деле более здоровы, чем я это себе представляю, — здоровее, чем я способна понять и представить, пока вынуждена смотреть на них извне, из-за пределов их мира? Позволяя машинам вершить прогресс, позволяя технологиям развиваться в рамках их собственных возможностей и выбирая из этих технологий (как нам может показаться, избыточно осторожно и даже с какой-то неприязнью и очевидной склонностью к самоограничению) отдельные, хотя и полностью адекватные самим людям дополнительные элементы культуры, как могли они, предпочитая не двигаться «вперед» или же двигаться «не только вперед», на самом деле преуспеть в своей жизни, в истории человечества, как энергичные, свободные и милосердные?

О СОБРАНИИ, ПОСВЯЩЕННОМ ОБЩЕСТВУ ВОИТЕЛЕЙ

Представлено в архив Общества Земляничного Дерева в Ваквахе, а также в Центр Обмена Информацией жителем Телины по имени Медведь из Дома Красного Кирпича, членом Общества Целителей

Текст печатного сообщения, разосланного во все города Долины:

«На 201-й день, в Лощине Тополей состоится собрание на тему: Общество Воителей.

(Подписи) Верный из Кастохи,
Разборчивый и Секвойя из Телины,
Серая Лошадь из Чукулмаса».

Речь Верного из Дома Змеевика:

— Члены Общества Воителей и Союза Ягнят вряд ли согласятся с тем, что я сейчас скажу. Возможно, они станут отрицать мои утверждения, и это послужит началом споров и раздоров. Именно потому, что большая часть жителей Долины терпеть не может споров и разногласий, мы и не сказали вовремя того, что я собираюсь сказать сейчас; следует признать, что в данном случае мы проявили малодушие и беспечность. Однако настало время поговорить об этом вслух. Итак, начнем...

Народ Кондора, то есть те их люди, что явились сюда, к нам, безусловно больны. Их головы повернуты задом наперед. Мы позволили больным столь страшной болезнью войти в наш дом. Этого делать, конечно, не следовало, и мы никогда более так не поступим. Однако послушайте меня внимательно! Члены нашего Общества

Воителей и кое-кто из Союза Ягнят заразились от людей Кондора. Возможно, они захотят излечиться. Если же нет, если они хотят оставаться разносчиками этой болезни, то пусть отправляются туда, откуда эта болезнь была к нам принесена, откуда явились эти люди, на Лавовые Поля к северу от Темной Реки, и остаются там. Вот, собственно, и все, что я хотел сказать; так думают и другие люди, которые также пришли сюда сегодня; от их имени я и говорю сейчас.

Фрагменты выступлений других людей:

— Итак, четыре человека намерены закрыть доступ в Долину?

— Четыре человека намерены открыть дискуссию!

— Кто же болен? Больны те, кто считает, что нужно изгнать людей из их собственных домов, из их родных городов, из Долины! Это, безусловно, речи безумцев!

— Да, так кто же болен? Больны те, кто боится сражаться!

— Такова природа этой болезни: человек сам не понимает, что он болен. Такое непонимание и есть болезнь.

— Но данный аргумент вроде бы противоречит сам себе! Если непонимание того, что ты болен, и есть болезнь, то откуда же узнать, что ты не болен?

— Ах, это вы скажете ему! Если он болен — вы назовете его Воителем и станете окуривать табачным дымом и дадите ему какое-нибудь отвратительное болезненное имя — Несчастье, Вонючка или Понос!

— Послушайте, ваши речи глупы! Ваш гнев не имеет смысла. Вы не можете сказать, какова природа болезни, пока не выздоровеете сами. Именно слабость всегда называет себя силой, когда сила зовет себя слабостью; слава называет себя подлостью, а миротворец — воителем. Уверяю вас: лишь истинный воитель способен восстановить мир.

— Никто мира между людьми не создает. Он просто существует. Кем, интересно, вы считаете себя, чтобы устанавливать мир? Горами? Людьми Радуги? Священным Койотом?

— Успокойтесь же, люди. Я хочу, чтобы вы послушали и услышали меня. Нет, мне вовсе не стыдно быть Воителем. Вам хотелось бы, чтобы я этого стыдился, но это невозможно. Именно в Обществе Воителей я обрел силу и знания, необходимые мне, и я охотно разделю их с вами, если вы мне это позволите.

— И я тоже не стыжусь быть Воином! Я этим горжусь! Вы же, люди, сами больны, вы умираете и не понимаете этого. Вы едите и пьете, танцуете и спите, но вы умираете, вас больше ничто не ждет в жизни, ваша жизнь похожа на жизнь муравьев, или блох, или оводов, ваша жизнь — ничто, она не имеет цели, она все повторяется, и повторяется, и повторяется, но никуда не приводит! Но мы же не насекомые, мы люди! Мы служим более высоким целям.

509

— Что? Каким таким целям? Чьим целям? Вы только послушайте его! Вот это речи Большого Человека! Вот это как раз то, что изрекают уста, когда голова повернута задом наперед! «Я служу, я готов есть дерьмо», — вот что говорит Большой Человек. «Я самый лучший на свете, я буду жить вечно, а все остальное в этом мире дерьмо!»

— Слушайте, если вы, такие мудрые люди, решили, что мы больны, почему же вы не позвали нас в хеймас к Целителям?

— Вы же отлично знаете, что никого нельзя вылечить из-под палки!

— Нужно непременно танцевать, чтобы стать танцором. И нужно непременно воевать, чтобы стать Воителем!

— С кем воевать? С вашими матерями?

— Не Общество Воителей, между прочим, согласилось пропустить в Долину людей Кондора, и не мы разрешили им оставаться здесь сколько угодно и снова возвращаться сюда! Когда они возвращались, то именно мы, а не вы были готовы выгнать их отсюда. Почему же мы стали Воителями? Потому что они затеяли войну! Вы позволили им приходить и уходить, когда им заблагорассудится, а теперь говорите о какой-то болезни, позоря нас, своих же сородичей. Но вы ведь не послушали нас! Мы все время твердили, что изгоним их отсюда и будем держать их на расстоянии. Ну а теперь и вы утверждаете, что хотите сделать то же самое.

— Да, я считаю, что это необходимо, однако я говорю не как Воитель.

— Интересно, как же теперь вы намерены встретить войска Великого Кондора? Неужели песнями и танцами?

— О, мой храбрый Воитель, нельзя потушить пожар с помощью спичек!

— Сильного можно одолеть только силой. Спикер!

— Что ж, Воитель, если ты так хочешь войны, то сперва должен будешь драться с нами, со своим собственным народом, с обитателями наших полей и амбаров, и с диким лесным зверьем, и с каждым деревом в наших садах, и с каждой виноградной лозой в наших виноградниках, и с каждой былинкой, и с каждым камнем, и с каждой крупинкой земли в Долине Великой Реки. Это будет твоей первой битвой. Ты позволил себе заболеть Болезнью Человека и хочешь, чтобы мы тоже заболели ею; однако именно тебе придется выбирать: будешь ли ты убит, исцелен или изгнан отсюда.

«Так отвечал этому Воителю Верный, и многие люди поддержали его, говоря: «Слушайте! Это скалы говорят его голосом, и Земля, и Река. И это его устами говорят Пума и Медведь. Слушайте!»

Дальнейшее развитие событий

После слов Верного на некоторое время все выступления прекратились, потому что стали прибывать еще люди, желавшие принять участие в собрании.

К вечеру дискуссия разгорелась с новой силой. Люди снова выходили вперед и хвалили или обвиняли Общество Воителей, а также комментировали выступления других. Собрание продолжалось целых четыре дня, люди то приходили, то уходили; некоторые приносили с собой пищу и делили ее с теми, кто остановился в гостевых комнатах хеймас. Многое было сказано о человеческой душе и разуме, о болезни и о священном долге. То, что всегда держалось в тайне Обществом Воителей и Союзом Ягнят, было полностью обнародовано членами этих обществ и стало доступным всем; теперь это вовсе не казалось таким уж таинственным. Послушав выступления Воителей, многие сказали, что разум у них действительно поражен болезнью. Некоторые же из Воителей сами прилюдно объявили о своем выходе из Общества. Их речи были необычайно страстными. Спутница, спикер хеймас Змеевика из Ваквахи, сказала, что лучше бы не отрекаться при всех от того, что прежде делал втайне, а если хочешь с чем-то покончить, то следует просто перестать это делать и как можно скорее забыть об этом. Так что волнение среди присутствующих постепенно улеглось, и многие начали собираться в группы и танцевать долгие танцы под рокот барабанов, поскольку людей собралось ужасно много, а погода была прекрасной, и все были чрезвычайно возбуждены, да к тому же на собрании присутствовали некоторые из лучших барабанщиков. Но тем не менее осталось еще около сотни мужчин и женщин, которые никак не желали отступить от пути Воителей и высказывались в его защиту. Мужчина по имени Череп, житель Телины, выступил от их имени и сказал следующие слова:

Речь Черепа:

— Вы утверждаете, что мы больны, больны смертельно, что мы умираем. Вы боитесь заразиться нашей болезнью. Что ж, возможно, это и так. Но вот что я вам скажу: наша болезнь заключена в самой человеческой природе. Быть человеком — значит быть больным. Пума здорова, ястреб здоров, дуб здоров, они живут и умирают в сознании своей непорочности, и им не требуется ничьей заботы. Однако у нас забота о собственной непорочности отняла осторожность; и у нас больше нет разума, как у непорочных животных. И хотя все, что мы делаем, мы делаем осторожно и обдуманно, все же мы не здоровы, в нас нет цельности, и в поступках наших не хватает здравости. Отрицать это — безрассудно и беспечно! Вы утверждаете, что люди ничем не отличаются от животных и от растений. Вы называете себя землей и камнями. Вы не желаете признавать того, что являетесь изгоями в этом земном братстве, как не желаете признавать и того, что для души человека нет Дома на земле. Вы притворяетесь, возводите целые здания из собственных мечтаний и воображения, однако жить в них нельзя. Они непригодны для жилья. И за ваши заблуждения, за вашу ложь, за ваши попытки такого самоутешения вы будете наказаны. День этого наказания станет днем войны. Лишь в войне обретете вы искупление; лишь воин-победитель способен познать истину, и, познав ее, он будет жить вечно. Ибо именно в «болезни» этой наше здоровье, в войне — наш мир, и для нас, людей, существует только один, один-единственный Дом — Тот, Что Превыше Всех На Свете, вне которого нет ни здоровья, ни мира, ни жизни — ничего!

Развитие событий после речи Черепа

На речь Черепа никто прямо отвечать не стал. Кое-кто плакал, некоторые были сильно напуганы, другие, напротив, страшно разгневались, услышав, как кто-то повторяет сказанные Черепом слова. Обстановка была настолько накалена, что Верный, а также Спутница и Обсидиан из Унмалина и некоторые другие из тех, кто вел собрание, предпочли промолчать и не выступать с ответной речью, чтобы не вызвать вспышки насилия. Только одна женщина — Кровавый Клоун из Чумо — начала вдруг петь:

> Без Единственного не было ничего,
> Ничего, только женщины и койоты...

Обсидиан из Унмалина велела ей немедленно замолчать, и певица умолкла, однако песню подхватили другие и допели ее до конца. Тогда Спутница обратилась к Черепу и другим Воителям и сказала, что, по ее мнению, собрание чересчур затянулось, и пригласила Воителей в самом ближайшем будущем прийти в Вакваху и продолжить там переговоры и поиски наилучшего решения. Воители отказались, заявив, что намерены обсуждать важные для себя вопросы друг с другом, а не с чужими. На что Верный заметил, что пусть, мол, поступают как им угодно.

Кое-кто из Общества Земляничного Дерева считал, что Верный и Спутница недостаточно осторожны, а также что люди, которые отказываются от переговоров и вообще соглашаются разговаривать только с теми, кто им поддакивает, могут убираться из Долины и отправляться на переговоры с народом Кондора, который их поймет куда лучше. Между этой группой людей и Верным завязалась словесная перепалка, а Воители, кивая и улыбаясь, наблюдали за их горячим спором, но не вмешивались.

Далее следует лишь самый конец этого спора, всего несколько реплик:

Мужчина по имени Крик Коршуна из Синшана сказал:
— Если они не хотят вести с нами переговоры, то должны сами уйти отсюда, а если не уйдут, то их отсюда прогонят! — И он грозно поднял свой посох из земляничного дерева — принадлежность спикера хеймас.

Верный гневно возразил ему:

— Если прогонишь их, то и сам уходи с ними — пусть изгоняющий будет вместе с изгнанными, а избивающий — вместе с избитыми! — Сказав так, он решительно двинулся к Крику Коршуна.

Тут вмешалась Спутница:

— Это болезнь говорит вашими устами!

Все слышали ее слова. Крик Коршуна отшвырнул в сторону свой посох. Некоторое время все пристыженно молчали. Потом Крик Коршуна тихо проговорил:

— Они все равно уже ушли от нас.

И Спутница подтвердила:

— Да, я думаю, что теперь они уже в пути.

Верный огорченно сказал:

— Я плохо говорил! Теперь мне лучше немного помолчать.

И он пошел к Реке, чтобы умыться и побыть в одиночестве. Остальные тоже потихоньку стали расходиться; некоторые спустились к Реке, другие отправились домой, по своим городам, оставив Воителей стоять там, где только что было полно людей, — на поляне среди тополей.

На следующий день Воители тоже разошлись по домам.

Так в нашей Долине перестало существовать Общество Воителей. И больше никогда там не возрождалось.

Зачем я все это написал, спросите вы? А вот зачем.

Некоторые из бывших членов Общества Воителей после того собрания отправились вверх по течению Темной Реки в страну Кондора, чтобы жить там вместе с народом Дайяо. Двадцать четыре человека ушли в тот год, и еще несколько человек — на следующий, не помню точно, сколько их было. Но не ушла ни одна женщина. В Синшане в то время жила женщина, которая побывала в стране Кондора со своим отцом, уроженцем тех мест и Истинным Кондором. Через несколько лет она вернулась и позже написала историю своей жизни, в которой рассказывала об этом народе. Не думаю, чтобы помимо ее истории что-то еще было написано о тех временах, когда люди Кондора пришли в Долину и возникло Общество Воителей. Я был еще совсем молодым, когда происходило то собрание в Лощине Тополей, но в течение всей своей жизни потом часто вспоминал о нем. Мы избегаем говорить о болезни, если чувствуем себя хорошо, боясь накликать беду, однако это, в конце концов, всего лишь дурацкая примета и ничего больше. Я долго и тщательно обдумывал то, о чем говорилось на этом собрании, и пришел к выводу, что эта Болезнь Человека похожа на мутацию вредных вирусов и бактерий: всегда где-нибудь да будет существовать какая-то их форма или же их принесут с собой люди, которым приходится часто путешествовать с места на место, так что риск заразиться и заболеть есть всегда. То, что говорили люди, заболевшие этой болезнью, справедливо: эта болезнь связана с нашей человеческой природой, и это поистине ужасная болезнь. Так что было бы крайне неумно с нашей стороны позабыть тех Воителей и их слова, сказанные тогда на поляне, если мы не хотим, чтобы все это произошло снова.

ПОЭЗИЯ

РАЗДЕЛ ЧЕТВЕРТЫЙ

 Стихотворения и песни, помещенные в этом разделе, наиболее часто исполняются во время различных церемоний, или же в процессе обучения в хейимас, или во время Великих Ваква.

Песня, исполняемая во время Танца Луны

Автор — Факел из Дома Обсидиана, Унмалин. Песня была исполнена в Унмалине во время ритуального пения мужчин, которое предшествует началу самого Танца Луны

> Ах, если вам захочется,
> спросите, куда
>   ушла та девушка
>   с кудрявою головкой?
>
> А я вам, если захочу,
> отвечу,
>   что возлегла она
>   под лунными лучами.

Песня-Да

Песня для трех или более голосов, исполняемая женщинами перед Танцем Луны и во время него; однако же исполнение ее не является обязательной частью ритуала. Существует множество различных ее версий и импровизаций, которые исполняются под тем же названием и под ту же мелодию. Этот вариант был записан в Синшане.

> Далеко ль от губы до губы?
> Достаточно, чтоб наружу выбралось слово.
> Далеко ль от губы до губы?
> Достаточно для ловкого мужчины.

Если слово будет «да»,
Если слово будет «да»,
Знать, согласны твои губы!
Поцелуй меня — да, да!
Полюби меня — ах, да.

Песня, которую в Чумо поют, строя на ручье плотину и поворачивая его воду в сторону резервуара для воды, которую используют для полива

К дрозду, к водяному дрозду
пойти она может, пойти она может.
Смолка и корни маиса тоже
хотели б, наверно, воды той напиться.
Кусты густые, побеги фасоли — смотри:
совсем умирают они от жажды.
Да и для нас хорошо бы стало,
чтоб по руслу другому вода бежала!
Пусть достигнет она водяного
дрозда, водомерки.
Пусть на крыльях дикого гуся
к облакам небесным стремится.

И пусть стрекозы личинка
с нею вместе проникнет в землю.
Мы же, люди, хотим совсем мало,
мы совсем немногого просим:
нужно нам лишь воды немного,
мы вернем ее назад непременно.
Мы, кто воду твою похищает,
на земле проживем недолго.
Так смирись с нашей волей, источник,
и пройди тем путем, что тебе предлагаем,
а потом в свое прежнее русло вернешься.

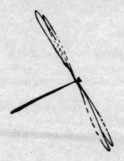

Поднимаясь вверх по Реке

Песня, исполняемая по случаю Путешествия за Солью. Члены Общества Соли, принадлежащие Дому Синей Глины, создали и обслуживали Соляные Озера — девять запруженных и закрытых шлюзами искусственных водоемов на самом востоке заболоченной равнины в устье Реки На, где процесс испарения воды и кристаллизации соли находился под контролем и вода в соляных озерах регулярно, с циклом в пять лет, переливалась из одного озера в другое. В хеймас Синей Глины всегда «в качестве подношения» имелась как грубая соль, так и очищенная, мелкого помола. Через месяц после Танца Воды члены Общества Соли из всех девяти городов Долины совершали ритуальное путешествие вниз по реке, чтобы осуществить необходимый ремонт в системе соляных озер и шлюзов, а также чтобы собрать урожай красных креветок, живущих в этой очень соленой воде, которых кеш сушат, превращают в порошок и используют в качестве приправы.

Возвращаясь назад, поднимаясь от устья
к истокам,
все влево и влево, к юго-западу, к синим горам;
возвращаясь назад, с побережья морского
идем мы
упорно в Долину, к юго-западу, к синим горам.

С берегов, где души детей нерожденных
песчинками стали,
бредем меж холмов, вверх по Великой Реке
поднимаясь
от соленых озер, от границы пустынного края,
бредем
среди трав сухих, вверх по Великой Реке
поднимаясь.

Внутреннее Море

Прочитано Слюдой во время занятий в хеймас Змеевика в Синшане

Все, что скрыто теперь водою, — это города,
старые города.
На дне этого моря — сплошные дороги, дома
и улицы.
Под слоем ила во тьме, в глубине книги лежат,
кости лежат.
И души древних тоже теперь оказались там,
на дне моря,

в пучине глубокой, илом покрыты,
в домах тех старинных, во тьме городов
затонувших.
Ах, как там много душ человечьих!
Посмотри вокруг, когда будешь идти берегом
моря,
или плыть будешь в лодке по его водам
тихим
над затонувшими старыми городами —
ты сможешь увидеть души давно умерших,
точно холодное пламя в этих морских
глубинах.
Они могут принять любое обличье, стать медузой,
песчаной блохой, эти старые души умерших,
любое тело занять, какое только добудут.
Они проплывают в окна домов затонувших,
плывут по дорогам, затянутым илом, средь
вечного мрака
и поднимаются на поверхность, стремясь к свету
солнца
и страстно желая родиться.
Посмотри-ка на пену морскую, о женщина
молодая,
посмотри, как резвятся песчаные блохи!
Может случиться, что в чрево твое попадет душа
древних
и возродится в теле твоем, в теле нового
человека.
Но не хватает людей, чтобы всем этим душам
родиться,
вот и мечутся они точно блохи по берегу
моря.
Их жизни были волнами морскими, их души
пеной морскою стали.
Видишь, хлопья пены морской на песке, от воды
потемневшем?
Только что были — и тут же под солнцем
исчезли...

Народ с холмов

*Спето во Второй День Танца Вселенной в Ваквахе для животных,
принадлежащих Дому Синей Глины*

На четырех ногах, на четырех ногах ступая,
мир обойдя кругом на четырех ногах,
идете вы как надо,
идете вы, танцуя.

Танцуете прекрасно, не замедляя шага,
ступая осторожно. Хоть вы порой опасны,
идете вы, конечно,
туда, куда вам нужно.

Песня Общества Земляничного Дерева

*Чтобы спеть эту песню вместе с «матричными» словами, нужен
примерно час. В некоторых песнях «матричные» слова — это просто «бессмысленные» слоги, а иногда и настоящие древние слова, не
употребляемые более; в данном случае подобные слова как бы возникают из слов самой песни. Например, когда песня начинается с че-
тырехкратного повтора «хейя, хейя», сама мелодия сперва просто
напевается «м-м-м-м-м», и это «матричное мычание» в языке кеш
непосредственно переходит в соответствующий звук первого слова, «ма-инветун», «из своих домов». Слова и музыка этой песни
принадлежат Слюде из Синшана и были нам подарены автором*

Из своих домов, из своих селений
Люди Радуги к нам приходят
по темным тропам межзвездным,
по светлым, сверкающим бликам,
что на воде Луна оставила и Солнце.
Высокие, стройные, длинноногие,
гибкие, легкие, длиннорукие,
идут они следом за облачной пумой,
бок о бок идут с койотами ветра

519

и обгоняют дождевых медведей;
над ними ястребы безветрия кружат.
Идут они к нам тропами солнца,
и лунной дорожкой ночною,
и по путям, что звезды проложили,
по темным путям межзвездным.
Взбираются по лестницам ветра,
по широким ступеням дождевой тучи.
Они спускаются по лестницам воздушным,
по нитям дождевым блестящим,
Их и слепые увидеть могут.
Их и глухие услышать могут.
Немые все сказать им могут.
Парализованные их коснуться могут.
Здесь засыпая, мы бодрствуем с ними,
по улицам их городов мы гуляем.
Здесь умирая, живем мы их жизнью,
войдя в прекрасные их жилища.

Костяные стихи

(Записано во время занятий в хеймас Синей Глины в Ваквахе)

Решение этой проблемы
само в себе растворится,
а проблема существовать будет,
точнее — ее скелет,
основа ее. и тайна.
Впереди и вокруг — всюду тайны.
О, Ясность!

Не ломайте кости своих рук,
пытаясь извлечь эту тайну.
С земли ее подберите,
съешьте, используйте, носите,
можно даже бросить ею в койота.

Есть ли в вашем сердце кости?
Но тайна-то есть там точно.
Одежды, что внутри себя носят тело, —
вот и получился хороший клоун.

Головоломка — вся из кусочков.
Ответом вопрос дополнишь.
Однако ж свисток из грудины
играет людям ту песню,
которую знает ворона,
но петь ни за что не станет.
Воссоединение — та песня зовется.

Ох, как мне страшно!
Боюсь я, боюсь!
Каждую ночь иду я, несчастный
и одинокий, в убогое это жилище.
Разве пути нет иного?
Лучше б я в юности умер внезапно,
не зная еще, что придется мне строить
основу души своей из боли и страха,
из струй дождевых и холодного ветра
да в темноте одиноких прогулок.

Из непрозрачной скалы
родник бьет прозрачный.
Твердая черепа чаша
ясность в себе содержит.
Пей же, о путник.
Разумным будь. Пей.

Обучающие песни: свод правил для Танцев Земных и Небесных

Такие песни исполнялись речитативом или пелись под аккомпанемент барабана; часто многие слова и строки повторялись по несколько раз, ибо эти песни составляли часть уроков, преподаваемых детям в хеймас. Их содержание могло варьироваться в хеймас разных Домов и городов; эти песни из хеймас Змеевика в Мадидину

1. Город-Земля

Кирпич и глина, синяя глина,
обсидиан и змеевик — вот
стены и полы домов
земного города.
Дожди и облака,

безветрие и ветер — вот
кровли и окошки домов
земного города.
Под досками пола, под балками кровли,
над крышами, над трубами каминов,
влево по Руке Правой,
вправо по Руке Левой,
к северу от будущего, к югу от прошлого,
раньше востока, позднее запада,
за этими стенами:
беспредельное,
край дикий,
бытия горы и реки —
долина возможного.

2. Круглый город

Круглый как мячик город-Земля.
Здесь улица любая
сама с собой
встречается в итоге.
Стары его дороги,
длинны его пути,
и воды широки его.
Кит в нем плывет на запад —
возвращается с востока;
летит на север крачка —
с юга возвращается она;
дожди там выпадают,
чтоб снова из земли
подняться родниками.

Костер взлетает искрами,
чтобы упасть на землю.
Объять все это разумом
возможно и совсем нетрудно,

но если ж в путь отправимся пешком,
боюсь, что мы не доберемся вновь
к началу улицы, что нас вела сначала.
Ведь круты склоны гор,
и годы круты с нами,
и глубока вода.
И в городе-Земле
до дома путь пролег далекий.

3. Направленья

Земля, вращаясь, движется,
    все движется, вращаясь, прядет,
    прядет дней направленье
    от утренней зари к вечерней.
То, что лежит меж севером и югом, —
ось этого ее вращенья;
то, что лежит меж западом с востоком,
есть направленье этого вращенья.
И так, от утренней зари к вечерней
вращается Земля в сиянье солнца иль во тьме
кромешной.

Луна, вращаясь, движется,
    в своем движении она круги рисует,
    круги рисует месячного цикла,
    прядя-сплетая лунный день единый длиною
    в месяц,
    от утренней зари к вечерней
    кружась вокруг Земли, что движется,
    вращаясь и прядя дней направленье.
На небесах серп месяца тончайший — заря дня
лунного,
день лунный — полнолуние, серп убывает, и день
тот к вечеру клонится,
а черная луна обозначает ночь лунных суток,
тьмой объятую.
И так Луна вращается в сиянье Солнца иль во
тьме кромешной.
Земля с Луною вместе, вращаясь, движутся вкруг
Солнца,
круги вокруг него рисуя, пролагая направленье

года.
И чуть наклонная ось их вращенья
дает нам зиму, дарит лето,
начало и конец Великих Танцев.
Танцоры неба, дивные танцоры!

Вот Оу, ясное дитя Вселенной,
Адсевин яркая, звезда зари, звезда заката,
танцоры неба, дивные танцоры,
вон там, вдали сияет красный Кемел,
Гебайю и Удин, и прочие танцоры
небесные, во тьме полночной
еле видимые глазом, вращаются,
плетут свой танец вечный вокруг сверкающего
стержня,
вращаются — в сиянье Солнца иль во тьме кромешной.

ПРИМЕЧАНИЕ

Это описание Солнечной системы может быть представлено на сцене младшими детьми, играющими роли Земли, Луны и пяти видимых планет и кружащимися соответствующим образом вокруг певца-солиста, который исполняет роль Солнца.

Под следующую песню дети не танцуют; она исполняется речитативом в определенном ритме под аккомпанемент барабана. Дети учат наизусть первую ее часть; все остальное они узнают, только став достаточно взрослыми; и слова этой песни так хорошо знакомы всем и священны, что часто их вовсе не произносят, но «выговаривают языком барабана» — поскольку ритм настолько же отчетлив и хорошо знаком, как и слова.

III. Круги

Вокруг своей оси в пространстве и по кругу
Земля вращается — вот сутки;
вокруг Земли в пространстве и по кругу
Луна вращается — вот месяц;
вкруг Солнца нашего в пространстве и по кругу
Земля вращается — вот год;
вокруг своей оси в пространстве и по кругу
вращается и Солнце — вот Танцы;
и Солнце, и другие звезды в пространстве и по
кругу
вращаются и возвращаются к исходной точке —
вот танец звезд.

В их танце — неподвижность и движенье,
в нем — без измененья перемены,
движение вперед, соединенное с возвратом.
В их танце — созиданье и гор, и рек,
и звезд — миров далеких — и их уничтоженье.
Весь этот танец — круг открытый,
незамкнутая часть спирали,
в которой круг за кругом, круг за кругом
танцуются в Долине жизнь и смерть.

Чтобы начать, сперва вернуться нужно.
Чтоб семя уронить, необходимо расцвести
и дать плодам созреть.
Лишь познавая толщу камня,
ты с родником соприкоснешься.
Увидеть хочешь этот Танец?
Так посмотри на звездный свет!
Чтоб музыку его услышать,
ты темноту попробуй слушать.
Чтоб мир весь танцевал с тобою вместе,
пусть все на свете воссияет!
И люди пусть в Домах танцуют,
и в городах — на площадях для танцев,
и пусть светлы их будут лица,
глаза пусть полнятся сияньем!

Просьба о посланнике

*Старая песня, исполняемая под аккомпанемент барабана в домах
Общества Черного Кирпича*

Ах, перепелка, передай
весточку родному дому!

Не могу я, не могу
преступить границу мира.

Ах, курочка, передай
весточку родному дому!

Я не знаю, ох не знаю,
как попасть мне в мир иной.

Голубь, голубь, передай
весточку родному дому!

Весточку я передал
и вернулся вновь сюда.
Слово передал твое,
уронив перо свое.

Песня травы

Песня Дома Красного Кирпича,
исполняемая во время Танца Травы в Ваквахе

Это случается
очень тихо.
Под черными тучами
плывут холмы,
холмы меняются,
солнце движется к югу
в сером тумане,
ветер все холоднее,
но дует все тише
с запада, с юга.
О, бесконечность дождя,
бесшумно струящегося!
О, бесконечность травы,
из земли прорастающей!

Холмы меняются —
они зеленеют!
Это случается
очень тихо.

Облака, дождь и ветер

Песня, исполняемая во время Танца Травы

Из Дома Льва, с вершины горной —
слышишь: танцоры идут, спешат?
Слышишь: танцуют они на склоне
Танец Медведя, к подошве холма спускаясь,
Спускаясь прямо в нашу Долину?
Видишь: Койот следом за ними идет,
и завывает, и песню поет!

Танец муравьев

*Это поют и танцуют дети во всех городах Долины на Третий День
Танца Вселенной, в День Меда, когда исполняется также и Танец
Пчелы*

Сотня сотен комнат в этом доме,
Сотня сотен залов в этом доме,
бегают, суетятся в этом доме,
все трогают на бегу в этом доме.
Эй! Мои крошечные предки!
Выпустите меня из этого дома!
Выпустите сейчас же меня отсюда!
Эй, вы! А ну скорей выпускайте!

Дар Медведя

(Записано во время занятий в Обществе Черного Кирпича в Ваквахе. Учебная песня)

Никто не знает истинного имени медведя,
даже он сам. Лишь только те,
кто разжигать огонь умеет и плачет настоящими
слезами, —
те знают его истинное имя, которое назвал им
сам Медведь.
Перепела и перистые травы, детеныш
человеческий и пума,
живут они спокойно своей жизнью,
заветных слов им говорить не нужно.
Но те, кто ведает Медведя имя,
должны те прочь уйти, одни, от всех отдельно,
через равнины, по мостам, над речками, ручьями,
по краю пропасти пробраться осторожно.
Им можно говорить и должно. Они должны
сказать
все нужные слова, ибо узнали первое то имя,
Медведя имя. Внутри его язык наш, и наша
музыка.
И мы танцуем, лишь заслышим это слово,
Ее берем мы за руку и видим
медведя темным глазом то,
что видеть более никто не в силах,
но что случится с каждым непременно.
Вот почему мы тьмы страшимся и огонь мы
разжигаем,
вот почему и плачем мы, из глаз соленые роняя
слезы,
как капли дождевые.
Все смерти, наши собственные и чужие,
им не принадлежат, они принадлежат нам — то
дар Медведя,
как и то слово темное, что подарил он нам навеки.

Свадьба

(Из Общества Земляничного Дерева, Телина)

Седьмого Дома женщина поутру поднялась
в сезон дождей среди зеленых трав на холме
с руками белыми, и с белоснежным телом,
и с белыми кудрями.

Где над ручьем сошлись холмы в ущелье узком,
где меж дубов видны поляны, сплошь покрытые
цветами и травой зеленой, лицом к юго-востоку
она встает. Идет навстречу солнцу,
они берутся за руки — и вот свершилось чудо:
возникло соприкосновение их рук и тел.
И стала женщина та белая прозрачной
и с солнцем рука об руку вошла в Девятый Дом.

Танец оленя

*(Старинная священная песня Дома Синей Глины. Подарена для пе-
ревода и включения в эту книгу Рыжей из Общества Земляничного
Дерева, Синшан)*

Гулял олень Шестого Дома,
дождями сотворенный,
и резвые его копытца
как струи дождевые были.
        И он плясал, кружась, в Долине.
Скакал олень Седьмого Дома,
из тучи темной сотворенный,
с крутых его боков свисали,
как вата, облачные хлопья.
        И он плясал, кружась, на скалах.
Бежал олень Восьмого Дома,
ветрами сотворенный,
рога его — порывы ветра,
в глазах — безветрие само.
        И он плясал, кружась, на горных склонах.
В круги, оставленные этим Танцем,
вдруг ястреба перо упало с неба.
И в самом центре Девяти Домов
средь полной тишины возникло Слово.

Танец пумы

*(Эту песню в Синшане разучивают те, кто готовится в одиночку
пойти в горы — совершить «путешествие души»)*

Опускаю свою юго-западную лапу —
четыре округлых пальца, одна округлая пятка —
на землю под горной сосною,
на землю под горной сосною
        на самой высокой вершине.

Опускаю свою северо-западную лапу —
четыре округлых пальца, одна округлая пятка —
на землю под лавром благородным,
на землю под лавром благородным
        у подошвы горы, на равнине.

Опускаю свою северо-восточную лапу —
четыре округлых пальца, одна округлая пятка —
на землю под деревом земляничным,
на землю под деревом земляничным
        на самой высокой вершине.
Опускаю свою юго-восточную лапу —
четыре округлых пальца, одна округлая пятка —
на землю под дубом огромным,
на землю под дубом огромным
        у подошвы горы, на равнине.
Сама же я стою посредине,
на вершине львов горных,
на равнине львов горных.
Там тропу свою пролагаю,
пролагаю я тропу пумы.

Искатели

(Песня, исполняемая во время обряда инициации
в Обществе Искателей)

Приносите к нам странные вещи.
Приносите к нам новые вещи.
И пусть даже старые вещи
вам попадутся в руки.
Пусть то, чего вы не знаете,
вам на глаза попадется.

Пусть ваши шаги замедлят
пески бескрайней пустыни.
Пусть камни на горных склонах
собьют подошвы ног ваших.
Пусть морщинки на ваших ладонях
вашими картами станут,
пусть определить вам помогут
пути, которыми вы пройдете.
Пусть вашим вдохом станет
запах снега в горном ущелье.
Пусть выдохом вашим станет
сверканье льда на горных вершинах.
Пусть уста ваши вымолвить смогут
любое чужое вам слово.
Пусть яств чужеземных запах
в ваши ноздри проникнет.
Пусть источник реки чужеземной
пупом земли для вас станет.
Пусть душа ваша будет как дома
в тех краях, где домов вовсе нету.
Идите же осторожно, о, наши милые дети,
идите и будьте разумны, о, наши милые дети,
идите и будьте бесстрашны, о, наши милые дети.
И, с нами ль домой вернетесь
иль сами найдете путь свой,
всегда домой возвращайтесь!

ОТ ЛЮДЕЙ ЗЕМНЫХ ДОМОВ ДОЛИНЫ ТЕМ, ДРУГИМ ЛЮДЯМ, ЧТО ЖИЛИ НА ЗЕМЛЕ ДО НИХ

В начале начал, когда прозвучало слово,
в начале начал, когда вспыхнул костер впервые,
в начале начал, когда этот мир создавался,
в тиши безвременья мы тоже среди вас были,
молчаливые, как непроизнесенное слово,
во тьме, как костер незажженный,
без формы и без обличья, как дом
непостроенный,
     мы все же среди вас были:
     проданная женщина,
     враг, взятый в рабство.

Мы в вашу жизнь проникали, подходя все ближе
и ближе
к этому вашему миру.
В ваши дни, когда слово написано было,
в ваши дни, когда все вокруг топливом стало,
в ваши дни, когда земля под домами скрылась,
       мы тоже среди вас были.
Тихие, точно слово, которое прошептали,
неясные, как свет уголька под золою,
бесплотные, точно тайная мысль о доме,
       мы все же среди вас были:
            голодные,
            бесправные люди,
в вашем мире, подходя все ближе и ближе
к миру, что станет нашим.
Когда же конец наступил ваш и слова все были
забыты,
когда же конец наступил ваш и костры все уже
догорели,
когда же конец наступил ваш и в доме рухнули
стены,
       мы все же среди вас были:
            дети мы,
            ваши дети,
умирали мы вашею смертью, чтоб подойти еще
ближе,
чтобы войти прямо в мир наш, чтобы на свет
родиться.
Мы песчинками были на побережье вашего моря,
камнями в очагах ваших. Нас вы не узнавали.
Мы были теми словами, которых не было в
языках ваших.
О, наши отцы и матери!
Мы всегда детьми вашими были.
С начала начал, с самого начала
и до конца: мы — ваши дети.

Хуишев	вевей	тушейе	рру	гестанай
Двуногих людей	все	труды	это [есть]	хорошо сделанное, искусное
м		дувей		гочей
и		всё		общее

Все дела человеческие — искусство
и то, что нам всем дано.

Уильям Блейк

ПРИЛОЖЕНИЯ

Как было указано в Примечании первом в начале книги, Приложения содержат довольно большой объем дополнительной информации. В соответствии с изложенным в главе «Схема повествовательных жанров», все, что описано здесь, несмотря на обилие фактического материала, можно считать вымышленным, — хотя и вполне достоверным.

Я сознательно отказалась от знаков ударения в неведомых читателю словах, поскольку они придают тексту неудобочитаемый вид, оставив их лишь в глоссарии, где они используются для обозначения долгих звуков *и, о* и *у* в некоторых словах языка кеш. (Транскрипция приводится в главе «Алфавит кеш».)

ДЛИННЫЕ НАЗВАНИЯ ДОМОВ

Очень часто жилые дома во всех девяти городах Долины имеют весьма длинные названия, которые я при переводе порой несколько сокращала — просто из трусости. Я боялась, что эти длинные названия — Дом Дождя, Падающего Отвесно, или Дом, Стоящий Спиной К Виноградникам, — могут прозвучать не то чтобы необычно, но странно и даже «примитивно». Я боялась, что людей, живших в домах с такими названиями, не смогли бы воспринимать серьезно те, кто проживает в местах, называющихся Челси Мэнорз Эстейт, Эдалт Коммьюнити, Лома Лейк Эйкриз Ист, Плэннд Рекреэйшн Девелопмент. Хотя поговорка и гласит иначе, но все незнакомое рискует вызвать презрение.

Длина некоторых подобных названий также может создать впечатление, что «таких не бывает»; ну разве может кто-нибудь в действительности сказать: «Приходите к нам в гости, мы живем в Кастохе, в Доме Девяти Канюков, Что За Горой!»? На самом деле они вряд ли станут выговаривать название своего дома полностью, потому что практически любой, с кем они заговорят, обычно прекрасно знает, где они живут. В весьма редкой ситуации, когда приглашают в гости человека, чужого в этих местах, непременно будут описаны окрестности дома, его расположение и внешний вид: «Он — на юго-западной Руке города, и входные двери у него красные» — и это будет нечто вроде адреса, примерно как могли бы сказать и мы: «21161/2 Гарден Корт Драйв, второй поворот на Сан-Матео, северный, затем правый поворот у третьего светофора, а потом еще два квартала и все».

Так или иначе, но жители Долины не имеют ничего против длинных имен и названий. Им они нравятся. Возможно, им приятно именно то, что они не спеша могут произнести подобное имя или название. Им не стыдно, что времени у них в достатке. В их жизни совершенно отсутствует гонка, спешка, та сильнейшая потребность непременно успеть что-то сделать, которая насыщает нас энергией, гонит нас вперед и вперед, вечно вперед и все быстрее, сокращая название Сан-Франциско, придуманное его первыми, более медлительными жителями, до Фриско, а Чикаго, названного так еще более медлительным автохтонным населением, до Чи, а тот город, который назван был в честь Богоматери, весьма быстро стал всего лишь Лос-Анджелесом, однако и это показалось нам слишком длинным, так что он превратился просто в Эл Эй, но реактивные самолеты куда быстрее нас, так что мы, употребляя их язык, уже называем его Лаке, потому что хотим одного: мчаться вперед быстро, еще быстрее, во что бы то ни стало прорываться к чему-то, что-то успевать, успевать все! Покончить со всем поскорее — вот чего мы хотим. Однако люди, которые жили в Долине и давали такие нескончаемые имена своим домам, никуда не спешили.

Нам трудно понять — и еще труднее оправдать — то, что серьезный взрослый человек никуда не спешит. Никуда не спешить — это для малышей или для тех, кому уже за восемьдесят, для некоторых лодырей и для жителей Третьего Мира. Спешка — это главное свойство делового города, сама его душа. Не существует цивилизации без спешки, без стремления вырваться вперед. Спешка может быть незаметной; она порой скрывается за вальяжной ленивой позой бездельника в баре или игривой неспешной походкой человека, прогуливающегося по коридору роскошного отеля, однако она там, внутри него, она — в сверхмощных моторах сверхзвуковых самолетов, которые переносят его из Рио или из Рима сюда, в Нью-Йорк (точнее, NY), на конференцию IGPSA по применению GEPS, а завтра уже примчат его обратно, стрелой пролетев над целым миром огромных городов, где не осталось иных глагольных времен, кроме настоящего, где на учете каждая секунда, каждая ее десятая часть, и сотая, и тысячная, и миллиардная, где данные в компьютер вводятся мгновенно, а «ля» в произведениях Моцарта звучит все выше. Для Моцарта «ля» — это четыреста сорок колебаний в секунду, значит, звучание его старенького фортепиано совершенно не совпадает со звучанием всех наших оркестров и певцов, ибо наше «ля» — это четыреста шестьдесят колебаний в секунду, потому что инструменты настроены замечательно и звук у них значительно чище, настолько чище и пронзительнее, что поднимается до воя сирены в последнем высоком аккорде. Однако ничего не поделаешь. Нет никакой возможности повысить высоту тона у инструментов Долины, нет никакой возможности сократить названия ее социальных институтов и жилых домов до одних лишь заглавных букв, нет никакой возможности подгонять ее людей, чтобы они быстрее двигались вперед.

Подобно тому как имена собственные в языке кеш как бы сами собой стремились расшириться и потребовать больше времени на свое произнесение, так и жилища их стремились занять побольше места, сделаться более изысканными и удобными — там прибавлялся еще балкон, здесь пристраивалось крыло, и изначально очень простой план дома вполне мог с течением медлительных лет дать почки и ростки, стать более ветвистым и раскидистым, подобно старому дубу, покрытому сучками и шишковатыми наростами на толстенном основательном стволе. Дома обычно строились по форме более или менее широкого «V», фундаментом служили наполовину закопанные в землю камни-валуны, на которых возводились два этажа — из камня, саманного кирпича или же дерева. Ванные комнаты, мастерские, кладовые и все подсобные помещения находились в полуподвальном этаже. На первом и втором этажах — они вели счет сверху, от крыши, — размещались гостиные, кухни и спальни, а также балконы или веранды. На каждом из этажей помещались четыре или пять комнат, если дом был невелик, а в больших домах — даже по двенадцать-пятнадцать комнат. В таких домах могли жить как члены одного многочисленного семейства, так и несколько — до пяти! — совершенно различных семей; обычно в течение нескольких поколений в одном доме жили два-три семейства. Каждая семья имела свой отдельный вход, так что снаружи могло быть несколько крылечек и лестниц, ведущих к верхним и нижним верандам и балконам. Именно на этих верандах и балконах и протекала по большей части жизнь дома, за исключением холодного времени года,

У многих домов не было четко выраженного фасада или тыла:

фасадом для жителей верхнего этажа могла быть тыловая часть жилища тех, кто разместился на нижнем этаже, или же боковая стена других соседей — все зависело от того, где именно находилась входная дверь. Полуподвальные служебные помещения обычно окнами выходили на северо-запад, а с юго-востока скрывались в летнюю жару в тени веранд и балконов верхних этажей, которые порой придавали дому несколько неустойчивый вид, однако же на самом деле они были спланированы и сделаны прочно, на славу; зачастую такие дома стояли веками.

Дом бывал сориентирован в соответствии с местностью и тем, откуда падает свет, то есть в зависимости от рельефа, от расположения других домов, деревьев, ручьев, от того, куда падает тень горы и где в полдень больше всего солнца. И лишь во вторую очередь расположение дома зависело от стрелки компаса; впрочем, углы его всегда указывали на север, восток, юг и запад, а стало быть, и стены были повернуты под соответствующими углами.

Местоположение дома определялось идеальным планом самого города — фигурой «хейийя-иф». Каждый дом являлся составляющей данной фигуры, элементом ее Левой Руки, изгибающейся навстречу Правой Руке, которая охватывала пять хеймас, построенных вокруг Стержня города — Стержнем всегда был либо главный источник питьевой воды, либо глубокий колодец. Сам по себе рисунок двойной спирали соблюдался не столь уж точно (да и сам город никогда не выглядел чересчур аккуратным), ничто там не строилось по ниточке; тем не менее основная форма всегда ощущалась в расположении и жилых домов, и хеймас, и Стержня, и городских площадей. В Кастохе и Телине было несколько «Левых Рук», ибо там построить так много домов по одной-единственной кривой означало бы либо насажать их буквально друг на друга, либо слишком сильно растянуть эту кривую, чтобы дома стояли на достаточно большом расстоянии.

Пространство, заключенное внутри создаваемой домами кривой, было засажено деревьями, иногда там еще строили различные навесы или павильоны, однако же чаще всего территория эта оставалась совершенно пустой и к тому же была весьма сильно вытоптанной и пыльной. Здесь была «городская площадь». Подобная же площадь внутри второй кривой, составленной пятью хеймас Правой Руки, считалась «площадью для танцев». Однако по большим праздникам танцевали, естественно, на обеих площадях.

Лишь один город из девяти не совсем соответствовал этому описанию. Тачас Тучас был (как известно) заселен «людьми не из Долины» — по большей части пришельцами из северо-западных краев. Разумеется, его «деревенская» архитектура имела явное сходство с архитектурой городов, что были расположены далеко к северу от Долины, на заросших секвойями берегах текущих на запад рек. Все дома Тачас Тучас были построены из дерева, из секвойи или кедра; в

них были низкие потолки и совершенно не использовался саманный кирпич. Дома стояли так близко друг от друга, что объединялись одним водосточным желобом, создавая некую кривоватую окружность, внутрь которой все смотрели своими фасадами. Стержнем города служил красивый водопад, образованный большим Ручьем Шасаш, а Правая Рука была построена и организована абсолютно так же, как и везде. Однако полукруг темных высоких островерхих домов, расположившихся под крутым склоном Костяной Горы, заросшей черно-зелеными елями, производил мрачное впечатление, чем весьма отличался от всех прочих Левых Рук в городах Долины. Неодобрение в адрес чрезмерной «скученности» домов в этом городе частенько высказывалось вслух за его пределами; однако же сами жители Тачас Тучас, если им порой — раз в несколько столетий, например, — приходилось перестраивать дом или строить новый, старый дом разрушали до основания и новый возводили точно на том же месте и в той же незыблемой своеобразной манере, которая, возможно, действительно отражала или воплощала их стремление к «скученности», к жизни тесным кружком, которое было проявлением характера и нравов жителей этого города.

Вакваха, находившаяся на противоположном конце Долины, также была городом исключительным; будучи здесь неким своеобразным Бенаресом, Римом или Меккой, а потому часто посещаемая жителями других городов, она была построена так, что ее Левая Рука включала, кроме жилых, пять дополнительных длинных одноэтажных гостевых домов, где за порядок и обеспечение отвечали пять хеймас; в этих гостевых домах посетители могли расположиться с удобством и прожить несколько дней или даже месяцев, а Правая Рука здесь занимала даже большее пространство, чем Левая, ибо включала не только пять очень больших хеймас, но и по крайней мере дюжину различных строений общественного и сакрального назначения; здесь же находились Архив, Консерватория и Театр. Стержнем Ваквахи служил один из расположенных высоко на склоне Горы-Прародительницы Источников Реки На, красивый полноводный ручей, пробивающийся сквозь вулканическую породу ущелья. Город был целиком построен на склоне горы, так что сохранить исходную форму хейийя-иф оказалось весьма непросто, однако крутые скалистые горы, изрезанные ущельями и окружавшие Вакваху со всех сторон, придавали определенное суровое очарование ее облику. Выглядел город поистине величественно. Некоторые из домов были удивительно стары; построенные из камня, они держались крепко и, казалось, росли прямо из этих скал; громадные земляничные деревья затеняли их крыши и обнесенные стенами дворы, однако сами стены и дома появились здесь задолго до того, как эти деревья-великаны успели вырасти. У этих домов были старинные длинные имена. Вот одно из них: Возведенный Там, Где Окончилась Ссора. Или еще: Дом, Где Была Нора Бабушки Большого Кролика.

Но, с другой стороны, некоторые из них, не менее старые, имели очень короткие названия: например, Ветер или Высокий. И были еще такие дома, смысл названий которых постепенно, с течением времени, оказался утрачен в связи с изменениями в языке — например, дом Англравад или дом Уфечохе.

Несмотря на то что члены небольшого замкнутого общества могут жить и говорить неспешно, их язык, напротив, может иметь тенденцию изменяться весьма быстро; даже являясь языком письменным, он течет, как река, оставляя по пути старое написание слов и выбрасывая на отмели их старые значения. Так что названия девяти городов, будучи очень старыми, ныне непереводимы, за исключением названия Ваквaha или, точнее, Ваквaha-на, то есть «город, расположенный на священном Источнике, дающем начало Реке На» (однако это название может переводиться и как «танцующая Река На»). Название Чукулмас, возможно, имело некогда, в своей исходной форме, значение «Дом Большого Дуба», а инфикс — «мал» — в слове «Унмалин» означает «холм» или «вершина холма». Жители Тачас Тучас настаивали, не имея, впрочем, никаких доказательств или свидетельств, что название их города на полузабытом северном диалекте означает «Там, Где Поселился Великий Медведь». Но почему Синшан и гора над ним носят такое название или же что именно скрывается под словом Кастоха и почему оно претерпело очевидные изменения, ибо исходной была форма Хастоха, а также почему самый старый дом в Мадидину называется Мадидину Анимун, не знает никто. Без сомнения, этимологию этих названий можно было бы проследить с помощью данных, записанных в Большом Компьютере Столицы Разума, если несколько недель или месяцев поработать в Пункте Обмена Информацией. Но к чему это? Разве так уж необходимо переводить каждое слово? Порой как раз непереведенное слово может послужить нам напоминанием о том, что язык — это не только значения слов, что понятность языка — это всего лишь одна из его характеристик, одна из его функций. Непереведенное слово или название, возможно, вообще не функционально. Оно просто существует. Будучи написанным, оно представляет собой ряд букв; будучи произнесенным вслух, если более или менее правильно догадаешься о его произношении, оно представляет собой набор фонем, более или менее интересную музыкальную фразу, или звук, или шум — словом, нечто. Непереведенное слово похоже на камень, на кусок дерева. Его использование, его значение не является рациональным, определенным и ограниченным, однако оно конкретно, потенциально богато и бесконечно. И вообще, если уж честно, то все слова, которые мы произносим, — это непереведенные слова.

НЕКОТОРЫЕ ИЗ ПРОЧИХ НАРОДОВ ДОЛИНЫ

1. Животные Дома Обсидиана

Все домашние животные, как считалось, жили в Первом Доме, то есть в Доме Обсидиана.

ОВЦЫ

Все породы овец в Долине — результат скрещивания «чужеземных» пород, то есть тех овец, что были выменяны или украдены у соседних народов, с местной породой одун из Верхней Долины. Это небольшие коренастые животные с длинной тонкой шерстью, темными ногами и темной мордочкой с двумя или четырьмя короткими рожками и прямо-таки выдающимся, «римским» носом. Ягнята этой породы рождались темными, и примерно половина взрослых овец тоже имела или темную, или пятнистую шерсть. Овец держали во всех городах Долины; отдельные люди или семьи могли владеть одной или несколькими овцами, пасущимися вместе с городской отарой, забота о которой была возложена на Цех Ткачей. Города Чумо и Телина пасли свои многочисленные стада на Горе Овцы и в Долине Одун, что к северо-востоку от Чумо. Чтобы дать возможность горным пастбищам восстановить травяной покров, а овцам — откормиться на засоленных лугах, отары эти перегоняли в середине сезона дождей к устью Реки На на богатые травами равнины, и до наступления жары, то есть до периода между Танцем Луны и Танцем Лета, они в горы не возвращались. Баранина и ягнятина считались в Долине праздничным блюдом, а овчина и самые разнообразные вязаные шерстяные вещи — основной одеждой в холодное время. Для жителей Долины овца отнюдь не была символом пассивной глупости и слепой покорности, каковым она является для нас (и правда, овцы в Долине отличались выносливостью и хитростью), но скорее

воспринималась с неким любовным восхищением и даже преклонением — как существо загадочное и таинственное. Овца была знаком и символом Общества Крови и Первого Дома; овец также называли Детьми Луны.

КОЗЫ

Коз держали в качестве ручных домашних животных, а также ради получения молока, особенно в городах Верхней Долины; в Ма-дидину, Синшане, Унмалине и Тачас Тучас их специально выращивали для получения мяса, кожи и шерсти. Жители городов Верхней Долины хотя и любили коз за их проказливую сообразительность, все же предпочитали не заводить их в больших количествах, полагая, что «одна коза троих проказников стоит, а три козы — тридцати». Поскольку при разведении коз ставились самые различные эстетические и практические цели, то и пород их существовало огромное множество — и совсем крошечные, и очень тучные, и черные, и черно-золотистые «коротышки», и вислоухие, и длинношерстные, и молочные козы из Унмалина, не говоря уж о весьма драчливых, но внешне очень привлекательных горных козочках, которые часто паслись вместе с отарами овец на Горе Овцы.

КРУПНЫЙ РОГАТЫЙ СКОТ

Коровы в Долине имели в основном бурую, бежевую, пеструю, коричневую и красно-коричневую масть; они были некрупные, с неширокой грудью, со стройными ногами и прямыми рогами средней длины, крутолобые, с большими округлыми глазами. В Телине для полевых работ также охотно использовали более крупных быков почти совсем белой масти. Стада крупного рогатого скота первоначально держали исключительно для получения молочных продуктов, однако же потом довольно большая часть работ по вспашке полей и перевозке тяжестей стала производиться с помощью кастрированных быков. Быков не выращивали на мясо, а если резали, то только на первом году жизни, еще телятами. Как правило, в каждом хозяйстве имелась своя корова или несколько коров, которые паслись вместе с городским стадом, забота о котором была поручена Цеху Дубильщиков. Выпас, кормление и дойка могли осуществляться как самими хозяевами животных, так и, по договоренности, членами Цеха. Те семьи, что в жаркие месяцы переселялись в летние хижины, часто брали с собой и своих коров. Коровы и рабочие быки по большей части считались членами семьи. Множество различных стихов было посвящено именно корове, и во многих стихотворениях подчёркивалось, насколько легче ужиться с нею, чем кое с кем из людей. Местные коровы отличались добродушным, веселым и кротким нравом и вполне заслужили те похвалы, которые им расточали поэты; лишь бычки имели неуравновешенный характер, а потому чаще всего являлись собственностью города или Цеха и содержались за прочной оградой на Лугу Пениса.

ЛОШАДИ, ОСЛЫ И МУЛЫ

Поскольку большая часть жителей Долины любви к путешествиям не питала, а уж если кто из них и пускался в путь, то обычно шел пешком, — особенно длинных дорог там не было, а лошадей если и держали, так не для путешествий. Лошади тоже были любимцами семьи и, надо сказать, довольно беспокойными. Скачки считались разновидностью спорта и развлечением, но в путь верхом на лошадях пускались редко и практически не использовали этих животных для перевозки тяжестей или полевых работ. В Долине лошадей было немного, а тяжеловозов не было вовсе. Лошадей выбирали не столько за силу и покорность, сколько за «ум и красоту». Летние игры непременно включали скачки на лошадях и показательные выступления наездников, которые продолжались в разных городах Долины еще месяца два после окончания праздника. Лошади, особенно жеребцы, считались животными таинственными, сакральными, не способными на хитрость и вообще в высшей степени достойными. Жеребец был культовым символом мужчин Дома Обсидиана, хотя разводили и воспитывали коней главным образом представители Дома Змеевика, ответственного за Танец Лета. Во время Летних игр мужчины ездили верхом на кобылах, а женщины — на жеребцах. Белые, черные или пегие жеребцы считались сакральными животными для Дома Обсидиана, однако самыми дорогими были рыжие и чалые. Кони в Долине редко вырастали выше полутора метров в холке,

Портрет Миби

были они довольно хрупкими, тонкокостными, с коротким туловищем. Они хорошо проходили короткие дистанции и имели склонность к полноте. Родившихся вне плана жеребят не убивали, а отводили вниз по реке на заливные луга к западу от устья Реки На, где их выпускали на волю и они присоединялись к диким табунам. Табуны эти всегда жили на берегах Океана и Внутреннего Моря — в Стране Лошадей. Лошади в них были в большинстве своем коренастые, низкорослые. Время от времени юноши из Общества Благородного Лавра или мужчины из Дома Обсидиана отправлялись в увлекательное и приятное священное путешествие в Страну Лошадей, чтобы поймать одно или два животных и пополнить свежей кровью небольшие табуны в Долине. Больше всего лошадей было у представителей Дома Змеевика в Чукулмасе, а в городах нижней части Долины лошадей обычно совсем не было.

Зато во всех городах имелись ослы. Как и коровы, ослы считались членами семьи. Они трудились вместе с людьми, перевозя тяжести, вспахивая поля и выполняя всю ту работу, которая и положена ослам. Инвалиды часто передвигались в специальных тележках, в которые были запряжены ослики. Ослята бегали на свободе вместе с кошками, собаками и детьми. В Долине была распространена порода типичного рабочего ослика, тонконогого, серого мышиного цвета и с черным крестом на плечах. Голоса их были поистине ужасны. Ослы-самцы, будучи известными забияками и задирами, паслись вместе с бычками на Лугу Пениса.

Мулов, как и лошадей, разводили в основном жители Чукулмаса. Маленький мул, производное кобылы и осла, или лошак, рожденный от жеребца и ослицы, использовались порой для верховой езды и для игры в ветулу, некий вариант поло; мулы работали и в упряжке, перевозя тяжести или вспахивая поля. Поезд на рельсовой дороге, например, тащили главным образом мулы. Их уважали за ум и преданность, а кроме того, это и чисто внешне были очень симпатичные животные, однако поскольку для мула требуется почти столько же места и корма, как для лошади, то в городах Долины по большей части основным и надежным помощником человека в его трудах и заботах оставался ослик.

СВИНЬИ

Свиней в Долине специально не выращивали, возможно, в результате культурной дифференциации с народом Теудем, то есть народом Свиней — шестью-семью небольшими скотоводческими племенами, обитавшими на довольно обширной территории в горных районах Долины Реки На, а также в долинах Одун и Яньян. Жители Долины охотно обменивали у народа Свиней свои товары на свиные шкуры, однако страдали всеми теми предрассудками, которые свойственны оседлым племенам в отношении соседей-кочевников, а потому считали, что народ Свиней недалек от истины, когда называет себя Детьми Великой Свиноматки.

СОБАКИ

Каких только собак в Долине не было! В городах для них особой работы не находилось, поэтому горожане строго следили за тем, чтобы они не спаривались как попало, поскольку щенки должны были быть либо приручены, либо уничтожены, дабы избежать разрастания стай диких и одичавших собак. Большую часть кобелей кастрировали, и основной функцией прирученной домашней собаки была охрана дома от диких собак: ирония судьбы и весьма несчастливой судьбы, но, к счастью, у собак чувство иронии развито слабо. Дикие собаки представляли собой вполне реальную угрозу для людей и животных, как домашних, так и диких; они существовали «семейными» стаями, в которых было от двух до шести особей, а также стаями из одних только кобелей, состоявших из пятнадцати-двадцати псов, способных загнать и растерзать любое живое существо. Детей, которые отправлялись пасти скот, собирать ягоды или грибы, специально учили немедленно забираться на ближайшее дерево, как только они увидят или хотя бы услышат диких собак, и в лес дети по возможности уходили всегда в сопровождении, по крайней мере, одной домашней собаки, а часто — и целой свиты собак, ласково виляющих хвостами своим малолетним хозяевам и вечно что-то вынюхивающих.

Дикие собаки обычно были животными мускулистыми и довольно крупными, одомашненные — как правило, гораздо мельче, однако тоже достаточно сильные и крепкие. За чистотой породы никто не гнался, однако наиболее популярными были: хечи крепкая, покрытая очень густой шерстью, немного похожая на чау-чау сторожевая собака, очень умная и серьезная, с острыми ушками и пышным хвостом, обычно красно-коричневого или рыжего окраса; дуи — длинноногая, с курчавой серой или черной шерстью, отличная пастушья собака с высокими стоячими ушами над умным лбом и довольно мрачным, восприимчивым нравом; а также оу, или гончая — короткошерстная, вислоухая, очень общительная, ленивая, занятная как клоун и чрезвычайно сообразительная. Гончим собакам было разрешено собираться в стаи на «охотничьей» стороне горы, однако охотники все время внимательнейшим образом следили за тем, чтобы они не начали «крутить романы» с дикими псами. С гончими охотились только на оленей и некрупную дичь, а для охоты на диких собак, кабана или медведя предпочитали хечи. Собаки были настоящими любимцами своих хозяев, однако в дом их пускали редко; собаки слонялись между домами и находились главным образом под присмотром детей, которым вменялось в обязанность оберегать собак от опасностей, поджидавших их в городе, в то время как собаки обязаны были оберегать детей от опасностей, грозивших им в лесу. Так что любого человека, подходившего к городу со стороны его Левой Руки, обычно встречало некое подобие площадки молодняка, где щенята и дети играли вместе совершенно свободно.

545

КОШКИ

Кошки, как более чистоплотные животные, пользовались в городах Долины полной свободой. Домашней кошке обычно разрешалось жить в доме на правах члена семьи и главного ловца мышей. Кошки в Долине по большей части короткошерстные, самых разнообразных окрасов и оттенков, хотя наиболее популярны черные и пестрые. Поскольку именно кошки — наилучшие союзники человека в борьбе против мышей и крыс в домах, амбарах и на полях, им было позволено размножаться совершенно свободно; если вставала проблема «перепроизводства» котят, то их разрешалось уносить на «охотничью» сторону горы, чтобы они сами устраивали там свою жизнь как могли. Поэтому леса в окрестностях городов были полны одичавших кошек, а также совершенно диких котов (которые в два-три раза крупнее обычных), причем те и другие вечно соревновались с лисицами и койотами в борьбе за добычу — древесных крыс, бесчисленных полевок и белоногих мышей. Истории насчет гигантских диких котов — иссиня-черных или пестрых монстров, в существовании которых клянутся чем угодно, — ни разу не были подтверждены ни одним заслуживающим доверия очевидцем. Всегда это оказывался «некто не из нашего города», который «собственными глазами» видел, как такой огромный и страшный кот крался к его клеткам с курами.

МЕЛКАЯ ЖИВНОСТЬ И ПТИЦА

Кур всегда держали ради яиц, мяса и просто за компанию; в маленьких городах Долины клетки и вольеры для кур были понаставлены повсюду между домами, где есть свободное место, тогда как в больших городах все-таки старались держать птицу (вместе с ее запахом) где-нибудь подальше от дома и поближе к хозяйственным постройкам. Однако и в больших городах нет-нет да и встречалась посреди городской площади курица-несушка. Каждый город разводил свою, особенную породу кур и защищал свои права на ее разведение. В Синшане и Мадидину еще очень любили разводить химпи — маленьких, похожих на морских свинок зверьков с пестрой шкуркой; здесь их разводили на мясо, однако же во всех других местах химпи держали главным образом для забавы, что ставило Синшан и Мадидину в моральном отношении несколько ниже остальных городов Долины. Иногда еще в хозяйстве держали пушистых одомашненных кроликов, которых кормили особыми травами, — мясо у них было более нежное, чем у диких, но любой кролик всегда считался чем-то вроде игрушки, и разведение их воспринималось как нечто несерьезное, вроде забавы для детей или дурачков. В Долине порой весьма активно занимались разведением голубей, гусей и уток, создавая большие стаи этих наполовину одомашненных птиц, а порой эта практика почему-то совсем сходила на нет; поэтому птицы эти считались то обитателями Первого Дома, как и все до-

машние животные, то — Второго, как все дикие и предназначенные для охоты. Однако же, поскольку ни голуби, ни гуси, ни утки так и не были окончательно приручены, а, собираясь в гигантские стаи, делили леса, поля и водные источники Долины с ее обитателями-людьми и поскольку они не живут постоянно на земле, то их и сочли в итоге не принадлежащими ни к одному из Пяти Земных Домов, но скорее к Небу и Дикому Краю. Из-за этой путаницы и двойственного своего положения дикий гусь и сизый голубь стали излюбленным поэтическим образом души, переходящей из Дома в Дом, скитающейся между Небом и Землей, между бодрствованием и сном, между жизнью и смертью. Гигантские миграции гусей, когда Река На превращалась «в реку хлопающих крыльев и теней от этих крыльев», а также бесконечные стаи гусей, пролетавшие в небесах, стали расхожей метафорой перемен и начала новой жизни. Дикий гусь, утка и лебедь часто изображались в виде стилизованного рисунка хейийя-иф, как и летящая в небесах гусиная стая; крики пролетающих гусей, громкое хлопанье их крыльев, особенно когда они летят против ветра, часто использовались в музыке.

ЛЮБИМЦЫ СЕМЬИ

Слово «комменсал» можно было бы здесь использовать для того, чтобы избежать унизительного, «хозяйского» тона, который слышится в выражениях «любимец семьи, забава, баловень», а еще потому, что оно больше соответствует слову кеш, которое употребляется в Долине по отношению к тем, кто живет вместе, одной семьей.

С точки зрения нашего общества, обладающего целой индустрией разведения и умерщвления домашних животных, все домашние или прирученные животные в Долине являлись именно «любимцами семьи», однако же справедливость нашей точки зрения весьма сомнительна. Так или иначе, но в Долине дети и взрослые именно «проживали вместе» с самыми различными зверьками, не считая полезных домашних животных: они сосуществовали с мышами, древесными крысами, дикими хомячками (которые на самом деле были настоящей чумой для зерновых полей), сверчками, жабами, лягушками, жуками-оленями и так далее. Крупных питонов и удавов в доме обычно не держали, однако их весьма почитали, охотно устраивая им специальное жилище где-нибудь под домом или под амбаром, потому что они отпугивали гремучих змей. Такое редкое животное, как енот-полоскун, приручалось очень легко и часто становилось любимым и священным обитателем хеймас Синей Глины. Детенышей крупных диких животных, на которых разрешалась охота, а также диких птиц и рыб никогда не приручали и не превращали в «любимцев семьи». Если охотник по ошибке убивал олениху с новорожденными детенышами, он убивал и детенышей, а потом проходил очистительный обряд в Обществе Охотников, чтобы снять с себя вину за это убийство. Олень может позволить убить себя и быть съеденным, но только не прирученным. Олени живут во Втором Доме Жизни вместе с людьми, а не в Первом Доме, где обитают все домашние животные. Убедить или заставить их жить в чужом Доме было бы несправедливостью или даже извращением.

ДОМ ОБСИДИАНА

По представлениям народа Кеш, домашние животные сами согласились жить и умирать вместе с людьми в Первом Доме Жизни. Тайны взаимозависимости людей и животных и их сотрудничества, а также таинство принесения жертвы были в основе всех животных ритуалов Дома Обсидиана. Подобные же ритуалы и представления были характерны и для Общества Крови. Это Общество, в которое вступают все девушки, достигшие половой зрелости, и к которому принадлежат практически все женщины, находится под покровительством Дома Обсидиана: «Все женщины живут в Первом Доме».

Подобная идентификация женщин и животных проникала глубоко в сексуальные и интеллектуальные представления членов Общества Крови (и если в нашей культуре, где доминирует мужчина, подобная идентификация использовалась бы для уничижения, то у народа Кеш это воспринималось с точностью до наоборот). Ритуалы и правила поведения в Обществе Крови как бы «вдыхаются» неофитом, то есть передаются устно, а не записываются; однако многие из женских песен, посвященных Танцам Луны и Травы, выросли из этих законов и правил, как и огромное множество мистических, сатирических и эротических стихотворений — к несчастью, как и большая часть подобной «метафизической» поэзии, они почти не поддаются переводу, — в которых использованы соответствующие символы и тематика: овца, молоко, кровавое жертвоприношение, оргазм как судорога смерти, беременность как возрождение и тайна согласия животных и человека.

2. Животные Дома Синей Глины

Согласно мировоззрению жителей Долины, все дикие животные — это Небесный Народ, живущий в Четырех Домах Смерти — Сна, Дикой Природы и Вечности; однако те, кто позволяет охотиться на себя, кто отвечает на песнь охотника и выходит навстречу его стреле или вступает в его ловушку, уже дали согласие перейти во Второй из Домов Земли, в Дом Синей Глины, чтобы умереть. Они приняли смертность в знак священного жертвоприношения.

Обретая смертность, конкретный олень, например, физически, материально становился родственным всем людям и всем живым существам на земле, тогда как «оленья сущность» или Суть Оленя метафизически родственна или скорее соотносима с человеческой душой и вечной вселенной Бытия. Это различие между индивидуумом и его видом является основополагающим в мышлении обитателей Долины и даже в синтаксисе их языка.

Большая часть диких животных проводит свою жизнь в Диком Краю: земляная белка, древесная крыса, барсук, кролик, дикий кот, певчие птицы, канюки, жабы, жуки, мухи и все остальные, какими бы знакомыми, любимыми или ненавистными они ни были, никогда они не живут в одном Доме Жизни с человеческими существами. И отношения их между собой определяются в основном тем, кто кого ест. Те, кого мы не едим, или же те, кто ест нас, не могут быть с нами в тех же отношениях, что и те, кого едим мы.

На северо-западной стене хеймас Синей Глины нарисована фигурка оленя, на юго-западной стене — кролика, на потолке, возле люка, ведущего на крышу, у самой лестницы — перепелка. Они хранители этого Дома.

Только на оленей, кроликов и диких свиней взрослые люди вели регулярную охоту ради добычи мяса, шерсти и шкур, а также ради контроля над их численностью. Все эти животные были весьма многочисленны в данном районе и в отдельные годы так размножались, что приносили большой вред фермерам, садоводам и виноградарям. Свиньи были особенно свирепыми и упорными соперниками людей в сборе желудей — весьма ценного пищевого продукта. К тому же дикие свиньи весьма опасны, и потому охота на них всегда считалась справедливой.

И еще на один вид животных можно было охотиться без зазрения совести: на диких быков и коров. Такие стада порой сбегали в Долину по заросшим травой склонам западных холмов, со стороны Внутреннего Моря, и охотники дружно брались за дело — главным образом, правда, в поисках приключений и ради спортивного интереса, ибо у жителей Долины мясо диких быков особой любовью не пользовалось. Его обычно заготавливали впрок, как оленину — главным образом вялили, нарезав длинными ломтями.

Стаи диких собак представляли собой исключительную опасность как для людей, так и для домашних животных, и, когда такая стая появлялась в ближних отрогах гор, ее старательно выслеживали и истребляли. Обычно для этого высылалась специальная группа из Общества Охотников. Но вообще одичавшие собаки животными, на которых ведется охота, не считались. Как и медведи. Медведь, Танцовщик Дождя, Брат Смерти, считался Хранителем своего Дома, Шестого. Однако же если вдруг один какой-то медведь начинал проявлять признаки «безумия» или же считался «заблудившимся», слоняясь вблизи пастбищ и возделанных полей, рядом с жилищами людей, мешая им жить и воруя у них пищу, особенно когда они переселялись в летние хижины, тогда прилюдно сообщалось, что возникла необходимость «войти в Дом Синей Глины», начать на этого конкретного медведя охоту, убить его и съесть его мясо.

Что же касается птиц, то перепелка всегда считалась законной дичью, и на нее охота была разрешена. Перепелка была излюбленным персонажем в легендах, преданиях и песнях Дома Синей Глины, но в действительности лишь малые дети порой охотились на перепелок, хотя в некоторых семьях перепелок держали в клетках, как кур, и специально откармливали, а потом забивали или ели перепелиные яйца. Куропатка и фазан особенно ценились из-за своего оперения. Дикая утка, дикий гусь и некоторые разновидности голубей постоянно гнездились в Долине Реки На и мигрировали вдоль Реки огромными стаями, особенно в болотистых районах ее устья. На них охотились, ставили силки, а также успешно их одомашнивали (см. «Животные Дома Обсидиана»).

Пресноводная рыба в Реке На и в ручьях была мелкой и не слишком вкусной, но все же ценилась, как и всякая пища, как и речные раки, как и лягушки, и все эти животные считались обитателями Второго Дома. Морскую же рыбу чаще выменивали или покупали, а не ловили сами, ибо мало кто из жителей Долины решался отправиться за рыбой на лодке, да еще по морю. Члены Общества Рыболовов из нижней части Долины иногда собирали съедобные ракушки на океанских пляжах, однако «красные приливы» Тихого Океана и остаточная не совсем понятная зараженность самих океанских вод делала употребление в пищу этих моллюсков весьма рискованным занятием.

Считалось, что рыбы относятся к мужчинам с предубеждением. Существовала даже поговорка: «Для нее я поднимаюсь на поверхность, от него я прячусь». Так что рыбная ловля в самой Великой Реке и ее притоках по большей части велась старухами с помощью лески, рыболовного крючка и ручной сетки.

Правила, касавшиеся охотничьего оружия, в Обществе Охотников были строги: ружья можно было использовать при охоте на медведей, диких собак и кабанов; в остальных случаях использовались луки и стрелы, силки, различные ловушки, а также рогатки и пращи. Охота называлась «тихим искусством».

Охота, которая велась ради добычи мяса и шкур, изначально считалась занятием детским. Всем ребятишкам и подросткам из Общества Благородного Лавра разрешалось охотиться на кроликов, опоссумов, белок, диких химпи и прочую мелкую дичь, а также на оленей, и за успехи на этом поприще их весьма хвалили. Однако им было запрещено охотиться на бурундука (разносчика бубонной чумы), и только самые старшие из подростков получали ружья и разрешение присоединиться к охоте на истребление, которую взрослые вели на диких собак или диких свиней. Когда девочки становились взрослыми и вступали в Общество Крови, они охотиться переставали совсем. Женщинам, жившим в удаленных летних хижинах, или отшельницам, которых называли «лесными жительницами», можно было порой подстрелить или поймать в ловушку кролика или оленя — пропитания ради, но то были крайне редкие исключения. Мужчина, который слишком много времени уделял охоте после выхода из Общества Благородного Лавра и достижения брачного возраста, воспринимался как человек инфантильный и неумелый. И вообще, охота считалась не совсем достойным взрослого человека занятием.

Все охотники были в ответе перед Обществом Охотников и находились под его неусыпным и строгим надзором. Если какой-то охотник — мальчишка или взрослый мужчина — не обмывал и не освежевывал как следует свою добычу, не распределял мясо по правилам, не передавал шкуру тем, кому следует, и т. д., ему непременно читалась строгая нотация или его могли даже высмеять, поставить в крайне неловкое положение как незнайку. Если охотник убивал чересчур много или без достаточных оснований — например, не имея особой надобности в пище, в шкуре или шерсти, ему грозила репутация «ненормального», «психованного», «сумасшедшего» или «пропащего» человека, подобная той, какую приобретает опасный для людей медведь. Общество Охотников применяло серьезные меры воздействия к тем, кто преступал перечисленные этические ограничения.

В то же время, поскольку определенная доля позора из-за такого занятия, как охота, все же ложилась на каждого взрослого мужчину, охотники находили утешение, вознаграждение за свои подвиги и полное понимание только в Обществе Охотников, а также, если охотник был из Дома Синей Глины, в своей хеймас. Ибо там связь, определяемая Домом для охотника и его жертвы, не считалась позорной, но, напротив, воспринималась как священная.

Перепелка и олень прославлялись неоднократно как в поэзии, так и в песнях и танцах, а также в скульптурных произведениях, создаваемых мастерами из Дома Синей Глины, и воспринимались людьми как гораздо более близкие существа, чем любые другие животные; их любили даже больше домашних и прирученных животных. То были совсем иные, более интимные отношения. Животные, являвшие собой объект для охоты, служили как бы соединительным звеном между Дикой Природой и человеческой душой; и охотник — а именно в этом он был как бы чуть менее человеком, чем все остальные люди, — был вместе с тем животным, которое он убил, одновременно и виновником, и жертвой в некоем поистине таинственном действе соединения и согласия. Понимание священного как опасного, святого как проступка или греха отражено в Танце Зверей, исполняемом представителями Дома Синей Глины, а также в некоторых охотничьих песнях.

Стены этого Дома
из синей глины,
глины, смешанной с водой,
глины, смешанной с кровью,
с кровью кролика,
с кровью оленя.

Бьется, бьется
этот родник,
красен, красен
этот родник.
Красен он, красен,
и бьется он, бьется.

Выпей из него,
с него начни,
Женщина этого Дома,
с него начни, о, Олениха!

552

Я дам тебе свою стрелу, свой нож, свой разум,
свои руки,
Ты дашь мне плоть свою, и кровь, и шкуру, и
свои копыта.
Ты жизнь моя. Я твоя смерть.
Мы вместе пьем из родника, что красен.

(Другие примеры охотничьих и рыболовных песен можно найти в главе «Как умирают в Долине».)

СИСТЕМА РОДСТВА

В Долине существовало четыре вида родства:

Обитатели одного Дома: пять больших групп, объединявших все живые существа Долины в Дома Обсидиана, Синей Глины, Змеевика, Красного Кирпича и Желтого Кирпича. Родственники по Дому обозначались словом *маан*.

Кровные родственники, носившие название *чан*.

Люди, связанные родством по браку (свойственники), — *гийямоудан*.

Люди, считающие себя родственниками по собственному выбору (побратимы), — *гоестун*.

Взаимосвязь всех четырех видов родства могла быть чрезвычайно сложна; однако жители Долины никуда не торопились и при желании всегда могли расставить всех своих родственников по порядку.

РОДСТВО ПО ДОМУ

В число родственников по Дому входили не только люди, но и все иные существа, обитавшие в нем: так, основными обитателями Дома Обсидиана считались домашние животные и Луна; обитателями Дома Синей Глины — те животные, на которых разрешалось охотиться, а также все источники пресной воды; обитателями Дома Змеевика — камни и большая часть диких растений; обитателями Домов Красного и Желтого Кирпичей — земля и все культурные растения. Если человек способен назвать оливу своей «прародительницей» или овцу — «сестрой», если он может обратиться к полю в пол-акра величиной, распаханному под кукурузу, как к своему «брату», то его мировосприятие легче всего классифицировать как «примитивное» или «символическое». У народа Кеш, напротив, человек, не способный понять и принять подобную систему родства, считался не способным понять природу истинного родства, пребывающим на крайне низком уровне умственного развития и страдающим суевериями и предрассудками.

Семейные группы людей в каждом из Пяти Домов строились, если пользоваться терминами антропологического жаргона, по принципу матрилинейности и экзогамности: происхождение считалось по материнской линии, а браки между представителями одного Дома были запрещены.

Мать вашей матери всегда принадлежала к тому же Дому, что и вы сами; к нему мог принадлежать и отец вашего отца; тогда как ваш отец, его мать и отец вашей матери не могли принадлежать к одному Дому с вами. Мужчина не мог иметь детей из своего Дома. Дети женщины принадлежали к одному с нею Дому, но дети мужчины — нет, как не были бы в одном Доме с ними его внуки от родной дочери, хотя внуки от его родного сына могли оказаться с ним в одном Доме. Эти два типа родства переплетались, не столько противореча друг другу, сколько усложняя и обогащая друг друга.

КРОВНОЕ РОДСТВО

Дом, семья, *мараи* — это прежде всего мать и ее дочери, затем их мужья и дети, а также неженатые сыновья или другие родственники матери, живущие с ней в одном доме и выполняющие в большой семье функции неких экономических единиц.

Когда такая семья становилась слишком большой, одна из дочерей могла выделиться из нее вместе со своим мужем и детьми и занять совершенно отдельный дом или часть дома, создав отдельную семью; после этого отношения между двумя семьями покоились главным образом на их принадлежности к одному и тому же Дому. Однако и привязанность к кровным родственникам тоже сохранялась, а различные обязательства, связанные с кровными узами, исполнялись и воспринимались весьма серьезно. Со стороны матери это обеспечивало как бы двойную связь; со стороны отца легко могло превратиться в двойные кандалы.

Кровное родство описывалось с помощью нескольких уточняющих терминов. Вот наиболее распространенные из них:

мать: *мамоу*

отец: *бата, та, тат*

бабушка: *хома*

    мать матери: *ама*

    мать отца: *татвама*

дедушка: *хотат*

    отец матери: *мавта*

    отец отца: *тавта*

дочь: *соу*

сын: *дуча*

внук или внучка: *шепин*

брат или сестра: *кош*

    сестра: *кекош* (дочь моей матери или дочь обоих моих родителей)

    брат: *такош* (сын моей матери или сын обоих моих родителей)

    сводная сестра: *хвиккош* (дочь моего отца, но не моей матери)

    сводный брат: *хвиккоша* (сын моего отца, но не моей матери)

тетя (сестра моей матери): *мади или амасоу*

тетя (сестра моего отца): *такекош*

дядя (брат моей матери): *матаи*

дядя (брат моего отца): *татакош*

(Для двоюродной бабушки и т. п. используется корневое слово *хо* со значением «старый», в этом случае выполняющее функции префикса к исходным словам)

племянница (дочь моей сестры): *мадисоу*

племянница (дочь моего брата, а также дочь сестры или брата моего мужа): *кетро*

племянник (сын моей сестры): *мадиду*

племянник (сын моего брата, а также сын сестры или брата моего мужа): *кетра*

двоюродный брат или сестра (по материнской линии или по линии Дома): *мачеди*

двоюродный брат или сестра (по отцовской линии или из другого Дома): *чоуд*

Существуют и другие термины, несколько различные в Нижней и Верхней Долине, которые применяют для определения особо сложных родственных отношений, возникающих в результате второго или третьего брака. Термины родства по Дому, не смешанного с кровным родством, образуются путем прибавления префикса *ма-* (и иногда притяжательного прилагательного) к соответствующему термину: *маривдуча* — сын моего Дома; *макекош* — сестра по Дому и так далее. Термины как кровного родства, так и родства по Дому постоянно используются в приветствиях и при выражении особой нежности и привязанности.

РОДСТВО ПО БРАКУ

Семьи Кеш селятся по матрилокальному принципу: считается, что будущие супруги обязаны хотя бы некоторое время пожить в доме матери невесты (что порой приводит к тому, что оттуда выселяют других родственников). Правило это не столь сурово, и довольно часто молодая пара заводит свое собственное хозяйство в другом доме или даже в другом городе, если этого требует, например, их работа. Кеш считают, что у их семей корни такие же прочные, как у деревьев и холмов, однако, по моим наблюдениям, на самом деле многие из них, став взрослыми, неоднократно переселяются из одного города в другой.

Если брак распадается, женщина может остаться в доме своей матери или вернуться туда из дома, где жила с мужем, но рассматривать это как правило ни в коем случае нельзя. Разведенный мужчина практически всегда отправляется обратно в семью своей матери и живет там «как сын» (*хандуча*). Дети разведенных родителей обычно остаются с матерью, но если отец выражает горячее желание оставить их при себе, а мать равнодушна, то отец может продолжать жить в доме своей тещи, растить там детей и воспитывать их.

Словами *гийямоуд* (семейный человек), *гийюдо* (жена), *гийюда* (муж) называют тех, кто публично заключил брак во время Свадебной Церемонии на ежегодном Танце Вселенной. Для тех, кто просто живет вместе, не заключая брака, используется корневое слово *хай* со значением «сейчас», «в настоящее время», добавляемое к нужному термину: *хаиби* — букв. «дорогая(ой) в настоящее время», то есть «временный супруг»; *дучахаи* — «сын в настоящее время», то есть «временный зять», и так далее. Признается и гомосексуальный брак, при этом гомосексуальные супруги обозначаются особыми терминами — *ханаше* и *ханкеше*, то есть «живущие как мужчины» или «как женщины». Не существует никакого названия для бывших супругов, а также никаких эквивалентов нашим понятиям «холостяк» и «старая дева». Термины родства по браку, как и термины кровного родства и родства по Дому, были весьма в ходу и часто употреблялись в разговоре; обращаясь к своему свойственнику, можно было назвать его «муж моей тетки» — *мадив гийюда*, или «жена моего брата» — *такошив гийюдо*, или просто *гийямоудан*, то есть «свойственник».

РОДСТВО ПО ВЫБОРУ

Двое людей порой решаются взять на себя обязанности и привилегии родства, считающегося более близким, чем даже родство по Дому или по крови. Наиболее распространенным примером этого является усыновление или удочерение: осиротевший ребенок сразу становился *гоестун* и всегда внутри своего Дома. Младенец, разумеется, не способен что-либо выбирать в подобном случае, однако более взрослый ребенок не только может, но и имеет на это право, и порой дети, даже не являющиеся сиротами, просят, чтобы их сделали *гоестун* в совсем другой семье (но опять же только внутри своего собственного Дома). Родственниками по выбору обычно становятся друзья одного пола, которые хотят подтвердить и закрепить этим свою дружбу, которую воспринимают как кровное родство; иногда и разнополые друзья из одного Дома предпринимают попытку стать *гоестун*, чтобы доказать свою любовь и привязанность друг к другу, но, с другой стороны, тем самым еще более усилить запрет, налагаемый на инцест. Отношение общества к подобному типу родства — самое серьезное, а нарушение налагаемых этим родством обязательств воспринимается как самое низкое предательство.

В истории, рассказанной Говорящим Камнем, тот человек, которого она называет своим «побочным» дедушкой (*амхотат*), и был как раз *магоестун* или «дедушка-дублер», вошедший в семью по собственному выбору. Таких родственников-дублеров Дом обеспечивал тем, кому их не хватало. В данном случае героине явно нужен был хоть один родственник-мужчина в семье, поскольку дяди со стороны матери у нее не было, а родственников по отцовской линии она даже не знала. Именно потому старый человек из ее Дома Синей Глины попросил возложить подобную ответственность на него.

Считались инцестом и были запрещены половые отношения со всеми перечисленными ниже лицами:

с родственниками по Дому;
со всеми свойственниками твоих кровных родственников;
с твоим *гоестун*.

Также запрещены были половые отношения между следующими кровными родственниками: родитель/ребенок; дед/внук; брат/сестра; дядя(тетя)/ племянник (племянница); двоюродный дед (бабка)/ внучатый племянник (племянница). Брак между двоюродными братьями и сестрами был разрешен только по отцовской линии, но если дядя по линии отца женился на женщине из твоего Дома, то его дети становились твоими родственниками по Дому, и брак между ними и тобой, таким образом, был недопустим. Дети твоей тетки с материнской стороны были, разумеется, из одного с тобой Дома; дети твоего дяди по матери не считались, правда, твоими родственниками по Дому, однако подобные браки обычно не заключались: «Слишком они близки к своим матерям», — говорили в таких случаях. Браки между троюродными и четвероюродными братьями и сестрами запрещались, только если они были родственниками по Дому.

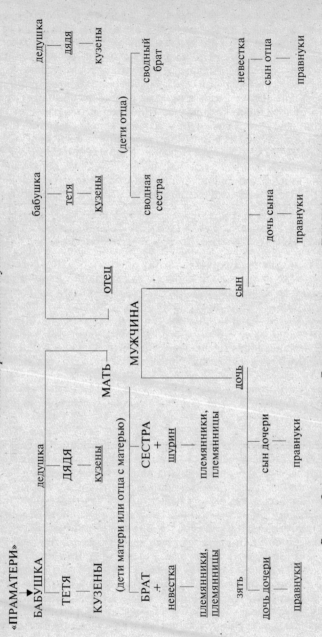

СИСТЕМА РОДСТВА
Основные родственники мужчины

Родня, обязательно входящая в Дом мужчины, выделена ПРОПИСНЫМИ буквами; родня, обязательно относящаяся к другому Дому, подчеркнута.

Основные родственники женщины

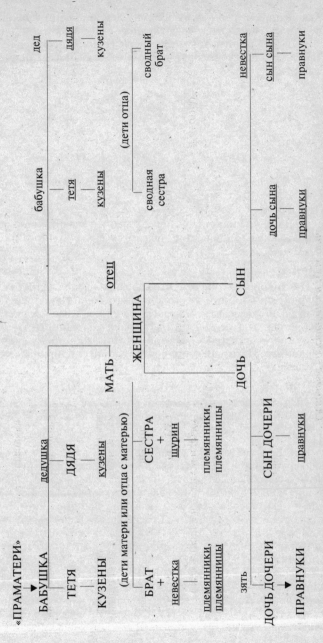

Родня, обязательно входящая в Дом женщины, выделена ПРОПИСНЫМИ буквами; родня, обязательно относящаяся к другому Дому, подчёркнута.

Кеш не приводят никаких причин или оправданий для наложения подобных запретов на перечисленные выше браки, считавшиеся инцестом, — ни религиозных, ни генетических, ни социальных, ни этических. Они просто говорят: «Таковы правила поведения настоящих людей».

ОБЩЕСТВА, СОЮЗЫ, ЦЕХИ

Тёрн из Синшана отвечает на вопросы Пандоры

ПАНДОРА:

— Видимо, мне никогда не понять, что это значит, когда, как ты говоришь, какое-то Общество находится внутри одного из Пяти Земных Домов.

ТЁРН:

— Ну, это просто означает, что собрания членов данного Общества происходят в хеймас того или иного Дома. Например, Общество Сажальщиков всегда собирается в хеймас Красного или Желтого Кирпича. Или же, если представителям данного Общества что-то нужно, то они просят об этом тот Дом, к которому принадлежат. Например, Целители часто используют песни, принадлежащие Дому Змеевика.

ПАНДОРА:

— Значит, вовсе не обязательно родиться в каком-то конкретном Доме, чтобы стать членом того или иного Общества?

ТЁРН:

— Нет. Ведь все женщины, как ты знаешь, вступают в Общество Крови, верно? И при этом совершенно неважно, в Доме Обсидиана они родились или нет. И многие мужчины тоже — даже если они и не из Дома Синей Глины, — все равно вступают в Общество Охотников. Да и практически все у нас являются членами Общества Сажальщиков. Хотя особые Танцы Сажальщиков исполняют главным образом представители Домов Красного и Желтого Кирпичей. Единственное Общество, куда принимают представителей только одного Дома, — это, по-моему, Общество Соли. Туда принимают только людей из Дома Синей Глины. И у Общества этого только одна задача — заботиться о соляных озерах в устье Реки На и каждый год совершать Путешествие за Солью, а также — помнить и исполнять свои священные песни. Ты когда-нибудь видела соляные озера? Молодые озера ярко-красного цвета из-за кишащих там креветок, а более старые — бирюзовые от заполонивших их морских водорослей, и мне, например, всегда было ужасно интересно, как это в таких цветных озерах соль получается в итоге совершенно белой.

ПАНДОРА:

— Я надеюсь, что в скором времени попаду туда. А теперь скажи, как это некоторые Общества оказались под покровительством Небесных Домов и почему у них нет никаких хеймас, где можно было бы встречаться?

ТЁРН:

— У таких Обществ тоже есть свои специальные дома для встреч, только их строят в условленных местах. Например, Общество Земляничного Дерева имеет в своем распоряжении здание Архива и Библиотеку, а дом, принадлежащий Обществу Черного Кирпича, всегда стоит на «охотничьей» стороне горы. Этим же домом, кстати, могут пользоваться и члены Общества Искателей и мальчики из Общества Благородного Лавра, особенно в сезон дождей. Им вообще-то полагается собираться под открытым небом на «охотничьей» стороне, где-нибудь на поляне; однако, когда идет дождь, они всегда отправляются в подземный дом, построенный членами Общества Черного Кирпича.

ПАНДОРА:

— Ну а Союзы — это то же самое, что Общества?

ТЁРН:

— Хм, не совсем. Во-первых, они поменьше. И обычно их возглавляют представители того Дома, с которым они непосредственно связаны. Однако в Союзы разрешено вступать и представителям других Домов. За исключением мужских Союзов Клоунов. Кровавые Клоуны, как тебе известно, — всегда женщины, причем из любого Дома, не только из Дома Обсидиана. А вот Белые Клоуны — всегда только мужчины и всегда только из Дома Обсидиана, и Зеленые Клоуны — это мужчины из Домов Красного и Желтого Кирпича.

ПАНДОРА:

— Но как же человек становится Клоуном?

ТЁРН:

— Можно научиться. Учатся тайком у тех, кто уже стал Клоуном. Иногда на это требуется очень много времени.

ПАНДОРА:

— А чем занимаются Союзы?

ТЁРН:

— Люди в Союзах поют особые песни и учатся. У каждого из Союзов свои песни, свои правила жизни, свои дары людям.

Пять Земных Домов:

Первый ОБСИДИАНА	Второй СИНЕЙ ГЛИНЫ	Третий ЗМЕЕВИКА	Четвертый ЖЕЛТОГО КИРПИЧА	Пятый КРАСНОГО КИРПИЧА
Об-во Крови (жен) (ритуальное и общественное)	Об-во Охотников (муж) Об-во Рыболовов (жен/муж) Об-во Соли (жен/муж)	Об-во Целителей (жен/муж) (медицинское и ритуальное)	Об-во Сажальщиков (жен/муж) (сельскохозяйственное и ритуальное)	
Союз Кровавых Клоунов (жен) Союз Белых Клоунов (муж) Союз Ягнят (жен) (культовый)		Союз Дуба (жен/муж) (письменность, книги)	Союз Зеленых Клоунов (муж) Союз Оливы (муж)	
Цех Стеклодувов: оконные стекла, сосуды, инструменты Цех Дубильщиков: забой скота, кожевенное производство Цех Ткачей: прядение, ткачество, окраска, вязание	Цех Гончаров: посуда, черепица, трубы Цех Воды: колодцы, орошение, сточные воды, хранение воды	Цех Книжников: бумага, чернила, переплеты, краски	Цех Дерева: плотницкое дело, архитектура Цех Барабанов: музыкальные инструменты	Цех Виноделов: виноградарство, виноделие Цех Кузнецов: добыча руды, металлург... детали, инструменты, проволока

Общества, принадлежащие ко всем Пяти Земным Домам:
Об-во Благородного Лавра (мальчики-подростки: разведка, занятия атлетикой, охрана границ, охота) (ритуальное и общественное)
Об-во Искателей (муж/жен) (исследования и торговля за пределами Долины)

Четыре Небесных Дома:

Шестой ДОЖДЯ	Седьмой ОБЛАКА	Восьмой ВЕТРА	Девятый ВОЗДУХА

Об-во Черного Кирпича (жен/муж)
(Подземный дом вне города. Похоронный и погребальный ритуалы)
Об-во Земляничного Дерева (жен/муж) (архивы, записи, история)

		Союз Шиповника (культовый)	Союз Крота (культовый)

Танцоры Внутреннего Солнца (муж/жен)

Цех Мельников: ветряные мельницы, водяные мельницы, турбины, источники электроэнергии, моторы, солнечные батареи, освещение, отопление, холодильные установки

ПАНДОРА:

— Они там... учатся все вместе? (На своем английском я бы скорее спросила: «Эти Союзы являются школами?»)

ТЁРН:

— Некоторые из них учат тайным знаниям. Но вот Союз Дуба, например, весьма сильно отличается от всех остальных, в нем очень много людей, и он сотрудничает с Цехом Книжников, и с Обществом Земляничного Дерева, и с библиотеками всех хеймас. Союз Дуба действительно скорее похож на Цех, объединяющий Мастеров, чем на Союз; там учат читать, писать, переплетать книги, делать чернила, копировать тексты и печатать их — в общем, всем премудростям и умениям, которые связаны с письменным словом.

ПАНДОРА:

— Ну а Цехи, насколько тесно они связаны с Пятью Домами?

ТЁРН:

— Я даже как следует и не знаю, как оно должно быть по-настоящему. У нас в Синшане женщины чаще всего присоединяются к тому из Цехов, который принадлежит их Дому, а вот мужчины — необязательно. Ну а в больших городах, насколько я заметила, этого не делают и женщины. Представители того или иного Цеха обычно не проводят своих собраний в хеймас, а встречаются прямо в мастерских. Но если что-то не так, ну там вовремя не сделана какая-то работа или она сделана плохо, тогда уж Дом берет на себя ответственность за то, чтобы все было сделано как следует. И член любого Цеха может прийти в Дом, к которому этот Цех относится, за помощью, если у него возникают какие-то сложности или неприятности. Одной из причин, по которой профессия мельника считается опасной, является то, что у Цеха Мельников нет своего Земного Дома — они находятся под покровительством Небесных Домов. Так что если Мельник совершает дурной поступок, все на него безумно злятся, и ему даже порой кров над головой получить невозможно, так у нас говорится.

ЧТО НОСЯТ В ДОЛИНЕ

Дома младенцев обычно заворачивают в пеленку или любой кусок мягкой ткани, на улице — в сухой сезон — они лежат голышом. Вообще же малыши носят одежду только для защиты от обжигающих лучей полуденного солнца или, наоборот, от холода. То же, что они носят только «для красоты», можно назвать одеждой весьма условно: порой это что-нибудь вырезанное или выкроенное из старой одежды, старого постельного белья или просто из чего попало.

Дети постарше — в годы «чистой воды» и «пускания ростков»

обычно надевают нечто прикрывающее срамные места, вроде килта или коротенькой юбки. Как раз тогда они и начинают мечтать о «взрослой» одежде; но если они надевают ее чересчур рано, то их высмеивают сверстники, осуждают дома и в хейимас.

Достигнув половой зрелости, юноша или девушка проходит в своей хейимас особую церемонию, дома же устраивается настоящий праздник; он или она получает набор новой, совершенно иной одежды. Юноши с этих пор носят тяжелый килт до колен из белой телячьей кожи, или из белого хлопка, или из темной шерсти и белую хлопчатобумажную рубашку (крой ее напоминает пенджабскую «курту», иногда с воротником-стойкой и манжетами на рукавах). В холодное время они могут также надевать чулки и сандалии, а там, где местность достаточно каменистая, — грубые кожаные башмаки. Девушки носят примерно такой же килт или же юбку в сборку длиной чуть выше щиколотки из некрашеной кремовой, серой или темной шерсти, блузку или рубаху навыпуск из белого хлопка и чулки, а также — сандалии или башмаки, как и юноши. И те, и другие могут дополнить свой костюм довольно узкой, сшитой по фигуре курточкой. Куртки и шали, а также вязаные свитера в холодную погоду носить не возбраняется никому, и они могут быть любого фасона, но обязательно из некрашеного материала или шерсти. Для изготовления одежды людей, «живущих на побережье», никакими красителями не пользуются. Такую одежду шьют и вяжут особенно аккуратно и тщательно, из лучших материалов, причем часто ее изготавливают сами будущие хозяева, которым, безусловно, хочется, чтобы у них все было в полном порядке. Некоторая однотонность придает их одежде определенную суровую элегантность; молодые люди, «живущие на побережье», сразу видны в любой толпе.

После того как у них появляется сексуальный партнер — то есть они «уходят в глубь страны», — молодые женщины и мужчины часто продолжают носить килты и рубахи времен своего «житья на побережье», однако красят их или украшают чем-то пестрым.

Что же касается «национального костюма» жителей Долины, то описать его довольно трудно, потому что он весьма различен в зависимости от времени, места и погоды. Безусловно, там существует и понятие стиля, и понятие моды; настенные рисунки изображают людей в одеждах самого различного кроя, значительно отличающихся от тех, которые носят сейчас. Как для женщин, так и для мужчин полагается нижняя рубашка, затем надевается длинная с рукавами верхняя рубаха, которую носят как подпоясанной, так и свободной; различные килты и довольно свободные штаны также являются излюбленным видом одежды; женщины иногда еще носят сборчатые юбки. Нижнее белье нужно прежде всего для тепла. Обнаженными взрослые на улицах городов обычно не появляются, исключение составляют мужчины во время Танца Луны, однако все плавают голышом в огромных прудах и водохранилищах, а у себя дома и в уединенных летних хижинах люди старшего возраста частенько ходят голышом целыми днями. Куртки для холодной погоды обычно изготавливаются из овчины и парусины; однако, когда люди Долины работают под открытым небом в дождливый сезон, они чаще раздеваются, чем одеваются, ибо, согласно их теории, «своя кожа высыхает быстрее».

Танцевальные костюмы и костюмы для различных праздников, весьма консервативного стиля, часто поражают своей красотой. Наиболее характерной деталью праздничного, предназначенного для какой-либо церемонии костюма служит жилет-безрукавка. Спускаясь в свою хеймас, чтобы попеть со всеми вместе, или просто пообщаться, или кого-то чему-то поучить, или самому поучиться, или зачем-то еще, люди обычно надевают короткий, изящного кроя жилет без пуговиц и с красивой вышивкой. Такие жилеты специально приберегаются в семьях для подобных случаев или же хранятся в хеймас; и мужчины, танцующие Танец Луны, а также все те, кто участвует в Танцах Лета, Вина и Травы, надевают удивительно красивые жилеты, причем некоторые из них передаются из поколения в поколение в течение многих десятков лет.

Основными материалами для изготовления одежды служат шерсть, хлопок, льняное полотно и кожа.

Всю шерсть получают от разводимых в Долине овец. Высоко ценится шерсть из Чумо, которую там же и прядут.

Хлопок выращивается в Долине лишь кое-где, большую часть его доставляют с южных берегов Внутреннего Моря. Каждый год поездом, по рельсовой дороге в порт Сед отправляются бочонки с вином, а там их грузят на суда и везут на обмен в страну Хлопка (см. главу «Ссора с народом Хлопка»).

Лен выращивают как в самой Долине, так и на северных склонах Горы-Прародительницы, в районе Чистого Озера. Лен служит также продуктом обмена — как и вино, оливки, оливковое масло, лимоны и изделия из стекла, которые перевозят по рельсовой дороге или в обычных повозках и вьючных тюках.

Кожи все местного производства; в ход идут шкуры коров, лошадей, овец, коз, оленей и даже кроликов, кротов, химпи и прочих мелких зверьков. Выделываются и шкурки некоторых птиц — из них шьются одежды для особо торжественных церемоний; платья из перьев, а также жилеты и плащи из них представляют собой драгоценные произведения искусства и обычно преподносятся в дар хеймас. Технология обработки кож находится на очень высоком уровне, и самые разнообразные кожи используются для пошива одежды, обуви и прочих нужд.

Естественные волокна обрабатываются в местных мастерских под управлением Мастеров из Цеха Ткачей. Любой человек может принести в мастерскую шерсть от принадлежащих его семье овец или какое-то количество выращенного на своем поле льна или хлоп-

ка, чтобы все это там очистить, прочесать и покрасить; он может заниматься этим сам, или объединиться с кем-то, или же сдать шерсть, лен или хлопок прямо в Цех Ткачей, чтобы они сделали все, что нужно. Прядут по большей части на механических станках в специальных мастерских, а крупные куски ткани или очень широкие полотна на особо мощных машинах изготавливают профессиональные ткачи. Однако самую тонкую материю, предназначенную для торжественных случаев, ткут дома, на ручном ткацком станке, а нити для нее прядут с помощью веретена. Шерсть — самый распространенный материал для праздничных и ритуальных изделий; в Чумо и Чукулмасе из шерсти ткут дивные ковры. Из шерсти вяжут все члены семьи — как женщины, так и мужчины — чулки, шали и прочие вещи. Грубая полушерстяная ткань (смесь шерсти со льном) — излюбленный материал для юбок, килтов и штанов. Смесь хлопка со льном тоже часто используется для изготовления летней одежды, как тканой, так и вязаной. Наилучшим материалом для повседневной одежды считается хлопок, и технология его обработки очень высока, даже изысканна; из хлопка делают все — от массивных холстов до мягких вязаных носильных вещей и тонких как паутина газовых тканей, которые «пропускают даже лунный свет».

Цех Дубильщиков осуществляет надзор за мясниками, а также в его ведении находятся все этапы обработки кож и производство кожаных изделий — выскабливание и дубление, изготовление упряжи и башмаков, украшений и предметов мебели, пошив кожаной одежды и т.д., а Цех Ткачей осуществляет подготовку и производство тканей из естественных волокон, включая их очистку, расчесывание, окраску и прядение нитей, затем — само изготовление тканей, включая ткачество и машинную вязку, а также пошив некоторых готовых изделий, производство простыней, одеял, ковров и т. д. В Долине все это всегда заготавливается в достаточном количестве и бережно складируется. Являясь важными элементами экономики каж-

дого города и Долины в целом, оба эта Цеха работают в тесном взаимодействии.

Дубильни всегда размещены от города на некотором расстоянии, так же как и бойни, а в мастерские Цеха Ткачей поставляется готовая кожа, и ее превращают в обувь и одежду. Дубильщики и Ткачи, а также Портные — это, как правило, солидные, зажиточные, уважаемые люди, которые в течение многих поколений живут в одних и тех же домах и считают себя (не без самодовольства) истинными столпами общества.

ЧТО ОНИ ЕДЯТ

В языке кеш не существует слова «голод».

В рамках нашей культуры охота и собирательство считаются чем-то вспомогательным, не сопоставимым с земледелием; когда люди выучиваются пасти скот и возделывать землю, они, как правило, перестают заниматься охотой и собирательством. Народ Кеш этому правилу не подчинился.

Охота у них действительно весьма мало значит для пополнения общественных запасов пищи; по большей части охотой занимаются и саму пойманную дичь съедают дети. (Возникает вопрос, могла ли охота вообще когда-либо считаться основным источником питания человека — за исключением тех мест на земном шаре, где не было иных доступных способов получить нужное количество столь необходимых человеческому организму белков? Чересчур активное восхваление и завышенная оценка охоты, особенно в мужской среде, тоже наложили определенный отпечаток на восприятие ее практической ценности в хозяйстве, так что «мужчина-охотник» всегда красуется в роли романтического героя, тогда как роль женщины, главной добытчицы и хранительницы очага, за счет которой и существует этот замечательный мужчина, кажется незаметной.) Как и у нас, охота у народа Кеш — это некая смесь спорта, религии, самоограничения и потакания своим слабостям. Однако на деле основной источник продуктов питания для жителей Долины — это собирательство. Они собирают дикие плоды, желуди, зелень, дикие овощи, коренья, лекарственные травы, ягоды и множество различных видов семян (сбор некоторых из них требует огромного терпения), и занимаются этим не время от времени в зависимости от собственного желания и настроения, но методически, каждый год в соответствующий сезон отправляясь к издавна принадлежащим той или иной семье деревьям, на городские луга, где созрели травы, полные семян, или же в заросли камыша и тростника. Вопрос «почему?» может, вполне естественно, быть парирован вопросом «а почему бы и нет?» Естественные запасы пищи в Долине весьма разнообразны и богаты, людям нравится ее вкус и качество; и, поскольку слишком большие семьи заводить там не принято, как не принято делать и слишком большие личные запасы продуктов, а к любому соперничеству в плане собирательства относятся просто негативно, не возникает особой необходимости или каких-либо иных причин отказываться от собирательства и полностью переключаться на земледелие. Существенным фактором, возможно, является и общая численность Кеш в Долине, а также прирост населения — как бы их ни рассматривать: как причину или как следствие. Мысль о создании на той или иной территории большого города — прямой «противоположности» фермерским хозяйствам — даже не приходит в голову до тех пор или пока вся земля активно используется под угодья. Взрывы в приросте любого вида живых существ всегда зависят от избытка продуктов питания; распаханные поля кончаются там, где начинаются улицы города. Кеш живут как бы наполовину в городе, а наполовину — среди дикой природы. У них нет улиц, и их «фермы» скорее, по нашим меркам, похожи на сады или огороды.

Содержатся эти сады и огороды, надо сказать, далеко не в лучшем виде — слишком уж много разных людей работают там, да еще и земля обрабатывается с помощью животных, а не машин, так что возделанные участки (за исключением крупных виноградников в центральной части Долины) обычно небольшие и разномастные. И очень редко имеют одного хозяина. Зато сажают и сеют на них великое множество самых разных злаков и овощей, что, в общем, довольно удивительно для народа, стремящегося сохранить свои культурные навыки «в чистоте» и сопротивляющегося всяческим заимствованиям. Например, кукурузу (маис) можно назвать их наиглавнейшей зерновой культурой, но они также собирают желуди, выращивают

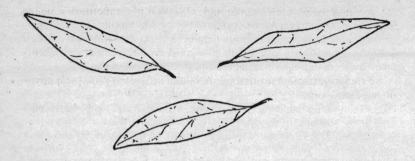

пшеницу, ячмень и овес, а еще выменивают у других народов рис. Рис и ячмень чаще всего используются очищенными от шелухи, но недроблеными; другие зерновые культуры обрабатывают по-разному: делают крупу, муку крупного и мелкого помола, из крупы варят кашу, из муки делают тесто как дрожжевое, так и пресное, и так далее — это дает огромное разнообразие мучных изделий и крупяных блюд, всяческих каш, различных видов хлеба и пирогов.

Итак, народ Кеш находит или выращивает для себя хлеб насущный там, где и как ему это удобно. К приготовлению пищи и трапезам эти люди относятся с интересом, уважением и удовольствием. Кеш отнюдь не худосочный народ. Обладая некрупным скелетом, они склонны скорее к полноте, чем к худобе.

Пища — не тот предмет, который позволяет рассуждать о себе абстрактно, а потому представляется более разумным привести далее несколько рецептов наиболее популярных в Долине блюд.

«ЛИРИВ МЕТАДИ» — суккоташ с зеленой кукурузой и фасолью

Вымойте примерно две чашки мелкой красной фасоли «метади» (она очень напоминает мексиканскую) и варите до полной готовности (примерно два часа) с половинкой луковицы, тремя-четырьмя зубчиками чеснока и лавровым листом.

Слегка отварите чашки полторы чуть поджаренной кукурузы, пока она не станет мягкой, и подсушите ее (если же вы используете свежие молодые початки, то просто нарежьте их кружочками, не отваривая).

С полчаса поварите горсть сухих черных грибов, а потом оставьте их полежать в горячем отваре.

Подготовив все эти продукты, смешайте их затем:

с соком и мякотью лимона или же с консервированной мякотью тамаринда;

с одной луковицей, мелко нарезанной и поджаренной в масле вместе с мелко нарезанным чесноком и ложкой тмина;

с одним большим сладким перцем или же с одним маленьким жгучим зеленым перчиком (но только не с молотым перцем), очищенным от семян и мелко нарезанным;

с тремя-четырьмя помидорами, очищенными от кожуры и крупно нарезанными;

добавьте, в зависимости от сезона, душицу, чабер садовый и еще лимонной мякоти по вкусу;

добавьте еще сушеного красного чили, если любите, чтобы было поострее.

Чтобы соус стал более густым и вкусным, добавьте еще шарик сушеной томатной пасты (в наших условиях это примерно равно двум-трем столовым ложкам томатной пасты). Если в данный момент не сезон для свежих помидоров, то количество томатной пасты нужно удвоить или утроить.

Все это вместе нужно тушить еще примерно час.

Подавать с мелко нарезанным репчатым луком и кислым соусом или с «чатни» — острой пряной приправой из зеленых помидоров, а также для аромата можно добавить свежую или сушеную зелень кориандра.

Это блюдо, «слишком тяжелое для риса» в качестве гарнира, едят с кукурузным хлебом или с кукурузными лепешками, а можно и с лепешками тортильяс.

«ХОТУКО», «Старая несушка» — обед из риса с цыпленком

Возьмите крупную старую жесткую курицу и варите ее с розмарином, лавровым листом и небольшим количеством вина до готовности. (Поскольку в наших условиях добыть старую большую и жесткую курицу сложно, то сварите маленькую, молоденькую, но тоже жесткую.) Охладите и снимите мясо с костей.

Отлейте часть бульона, чтобы сварить в нем рис, а в оставшемся еще поварите куски куриного мяса, чтобы бульон стал повкуснее, и потом еще от пяти до пятнадцати минут варите в нем почти до полной готовности любые из следующих ингредиентов:

горсть очищенных от кожицы цельных миндальных ядрышек;

нарезанные кусочками сельдерей, морковь, редис, желтый или зеленый кабачок, лук и т. д.;

немного шпината, китайской капусты или другой зелени; грибы, свежие или сушеные, целиком.

Затем добавьте нарезанное куриное мясо, нарубленную петрушку и свежий кориандр или сухой порошок кориандра, а также мелко нарезанный зеленый лук; в зависимости от сезона можно добавить зерна тмина, кориандра, немного красного перца, соль и лимон. Дайте блюду постоять часов двенадцать, чтобы выделились соки и ингредиенты «привыкли друг к другу».

Перед подачей на стол слегка подогрейте и подавайте со сваренным в курином бульоне рисом.

С этим блюдом хороши также любые (или все) из следующих продуктов:

мелко нарезанные крутые яйца;

поджаренные семечки трав;

медлко нарезанная свежая зелень кориандра;

зеленый лук;

соус из зеленых помидоров «чатни» или пикули;

«чатни» из жгучего красного перца или пикули из перца;

черносмородиновое желе;

сушеная коринка или мелко нарезанный изюм.

Все это нужно расставить в маленьких мисочках вокруг большой миски с основным блюдом.

Рис чаще всего поставляли в Долину жители долины Болотной Реки. Рис был довольно мелкий, невысокого качества и сильно слипался при варке. Гораздо больше ценился длинный рис, который народы Долины выменивали на свои лучшие вина на южных и восточных берегах Внутреннего Моря.

«ПРАГАСИВ ФАС» — летний суп

В жаркую погоду, наевшись бараньего жаркого, хорошо отведать летнего супа.

Смешайте кусок масла (примерно с яичный желток) со столовой ложкой кукурузной муки и с одним яичным желтком, все это тщательно разотрите, чтобы получилась довольно густая паста. Охладите и снова разотрите, добавив примерно чашку йогурта и две чашки холодного бараньего бульона (сваренного в основном из костей и тщательно очищенного от жира). Добавьте по вкусу сок лимона и/или сухого белого вина. Подавайте, посыпав мелко нарубленными листиками мяты.

(Для приготовления горячего супа добавьте заранее сваренный ячмень и все вместе разогрейте на медленном огне, а вместо мяты посыпьте мелко нарезанной петрушкой или кервелем.)

«ДУР М ДРЕВИ», «Красное и зеленое» — овощной обед

Очистите один большой баклажан или несколько маленьких, нарежьте ломтиками «толщиной примерно с палец». Сбрызните ломтики лимонным соком, посыпьте грубой солью и дайте им постоять, пока подготовите все остальное:

нарежьте ломтиками кабачок-цуккини среднего размера (неочищенный) и ломтики тоже сбрызните лимонным соком;

возьмите пучок петрушки и отрежьте стебельки;

мелко порубите два зубчика чеснока;

возьмите две горсти свежих грибов — любые из «благородных».

Сделайте соус из двух зубчиков чеснока, тщательно растертых в ступке или раздавленных в прессе, примерно двух столовых ложек хорошего оливкового масла и небольшого количества красного перца — все это нужно растереть с двумя чашками йогурта до получения однородной массы.

Быстро обжарьте на сильном огне и на каком-нибудь более легком растительном масле ломтики цуккини, чтобы они зарумянились с обеих сторон; сложите их стопкой на одном конце блюда. В совсем небольшом количестве масла быстро подрумяньте баклажаны, чтобы они стали яркого красно-коричневого оттенка, и сложите их стопкой на другом конце блюда. Поджарьте, все время помешивая, грибы с чесноком и петрушкой — жарить нужно совсем недолго, петрушка должна лишь увянуть — и выложите их на середину блюда. Сразу же подавайте на стол с картошкой, сваренной «в мундире». Соус, приготовленный из йогурта, хорош как для цуккини с баклажанами, так и для картофеля, так что щедро полейте им все или, если так больше нравится, макайте еду в него.

С этим блюдом очень вкусны нарезанные ломтиками помидоры и черные оливки.

«ВОВВОН» — «Дубовые яйца»

Очень интересно сравнить блюда из желудей с блюдами из кукурузы и пшеничной муки. Прежде чем начинать готовить, учтите, что блюда из кукурузы и пшеницы в среднем содержат 1 — 2% жиров, 10% белков и 75% углеводов. Блюда из желудей в среднем содержат 21% жиров, 5% белков и 60% углеводов. Блюда из желудей некогда были весьма популярны у автохтонного населения всего этого региона Америки, однако позднее желуди были почему-то отвергнуты и позабыты новыми поселенцами, людьми другой культуры, под тем предлогом, что желудями кормят только свиней.

Кеш сажают дубы и в самих городах, и вокруг них и считают их «плодовыми деревьями», собирая желуди повсеместно. В Долине растет очень много дубов всевозможных видов, и в обычный год желудей созревает куда больше, чем нужно людям. Кеш предпочитают желуди с больших Долинных дубов и с дубов коричневых. Сбор желудей и их очистка производятся сообща, под наблюдением кого-то из Дома Змеевика, хотя, разумеется, та семья, которая хочет сделать для себя отдельный запас, может заниматься этим и самостоятельно. После сортировки и очистки желуди мелют с помощью специальных «желудевых жерновов». Выделяющееся при этом масло используется в различных целях. Смолотая мука, разных видов помола, вымачивается путем погружения то в холодную, то в горячую воду в течение нескольких часов или даже нескольких дней, в зависимости от содержания в желудях таннинов (фенольных соединений) и желаемого вкуса. Затем желудевая мука обычно слегка поджаривается или подсушивается, прежде чем отправиться в кладовую или непосредственно перед употреблением. Это делается для того, чтобы «подсластить» кушанье и придать ему привкус ореха.

Суп из желудевой муки крупного помола густой и с самыми различными добавками служит каждодневной пищей в зимнее время во многих семьях. Его называют «думфас» — коричневый суп; он также часто является первым кушаньем, которое дают младенцу, отнимая его от груди. Более густое блюдо, вроде каши, получается при более длительной варке, и его затем употребляют как поленту или вареный рис или пекут, и получается нечто вроде тяжелого, суховатого и очень питательного хлеба. Желудевую муку также смешивают с медом и жареными семенами трав, а также с пшеничной мукой и потом пекут сладкое печенье и вафли. Будучи довольно маслянистой, желудевая мука хранится не очень хорошо, так что обычно та, что уже пролежала больше полугода, отдается на корм скоту.

«ТИС» — мед

Кеш очень любят сладости, и близ Унмалина есть даже поля сахарной свеклы; однако выращивание и обработка этой культуры считаются чересчур трудоемкими, так что по большей части сладости изготавливают из меда. Согласно мировоззрению Кеш, пчелы, как и дичь, — уроженцы Небесных Домов, которые согласились прийти в Дома Земные и жить в тех маленьких домиках, которые для них там построили люди. Большинство пчеловодов принадлежат Дому Красного Кирпича, и этот Дом отвечает за сбор, хранение и распределение меда. «Пчелиные города», ряды ульев, весьма многочисленны, их можно увидеть повсюду на «культурной» стороне холмов, окружающих города Долины. Ульи делают из дерева, и пчеловоды пользуются переносными рамами для сот, которые всегда можно вынуть, не разрушая самого улья и не особенно беспокоя пчел. Особенно много меда производится в городах Верхней Долины, так что там он даже используется в качестве продукта обмена с жителями севера и востока, которые, очевидно, менее упорны в пчеловодстве.

«ФАТФАТ», «Клоун-клоун» — десертное блюдо

Очистите примерно кварту зеленого крыжовника, красной смородины или брусники, смешайте с небольшим количеством плодов самбука, земляничного дерева или дикой вишни по выбору — то есть с любыми зрелыми ягодами — и осторожно перемешайте. Добавьте меда по вкусу и снова перемешайте. Добавьте, если хотите, лимонной цедры, или мелко нарезанного кумквота, или других цитрусовых. Охладите.

575

Пастеризуйте одну-две пинты очень густых сливок, а потом взбивайте их, пока они не остынут и не загустеют. Смешайте с фруктами.

(Пастеризованные натуральные сливки всегда очень густые, и весьма отличаются от наших, которые становятся похожи на хлопья, когда их взбиваешь; вам придется постараться раздобыть где-нибудь сливки погуще, чем мы привыкли.)

«ЛЮТЕ» — мыльный корень (амоле)

Жители Чумо жуют амол, или мыльный корень (Chlorogalum pomeridianum), сдабривая его капелькой меда, как лакомство. Жители остальных восьми городов используют амоле для мытья головы. Местный вариант пословицы «о вкусах не спорят» звучит примерно так: «Он моет волосы тем же, что она ест на обед».

Трапеза и поведение за столом

Тарелки, блюда, миски, чашки, стаканы и тому подобное на столе расставляют как можно красивее и затейливее, однако стараясь использовать не слишком много посуды, потому что всю ее в конце концов приходится мыть. Для супов и прочих жидких блюд пользуются ложками из фарфора, дерева, рога и металла; другую же пищу едят руками. Не существует никаких табу или «поганых» рук; но изначально предполагается, что к столу приходят с чистыми руками. Есть можно как правой рукой, так и левой или даже обеими сразу — но только аккуратно. Различные виды хлебных изделий используются как «съедобные» ложки или черпачки: ими подбирают кушанья с тарелок. Мясо нарезают ломтями или кусками до подачи на стол, птицу также заранее разламывают на куски. Стол иногда накрывают скатертью, иногда же на него кладут полотняные салфетки или плетеные циновки из тростника, бамбука, камыша или просто из травы — но все это необязательно, зато обязательно ставится миска с водой или даже две, чтобы обмывать пальцы, а в конце трапезы по рукам пускается большое полотенце.

Поскольку Кеш редко пользуются стульями, то и столы у них низкие. Люди садятся прямо на пол, вытянув ноги перед собой, подвернув их под себя или скрестив «по-турецки», или же рассаживаются на низенькой скамье, которая тянется вдоль двух или трех стен почти любой комнаты в доме и придвигают к себе небольшие, высотой с табуретку, столики, за которыми и едят.

Обычно бывает три трапезы в день: завтрак, состоящий часто из молока, хлеба или каши, свежих или сушеных фруктов; ланч из остатков вчерашнего обеда или из каких-то продуктов, не требующих готовки, и обед, обычно уже после захода солнца, зимой, естественно, раньше, а летом значительно позже. Однако Кеш предпочитают, проголодавшись, есть понемногу, а не набивать себе живот большим количеством пищи, особенно перед сном. К тому же еда всегда имеется в достаточном количестве и под рукой. Поскольку в семье ни на ком конкретно не лежит обязанность готовить еду каждый день, то никому не дарована и привилегия раздавать пищу или отказывать в ней. И, наконец, последнее: у Кеш чрезмерное обжорство считается неприличным и даже постыдным, однако желание просто поесть удовлетворить можно всегда и вполне незаметно — у них вообще принято понемногу, но часто перекусывать. Как я уже говорила раньше, эти люди худосочностью не отличаются.

МУЗЫКАЛЬНЫЕ ИНСТРУМЕНТЫ НАРОДА КЕШ

Инструменты для профессиональных музыкантов или те, что используются исключительно в ритуальных целях, изготовляются Цехом Барабанов, находящимся в ведении Дома Желтого Кирпича.

Хоумбута

Хоумбута, или большой рог, используется при исполнении как развлекательной, так и сакральной музыки. Особенно тщательно выбирают древесину — то земляничное дерево, из которого будет изготовлено семифутовое коническое «тело» инструмента, и каждый этап обработки деревянной заготовки, придания ей формы, нанесения резьбы и отверстий связан с основным качеством земляничного дерева: способностью аккумулировать, формировать и фокусировать звук. Мундштук, сделанный из рога оленя, должен быть «подобен лилии, впитывающей теплые солнечные лучи»; хотя в нем всего

пять дюймов длины, он абсолютно пропорционален и в точности повторяет форму самого рога. Девять тонких пластинок из земляничного дерева, составляющих «тело» инструмента, плотно скреплены между собой смолой и оплетены древесными волокнами. Сам раструб, в два фута длиной, сделан из сплава золота и серебра (электрума) и присоединяется к деревянному «телу» с помощью смолы и древесных волокон.

Доубуре бинга

Это название, буквально означающее «много вибраций», особого инструмента, состоящего из девяти бронзовых плошек, хранящихся в ящичке, который в открытом виде служит для них подставкой. Музыкант раскладывает эти плошки по форме хейийя-иф: пять слева и четыре справа. Плошки имеют различный диаметр — от четырех до одиннадцати дюймов, — и их музыкальные тона составляют обычную октаву Кеш, в которой девять звуков. Чистота тона зависит от того, из чего сделан молоточек из твердого дерева, из мягкого или же обернут тканью, а также отчасти от того, куда наносится удар и от его силы. На этом инструменте редко играют соло, обычно он используется для фонового потока звуков, который один музыкант описал как «отблеск солнечных лучей на бегущей воде, стремящейся вперед и все же поворачивающей назад...»

Йойиде

Этот однострунный инструмент, фута четыре в длину, спереди похож на каплю с неровными гранями. Двухфутовый гриф его покрыт красивой резьбой, а единственная струна сплетена из конских и человеческих волос, что, как считают, придает йойиде исключительно нежное звучание.

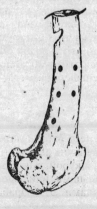

Веосаи медоуд Тейахи

Каждый ребенок народа Кеш может сделать себе какую-нибудь флейту, и в Долине самых различных разновидностей этого инструмента существует видимо-невидимо — с отверстием на конце трубочки и сбоку, с язычками и без, деревянных и металлических, костяных и из мыльного камня. Костяная язычковая флейта — одна из самых удивительных: пяти или шести дюймов в длину, она сделана из бедренной кости оленя или ягненка. Ряд отверстий начинается на ее более узком конце и спускается к широкому концу, затем снова поднимается вверх. Сделанные из камышового стебля язычки укреплены между держателями из ивового дерева. Звук исходит из проделанного в боку кости отверстия. Несильно нажимая на язычковый держатель, музыкант может извлекать из этой флейты удивительные микротональные звуки, а скользя пальцами по пяти дырочкам, издает странное подобие пронзительных жалобных птичьих криков. Музыкант по имени Табит из Общества Земляничного Дерева в Ваквахе, демонстрируя нам возможности этого инструмента, сказал, что ему приходится прятать его от своей кошки, «которая все время пытается достать оттуда птичку».

Товандоу

Эти девятиструнные ударные цимбалы на самом деле представляют собой два инструмента в одном. Больший из них, в форме полумесяца, длиной около пяти футов, имеет пять струн, меньший — четыре струны и обращен к большему «лицом». Оба укреплены на одной подставке из вишневого дерева. Тело инструмента, формой своей напоминающее каноэ, сделано из покрытого тонкой резьбой и отполированного благородного лавра. Самая длинная струна большей цимбалы, «струна-стержень», не имеет «кобылки»; «кобылки» из древесины грецкого ореха на других струнах расположены по форме хейийя-иф. На товандоу часто играют во время танцев и различных представлений, его звуки означают, что в Долине какой-то праздник. Самые лучшие из этих инструментов хранятся в хеймас Желтого Кирпича в каждом из городов Долины; бродячие музыканты или актеры пользуются этими товандоу или же приносят товандоу с собой, но только меньшего размера.

Боуд

Каждый в Долине умеет играть на каком-нибудь барабане — наиболее популярны маленькие деревянные барабаны, поверхность которых иногда обтянута шкурой; они издают негромкий звук, когда на них отбивают ритм пальцами, или ладонью, или же обернутыми в сыромятную кожу палочками. Эти барабаны используются для ак-

ИВЫ

ПЕСНЬ ПЕРЕПЕЛКИ

компанемента певцам или танцорам, для медитаций или просто когда человеку хочется подумать. Иногда на них играют сразу несколько человек. Кеш называют маленький барабан своим «другим сердцем».

Барабаны, на которых играют профессиональные музыканты, часто очень велики и сложны по конструкции. Вехособоуд, большой деревянный барабан, может иметь до девяти различных «голосов» и множество тонов, обозначенных на его верхней крышке. К нему прилагается также целый набор — по крайней мере, дюжина — различных пар палочек и молоточков из дерева. Это весьма мелодичный инструмент, обладающий чрезвычайной выразительностью звучания. Среди барабанов с эллипсовидной верхней крышкой наибольшее впечатление производит барабан для сакральных церемоний: по сути дела, это пара больших литавр (их диаметр достигает четырех-пяти футов), одна из поверхностей побольше, другая поменьше (примерно в соотношении четырех к пяти), которые соединены так, что при ударе вращаются вокруг центрального стержня, на котором довольно свободно подвешены футах в трех от земли. Это завораживающее зрителей вращение определяет и частоту ударов. Такие ритуальные инструменты, а некоторые из них очень стары, практически никогда не выносятся из хеймас; но даже во время «наземного» исполнения другими музыкантами произведений неформального характера слышен порой доносящийся из глубины хеймас глухой мощный рокот старинных барабанов.

ДАРБАГАТУШ

Это слово буквально переводится как «бьющий по рукам». Инструмент используется относительно редко, главным образом для того, чтобы обеспечить ритмичный аккомпанемент певцу или тан-

582

цору. Его устройство основано на особенностях коры некоторых разновидностей эвкалипта — она сходит с дерева полотнищами или полосами, которые, высыхая, сворачиваются в трубки. Выбирают от пяти до девяти таких ароматных трубочек фута в два длиной и связывают их в пучок стеблями трав, затем берут пучок в одну руку и ударяют им по открытой ладони другой руки, издавая приятный шелестящий, чуть трескучий звук. Если песню или танец исполняют возле огня — возле костра или в доме, возле очага — то, согласно обычаю, потом дарбагатуш всегда сжигают.

Дарбагатуш

ГЕОГРАФИЧЕСКИЕ КАРТЫ

Жители Долины изображают на картах именно Долину. Им явно доставляет удовольствие воспроизводить на чертеже хорошо знакомые местности и объекты. Причем, чем лучше они их знают, тем больше любят их рисовать и наносить на карты. Дети часто рисуют карты отдельных полей и холмов, окружающих их родной город, причем с невероятной подробностью отмечая точкой каждый камень и ласточкой каждое дерево.

Маленькие, схематичные, не слишком точные карты Долины или ее частей берут с собой люди, отправляющиеся в путешествие вниз по Реке На, к океану, или вверх по Реке, к Ваквахе. Поскольку большая часть жителей Долины знает ее во всех деталях — от горных вершин до кротовин — в радиусе по крайней мере четырех-пяти миль от собственного дома, а длина всей Долины составляет менее тридцати миль, то такие карты служат скорее талисманами, чем пособиями.

Тропы вокруг ручья Синшан

Карта бассейна ручья Синшан, подаренная издателю Маленькой Медведицей из Синшана.

На карте поименованы только гора Синшан, Синяя скала, исток ручья Синшан и некоторые другие источники и холмы.

Пометка в нижней части карты гласит: «На северо-запад пятнадцать под валуном тойон. Перед Травой». Маленькая Медведица не имеет понятия, что это может означать, и говорит, что карта «давно лежит в ее доме».

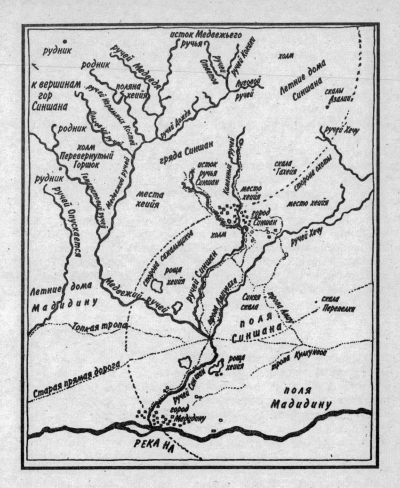

Бассейн ручья Синшан

Эта карта основана на карте Синшана и Мадидину, подаренной нам Маленькой Медведицей, но более подробна.

Карты, охватывающие более крупные территории, выполнены с отменной тщательностью и учетом того, что их главная функция скорее носит эстетический или поэтический характер, тем более что достоверность и точность деталей считаются основополагающими элементами поэзии кеш.

Карты всей Долины всегда включают изображение Великой Реки На и ее притоков, а карты отдельных, внутренних ее участков в качестве оси всегда используют наиболее важную водную артерию данного города или района. Истоки такого ручья или речки всегда помещены в верхней части карты. Могут быть помечены и стороны света, определенные по компасу, однако сама карта всегда сориентирована по течению данного источника, и «низ» всегда находится внизу страницы. Подобные карты всегда обладают также неким элементом перспективы при изображении холмов и гор, однако ракурс никогда не меняется. Города и прочие созданные человеком объекты обычно помечены каким-либо символом (для городов это хейийя-иф); картографы, похоже, не любят делать на своих картах какие-либо надписи, на некоторых из них вообще нет ни одного слова, а на других — только начальные буквы или же вообще какие-то криптографические значки вместо названий городов, водных источников, гор и тому подобного. Поскольку практически все изображенное на такой карте имеет свое название, картографы, возможно из чисто практических соображений, отказываются загромождать ими свое произведение.

Общество Искателей создает и использует карты горных районов, примыкающих к Долине, а также карты местностей примерно в радиусе нескольких сотен миль от нее. Эти карты постоянно обновляются как благодаря походам исследовательских отрядов в тот или иной конкретный район, так и благодаря получаемой через ПОИ информации.

Карты всего континента, а также морей и других континентов Земли и планет Вселенной используются как учебные пособия на занятиях в Обществе Земляничного Дерева. Остальной мир не является предметом насущной заботы для большинства жителей Долины. Им довольно знать, что он существует. Так что в основном они имеют весьма смутное представление о географии Земли; их представления о расстояниях между странами и континентами также чрезвычайно неадекватны. Для большинства из них (но не для всех), «география» ограничивается Страной Вулканов на севере и Пустынными горами на юге; Тихий океан является для них западной границей мира, а восточной — Внутреннее Море и горы Света, за которыми простирается Оморнское Море и — совсем уже далеко! — Райские или Скалистые Горы. А дальше, считают они, «земли продолжаются снова до самого моря и еще дальше, ну вы же знаете... по кругу, так что потом все равно вернешься снова в Долину».

Этот Танец знаменует участие людей в созидании и разрушении, в обновлении и продолжении мира.

Когда жители Долины танцуют Танец Неба от имени всех живых существ на Земле, считается, что жители Неба, в свою очередь, танцуют Танец Земли. Мертвые и нерожденные танцуют на вольном ветру и в море, птицы — в воздухе, звери — в Диком Краю. («Звери танцуют не так, как мы. Нам их танцы неведомы. Они танцуют свои жизни».) Переплетающиеся спирали двух великих космических танцев — это священный образ хейийя-иф.

Танец Вселенной исполняется в «дни черной Луны», то есть в безлунные ночи после весеннего равноденствия, и продолжается трое суток до того момента, когда на закате третьего дня впервые на небе становится виден узенький серпик нарождающейся луны. За этот Танец считаются ответственными Общество Земляничного Дерева и Общество Черного Кирпича.

Первый день Танца Вселенной

Земной Танец Вселенной начинается на рассвете, под землей, в особых подземных домах Общества Черного Кирпича, всегда находящихся за городской чертой, на «охотничьей» стороне окрестных холмов. Эти дома значительно меньше хеймас Пяти Домов, так что танцоры обычно танцуют группами, каждые несколько часов поднимаясь на поверхность, чтобы уступить место другим. Все участники Первого Дня Танца Вселенной — люди пожилые, то есть такие, «чьи дети уже имеют своих детей».

Хотя многие церемонии и называются «танцами», однако довольно долго никаких «собственно танцев» не происходит: «танец» в подземном доме Черного Кирпича заключается в пении под руководством специально подготовленных певцов из Обществ Черного

Кирпича и Земляничного Дерева. Мощные глухие раскаты большого ритуального барабана непрерывно, от зари до зари, доносятся из-под земли подобно ударам огромного сердца. Старики молча ждут своей очереди возле подземного дома, а потом, тоже молча, возвращаются к себе домой; детей специально строго предупреждают, что разговаривать с бабушками и дедушками нельзя, ибо они не ответят. Танец старых людей продолжается весь день. Они привязывают к волосам перышки птиц или же надевают шапочки из тонкой темной шерсти, на которую эти перья нашиты: такие перья не должны принадлежать домашней птице или той дичи, что была подстрелена на охоте, — их все нужно найти. Слова песен Первого Дня Танца записи не подлежат. После заката солнца непрерывный рокот барабана смолкает, и люди начинают собираться на площади для танцев, окруженной пятью хеймас. Они приносят с собой топливо для костров, чаще всего яблоневое дерево, специально прибереженное для праздника: яблоня считается деревом, связанным со смертью.

В сумерки танцоры выходят наверх из подземного дома Общества Черного Кирпича и устремляются на площадь для танцев. Те, кто танцует эту часть Танца, готовятся специально и заранее. Они одеты в черные плотно облегающие тело костюмы, туго закрепленные на запястьях и лодыжках; ноги их босы, а волосы, лицо, руки и ступни густо вымазаны белым и серым пеплом. Это члены Обществ Черного Кирпича и Земляничного Дерева и те жители города, которые попросили обучить их танцу Первого Дня. Они выходят вереницей и поют. Слова этих старинных песен часто никому не понятны, а мелодии чрезвычайно сложны и мрачны, с длительными паузами, которые усугубляют гипнотический, подавляющий эффект этого пения.

Танцоры несут незажженные факелы из яблоневого дерева, повернув их макушкой вниз. Когда все они собираются наконец на площади для танцев, с ее западной стороны появляется спикер Общества Земляничного Дерева с горящим факелом, от него все остальные участники зажигают свои факелы и, танцуя, поджигают дрова в огромном костре, заранее приготовленном посреди площади. (Если идет дождь, то над всей площадью натягивают полотняную крышу на высоких шестах; в каждой хеймас хранится подобное оборудование на случай дождя.) Костер должен гореть тоже особым образом: чтобы пламя не было слишком высоким и мощным, но достаточно жарким. Танцоры окружают костер и движутся цепочкой в несколько странных позах — колени полусогнуты, руки подняты и тоже согнуты, ладони примерно на уровне лица — и ритмично трясутся. Все остальные стоят или сидят на корточках, образуя внешнее кольцо. Большая часть жителей города (или одной из его «рук», если это очень большой город) участвует в этой церемонии; те же, кто в прошедшем году потерял родственника или близкого друга, присутствуют там непременно.

Певцы Смерти трясутся в танце вокруг костра и все время поют, постепенно увеличивая темп и высоту тона, пока внезапно кто-то из молчащих зрителей во тьме внешнего кольца не выкрикивает громко имя какого-то человека, который умер недавно. Остальные повторяют это имя, следуя ритму Песни Смерти. Танцоры как бы «подбирают» его, и имя это повторяется снова и снова, как и все прочие имена покойного, что были произнесены вслух, повторяются до тех пор, когда Певцы Смерти внезапно останавливаются тесной группой вокруг костра, распевая свою песнь очень громко, в убыстряющемся темпе, и быстро делают согнутыми руками такие движения, словно что-то бросают или запихивают в огонь, а потом так же внезапно прекращают петь, падают на землю лицом вниз, скрючившись и дрожа всем телом. И оплакивающие делают то же самое. Затем медленно и тихо барабан снова начинает настойчиво отбивать ритм танца, мелодия которого сначала подхватывается одним голосом, затем другим, танцоры встают с земли и начинают танцевать, их пение звучит все громче, все быстрей, пока в костер не вбросят следующее имя.

В маленьких городках Нижней Долины случаются такие годы, когда не умирает никто и нет необходимости «сжигать» чье-то имя. Однако церемония Оплакивания все равно проводится, но в ней участвуют лишь специально обученные танцоры; остальные сидят молча во внешнем кольце. Такая церемония длится самое большее часа два. В больших же городах всегда за год умирают люди, которых нужно оплакать, и там в церемонии Оплакивания участвует значительно большее число людей, она гораздо эмоциональнее и продолжается долго. Первыми «сжигаются» обычно имена самых старых, последними — имена умерших детей и мертворожденных младенцев, которые всегда получают имя при погребении, чтобы во время церемонии Оплакивания их можно было оплакать всем вместе. По мере развития действа люди из внешнего круга постепенно присоединяются к покачивающимся танцорам, поют с ними вместе и плачут, потому что имена дорогих усопших называются снова и снова, в итоге люди начинают взывать к умершим и рыдать уже во весь голос. И теперь все раскачиваются в печальном танце, поют и плачут, потом снова погружаются в печальное молчание, и снова все вместе вздрагивают от нарастающего грохота барабана и голосов, выкрикивающих имена мертвых. Все барьеры стыдливости и сдержанности сметены, страх, отчаяние и ужас утраты теперь видимы всем, и эти обычно тихие, замкнутые люди, отдавшись боли, кричат во весь голос.

Когда же в огонь «брошено» последнее имя, ведущие танец начинают постепенно замедлять темп, меняется и характер пения — теперь иная, но тоже старинная песня рассказывает о тех местах в Четырех Небесных Домах, куда могли отправиться души умерших, и песнь постепенно перерождается в знаменитую Песнь Дождя. Дро-

589

вам в костре позволяют догореть самим. Наконец спикер говорит: «Имена произнесены». Танцоры приносят воду в священных сосудах из хеймас Синей Глины и поливают ею догорающий костер, потом вереницей, в молчании, в окутывающей их ночной темноте возвращаются в подземный дом Общества Черного Кирпича. Оплакивающие метят себе лица влажной золой от погасшего костра и отправляются по домам. Прежде чем лечь спать, они съедают традиционную трапезу, состоящую из молока, кукурузного хлеба и весенней зелени. Оставшуюся от священных костров золу танцоры разбрасывают на вспаханных полях на следующий день.

Второй день Танца Вселенной

Обычно люди измотаны мучительной и эмоциональной церемонией предшествующей ночи, и у них на следующий день все валится из рук практически до самого вечера. Пять хеймас — Дома Земли — отвечают за хвалебные церемонии Дня Второго. Составляются процессии из людей от семнадцати до пятидесяти-шестидесяти лет, которыми руководят совсем молодые жители города, еще «живущие на побережье». То, сколько человек присоединяется к процессии и насколько изощренно она организована, зависит, и весьма значительно, именно от этих молодых вожаков, а потому процессии каждый год отличаются одна от другой, отличаются они и от тех, что проводятся в других городах Долины. Следующее ниже описание такой церемонии представляется неким ее усредненным, «идеальным» вариантом, возможно, никогда и не имевшим места ни в одном из городов.

Люди из Первого Дома, Дома Обсидиана, должны отправиться в поля, заглянуть в амбары и в вольеры для домашней птицы с песнями, прославляющими домашних животных и птицу. Эти песни могут быть традиционными или же их может специально сочинить к празднику какой-нибудь местный поэт или музыкант. Они могут быть также импровизацией в чистом виде или смесью традиционного и нового. Они обычно представляют собой простое описание животного и похвалы в его адрес, но не содержат никаких просьб — например, об увеличении поголовья или о чем-либо подобном. Зачастую собственно пения не так уж и много, разве что несколько традиционно исполняемых хором песен, вроде Песни Быка, принадлежащей к так называемым Песням Силы и Здоровья:

> Ну и бык! Он едет верхом на корове!
> Вот так бык! Он едет верхом на корове!
> А корова везет на себе быка всю дорогу,
> она согласна везти на себе быка всю дорогу.
> Ахо ахей! Вот так упрямый бык!
>
> А вот и баран, верхом на овце он едет!
> А вот и баран, верхом на овце он едет!
> И овца везет и везет барана,
> она согласна везти барана!
> Ахо ахей! Наш баран остророгий!

Эта прогулка по амбарам и пастбищам частенько заканчивается катанием верхом на коровах, играми с пастушьими собаками, скачками на ослах или импровизированной демонстрацией выездки любимых лошадей. Дети заранее готовят для своих любимцев нарядные воротники и ошейники, сплетенные из травы и болотной мяты, да и вообще любое домашнее животное может получить ради праздника пучок или стебелек мяты, который втыкают за ошейник, или в гриву, или прямо в густую шерсть. Иногда цветами и травами убирают стойло или же преподносят какое-нибудь лакомство в подарок — лошадям лишнюю горсть овса, домашней птице и химпи вкусные крошки и зерна.

Второй Дом, Дом Синей Глины, посылает людей вдоль речек и ручьев на «охотничью» сторону окружающих город холмов, чтобы они спели там диким животным, на которых ведется охота. Эти старинные песни знают все, и в данном случае процессия никогда не бывает малочисленной — всегда находятся желающие «спеть оленю».

Третий Дом, Дом Змеевика, посылает своих представителей в леса и горы, на луга и поляны, которыми пользуется вся община. Спикер этой хеймас обязан произнести длинный речитатив, перечисляя все дикие пищевые культуры, все полезные травы, семена, коренья, плоды, кору, орехи и листья, которые люди собирают для пропитания, лечения или иных целей.

Люди из Четвертого и Пятого Домов отправляются в сады и огороды с хвалебной песней, обращенной к садовым деревьям и пахотным землям, чтобы перечислить и возблагодарить культурные растения данной местности.

К вечеру все эти группы возвращаются в город, и люди начинают готовиться к церемонии Второй Ночи — Свадебной.

Подобно церемонии Оплакивания, это общественный ритуал, узаконивающий фактический брак. Пары, которые уже начали жить вместе в течение последнего года, не называют себя мужем и женой, пока не примут участия в церемонии Свадебной Ночи. В ней может также участвовать любая супружеская пара, как бы дополнительно подкрепляя свой союз.

Сама церемония довольно проста. Все, кто хочет танцевать Брачный Танец, встречаются на площади, где певцы пяти хеймас поют хором Свадебную Песнь — старинную, довольно короткую и очень веселую песню, которую никогда и нигде более не исполняют. Если погода хорошая и музыканты настроены подходяще, то после этого еще могут состояться танцы; главный Свадебный Танец тоже очень веселый, пары танцуют его, встав в ряд и проходя по очереди под поднятыми руками других пар — когда-то и у нас так танцевали на площадях. После этого все отправляются по домам, к Свадебному Обеду, за которым традиционными считаются горячее вино и скабрезные шутки.

Два города особенно изощряются в проведении этого несложного праздника. В Чукулмасе женихи сперва неспешно и церемонно обедают в своих хеймас, а потом с песнями отправляются каждый к дому своей невесты, в котором отныне должен жить, и только тогда для них исполняется Свадебная Песнь. В Ваквахе, после исполнения всей общиной Свадебной Песни, представители Домов Красного и Желтого Кирпича показывают ритуальную драму «Свадьба Авара и Булекве», сопровождаемую музыкой и танцами, а также другие романтические, эротические или мистические пьесы. Говорят даже: «Ты еще не женат по-настоящему, если свадьбу справлял не в Ваквахе», так что многие пары, рассчитывающие на долгий брак или уже празднующие много лет совместной супружеской жизни, отправляются именно в Вакваху на Второй День Танца Вселенной.

Третий день Танца Вселенной

Задолго до рассвета, еще в темноте, юноши и девушки пятнадцати-шестнадцати лет будят малышей и выводят их на верхние балконы своих домов или даже залезают с ними на крышу или на дерево да на любое возвышенное место, куда могут забраться. Там они танцуют на месте, но не поют, а только поддерживают ритм с помощью погремушек, сделанных из оленьих копыт, наполненных семенами. Их старшие родственники приносят своих младенцев, которые еще не умеют ходить, и учат их, придерживая за ручки, тем простым движениям, которые исполняют все остальные. Они танцуют лицом к юго-востоку и, когда встает солнце, приветствуют его хвалебной песней, слова которой произносят шепотом. Когда солнце подымается над вершинами гор, они спускаются вниз и разбредаются по городу и по садам в поисках перьев птиц, при этом старшие дети помогают младшим, пока у каждого не будет хотя бы по одному перу и по одному красивому камню — неважно, найденному или подаренному.

Все дети, держа камень в правой руке, а перо в левой — крест-накрест, что означает «брак» этих двух глубоко священных предметов: пера из Домов Правой Руки и камня — из Домов Левой, — снова собираются на площади для танцев и длинной процессией направляются к Стержню города. Там они останавливаются и выбирают одного из самых маленьких детей, чтобы он возглавил процессию и громко кричал, шествуя впереди всех к городской площади: «Впустите детей!»

При этом взрослые, ожидающие у себя дома (причем до этого момента двери домов должны быть крепко заперты), отворяют двери и с приветствиями вводят в дом своих детей.

Завтрак во всех домах вместе с детьми превращается в веселый праздник; и весь остальной день тоже посвящен детям. Взрослые и дети как бы меняются ролями; и те и другие играют с удовольствием: например, взрослый, разговаривая в этот день с ребенком, должен низко поклониться или же встать на четвереньки, иначе его могут наказать за непослушание и довольно сильно отхлестать сосновыми ветками, причем сделать это может любой ребенок, оказавшийся тому свидетелем. В городе откуда-то появляются Зеленые Клоуны, они показывают всякие фокусы и жонглируют. В городах Нижней Долины устраиваются потешные войны — битвы, где оружием служат комки грязи и желуди. «Сражения» эти могут затем перемещаться на оставленные под паром поля и даже на «охотничью» сторону близлежащих холмов и продолжаться весь день; частенько все это заканчивается синяками, подбитыми глазами и всякими менее серьезными увечьями. Особого рода марципаны из миндальных орешков, жаренных в меду, в виде раскрашенных фигурок зверей, птиц и людей, а также в виде цветов раздают детям в каждом уважающем себя доме. Этот день часто называют еще Днем Меда, он заканчивается Танцем Пчелы и Танцем Муравья, которые исполняют самые маленькие жители города. Когда солнце опускается к самым вершинам гор, юноши и девушки снова забираются на крыши и верхние балконы домов и начинают громко кричать: хейя, хейя.

Многие люди присоединяются к ним и тоже залезают на крыши и балконы или же поднимаются на ближайший холм; некоторые подростки и даже взрослые тратят весь день, чтобы взобраться на вершину ближайшей горы. В Ваквахе, например, многие стремятся до заката достигнуть вершины Ама Кулкун. Там они ждут появления молодой луны. Облака и дождь, конечно, зачастую скрывают и солнце, и луну в это время года, однако и облака, и дождь — жители Небесных Домов, так что само зрелище — закат или молодая луна — в данном случае не является главным, особенно если находишься так высоко. Главное — смотреть вверх, на небеса.

Когда меркнут последние краски заката и заходит юная луна, спикер Дома Обсидиана просит луну передать благословения народов Земных Домов всем Домам Неба. Его одинокий голос завершает три дня Танца Вселенной. Люди еще некоторое время стоят в сумерках, «ожидая Людей Радуги», которые могут появиться на склонах горы или в воздухе, ибо они «идут дорогами ветра»; однако с наступлением темноты все спускаются вниз и расходятся по домам, шепча приветственную песнь, когда ступают на порог родного дома.

День после Танца Вселенной

Три дня Танца Вселенной — это как бы обратный ход времени: все начинается с оплакивания умерших, затем следует брак и повседневная жизнь, а завершается все детством и младенчеством. День после Танца Вселенной — еще одно, последнее движение вспять по временной оси.

Все желающие танцевать в этот день рано утром направляются к подземным домам Общества Черного Кирпича, где три дня назад начинался праздник. Члены этого Общества ведут группу, обычно не слишком многочисленную, в определенные места, находящиеся в соседних долинах или ущельях, но обязательно близ источника воды. Эти участки — часто размером всего в несколько шагов абсолютно ничем не примечательны; но они считаются отражением тех мест, что находятся в Четырех Небесных Домах, в Мире Правой Руки, это места, как бы обратные кладбищам, то есть жилища нерожденных. Здесь не рожденные еще дети ждут своего часа, чтобы родиться на свет.

Расположение и значение таких мест — часть тех тайных знаний, которыми обладает Общество Черного Кирпича.

Так вот, в одном из них члены Общества поют сами и учат пришедших с ними людей песне «Сияние солнца», которая как словами, так и мелодией очень похожа на песни Ухода На Запад, что поют умирающим и усопшим. Древним припевом этой песне служит слово *хвавгепрагу*, что означает «сияние солнца»; остальной текст может исполняться частично, целиком его поют редко, так что приведенные ниже слова специально выписаны для нас Ясенем из Общества Черного Кирпича, жителем Синшана:

> Хвавгепрагу, ты идешь.
> Ты, конечно же, дойдешь.
> Путь нетруден, недалек.
> Он по городам пролег.
> Приходи, когда захочешь.
> Солнце светит и хохочет.
> Хвавгепрагу, выходи
> и на солнце погляди!

Все океаны и берега морей считаются жилищем нерожденных; видимо, там и полагается им находиться. Так что, когда женщины отправляются к устью Великой Реки На, шутники всегда спрашивают: «А что ты на этот раз принесешь с собой?»

Приведенный ниже отрывок взят из учения Общества Черного Кирпича и произносится в день после Танца Вселенной:

«Пески всех побережий мира, каждая песчинка на этих побережьях и все они вместе — это жизни нерожденных, которые непременно родятся, которые должны родиться. Волны моря, пузырьки пены морской на волнах, что разбиваются о берега морей и океанов нашего мира, каждое пятнышко, каждый проблеск солнечного света на волнах морских — все это обитатели Девяти Домов бесконечной Жизни, исчезающие, рождающиеся вновь и никогда не пребывающие в этой жизни вечно».

К этому учению имеет также самое непосредственное отношение и поэма «Внутреннее Море».

ТАНЕЦ СОЛНЦА

Два из семи ежегодных ваква хедоу, или Великих Танцев, исполняются всеми девятью Домами. Во время Танца Вселенной, танца космического обновления, приходящегося на период весеннего равноденствия, Земля и Небеса танцуют одновременно, хотя и не вместе: обитатели Земных Домов предлагают все земное для использования и благословения обитателям Домов Небесных, которые, тоже танцуя в своих заповедных местах, получают благословения и сами благословляют Землю. Церемонии Танца Вселенной классифицируются местными учеными как «сортировка», или «отбор» — то есть приведение всего в порядок, расстановка по своим местам. Во время церемоний, связанных с Танцем Солнца, приходящим на время зимнего солнцестояния, все, что было «отделено и разобрано», снова соединяется. Все существа как Земли, так и Неба, всех планет и уровней жизни встречаются и вместе танцуют Танец Солнца. Для простых смертных это нелегко. Из всех Великих Танцев именно Танец Солнца считается самым колдовским, самым напряженным и опасным. Те, кто желает участвовать во всех его церемониях и таинствах и танцевать Танец Внутреннего Солнца, учатся этому годами; например, о старом, готовящемся умирать человеке говорят: «Он готов танцевать Танец Внутреннего Солнца».

Большая часть людей участвует только в общих церемониях в Танце Внешнего Солнца — и то, насколько активно они желают участвовать в этом, дело их личного выбора. Почти невозможно удержаться от такой вселенской попойки, как Танец Вина, и практически все участвуют по крайней мере в одной из Ночей Танца Вселенной, однако церемонии, связанные с Танцем Солнца, особенно привлекательны, на мой взгляд, для интровертов и мистиков, так что большая часть жителей Долины просто наблюдает их со стороны. Дети и подростки играют весьма важную роль, как активную, так и пассивную, во всем, что связано с периодом, предшествующим наступлению зимнего солнцестояния и длящимся двадцать один день.

В течение Двадцати Одного Дня младшие из детей должны отыскать в лесу подходящий молодой отросток дерева или кустарника, пересадить его в бочку или корзину и прятать до Дня Восхода, то есть до дня солнцестояния, когда они торжественно преподносят свой дар кому-то из взрослых, вызывающих их особую любовь и уважение. Дети более старшего возраста могут сделать то же самое или же посадить и вырастить втайне дикое плодоносящее деревце (орешину, или фруктовое дерево, или чернильный дубок), которое редко встречается в местных лесах; или же они сажают в городском саду плодовое дерево и ухаживают за ним в течение нескольких лет, а результаты своего труда представляют в День Восхода тому взрослому, который достоин подобного дара. Часто такие дарственные деревья

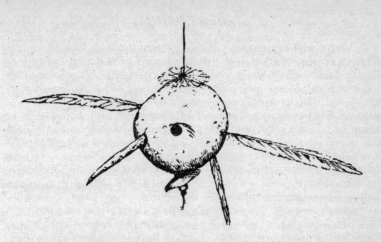

украшаются ярко раскрашенными желудями и скорлупками орехов, дутыми стеклянными бусами и перьями птиц, которые привязывают к ветвям. Эти похожие на наши елочные игрушки «перья-слова» зачастую очень изящны и красивы — настоящие маленькие шедевры.

Дети и подростки заботятся и о том, чтобы деревья вокруг городской площади и площади для танцев тоже были украшены к празднику, хотя им частенько мешают характерные для этого времени дожди. Ученики Цеха Мельников из городов Верхней Долины натягивают на ветвях деревьев провода с лампочками и устраивают замечательное световое представление, особенно яркое и красивое в первую из Двадцати Одной Ночи. Однако с течением времени лампочки светят все слабее и постепенно гаснут. Ветки можжевельника, ели, сосны и вечнозеленых диких роз с яркими красными ягодами развешивают на балконах и в дверных проемах, а также сплетают в венки и гирлянды для украшения комнат. Специальные свечи, часто окрашенные в красный цвет и сдобренные эссенцией благородного лавра или розмарина, изготавливаются молодежью и зажигаются в течение Двадцати Одной Ночи; к последней из этих ночей они должны догореть до конца.

В течение Двадцати Одного Дня во всех пяти хеймас интенсивно обучают различной священной премудрости; эти занятия связаны с желанием как можно ближе соединить Левую Руку и Правую Руку, Землю и Небо, пока они окончательно не встретятся в определенном месте и в определенное время в Танце Солнца.

В данном случае внимание не фокусируется на материальном и конкретном — на скалах, растениях, животных, людях, как это делается во время Танца Вселенной, когда все живые существа и предметы перечисляются и прославляются. Теперь главное — это общее для всего рода и духовное, то есть тот аспект, при наличии которого все существа, даже те, что в данный момент еще живы, так или иначе становятся обитателями Небесных Домов, Домов Смерти, Сна, Дикой Природы и Вечности. Мертвые и нерожденные непременно должны быть приглашены на Танец Солнца. Люди Радуги, образы снов и видений, все дикие существа, волны моря, солнечные лучи и звезды тоже должны участвовать в этом празднике. Так что земные, смертные танцоры-люди приглашают как бы свое астральное «я», которое существовало до их рождения и будет существовать после их смерти на Земле. Не «дух» свой, то есть суть собственной индивидуальности, или, точнее, не только свой дух, ибо индивидуальность — это и есть смертность, но скорее свою «душу-дыхание», ту самую, которую можно разделить с кем-то, которую можно отнять, которую можно вернуть, чтобы составить целостное существо; то свое «я», которое находится за пределами тебя самого.

Практические занятия и упражнения по подготовке танцоров Внутреннего Солнца включают обучение особой системе дыхания, подобной йогической, однако в целом это учение и техника упражнений лишь весьма отдаленно напоминают йогу. Атлетическая суровость йоги никогда не казалась жителям Долины достаточно привлекательной; здесь предпочитают скорее «нечто среднее», *уббу*, для чего ближайшей параллелью является теория и практика китайских даосистов.

Прямой путь, «королевская дорога», самый легкий способ осуществления связи и прочих отношений с Миром Четырех Домов это сон или транс. Непрямое, однако вполне прочное соединение с ними, «нижняя дорога», — это интеллектуальная и физическая дисциплина: обучение знаниям Внутреннего Солнца. Письменных материалов по этим вопросам не существует; обучение всегда было устным или вообще бессловесным и происходило во время длительных тренировок, упомянутых выше.

Я же могу описать далее лишь чисто внешние свои впечатления от практических занятий Танцоров Внешнего Солнца, поскольку видела их собственными глазами и мне достаточно подробно разъясняли их значение сами участники и преподаватели.

Упражнения, связанные с Танцем Внешнего Солнца, и ритуалы Двадцати Одного Дня в общем-то являют собой все углубляющееся состояние коллективного транса, находящееся под контролем.

Средства достижения подобного состояния — это голодание, многочасовая игра на барабане, длительное пение и танцы, а также путешествия.

Путешествия «в поисках Солнца» предпринимаются группой из четырех или пяти человек, которые уходят на несколько дней или даже на весь трехнедельный период в отдаленные дикие районы, на «охотничью» сторону Ама Кулкун или еще дальше в горы, где много узких опасных ущелий и совсем нет людей. Это расширение границ за счет путешествия является как бы подтверждением неколебимо-

сти того общества, в которое ищущие возвращаются подобно тому, «как ребенок возвращается в дом матери, как душа возвращается в тело после видения». Эти походы в дикие края зимой считаются весьма опасными — не столько физически, сколько морально или, точнее, социально; а поскольку они часто предпринимаются при условии соблюдения полного молчания, когда нельзя произнести за все путешествие буквально ни одного слова, то действительно, пожалуй, психологическое напряжение должно быть довольно сильным.

Также считаются опасными «путешествия назад» — ритуалы, во время которых обычные пределы, определяющие безопасность и нормы ежедневной жизни, в значительной степени смещены. Подобные «сдвиги» могут осуществляться только под руководством наставников и учеников Внутреннего Солнца, однако зачастую их практиковали и соперничающие учения, например, Союза Ягнят и Общества Воителей, обладавшие собственным сводом эзотерических законов и ритуалов. При «путешествиях назад» ученики подвергаются тяжелым, порой рискованным испытаниям, требующим большого терпения и выносливости; деяний и подвигов такого рода жители Долины обычно осторожно избегают. От учеников требуется принимать различные медицинские средства: слабительное, рвотное, галлюциногены; использовать особую практику аскетизма — длительное голодание, сидение без движения и т. п., а последователи культов Воителей и Ягнят во время своих церемоний, кроме того, еще наносили себе увечья и совершали кровавые жертвоприношения, убивая животных.

Наиболее зловещим и необычным героем церемонии Двадцати Одного Дня является Белый Клоун: ужасающая фигура, в белой маске и белом плаще, футов десяти в высоту. Белые Клоуны в одиночку или группами подкрадываются к детям в лесу или в поле и даже на улицах самого города. Неизвестно, причиняют ли они на самом деле какой-либо физический ущерб детям, однако считается, что это бесспорно, и существует множество легенд и сказок о трагической судьбе детей, повстречавшихся с Белыми Клоунами. По-моему, это обычные «рассказы о привидениях», например: «...И наутро ребенка нашли. Он стоял, прислонившись к стволу яблони, и был холодный, как зимний дождь, и застывший как деревяшка, а глаза его все смотрели в одну точку — но только зрачки стали мертвенно-белыми».

Дети, которым приходится в такой период пасти овец, или заниматься собирательством, или ухаживать за своими «подарочными» саженцами, растущими далеко от дома, испытывают настоящий ужас перед этими незаметно и неслышно подкрадывающимися чудовищами и выходят из дому по возможности только парами или группами в течение всех этих дней.

Остальные церемонии подготовительного периода проводятся в пяти хеймас или же всеми вместе, открыто, на площади для танцев. Любой может присоединиться к игре на барабанах или к танцам, то входя в танцующую группу, то выходя из нее; ритмы и танцы носят самый простой традиционный характер. Я бы охарактеризовала их как довольно монотонные, бесконечные и тем не менее удивительно привлекательные. Стоит присоединиться к танцующим или аккомпанирующим, как уйти уже трудно. Чаще всего поют так называемые долгие песни. Слов в них, по сути дела, нет, это либо «матричные» наборы звуков, либо междометия, окружающие «сердцевину», состоящую из значимых слов. Ведущий запевает такую песню, и те, кто присоединяется к пению, стараются, чтобы песня длилась как можно дольше — столько, сколько будет петь сам ведущий. Такие долгие песнопения в хеймас могут порой продолжаться несколько дней подряд без передышки, и голодающие все это время певцы доводят себя до состояния глубокого транса и полного истощения. Затем они могут отдохнуть четыре-пять дней и возобновить долгое пение.

Ниже приведен «текст» одной из таких песен, я слышала ее в хеймас Желтого Кирпича в Мадидину. Обычно подобные песни записи не подлежат, однако мне объяснили, что это просто потому, что запись их сочтена необязательной.

Хейя кемейя
оу
имитими
оу-а йя.

Наставник Танцоров Внутреннего Солнца время от времени отбивал ритм на небольшом деревянном барабане и вел основную мелодию. Каждая из четырех фраз (или слогов?) повторялась по меньшей мере в течение часа, а то и в течение нескольких часов, за исключением выражения «имитими», которое повторялось еще чаще и всегда по девять раз кряду. Способность певцов следовать за ведущим и мгновенно менять совершенно неведомую заранее мелодию и ритм объяснялась довольно просто: двое из них, очевидно, наименее одаренные, не пели вовсе, а осуществляли едва заметный «контроль» над ведущим и еле слышно меняли звучание непрерывного о-о-о, когда менялась основная тональность, а также подсказывали остальным нужные слова или слоги или подменяли того, кому требовалось перевести дыхание; все это вместе создавало полную иллюзию непрерывного, идеально ровного звучания в течение часов одиннадцати-двенадцати, пока певцы не сдавались окончательно. Обычно долгое пение продолжается подряд почти два дня и две ночи. Когда у ведущего сдает голос, что происходит чаще всего к середине второй ночи, он, продолжая отбивать ритм на барабане, безмолвно двигает губами, шепотом произнося очередное «матричное» слово.

Долгое пение, продолжающееся более двух суток, обычно осуществляется с несколькими ведущими и затягивается уже суток на пять. Старшие из подростков и многие взрослые, как правило, хотя бы раз принимают участие в таком долгом пении.

Большая часть людей также соблюдает пост и половое воздержание в течение Двадцати Одного Дня, ужесточая строгость запретов по мере приближения дня солнцеворота. Настроение в обществе постепенно становится все более напряженным и мрачно-суровым — «натянутым», как они выражаются.

В канун дня солнцеворота все группы путешественников возвращаются домой, желательно до наступления темноты, и разбредшиеся во все стороны семьи вновь воссоединяются по возможности в доме матери. Женатые мужчины часто на Двадцать Первую Ночь возвращаются в дома своих матерей. Города выглядят так, словно находятся в осаде. На закате все двери и окна плотно закрываются. Выключаются все источники энергии, останавливаются все мельницы и станки; если это возможно, домашние животные помещаются в клетки, загоны, хлева и стойла; и, когда солнце садится, выключаются все лампы и гасятся все огни в каминах и очагах. До заката еще разрешается зажечь в доме свечу, однако согласно традиции, весьма поддерживаемой детьми и подростками, обожающими все традиционное и таинственное, ночью зажигать никакого огня нельзя. Если свеча гаснет сама собой, то потом она так и остается незажженной. Эта самая длинная ночь в году оказывается и самой темной.

В течение последнего дня, еще при свете, Танцоры Внутреннего Солнца успевают вырыть на городской площади довольно глубокую яму шириной фута в два. После заката люди, проходя мимо этой ямы под названием «Несуществование», бросают туда горстку золы из своего очага, немножко пищи, завернутой в кусочек ткани, или перышко, или прядь волос, или даже кольцо, или резное украшение, или же маленький свиток исписанной бумаги, или еще какую-нибудь вещь, представляющую для каждого некую личную ценность.

Все происходит в молчании, и песен тоже никто не поет. Люди просто проходят мимо и как бы невзначай совершают это маленькое личное жертвоприношение. Молчаливая процессия продолжается до полуночи, а то и позже. Затем каждый возвращается в одиночестве в свой темный дом по темным улицам или же идет в молчаливую хеймас, где посреди центрального помещения горит одна-единственная искорка огня в этой беспросветной ночи — крохотный масляный светильничек. Позже, ночью, гасят и этот свет. И в один из самых темных часов члены Общества Черного Кирпича засыпают землей яму под названием «Несуществование» и заравнивают поверхность так, чтобы и следов было не отыскать.

Ясень из Общества Черного Кирпича говорил мне: «Это вроде как память города — там, под землей, по которой мы ходим, под нашей городской площадью. Там лежат все те вещи, которые каждый год клали туда в молчании и во тьме, забытые, несуществующие вещи. Их кладут туда, чтобы о них забыть. Они пожертвованы». Итак, Двадцать Первая Ночь проходит во тьме и молчании.

При первых проблесках рассвета, примерно в тот час, когда начинают кричать петухи, исполняется одна-единственная песня. Четыре или пять девочек-подростков, обучавшихся Танцам Внутреннего Солнца, поднимаются на высокую крышу или на башню, если таковая имеется в городе, и там стоя с начала и до конца, но только один раз поют Гимн Зиме.

Тёрн рассказывала мне: «В детстве я всегда собиралась не спать и обязательно дождаться исполнения этого гимна или по крайней мере проснуться и послушать его, но мне это никогда не удавалось. Я умоляла мать и других женщин из нашей семьи разбудить меня во-

время, но если они даже и будили меня, то гимн успевал уже кончиться к тому моменту, когда я окончательно просыпалась и была способна хоть что-нибудь воспринимать. Но когда я стала старше и впервые услышала эту песню, мне показалось, что я знала ее, еще будучи в утробе матери». Слов этого гимна в записи не существует. Рано утром вновь разжигаются огни в очагах и каминах, вновь подземные хеймас освещаются разноцветными праздничными лампочками, и вот наступает час восхода — событие, которое хотя и является центральным для всего празднества, но никак формально не отмечается.

Ясень по этому поводу говорил: «Центральным моментом этой ваквы является заполнение ямы «Несуществование». Да, именно так». При этом он держал руки ладонями друг к другу и чуть согнув пальцы внутрь, так, чтобы ладони были примерно на расстоянии дюйма и большой палец его левой руки показывал вниз, а большой палец правой руки — вверх.

Единственным конкретным событием, отмечающим восход солнца, является исчезновение Белых Клоунов. В этот священный миг их могущество бывает сломлено, и они исчезают до следующего года, освобождая детей от страха перед своим непредсказуемым появлением. Дарственные растения преподносятся с шумным ликованием, но в каждой семье по-своему. Даже во время строгого поста заранее готовится кое-какое праздничное угощение, а уж в День Восхода стряпают действительно сытные и вкусные блюда для тех пиров, которые будут теперь продолжаться четыре дня во всех домах и хеймас.

В самих хеймас утренние Танцы Солнца начинаются почти сразу после восхода и исполняются там в течение четырех дней каждое утро (каждый четвертый год они исполняются в течение пяти дней). Поют только Танцоры Внутреннего Солнца. Некоторые танцы они исполняют в масках. Остальные танцы танцуют все, кто умеет.

Ясень говорил: «Если Танцем Солнца руководят правильно и хорошо его танцуют, то и Небесные Люди будут танцевать вместе с Земными. Вот почему никто никогда не берется за руки, исполняя утренние Танцы Солнца. Каждый оставляет между собой и соседом место для одного из обитателей Четырех Домов, чтобы и они танцевали вместе с нами. Точно так же и в песнях: после каждого маленького куплета делается пауза, чтобы его повторили другие голоса, и неважно, слышим мы их или нет; и барабаны тоже отбивают ритм, делая равномерные паузы».

Пятнадцатилетняя Рыбка Верхнего Ручья говорила мне: «Утренние Песни Солнца не такие мрачные, как песни Двадцати Одного Дня, они очень красивые, загадочные. От них на душе делается светлее, их хочется петь, а когда поешь их, то чувствуешь, что кругом поют абсолютно все — живые, и нерожденные, и мертвые, и все собираются вместе в Долине, и никто не забыт, никто не потерян, и все на свете идет как надо!»

А вот слова Тёрн: «Хоть я и знаю, что Танцорам Внутреннего Солнца требуются долгие годы, чтобы выучить и исполнить Утренние Песни, но каждый раз, когда я их слышу, мне кажется, что каждое их слово мне известно. Я их узнаю, как узнаю солнечный свет».

В полдень после Утра Восхода на целых четыре дня в города Долины приходят клоуны-нонете, высокие, белые и страшные, невероятно толстые, одетые в зеленое и без масок, но с замечательно пышными бородами и усами, которые украшены перьями или завиты и свисают на грудь. Бороды сделаны из белой шерсти или древесного мха. Часто впереди всех идут Солнечные Клоуны, они даже пытаются ехать верхом на козлах и всем малышам раздают разные маленькие подарки, в основном сладости. Длительному посту и воздержанию приходит конец, и для гостей в каждом доме накрываются столы. Тёрн рассказывала: «Многие ставят на столы виноградное бренди или крепкий сидр и этим запивают всю еду, так что в итоге напиваются допьяна, и часто вокруг творится много всякого безобразия, но никто не сердится и не выходит из себя, потому что дети веселятся от души и еще потому, что жители Четырех Домов все еще находятся с нами рядом. Всегда следует отставить в сторонку какую-то часть подаваемой на стол еды или специально приготовить угощение — для них — и непременно нужно расплескать первую порцию того, что ты пьешь. А в хеймас в это время еще поют длинные песни, перемежающиеся обязательными паузами».

Неспешно, в течение четырех или пяти дней после Дня Восхода Солнца разъединяются две Руки Мира. Обитатели Четырех Домов постепенно возвращаются к себе, а жители Земли приступают к каждодневным заботам. Тёрн говорила по этому поводу: «Убирая в доме или готовя еду, работая в мастерских или на полях, мы еще долго поем песни, которые нравятся Людям Радуги, ибо они уходят от нас, уходят все дальше и дальше, возвращаются в свои Дома. Мы поем эти песни и отдаем им часть своей души, своего дыхания, посылая его им вослед». И Ясень вторил ей: «Выдыхая, исполняя эти песни, мы как бы частью своей следуем за ними, некоторое время видим мир таким, каким видят его они — глазами Солнца, способными видеть только свет».

О ПОЕЗДЕ И РЕЛЬСОВОЙ ДОРОГЕ

Цех Мельников и Общество Искателей вместе осуществляли работы по прокладыванию рельсовой дороги, ее починке и поддержанию в исправном состоянии. Под их присмотром многие молодые люди тоже часто трудились в течение одного-двух сезонов на дороге, воспринимая это как некое приключение. Вожаки таких молодежных команд, а также мужчины и женщины, управлявшие мулами и быками, тащившими вереницу повозок, а также те, кто водил настоящие Поезда, снабженные двигателем, пользовались не только уважением, но и романтической славой «опасных» людей.

Рельсовая дорога, которой пользовался народ Кеш, тянулась от Честеба, что к югу от Чистого Озера, через Ама Кулкун до Кастохи, затем вниз через Долину мимо Телины и крупных винных заводов, находившихся чуть южнее Телины, затем сворачивала на восток через северо-восточную гряду к портовому городу Сед, что на берегу Внутреннего Моря, где живет народ Амаранта; в общем ее протяженность достигала примерно восьмидесяти миль.

Это была одноколейка с небольшими платформами возле складов и винных погребов и переездами для повозок. Существовало также несколько коротких веток, соединявшихся с основной магистралью — в Кастохе и в Седе (и еще у Чистого Озера возле города Стой, где поддерживалась связь с рельсовой дорогой, ведущей на север, и тягловой буксировкой грузов на восток).

Рельсы были сделаны из дуба, основательно обработанного, чтобы дерево не пострадало от плесени, нашествий термитов и грызунов; рельсы были уложены поверх скрепленных крест-накрест шпал из лиственницы или секвойи, покоившихся на насыпи из речного гравия. Никакого металла здесь не использовалось, рельсы были прикреплены к шпалам выточенными из дерева шпильками. Цех Дерева под эгидой Дома Желтого Кирпича отвечал за изготовление рельсов и за все церемонии, связанные с прокладкой путей и их ремонтом.

Туннелей Кеш не прокладывали; на особо крутых подъемах или в ущельях, как на Ама Кулкун или в северо-восточных горах, строились многочисленные серпантины. Их опоры были массивными, поскольку должны были поддерживать подмостки, по которым животные втаскивали повозки наверх.

Различного типа повозки катились на сделанных из дуба колесах — по четыре колеса у каждой — и сцеплялись между собой с помощью плетеной кожи, иногда усиленной цепями. Повозки, предназначенные для перевозки особенно тяжелых или ценных грузов, имели еще и крышу и напоминали фургоны; те, в которых везли бочки с вином, были разбиты на ячейки с зажимами и специальными гнездами. Имелась также одна крытая повозка со скамьями, окошками и даже печкой — небольшое «купе» для людей, пожелавших путешествовать на Поезде: если вы помните, предельная роскошь по мнению автора «Ссоры с народом Хлопка». Остальные повозки крыши не имели и обладали более легкой конструкцией. Наиболее распространена была обычная телега с воткнутыми в гнезда шестами, на которые натягивалась парусина; груз накладывался на дно телеги. Ни одна из повозок не превышала в длину девятнадцати футов; ширина колеи (стандартная с незапамятных времен на всех дорогах Долины и соседних районов) составляла два фута девять дюймов (на языке кеш основная мера длины, обозначаемая словом *херш*). Повозки были такими узкими, что чем-то напоминали лодки, как, собственно, и называли их сами Кеш.

В тот период, о котором повествуется в данной книге, существовали два Поезда — один принадлежал народу Кеш, а другой народу Амаранта. Оба Поезда ходили между Кастохой и Седом. Скорее всего (это моя догадка) то были обычные паровозы, работавшие на древесном топливе, мощностью в 15 — 20 лошадиных сил. Поезд, принадлежавший Кеш, был создан и обслуживался членами Цеха Мельников в сотрудничестве с другими Цехами и Обществами, которые использовали его для торговли с соседними народами. Кеш называли свой паровоз Кузнечиком за его остроугольные поршни и за общее сходство с длинноногим суставчатым насекомым и еще, возможно, за то, что он начинал движение со стремительного рывка. Паровоз был построен из деревянных деталей, очень точно подогнанных, и клепаных железных листов, а трубы были склепаны молотком на деревянной оправке. Топка и бойлер в паровозе стояли на низеньких ножках, прикрепленных к полу болтами, подальше от вагонов; высокую и узкую дымовую трубу сверху прикрывала сложной формы и, по-моему, весьма ненадежная крышка, которая должна была гасить искры. Риск возникновения лесного пожара из-за попадания искр в сухую траву и низкий кустарник на горных склонах вдоль дороги был основным недостатком при использовании паровозов; в засушливые годы ими вообще не пользовались, особенно в период между Танцем Воды и началом сезона дождей. В такие месяцы, а также на коротких перегонах в пределах самой Долины, и севернее Кастохи, на пути через Гору-Прародительницу, весь транспорт тянули быки или мулы: рельсы и само полотно дороги были достаточно удобны для этих целей.

Семафоры включались в периоды особенно оживленных перевозок (то есть совершавшихся чаще чем раз в девять-десять дней). Женщины и мужчины, работавшие на рельсовой дороге, обслуживали заодно и ее сигнальную систему, а путешественники помогали пополнять запасы дров и воды. Сигнальная система Дороги была соединена с ПОИ в Ваквахе, Седе и других городах, прежде всего торговых, где составлялось расписание движения поездов, соблюдавшееся довольно четко.

НЕКОТОРЫЕ ЗАМЕЧАНИЯ
ПО МЕДИЦИНСКОЙ ПРАКТИКЕ

Большую часть сведений о медицине Кеш я получила из бесед с Ясенем из Дома Змеевика, членом Общества Целителей Чумо и Синшана. Он сказал, что врач делает четыре вещи: предупреждает, заботится, лечит и убивает.

Превентивная (или профилактическая) медицина включает: иммунизацию, общественную и личную гигиену, советы, касающиеся диеты, рода и места работы, а также физических упражнений, необходимых тому или иному конкретному лицу, практические уроки по снятию различных стрессов и широкий спектр различных видов массажа, мануальной и музыкальной терапии, а также танцев.

В понятие *заботы о больном* входит лечение конкретных недугов — различных лихорадок, мышечных и невралгических болей, инфекций, а также забота о людях, страдающих от физической немощи и тяжких неизлечимых заболеваний.

Собственно *целительская практика* включает в себя лечение переломов и вывихов, использование широкого и сложного набора фармацевтических средств, лечебную физкультуру и хирургию. У меня нет списка тех операций, которые Кеш считали осуществимыми. Ясень порой упоминал то об ампутации, то о выскабливании кюреткой, то об удалении аппендикса, то об удалении опухоли из брюшной полости, то о хирургическом лечении рака кожи, то об операции по исправлению «волчьей пасти». Анестезирующие средства чаще всего готовились из трав, эти лекарства давали больному в течение нескольких дней до операции, а также после нее, и еще обезболивание производилось с помощью особых «пик», тонких бамбуковых иголок, втыкаемых в тело больного в строго определенных местах, что — на мой непросвещенный взгляд — выглядело весьма похожим на акупунктуру. (Хотя я никогда не слышала, чтобы Кеш применяли что-либо подобное в терапевтических целях.)

Поскольку в нашей медицине нет места понятию «убить», ибо она считает себя как бы вдвойне противопоставленной смерти, мы вынуждены лишь скромно предполагать возможность такого явления, как «эвтаназия», а также еще кое-каких операций, которые любой врач Кеш считает не только обязательными, но и самыми естественными, не говоря уж о том, что они занимают значительное место в теории медицины и понятиях морали Кеш: кастрация животных, аборты у женщин (ни та, ни другая операция не считаются ни «легкой», ни предосудительной), а кроме того, убиение новорожденных уродов как у людей, так и у животных.

У Кеш не существует разделения на такие «касты», как ветеринар и «человеческий» доктор, хотя терапевты часто специализировались более узко, согласно своему умению и призванию, а также нуждам данного города. Похоже, дантистов там не было вообще, возможно, потому, что у большинства представителей народа Кеш зубы были исключительно здоровыми и в их рацион входило очень мало сахара.

ГЕДВЕАН — «ВЫНЕСЕНИЕ ПРИГОВОРА»

Это одна из наиболее характерных черт медицинской практики Кеш. Она может быть названа «исцеляющей церемонией» (однако «исцеляющей церемонией» может быть названа и сложнейшая операция на сердце). Современная высокотехнологичная медицинская практика в хорошо оборудованных клиниках скорее назовет так последнее, медицина Долины — первое; в обоих случаях привлекаются хорошо обученные профессионалы, деятельность которых отражает некий моральный аспект и определенные суждения данного общества относительно средств и конечных целей медицины. Статистические данные по сравниванию результатов обоих способов исцеления, быстроты или замедленности выздоровления, а также неудачных случаев применения той или иной практики были бы весьма интересны, хотя, наверное, неуместны.

Поскольку каждое «вынесение приговора» осуществляется для каждого отдельного больного при вполне конкретных обстоятельствах и условиях течения болезни или развития стрессового состояния конкретным врачом или группой врачей, я не могу дать общего описания этой процедуры, а описание какого-нибудь конкретного случая противоречит представлениям Кеш о личной и священной тайне каждого. Поэтому я даю несколько «абстрактное» описание «вынесения приговора»: задействованы две группы людей *годдве*, или «те, кому выносят приговор», и *двеш*, или «те, кто выносит приговор». *Годдве* — это чаще всего один человек, но могут быть и супруги, или родители с ребенком, или два кровных родственника — остаются на период *гедвеана* в четыре, пять или девять дней в своей хеймас или же в доме, принадлежащем Обществу Целителей. За *годдве* там внимательно наблюдают, им предлагается специальная диета или лечебное голодание, и они следуют четким предписаниям медиков в плане активного труда и отдыха; их тело и лицо раскрашены и буквально испещрены специальными пометками, они одеты в специальную одежду: длинную, свободно подхваченную в поясе рубаху из шерстяной материи. (Эти изделия ткачи дарят Обществу Целителей в виде «платы», иногда предварительной, за собственное лечение и медицинское обслуживание. В противоположность тем обществам, где практикуется лечение у шаманов или психотерапевтов, для которых гонорар является существенной составляющей в отношениях между врачом и пациентом, Целители Кеш не требуют за свою работу ничего; их деятельность — это составная часть того непрерывного процесса обмена услугами и товарами, который и лежит в основе деревенской экономики Кеш. Стоимость успешного лечения у конкретного доктора может быть и такова, как ее описывает Говорящий Камень, рассказывая о пациентах своего второго мужа в Чумо и Синшане.)

Двеш, или «выносящие приговор», один из которых должен быть «поющим доктором», вырабатывают общий план лечения/ ритуала, который мог включать: лекарственную терапию, использование

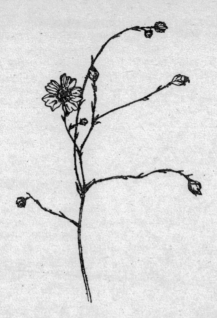

Смолка

наркотиков, погружающих в транс, гипноз, возникающий под воздействием игры на барабане и пения целебных песен, массаж, ванны, специальные физические упражнения, обучение символам и фигурам, которые рисуют в пыли или красками на бумаге или на коже, и обсуждение значения подобных символов, а также длительные беседы о том, какое значение имели песни, истории и различные события в жизни того конкретного человека, которому «выносится приговор»; иногда имеют место особые ритуалы, традиционные или представляющие собой интеллектуальную собственность конкретного Целителя (узнанные во сне или полученные в качестве дара от другого Целителя); также исполняются особые песни, танцы и музыкальные произведения, чаще всего под аккомпанемент барабана, пациентом и врачом вместе. *Годдве* покидает *гедвеан*, получив рекомендации для дальнейшего лечения, если это необходимо, или для дальнейшей повседневной жизни и работы, чтобы исцеляющее действие процедуры сохранилось как можно дольше.

По мнению Ясеня, благотворное влияние «вынесения приговора» заключается прежде всего во внимании — в том внимании, которое уделяется конкретному пациенту, становящемуся на какой-то период как бы центром интересов всех присутствующих, избавленному от стрессов и окруженному ободряющей, спокойной, теплой атмосферой доверия, тихого барабанного боя и пения, а также в том, что и сам пациент (или пациентка) должны уделить своей жизни и мыслям достаточно внимания. Ну и, разумеется, в том несколько мистическом «внутреннем видении», которое достигается совместными усилиями всех участников «вынесения приговора». Это действительно очень хороший пример того, что Кеш подразумевают под словом *уврон*, что значит «заботливость, забота о ком-то».

Многие люди подвергаются этой процедуре несколько раз в жизни, другие же лишь однажды или совсем никогда. Некоторые члены Общества Целителей выступают в роли *двеш* по чьей-то просьбе, другие — только в тех случаях, которые считают действительно серьезными; и хотя в тех первых любят за их отзывчивость и сочувствие, уважают больше все-таки последних. Все врачи, участвующие в церемонии, до этого непременно исполняли и роль *годдве*, так что им тоже «выносили приговор» — как для тренировки, так и в порядке подлечивания.

СМЕРТЬ

Смертельно больные люди — обычно это страдающие севаи, ведет или раком — остаются жить в больницах под присмотром Целителей; к ним применяется *хеагедвеан*, или «продолжительное вынесение приговора». На первое место при этом, как правило, ставится избавление от унижений, а не продолжение жизни как таковой. Если пациент просит о смерти и его семья и ближайшие друзья согласны, то этот вопрос выносится на обсуждение всего Общества Целителей. Если оно приходит к решению, что в данном случае смерть является наиболее благоприятным исходом, то выделяются четверо Целителей; эвтаназия представляет собой сложный ритуал (как, впрочем, и аборт или убийство чудовищно уродливого новорожденного). Осуществляется она с помощью яда, который принимается оральным путем, или с помощью инъекции. Аборты представляют собой выскабливание кюреткой с предварительным и последующим лечением травами. Новорожденные-уродцы (если они не умирают сами от несовместимых с жизнью уродств практически сразу после родов) умирают просто от голода: за ними присматривают, но не кормят.

В ответ на возникшие у меня несколько недоуменные вопросы по поводу этого последнего случая Ясень передал мне следующее письменное заявление:

«К существам (человеческого и животного происхождения), которых мы убиваем и которым позволяем умереть при рождении, относятся исключительно носители следующих врожденных пороков: родившиеся с двумя головами или сросшимися телами; родившиеся с *дусеваи* (то есть с признаками развитой болезни севаи: слепыми, глухими и страдающими такими судорогами, которые не дают им даже сосать грудь); родившиеся с чудовищно изуродованными телами или же с полным отсутствием головного мозга, кожи или какого-либо другого жизненно важного органа. Такие существа, родившиеся только для того, чтобы умереть, получают эту возможность. Человеческие детеныши, появившиеся на свет нежизнеспособными, получают возможность умереть, окруженные заботой и лаской, а также пением песен Ухода На Запад, и матери дают им имена, чтобы они могли быть оплаканы у Погребальных Костров во время равноденствия. Животные, что обитают в Доме Обсидиана, родившись нежизнеспособными, умерщвляются благородным и гуманным способом с соблюдением необходимого ритуала, и трупы их сжигаются».

РОДЫ

Это, похоже, единственная область, где врачи разделены по половому признаку. Что касается животных, то, например, при тяжелых родах у коровы или овцы может присутствовать примерно столько же специалистов-мужчин, сколько и женщин. Однако врачи-мужчины редко присутствуют при родах у женщин; и некоторые Целительницы — *итатеншо*, или «посылающие», — специализируются почти исключительно на уходе за беременными и кормящими женщинами, а также на родовспоможении. Сложные и очень красивые церемонии, посвященные беременности и родам, проводятся под руководством женщин-Целительниц из Общества Крови. Уход за беременными и обучение их тому, как надо себя вести во время родов, осуществляются самым тщательным образом, включая целую систему различных ритуалов и церемоний. По мере приближения родов гигиена в доме соблюдается все строже. Если не удается выделить для роженицы отдельную комнату и содержать ее в абсолютной чистоте — выскоблив песком полы, покрасив заново стены, прокипятив постельное белье и так далее, — то Общество Целителей может настаивать, чтобы роды происходили у них. Мать остается в стерильно чистой, очень тихой и слабо освещенной комнате вместе с младенцем в течение девяти дней, необходимых для отдыха. Отец в это время занят подготовкой торжественной встречи жены с новорожденным и «отсортировыванием» бесконечных посетителей; вместо него этим может заниматься и другой мужчина из его Дома, если в данный момент сам отец отсутствует, или уже успел развестись, или по той или иной причине не считает себя ответственным за ребенка. Сам отец или его заместитель непременно должны помогать молодой матери в ее заботах о новорожденном и в работе по дому и не позволять ей переутомляться, пока она кормит младенца грудью, хотя на самом деле семья обычно так опекает молодую мать, что та сама начинает настаивать на возвращении ей свободы передвижения и любимой работы. Тёрн, которая проходила подготовку в качестве *итатеншо* у Целителей Синшана, говорила, что тяжелые роды случаются довольно редко, однако многие беременности заканчиваются, к сожалению, преждевременными родами или рождением мертвого или серьезно изуродованного ребенка. По всей очевидности, в этом виноваты генетические нарушения. То же самое относится и к крупным животным; в гораздо меньшей степени страдают от этого более мелкие животные, которые размножаются куда быстрее и успевают за множество поколений избавиться от тяжкого генетического ущерба, явившегося результатом давнишнего отравления окружающей среды и прочих неприятностей, оказывающих влияние на изменение генетического кода любого вида живых существ.

РАЗЛИЧНЫЕ ЗАБОЛЕВАНИЯ

Список заболеваний, приведенный ниже, является далеко не полным, не очень точным и, возможно, даже во многих случаях неправильным. Я не могла соотнести признаки некоторых заболеваний с теми, которые были мне известны, хотя Ясень и пытался мне все объяснить. Мы с ним практически ни разу не были полностью уверены, что говорим об одном и том же. Вирусные и бактериологические мутации, которые к этому времени имели место, без сомнения, изменили характер многих заболеваний. Но главной проблемой была нехватка слов и терминов. Медицинская теория и методы диагностики Кеш существенно отличаются от наших. Так, например, имея вполне ясное представление о той роли, которую бактерии и вирусы (причем последние совершенно не видны в их микроскопы) играют в качестве разносчиков и возбудителей заболеваний, Кеш не воспринимают заболевание как нечто существующее само по себе. С их точки зрения, это не то, что с человеком *случилось*, а то, что он делает сам. Самым близким термином, который я подобрала для перевода нашего слова «здоровье» на язык кеш, было слово *ойя* — «покой или благодать», или же слово *гестанаи*, что означало «жить хорошо и поступать хорошо при наличии таланта, удачи и умения». Чтобы перевести наше слово «недуг» или «болезнь», мне приходилось пользоваться отрицательной формой *пойя* — «непокой» (что в общем-то не так уж и далеко от английского слова dis-ease) или же словами «трудность», «тяжесть» и «бремя», а также я пользовалась словом *гепестанаи*, что означает «жить больным, делать все плохо, неудачливо, неумело». Эти понятия Кеш доказывают, что, с их точки зрения, больной человек — это не «пациент», не «потерпевший», а «агент», не просто человек, страдающий от вторжения болезни откуда-то извне, но «делающий болезнь», заболевший сам. Довольно забавно, по-моему, но подобная точка зрения замешана на меньшем чувстве вины, чем наше представление о некоем теле, ставшем жертвой зловредных сил, и при этом подразумевается, что мы вообще не всегда делаем то, что хотели бы, надеялись или должны были бы сделать, и что жить не всегда легко. Деятельность Общества Целителей направлена отнюдь не на служение некоему идеальному или совершенному здоровью и вечной юности или на искоренение болезней как таковых; Целители лишь пытаются убедить людей в том, что жить вовсе не так уж трудно, не труднее, чем это и должно быть.

Общество Целителей проводит настоящие церемонии по иммунизации младенцев, которым от роду 9, 54 и 81 день, детей 2, 4, 5 и 9 лет и взрослых — по их собственной просьбе или по необходимости. Болезни, которые врачи Кеш могут предупредить с помощью прививок или иммунизации, — это столбняк, бешенство или водобоязнь, малярия, бубонная чума — четыре заболевания, которые, как мне кажется, я могу назвать с уверенностью. Для них существует строгая система прививок, которые делают как младенцам, так и детям постарше, а также взрослым в случае необходимости. Малярия — настоящий бич огромных болот и эстуариев, и, хотя иммунизация проводится достаточно эффективно, она все же не дает полной гарантии, и Кеш никогда не стремятся путешествовать по заболоченным районам Долины. Впрочем, они вообще без всякого восторга относятся к любым путешествиям. Разносчиками чумы по-прежнему являются бурундуки, на которых поэтому никогда не охотятся и шкурки этих зверьков никогда не обрабатываются. Тем не менее отдельные случаи чумы встречаются более или менее регулярно как в самой Долине Реки На, так и поблизости от нее, хотя эпидемий на памяти здешних жителей не было.

Мои вопросы относительно оспы и туберкулеза оставили Ясеня в полной растерянности: он так и не смог определить эти заболевания по перечисленным мной признакам. Мы действительно, казалось бы, говорили об одном и том же, когда я перечисляла те болезни или те состояния, которые возникают в результате заражения организма герпесом: сыпь, лихорадка на губах, герпес половых органов, опоясывающий лишай... Ясень все это узнал и счел родственными заболеваниями, группирующимися под общим названием *чемхем*. Ветряная оспа считается в Долине достаточно серьезным заболеванием как у детей, так и у взрослых, и иммунизация против нее проводится в обязательном порядке и, на мой взгляд, очень эффективно.

Венерические заболевания — главным образом различные виды сифилиса и гонореи — называются «любовными ссадинами» или же «бедой чужеземцев», что вполне соответствует истине, ибо ни одна из этих болезней не имеет эндемического характера. Еще одна причина для обитателей Долины не любить путешествия. Ясень знал несколько способов лечения этих заболеваний, но никаких мер предохранения от них, кроме гигиены, ему известно не было.

Остальные упомянутые далее болезни мы смогли определить весьма приблизительно.

Детям делают прививки от чего-то вроде дифтерии и еще от какой-то болезни, сопровождающейся высыпанием сыпи, явно не кори, однако вполне возможно, что какой-то разновидности скарлатины.

То, что Ясень называл «сырым легким», — это, разумеется, одна из форм пневмонии. Пенициллин или лекарство из древесных грибков, родственное ему, весьма эффективны при лечении. Я даже не пыталась разобраться в их невероятно сложной фармакологии, основанной главным образом на травах.

Инфекционный гепатит и некоторые формы инфекционной желтухи также весьма распространены. Ясень считает болезни печени наиболее часто встречающимися и плохо поддающимися лечению. Основная тактика борьбы против них — соблюдение правил гигиены.

Кеш проявляют прямо-таки страстную заботу о воде вообще, а также о состоянии своих источников и колодцев, а потому знают брюшной тиф только по книгам и сведениям, полученным по Обмену.

Различные виды рака кожи встречаются часто, реже — другие формы рака, и все это вместе — значительно реже, чем у нас; однако и в этом случае различное восприятие и подход к онкологическим заболеваниям чуть не завели меня в дебри. Заболевания сердца, которые Кеш лечат с помощью лекарств и *гедвеана*, считаются, по-моему, болезнями пожилого возраста, если, разумеется, не связаны с врожденными пороками сердца.

Однако некоторые болезни, от которых весьма страдает народ Кеш и соседствующие с ним народы, нам пока совершенно неведомы. Это прежде всего *севаи* и *ведет*: врожденные, неизлечимые, дегенерирующие процессы, поражающие нервную систему. (Различные формы обоих заболеваний люди в Долине делят со всеми крупными домашними и дикими животными; говорят, что лоси, например, вымерли во всех прибрежных районах Внутреннего Моря из-за того, что «были больны ведет».) Насколько я смогла установить, оба заболевания отражают генетические (на уровне хромосом) уродства, вызванные долговременным отравлением местности ядовитыми веществами, или радиоактивными отходами, или тем, что в изобилии осталось на Земле после военно-индустриальной эры и широко распространилось как в почве, так и в воде и неудержимо просачивалось с грунтовыми водами из зараженных до сих пор районов. Ведет сопровождается распадом личности и слабоумием, севаи — слепотой и атрофией других органов чувств, а также нарушением мышечного контроля. Оба заболевания сопровождаются сильными болями, уродливыми изменениями тела и конечностей, оба неизлечимы и кончаются смертью. То, насколько мучительно и долго протекает такое заболевание, в каждом конкретном случае зависит, и весьма сильно, от того, что Ясень называл «серьезностью» состояния: иногда общее поражение организма приводит к смерти плода еще во чреве матери; зато более легкие формы могут вообще не проявиться до глубокой старости.

Глубокой старостью в Долине считается возраст после шестидесяти. Средняя продолжительность жизни, таким образом, представляется достаточно низкой — не более тридцати или сорока лет. Слишком многие дети с рождения поражены севаи или же иными страшными генетическими заболеваниями, что приводит к высочайшей детской смертности. Однако же, с точки зрения Кеш, человек, родившийся *ойя* и живущий *гестанаи*, способен дожить и до семидесяти, а то и больше. Старость воспринимается в Долине легко, и очень часто старики живут с заслуживающим особого уважения мастерством и изяществом.

Из трактата «О различных занятиях»

*Из наставлений, собранных библиотекой хеймас
Красного Кирпича в Синшане*

Занятия внешние: грубая работа на холоде и при плохом освещении вредна для здоровья и приводит к онемению тела. Занятия охотой или войной требуют терпения, бдительности, внимательного отношения к деталям, послушания, контроля над собой, духа соперничества, опыта, не слишком богатого воображения, холодного разума. Убийство ради собственного пропитания животных и растений — занятия, требующие терпения, бдительности, внимания к деталям, присутствия разума и большой осторожности. Опасность, грозящая такому убийце, велика. Если утрачивается представление о Даре, приносимом убиваемым, то утрачивается и разум убивающего. Если же утрачивается представление о той боли, которую испытывает убиваемый, то убивающий — конченый человек. Представление о боли, которую испытывает другой, — суть человечности. Если по небрежности или по собственному желанию убийства совершаются часто и с жестокостью, это нарушение всех законов и недопустимо ни при каких обстоятельствах.

Тех, кто занимается тайным накопительством и ростовщичеством, считают трудновоспитуемыми, ненасытными и подобными раковым опухолям.

Занятия ближе к центру: занятия с неясной целью, на холоде, требующие больших усилий, убивают тело. Перемалывание зерна и придание дереву различных форм, а также подготовка растений, корней и семян для еды, вырубка и сожжение деревьев, вяление и хранение мяса животных, птиц или рыбы, захоронение мертвых животных, принадлежащих городу, похоронный обряд и погребение мертвецов — все это занятия, требующие известного количества дополнительных знаний, ибо они должны осуществляться разумно и в строгом соответствии с правилами.

Еще ближе к центру — такие требующие грубой силы и ясного разума занятия, как торговля и обмен. Занятия бартерной торговлей и обменом позволяют различным силам и энергиям должным образом перемещаться с одного места на другое; эти занятия очень похожи на саму жизнь. Искусство мельников, использующих энергию солнца, ветра, воды, электричества и комбинации различных энергий и вещей для того, чтобы создавать другие вещи, — все это тоже можно назвать обменом. Все эти занятия требуют бдительности и ясности ума, яркого воображения, скромности, внимательного отношения к деталям и их взаимосвязанности, силы и мужества.

Совсем близко к центру и непосредственно в центре находятся такие занятия, как зачатие, вынашивание и рождение ребенка, а также его кормление и прочие заботы о нем.

В самом центре находятся такие занятия, которые проникнуты

теплом и силой, отличаются тонким разумом и ярким воображением. Это занятия, связанные со всем живым, с разнообразными и сложными проявлениями окружающего мира, с его энергией и красотой. Яркое воображение, ясный разум, тепло души, готовность к деяниям, великодушие, милосердие и спокойствие требуются при занятиях садоводством, земледелием, распределением пищи, заботе о животных, лечении, заботе о больных, целительстве и утешении людей. Сюда же относятся поддержание порядка и чистоты в жилищах и на рабочих местах, занятия танцами и пением, изготовление прекрасных и полезных вещей и все занятия, связанные с музыкой, с актерством, с рассказыванием, с писательством и с чтением вслух или про себя.

ИГРЫ

Игрушки, которые взрослые делают для детей, главным образом вырезаны из дерева или сшиты из кожи или материи. Это чаще всего фигурки зверей и людей, разнообразная кукольная посуда и мебель, «кубики» из обрезков дерева, тщательно обработанные и отшлифованные, самой различной формы, а также мячи из сока молочая, из овечьих мочевых пузырей, кожаные. Остальные свои игрушки дети делают сами или берут на время из дому или из мастерской. Чаще всего они играют в «рассказывание историй» или же подражают различным занятиям взрослых, включая целительное пение-гипноз и прочие виды лечения, похоронные обряды, рождение детей, семейные ссоры и так далее.

Многие игры сопровождаются пением и танцами, очень сложными порой и так искусно исполняемыми, что можно залюбоваться. Одна из них под названием *мудуп* (что значит «кролик») похожа на наши «классы»: играющие в своеобразном танце следуют друг за другом по расчерченному «пути» или «лабиринту» и в определенных местах передвигают старые или втыкают новые палочки с шариками на конце или ореховые скорлупки.

Бросание обруча, вырезанного из легкого дерева, — тоже одна

из излюбленных забав. В нее играют обычно на берегу ручья или речки. Одна пара стоит на одном берегу, а другая — на противоположном. Иногда играют целыми группами и поют при этом специальные песенки. Играют и поют до тех пор, пока кто-нибудь не промахнется; тогда все нужно начинать с начала; «выиграть» в этой игре — значит допеть всю песню до конца.

В «ножички» играют с большим мастерством. Нож вообще считается самой дорогой вещью ребенка — «настоящий стальной ножичек из Телины!»

Игра *хиш* напоминает наш бадминтон; в него играют воланом с резиновой головкой и хвостом из перьев (само слово *хиш* значит «ласточка») и небольшими ракетками с длинной ручкой и струнами из кишок. Играют обычно четверо, пара на пару, по обе стороны натянутой струны или ленты. Главное в этой игре — как можно дольше продержать «ласточку» в полете. В *хиш* играют чаще всего летом, эта игра входит в число Летних игр, и взрослые, а уж тем более молодежь часто отправляются из города в город, чтобы поучаствовать в соревнованиях и показать себя. Взрослые женщины и пожилые мужчины редко играют в спортивный *хиш*, но любят поиграть просто так, без правил; в сухой сезон на городской площади для игры в *хиш* обычно устраивается настоящий корт или даже два.

В «подкову» они играют так же, как и мы.

Для игры в кегли используется тяжелый деревянный шар, который катят по гладкой земляной дорожке по направлению к пяти камням, расположенным в виде буквы «V». Зачет очков ведется по весьма сложной системе, вызывающей порой длительные и весьма мрачные споры. Пожилые люди играют и в кегли, и в «подкову» даже чаще, чем дети.

Стрельба из лука — *дартс* (метание дротиков) и метание палки — это, разумеется, элементы охотничьего мастерства, но этим занимаются и просто так, ради удовольствия, а также соревнуются во время Летних игр, демонстрируя свою удаль. У большинства детей есть свой собственный лук, и они сами учатся делать к нему стрелы. Охоту детей на мелких зверьков игрой назвать трудно, хотя она и заключена в рамки исключительно строгих правил и отнюдь не является необходимой для обеспечения семьи пропитанием.

Игра в прятки особенно популярна летом, как и игра, сходная с нашей «Разлей ведро» (только для того чтобы освободить «пленников», нужно не разливать ведро, а бросить длинный бамбуковый шест, и там, где он воткнется в землю, будет новый «домик»). Обратная пряткам игра в «сардины» очень популярна среди малышей, когда в дождливый сезон они сидят дома.

В *шинни*, или полевой хоккей, играют на поле, оставленном под паром, или на гумне, используя кожаный мяч и деревянные палки. Играют сразу четыре команды, в которых от двух до пяти игроков; цель заключается в том, чтобы провести мяч через четверо ворот в определенном порядке. Существует также разновидность нашего футбола, когда мяч просто гоняют ногами, и правила в этой игре примерно те же, насколько я смогла определить. Поло, или *ветулу*, относится к той же категории игр, однако в нее играют не командами, а по отдельности, и каждый игрок верхом на коне действует сам за себя. Во всех этих играх та команда, пара или отдельный игрок, что закончат игру первыми, считаются победителями, однако сама игра не заканчивается до тех пор, пока не сыграют все. Хотя эти развлечения сопровождаются весьма сильным и порой рискованным возбуждением, в случае проявления агрессивности игра прерывается сразу и навсегда. Отличный игрок должен обладать скоростью, ловкостью и знанием приемов, а также умением работать в команде, чтобы добиться в такой игре победы; для Кеш она является метафорой общества, а не войны. Здесь дух сотрудничества преобладает над духом соревнования, что, в общем, характерно для всех игр Долины, за исключением азартных игр или розыгрышей.

В кости играют в основном дети старшего возраста и подростки, а также многие взрослые. Существует два вида игры в кости, оба шесть на шесть: в *анап* или «ноль-ноль» играют парой костей, на которых пометки из пяти пятнышек сделаны на каждой стороне, за исключением одной, «пустой»; в *вотс* играют четырьмя костями, на которых изображены шесть символов — лист, кость, глаз, рыба, лопата, рот; кости бросают, и выпадают различные комбинации, одна из которых выигрывает. Другие игры в кости — в некоторых из них используются длинные октаэдры — заимствованы у соседних народов. Ставки делаются обычно с помощью деревянных фишек или камешков; игра на вещи, представляющие настоящую материальную ценность, одобрением в обществе Кеш не пользуется, но тем не менее весьма популярна, и взрослые порой устраивают длительные сеансы игры в кости с пирушками — особенно летом, в горах, когда поблизости нет соседей, способных выразить свое неодобрение. У членов общества Кеш действительно не так уж много личных вещей, чтобы позволить себе разбазаривать домашнее добро из-за игры в кости, и повредить своей репутации этим они вполне могут. Из азартных игр Кеш мне известны только игры в кости; что же касается всех прочих, то здесь главным считается умение и ловкость, а не случайная удача. Именно поэтому Кеш не слишком одобрительно относятся к таким вещам, как пари и ставки на победителя.

Среди настольных игр самой любимой среди детей является игра в бирюльки: набор до блеска отполированных деревянных палочек (или просто соломинок, если играют в поле) подбрасывают в воздух, и они падают беспорядочной кучкой, которую нужно осторожно разобрать, причем не сдвигая с места остальных, если ты уже взялся за какую-нибудь одну; если сдвинешь — пропускаешь ход. Еще больший набор полированных палочек из оливы используется для целой группы игр — в «расшибалочку», в подбрасывание палочек и ловлю их тыльной стороной руки, в строительство разных «домиков» и т. п., и кое-кто из детей добивается поистине поразительной ловкости рук благодаря таким играм.

Деревянные таблички с надписями, вроде домино и примерно того же размера, иногда очень красиво украшенные, служат для нескольких видов игр, основной целью которых, как в наших анаграммах, является составление слов или (в более сложных разновидностях) предложений. Такие игры могут продолжаться часами, а иногда и днями. Например, ставится цель — сложить стихотворение или игроки договариваются о быстром, «летучем», обмене «оскорблениями» — шуточными, конечно. Подобные соревнования без использования игровых пластинок и в виде свободных устных импровизаций характерны для Танца Вина. Прямое соперничество и агрессивность, как и всегда у народа Кеш, направляются при подобных играх в русло словесного поединка, который приемлем до тех пор, пока игроки держат себя в руках, и вызывает восхищение у зрителей, пока представляется им разумным.

Игра «в слова» (устная) — это нечто вроде рассказывания «историй с продолжением», когда люди, усевшись в кружок, рассказывают по принципу «а дальше было вот что», заканчивая свою часть повествования на каком-нибудь заковыристом месте, с которого и должен начинать следующий, и так без конца. Похоже, что игра в загадывание и отгадывание загадок в чистом виде в Долине не встречается.

Я не видела, чтобы играли в шахматы или во что-либо подобное на разрисованной клетками доске, не играли также и ни в какие варианты шашек и го. И карт у Кеш я тоже не видела. На досках играют в игры типа «змеи-и-лестницы», или триктрак, или индийской «пачизи» в упрощенном варианте — все это очень простые и распространенные главным образом среди маленьких детей игры; взрослые играют в них вместе со своими малышами. В Тачас Тучас дети ходят в хеймас Красного Кирпича, чтобы поиграть в игру под названием «Трудное путешествие в Девять Городов», во время которой путь игроков по огромной старинной, замечательно разрисованной доске полон опасностей — гремучих змей, диких собак, разъяренных Мельников, огненных шаров и шаровых молний, волшебных земляных белок и прочих препятствий, прежде чем они наконец достигают Ваквахи...

ТРИ СТИХОТВОРЕНИЯ ПАНДОРЫ, НАПИСАННЫЕ ПО ПУТИ ИЗ ДОЛИНЫ В СТОЛИЦУ ЧЕЛОВЕКА

Высокая Башня

Высока, благородна та Башня,
что из глыб построена Воли
и стоит на скалах Закона:
нерушима эта обитель.
Здесь хозяин — Единственный.
Множество разных людей
жить здесь может,
но все же язычники
вечно изгоями будут
и умрут точно звери.

И тогда мы решили:
ну что же, уходим,
и ушли от дворца Его
и от Царства в поля и луга,
где себе мы хижины строим
из глины, воды и веток.
И живем мы бок о бок
с травою, зверями и лесом.
Они служат нам пищей и кровом,
мы их восхваляем в песнях,
одинаковы смерти наши.
И пути наши очень похожи,
только свой проложили мы
волей разумной. Стал
реке он подобен быстрой,
средь скал по камням бегущей.
А в долинах, где дома свои строим,
мы подобны воде и теням.
Быстро рушатся наши жилища,
и давно уж не видим мы за спиною
священной высокой той Башни,
и стремимся все дальше и дальше
по теченью реки каменистой.

Ньютон не спал здесь

Мне все равно — возможна ль я, иль нет.
Где, собственно, мосты меж нами?
Да вот они: и радуга, и ветер,
туман и неподвижный воздух.
Должны мы непременно научиться
ступать по радуге.
(И даже Бог-ревнивец
считает это справедливым.)
Должны мы научиться летать
на крыльях ветра —
ведь связывает нас, душа моя, сестрица,
бездонная та пропасть, что легла меж нами.
Должны познать мы и тропу тумана,
что разделяет нас, о брат мой, тело —
ведь это лишь родство по Дому.
Должны мы научиться верить
воздуха прозрачным массам.

Не говоря слишком ясно

Ни божества, ни короли и ни герои,
что родятся раз в столетье,
здесь друг друга не сменяют.
Ни двойников, ни слепков с нас
и ни умноженного многократно
войска дублей — иль новых образцов,
но все ж на нас похожих, —
толпы, что заполняет города,
здесь нет. И нет Столиц. Простите.
Здесь нет и Никуда,
куда бы броситься могли вы.
Пути нет без конца и без предела.
Только люди. Их немного,
и они пытаются припомнить,
в памяти оставить множество вещей,
и бродят у реки спокойной,
и поют: о хейя, хейя, хейя!

«ЖИЗНЬ НА ПОБЕРЕЖЬЕ», ЭНЕРГИЯ И ТАНЦЫ

«Жизнь на побережье»

Этим термином Кеш обозначают период полового воздержания, которое непременно соблюдают все юноши и девушки. В течение долгого времени я считала этот обычай аномальным, не характерным для культуры Долины в целом. Эти люди, исповедующие реалистическое и нетребовательное отношение к проявлениям сексуальности вообще, избегающие излишеств как в потакании своим слабостям, так и в чрезмерном воздержании и не настроенные слишком строго судить других, ведущих более вольный образ жизни, требуют соблюдения скорее приличий, чем законов и суровых правил, к тому же дети являются для них буквально центром Вселенной — так откуда же взялось у них столь строгое воспитание подростков, достигших половой зрелости?

Какое-то время я — почти с удовольствием — объясняла это предосудительным отношением Кеш к слишком раннему материнству и отцовству, причем в данном случае осуждение действительно было весьма суровым, не менее суровым, чем в случае рождения в одной семье более чем двоих детей, что, вне всякого сомнения, было порождено единой и вполне разумной причиной. Большие семьи, как известно, начинаются со слишком молодых родителей. Однако, какие бы разумные элементы ни лежали в основе подобного отношения, проявлялось оно всегда весьма бурно: Кеш были уверены, что раннее материнство/отцовство неразумно, нездорово и приводит к деградации. Если девушка, не достигшая семнадцати-восемнадцати лет, беременела, то ей всегда делали аборт. Если же юноша, не достигший двадцати лет, становился отцом, то односельчане своим презрительным отношением вполне могли довести его до бегства из города, жизни в изгнании или самоубийства.

И все же, почему столь строгое половое воздержание? В конце концов, из-за имевших место в далеком прошлом катастроф, нанесших населению Земли значительный генетический ущерб, частота случаев зачатия была у Кеш весьма незначительной, а частота рождения абсолютно здоровых детей — очень низкой по нашим меркам; да и контрацептивы (презервативы, спирали и «колпачки» из тонкой резины, изготавливаемой из корня молочая и других материалов, а также различные противозачаточные мази на травах, которыми жителей Долины обеспечивало Общество Целителей) были вполне эффективны, доступны и одобрены всем обществом. Мальчики и девочки в возрасте десяти лет отлично знали назначение всех контрацептивов, а многие уже и пользовались ими, ибо сексуальные игры детей не только милостиво разрешали, но даже поощряли. И в то же время где-то после десяти дети сами постепенно прекращали сексуальные забавы, им хотелось скорее «перерасти» их и стать такими же «взрослыми», как соблюдающие половое воздержание подростки. Но почему именно в тот момент, когда половое влечение с особой силой начинает проявлять себя, когда значительно возрастает половая потенция, вдруг появляется этот ненужный и тяжкий запрет, полностью изменяющий всю жизнь подростка?

Когда я в конце концов в своих рассуждениях добралась до этих «перемен в жизни», я постепенно начала осознавать естественность закона о половом воздержании для подростков в рамках всей культуры Долины.

Чтобы объяснить это, понадобится порассуждать немного о нескольких ключевых словах Кеш, которые впервые упоминались в главе «Устав Дома Змеевика».

Хейийя

Первый, непереводимый, элемент этого слова *хей-* или *хейя-*, — это «хвала/поздравление/заверение в почитании».

Вторая часть — слово *ийя* — буквально значит «дверная петля», то есть приспособление, соединяющее дверь с дверной рамой, чтобы она могла открываться и закрываться. Дополнительные значения и различные метафоры так и роятся вокруг этого образа. *Ийя* — это «стержень», центр спирали, источник движения; иначе говоря, источник перемен и в то же время средство связи. *Ийя* — это вечное начало, сам процесс возникновения энергии. Понятие «энергия» обозначается словом *ийе*.

Энергия, с точки зрения Кеш, проявляет себя в трех основных формах: космической, общественной и личной.

К космосу, ко Вселенной в языке кеш обращаются достаточно вольно словом *ррувей*, что значит «все это». Существует и более узкое, философское понятие *ем*, обозначающее протяженность, продолжительность или понятие времени-пространства. Энергия в физическом значении этого понятия — это основная жизненная сила, способная превращаться в материю, а затем из материи снова в энергию. Физическая энергия обозначается словом *емийе*.

Остоууд служит общим термином для таких действий, как ткачество, плетение волокон, соединение, соотнесение, и именно потому используется для таких понятий, как «общество», «общность», «община» — то есть нечто сплетенное из взаимозависимых существований. Энергия взаимоотношений, включающая как политику, так и экологию, обозначается словом *остоуудийе*.

И, наконец, энергия личности, конкретная индивидуальная энергия человека обозначается словом *шейие*.

Игра и переплетение этих трех форм энергии во Вселенной и составляют то, что Кеш называют «Великими Танцами».

Последняя из этих энергий, энергия конкретного индивида,

разветвляется в еще один набор концептуальных понятий, которого я коснусь лишь очень кратко.

Личная энергия каждого рассматривается как состоящая из пяти основных компонентов, имеющих отношение к полу, разуму, движению, работе и игре, и в каждом из этих компонентов действуют свои центростремительные и центробежные силы:

1. *Ламайе* — сексуальная энергия. *Ламавоййе* — энергия, которая поглощается сексом (фрейдистское либидо?).

2. *Йяийе* — мысль, направленная вовне. *Йяивойе* — мысль, направленная внутрь.

3. *Даойе* — кинетическая энергия в чистом виде. *Шевдаойе* — энергия, проявляющаяся в занятиях атлетикой, в путешествиях, во всех физических умениях, трудах и деятельности. *Шевдаовойе* — это деятельность самого тела человека.

4. *Айяйе* — игра, обучение, учеба. *Айявойе*, пожалуй, лучше всего переводить как «учиться без учителя».

5. *Шеийе* — личная энергия, воспринимаемая как работа: основная деятельность человека, направленная на то, чтобы выжить, добыча и приготовление пищи, забота о доме, все искусства и умения, связанные с поддержанием жизни. *Шевойе* — работа, направленная внутрь, работа над своим «я», над своей личностью (индивидуальностью), а также энергия душевная.

Быть живым означает выбирать и использовать, сознательно или нет, хорошо или плохо любой из этих видов энергии способом, наиболее адекватным данному возрасту, состоянию здоровья, моральным представлениям и т. п. «Развертывание ийе» — основа всего обучения/образования в Долине, дома и в хеймас, с рождения до самой смерти.

Личная энергия, разумеется, личное дело каждого. Индивид делает свой выбор, и этот выбор, мудрый или глупый, обдуманный или сделанный беспечно, и составляет, собственно, данную личность, то есть зависит от конкретного человека. Но никакой индивидуальный выбор невозможен, если речь идет о сверхличностных и неличностных видах энергии, о космически (социально) личностной родственности и взаимозависимости всех существ и явлений. Здесь уместно вспомнить еще одно весьма важное понятие Кеш — *туувйяи*, которое переводится примерно как «мышление, памятливость» и может быть описано как разумное осознание существующей взаимозависимости всех энергий и существ, как некое чувство собственного места в этом конгломерате, как ощущение себя частью целого.

Ну а теперь попытаемся приложить все эти абстрактные рассуждения к реальной жизни Долины.

Младенец существует скорее в терминах физической энергии и энергии взаимоотношений (*емийе, остоуудийе*), чем как личность. По мере того как ребенок подрастает, его направленная вовне личная энергия (*шеийе*) начинает не только вырабатываться, но и дифференцироваться, сперва в движение, игры и обучение (*шевдаойе, айяйе*), в деятельность, свойственную юным, которой нельзя препятствовать; она не может быть заперта в рамки правил или, выражаясь словами Блейка, «обуздана». Более медленно развиваются и находят свое выражение энергии пола и разума (*ламайе, йяйие*), по-прежнему в основном направленные вовне, экстравертивные. А в период «чистой воды» у девочек (девяти-десяти лет, до наступления у них регулярных месячных) и «пускания побегов» у мальчиков (десяти-одиннадцати лет, до наступления половой зрелости) постепенно проявляется и энергия активной личности, индивидуальность.

С наступлением половой зрелости все эти направленные вовне, центробежные, усиливающие свою мощность энергии начинают дублироваться столь же мощными энергетическими центростремительными потоками зрелого человеческого существа. Юноша или девушка должны научиться уравновешивать все эти силы и, таким образом, стать целостной личностью, полноценным человеком — *йевейше*. Существует немало различных способов превращения подростка в полноценную личность — ведение хозяйства, интеллектуальные упражнения, проявление милосердия, и называются они «регулированием энергий». И здесь мы снова возвращаемся к правилу полового воздержания, к тем переменам, что ожидают подростков после окончания детства.

Дети, как считается, «движутся по направлению» к половой зрелости. Девушки и юноши, достигнув ее, начинают «движение в обратную сторону». Именно к этому времени, то есть став зрелыми в половом отношении существами, они вполне сознательно, по собственному выбору как бы «приостанавливаются» на время в своем движении и развитии. Все их устремленные вовне энергии должны отныне обрести обратное направление, вернуться к центру, поработать во имя созидания их собственной индивидуальности в наиболее уязвимый и ответственный период ее становления.

В этот период перемен юная «личность» может «оказаться» где угодно — в том числе и там, где нерожденные дети ждут своего часа (этот образ Кеш одновременно и абстрактный, и вполне реалистичный, физический: процессы, происходящие в душе и мыслях юного человека и в его половых органах, тесно переплетены). Итак, они отправляются «жить на побережье»; а после этого готовы вернуться «во внутренние земли», вернуться домой.

Разумеется, глубокое понимание подобной необходимости и согласие пройти этот путь по собственному желанию — вариант идеальный. На практике большая часть молодых людей соглашается на длительное половое воздержание исключительно из обыкновенного конформизма, из послушания и еще потому, что за эту «жертву» полагается ощутимое вознаграждение. Человек начинает свою «жизнь на побережье» с праздника, который устраивается у него дома, с це-

ремонии в хеймас и с получения кучи подарков целого нового гардероба; к юноше или девушке в некрашеных одеждах всегда относятся с уважением и особой теплотой и нежностью. В этот период их поддерживает вся сложная сеть родственных связей Кеш — родственники по крови, по Дому, по душевной привязанности, по Обществу, по Цеху, да и весь город. А вопрос о том, как долго будет тот или иной человек «жить на побережье», решает он сам. Это может длиться всего лишь около года, а может затянуться надолго, порой до двадцати с лишним лет. Единственное, чего здесь нужно избегать, это чрезмерность: слишком ранние и беспорядочные половые связи столь же вредны, сколь и чересчур упорный аскетизм.

Итак, «жить на побережье» означает жить обдуманно. Это некий поворотный момент в жизни каждого, виток спирали вокруг «стержня». С него начинается трудная работа по становлению личности, являющаяся также частью работы по установлению своего родства со всем окружающим миром, с той Вселенной, в которой родство это проявляется в течении реки, в танце, в движении галактик. *Вейийя хейийя* — все взаимосвязано, все свято!

Ваква

Сложное слово, переведенное мной как «регулирование энергий», *ийевква* — это технический термин из психотехнологического жаргона Кеш, из языка их хеймас.

В обычном разговоре элемент *ква* проявляется лишь в слове «ваква» — самом распространенном слове и одном из самых сложных по смыслу. Оно может означать: весну, бегущую воду, паводок или бурный поток воды, а также глаголы — течь, танцевать, а также —

течение танца и пребывание в танце, а также — праздник, церемонию, ритуал, а также — тайну в смысле неясного или непроясненного знания и понимания и тех священных путей, благодаря которым таинственные знания можно получить и открыть для себя. Как говорила моя добрая наставница по имени Слюда, «слово — это такой маленький мешочек, в который почему-то помещается ужасно много орехов».

Слово, обозначающее реальный водный источник или поток воды, обычно уточняется с помощью суффикса — *ваквана*. Город у истоков самой главной реки Долины, Великой На, называется Вакваха, что значит «русло ручья». Это же слово в качестве обычного существительного/глагола может обозначать и направление водного потока, после того как он покидает свой источник: *вакваха* — чрезвычайно насыщенный художественный и философский образ. Это слово означает также «рисунок танца», последовательность действий во время той или иной церемонии, порядок более мелких событий в рамках одного большого явления и их направленность. Рисунок или фигура, отражающие это явление или процесс, называются *вакваха-иф*.

Ваква как тайна (таинство) может иметь две формы. *Веготенвья ваква*, буквально «ваква, отосланная назад», означает мистификацию, оккультное действо: правила или знания, сознательно кем-то спрятанные или неоткрытые. *Гоуваква*, «темный танец», означает тайну как таковую: Неведомое, Непознаваемое. Встающее солнце Кеш приветствуют: *Хейя, хейя!* Но и тьму между звездами они тоже приветствуют не менее торжественно: *Хейя гоуваква!*

ЛЮБОВЬ

Существует шесть слов кеш, которые можно перевести словом «любовь». Таким образом, можно предположить, что у Кеш вообще нет слова, обозначающего любовь, а есть шесть слов для различных видов любви.

1. *Венун* — существительное и глагол со значением «хотеть», «желать», «жаждать, домогаться». («Я люблю яблоки».)

2. *Ламавенум* — существительное и глагол, обозначающие половое влечение, вожделение, страсть. («Я люблю тебя!»)

3. *Кваййо-вои дад* — «сердечное расположение». Имеет значения: «нравиться», «любить», «испытывать теплые чувства к кому-либо». («Я его очень люблю» = «Он мне очень нравится».)

4. *Унне* — существительное и глагол со значением «доверие» (доверять), «дружба» (дружить и т. д.), «привязанность», «длительное теплое отношение». («Я люблю своего брата». «Я люблю ее как сестру».)

5. *Ийяквун* — существительное и глагол со значением «взаимная связь», «взаимозависимость», «сыновняя (дочерняя) или родитель-

ская любовь», «любовь к конкретному месту», «любовь к своему народу», «любовь космическая». («Я люблю тебя, мама». «Я люблю свою страну». «Бог меня любит».)

6. *Бахо* — глагол со значением «доставлять (получать) удовольствие или радость». («Мне нравится (люблю) танцевать».)

Принципиальным различием понятий 3 и 4 является продолжительность чувства: 3 — чувство кратковременное или только зарождающееся; 4 — чувство длительное или продолжающееся давно. Различие между понятиями 4 и 5 более трудно определить. *Унне* подразумевает взаимность, *ийяквун* утверждает ее; *унне* — это любовь/доброта, *ийяквун* — это страсть; *унне* — чувство рациональное, умеренное, социальное, *ийяквун* — это та любовь, что движет Солнцем и планетами.

ПИСЬМЕННЫЙ КЕШ

Чтение и письмо воспринимаются как элементы человеческого общественного существования столь же фундаментальные, как и сама речь. С трех-четырех лет ребенок учится читать и писать дома и в хеймимас, и среди Кеш нет ни одного неграмотного, за исключением тех, кто страдает душевными недугами или слеп. Последние часто компенсируют свою неспособность читать, фантастически развивая способность запоминать все на слух.

Кеш менее, чем мы, склонны воспринимать устную и письменную речь как один и тот же вид деятельности, лишь принимающий различные формы. Все, что мы говорим вслух, может быть записано, и мы, похоже, чувствуем, что все это *непременно следует* записать, если в этом содержится хоть что-то важное: запись удостоверяет подлинность устного высказывания и даже занимает приоритетное место по отношению к нему. Мы теперь заранее читаем то, что наши ораторы еще только собираются сказать нам. Использование компьютеров тем более повышает ценность письменной формы языка: слова стремятся существовать исключительно в визуальной форме.

У Кеш существует несколько видов письменных текстов, которые не подлежат устному воспроизведению, но, поскольку у них также есть несколько весьма важных форм устной речи, которые не подлежат записи, они не идентифицируют устную и письменную речь как формы или аспекты одного и того же явления; для Кеш это два разных языка, каждый из которых может быть переведен на другой, если это полезно или допустимо.

Алфавит, которым они пользовались во время нашего пребывания у них в Долине, был создан несколько веков назад группой ученых из Общества Земляничного Дерева в Ваквахе, которых совершенно не удовлетворял прежний алфавит. То ли потому, что он был заимствован из другого языка, то ли потому, что Кеш со временем привнесли в него много новых фонем, и этот, и без того чрезвычайно громоздкий, алфавит *фесу* стал практически условным. Фесу насчитывал 67 букв, представлявших 34 фонемы языка кеш. *Айха,* новый алфавит из 29 букв (плюс отдельные просодические значки, связанные с языками Пяти и Четырех Домов), был почти чисто фонетическим (расхождения помечены в приведенной ниже таблице). Написание букв самым суровым образом было «очищено от завитушек» и, пожалуй, стало чересчур рационализированным. Ученые и сейчас учатся читать на *фесу* — исключительно из любопытства, свойственного «любителям древностей», однако все документы, представляющие какой бы то ни было интерес, давно уже переписаны и переизданы на *айха*.

Кеш пишут с помощью пера и кисточки. Наиболее распространены стальные перья в деревянных «вставочках» (металлурги Кастохи производят сталь в достаточных количествах, чтобы ее хватило на стальные перья, швейные иглы, лезвия ножей, бритвы и некоторые другие мелкие бытовые предметы и машинные детали). В хеймас пользуются также иглами дикобраза, но не гусиными перьями, потому что сами перья уже считаются словами. Кисточка, сделанная из пучка шерсти, закрепленной в бамбуковой палочке, — также весьма

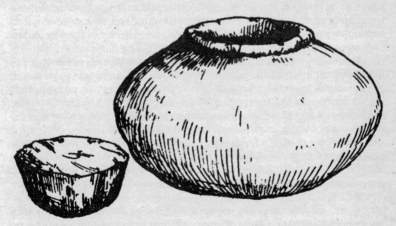

Чернильница

популярная письменная принадлежность. Большинство поэтов, например, предпочитают писать именно кисточкой, может быть, потому, что она как бы вдыхает жизнь в довольно однообразные буквы алфавита *айха*.

Чернила для письма (для перьевой ручки) делаются из чернильных орешков дуба или из грецкого ореха с добавлением железного купороса и индиго и разливаются в маленькие с широким донышком серые керамические горшочки очень симпатичной формы. Тушь для кисточки делают из сажи (сжигая древесную смолу или масло), смешанной с клеем и камфорой. Ей в итоге придается форма лепешечек или палочек, как и китайской туши. Печатная краска представляет собой смесь канифоли, льняного масла, дегтя, сажи и индиго.

Бумагу делают самых разнообразных сортов и качества, веса и текстуры, используя смеси еловой пульпы и пульпы других деревьев, хлопок, лен, камыш, тростник, молочай и практически любые волокнистые растения. В бумажной мастерской Цеха Книжников в Телине я видела поэму, написанную кисточкой на матовой бумаге, которую сам поэт изготовил, использовав пушистые головки одуванчиков и пух чертополоха, подвергнутые тщательному прочесыванию. Стихи его, на мой взгляд, запоминались куда меньше, чем эта удивительная бумага.

Цех Книжников и Общество Дуба обеспечивают население всех городов Долины бумагой, чернилами и прочими письменными принадлежностями и приспособлениями для книгопечатания, а также всем необходимым для использования этих приспособлений.

Стихотворение или несколько стихотворений, например, могут быть написаны на большом листе бумаги, а коротенькие произведения чаще пишутся на свитках, приклеенных одним концом к деревянному ролику, на который потом наматываются. Книги делаются точно так же, как и у нас, — скрепляются клеем и прошиваются нитками с одной стороны. Переплет обычно картонный, обтянутый телячьей кожей, шевро или же плотной тканью. Люди, которые достаточно много времени посвящают писательскому труду, обычно сами делают для себя бумагу и первые экземпляры книг. «Чистые» копии, а также печатные издания тех или иных литературных произведений — удел копиистов и печатников из Цеха Книжников. Эта работа называется *вудадду*, что значит «пройти все снова с начала до конца», а также — «толкование и представление». Это слово используется также для устного пересказа, для постановки пьесы на сцене или же для воспроизведения вслух какой-либо музыкальной пьесы.

Следует отметить, что порядок букв в алфавите *айха* — это весьма последовательное продвижение от заднеязычных согласных к переднеязычным и губным и дальше к гласным. Глайды *оу* и *ай* включены в алфавит как отдельные буквы, в то время как не менее часто

Стеклянное перо

Кисть

встречающиеся глайды *эи* (*эи*) и *ои* (*ой*) в алфавит не включены, и никто не может мне объяснить почему. Символ или буква ( ), обозначающая Пять Земных Домов или Земной Язык, звучит как *з*, символ Четырех Домов ( ) являет собой нулевую фонему; эти знаки, а также знак удвоения буквы в алфавит не включены.

Текст пишется и читается слева направо и сверху вниз, но клоуны часто пользуются «реверсивным» письмом, то есть снизу вверх и справа налево, а также переворачивают буквы «лицом» в противоположную сторону.

Заглавных букв у Кеш нет; предложения разделяются с помощью знаков препинания и пробелов. Гласные обычно пишутся крупнее, чем согласные.

Метелка

Алфавит Кеш

АЛФАВИТ КЕШ	МЕЖДУНАРОДНЫЙ АЛФАВИТ
ρ	[k]
ſ·ƒ	[g]
↗	[ʃ]
↙	[tʃ]
∼	[ɬ], [l]
⅀	[n]
⋎	[s]
◁	[d], [ḍ], [ǒ]
◁⋏	[t]
⅄	[r̄], [ř], [dr], [ǒ]
⅂	[f]
↳	[v]
⅄	[m]
ᖈ	[b]
·	[p']
⌣	[w], [ʷ]

632

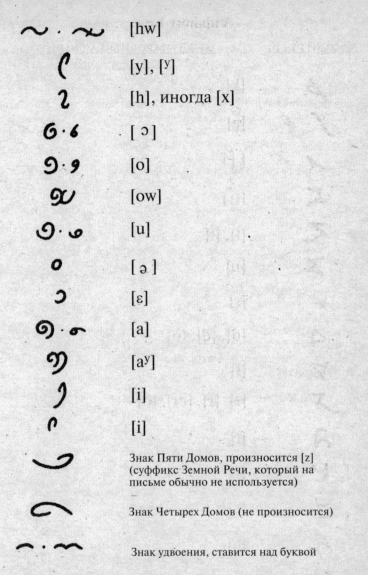

~·~	[hw]
ℓ	[y], [ʸ]
ჲ	[h], иногда [x]
6·6	[ɔ]
ჟ·Ⴝ	[o]
∞	[ow]
ϑ·୧	[u]
o	[ə]
ͻ	[ɛ]
ჟ·ი	[a]
ჟ	[aʸ]
Კ	[i]
Ა	[i]

ᲐᲚ Знак Пяти Домов, произносится [z] (суффикс Земной Речи, который на письме обычно не используется)

ᲐᲚ Знак Четырех Домов (не произносится)

~·~ Знак удвоения, ставится над буквой

Примечание относительно буквы «р»: в зависимости от контекста эта буква может произноситься как рокочущее «р», глухая пауза, звук, аналогичный звонкому английскому «th ([ð̆]) или «др».

Пунктуация

В различных надписях, в книгах и на стенах, знаки препинания встречаются крайне редко, за исключением косой черты, отделяющей одно предложение от другого. Но в целом письменный кеш — как обычный, так и литературный — относится к правилам пунктуации очень внимательно, и правила эти довольно сложны. К ним, в частности, относятся и указания по поводу экспрессивности и темпа, то есть такие, какими мы пользуемся лишь при записи музыкальных произведений. Основные знаки таковы:

⌣ — эквивалент точки в конце большого предложения (периода) или фразы;

∿ — «двойной период», т. е. примерно конец абзаца;

✗ — эквивалент нашей запятой; с помощью этого знака выделяется самостоятельное предложение внутри сложноподчиненного предложения или фразы;

⌐ — эквивалент нашей точки с запятой, выделяющий самостоятельное предложение или фразу внутри сложносочиненного предложения.

Эти четыре знака, как и у нас, исполнены семантической значимости и играют весьма существенную роль в выражении мыслей на письме. Следующие шесть знаков имеют отношение к экспрессивности, динамичности и темпу:

/ — эквивалент нашего тире, обозначающего паузу. Двойной знак обозначает более длительную паузу, тройной — еще более длительную.

слово — у Кеш подчеркивание слова, как и у нас, обозначает эмфазу или ударение.

• • • •
слово — знак, обратный подчеркиванию; обозначает нивелирование, приглушение тона, ровную интонацию.

⌢ — над словом обозначает *fermata*, т. е. слово произносится широко, растянуто, плавно; этот знак, вынесенный на поля, — *rallentando*: прочтите эту строку (строки) медленно.

⌁ — написанный на полях: ускорьте или возобновите нормальную скорость.

ОСОБЕННОСТИ ЗЕМНОГО И НЕБЕСНОГО КЕШ

Значительная часть разговорного кеш имеет форму, которая в данной книге встречается лишь однажды, в одном из диалогов в главе из романа «Опасные люди». Согласно правилам Пяти Домов, человек, говорящий с живыми людьми или о них, а также о реально существующих на Земле местах, должен прибавлять к существительным и глаголам (или к вспомогательным глаголам) предложения звук «з», если повествование ведется в одном из настоящих времен. Это делается даже в самой обыденной разговорной речи.

Форма, характерная для Четырех Домов или Небесной Речи, должна обязательно быть использована во всех разговорах, касающихся жителей Четырех Домов и тамошних мест (а также нерожденных и мертвых людей, тех, о ком думают, кого воображают, того, что снится или относится к дикой природе, и т.п.). Эта форма используется также во всех прошедших и будущих глагольных временах и со вспомогательными словами сослагательного, оптативного и условного наклонений, а также при отрицаниях, при извлечении отрывка из контекста, при цитировании «общих» мест, при произнесении вслух сакральных текстов, при риторических высказываниях, а также во всех художественных литературных произведениях, как письменных, так и устных. Существует специальная буква алфавита для фонемы «з», символа Земной Речи, но, видимо, ею пользуются крайне редко. Люди, которые в реальной жизни разговаривают вполне по-земному, непременно постараются использовать Небесную Речь даже в самой реалистической истории или романе.

Итак, если в обычном разговоре кто-то скажет, например: *«Пандораз, Синшанзан геховзес хаи оху»* («Пандора, ты сейчас живешь в Синшане?»), то оба имени собственных и одна глагольная форма будут произнесены в «земной манере». Но тот же самый вопрос в пьесе или любом другом литературном жанре прозвучит так: *«Пандора, Синшанан геховес хаи оху»*. Отрицательной же формой, неважно, разговорной или торжественной, будет такая: *«Пандора Синшанан пегехов хаи»* («Пандора сейчас в Синшане не живет»). А прошедшее время всегда будет в Небесной форме: *«Пандора Синшанан йиньегегохов айеха»* («Пандора действительно некоторое время жила в Синшане»).

Хотя мое замечание относительно двух вариантов речи и демонстрирует скорее то, что Кеш не отличают «фактической» (документальной) литературы от художественной (т. е. вымышленной), как это делаем мы, однако сама точность, с которой они используют эти языковые формы, указывает на весьма отчетливое представление о том, сколь различно «действительное» и «воображенное».

СХЕМА ПОВЕСТВОВАТЕЛЬНЫХ ЖАНРОВ
И ПРИМЕЧАНИЯ К НЕЙ

Основной принцип нашего мышления двоичный: вкл./выкл., твердый/мягкий, настоящий/фальшивый и т. д. Наши категории повествования следуют тому же принципу. Повествование либо основано на фактах (документальная проза), либо является вымыслом (художественная проза). Различие между ними очевидно, а более мелкие формы — такие, как «романизированная биография» или «документальный роман», которые пытаются не обращать на эти различия внимания, лишь демонстрируют неколебимость основного принципа.

В Долине подобная классификация имеет весьма относительный и путаный характер. Тот тип повествования, который рассказывает о том, «что случилось на самом деле», никогда достаточно ясно не определен ни рамками жанра, ни стилем, ни иными чертами, которые отделяли бы его от истории о том, что «как будто бы случилось». В некоторых «романтических историях (сказках)» явно пересказываются реальные события; порой серьезнейшие исторические отчеты и труды описывают события, которые мы никак не можем причислить к категории действительных или возможных. Но, разумеется, есть и разница, весь вопрос в том, где ты остановишься и скажешь: «Здесь реальная действительность кончается».

Если в литературе Кеш реальный факт и вымысел недостаточно четко отделены друг от друга, то истина и ложь в ней отделены со всей определенностью. Сознательная ложь (клевета, хвастовство и т. п.) так и называется своими именами и не рассматривается в рамках литературного творчества вовсе. Я, пожалуй, сказала бы, что наши категории в этом смысле даже менее ясны, чем у них. «Классификация» Кеш тоже имеет свой вполне определенный смысл, на который мы часто вообще не обращаем внимания, позволяя называть откровенную пропаганду публицистикой, то есть разновидностью литературы, тогда как Кеш вообще исключают пропаганду из разряда литературных произведений как откровенную ложь.

Приведенная выше схема — попытка продемонстрировать соотношения жанров и их границы в нашей литературе и литературе Кеш.

УСТНАЯ И ПИСЬМЕННАЯ ЛИТЕРАТУРА

Некоторые тексты в Долине являются неписьменными в двойном смысле этого слова. Во-первых, они еще пока никем не записаны. Во-вторых, они никогда вообще не были написаны, поскольку это устные произведения. Тексты, принадлежащие к последней группе и включенные в эту книгу, были, таким образом, переведены дважды — с кеш на английский и с устного языка на письменный —

ПОВЕСТВОВАТЕЛЬНЫЕ ЖАНРЫ ЗАПАДНОЙ ЦИВИЛИЗАЦИИ

ДОКУМЕНТАЛЬНАЯ ПРОЗА

ЖУРНАЛИСТИКА БИОГРАФИЯ ЛЕТОПИСЬ ИСТОРИЯ

ТО, ЧТО СЛУЧИЛОСЬ

ХУДОЖЕСТВЕННАЯ ПРОЗА

МИФ ЛЕГЕНДА СКАЗКА ПРИТЧА РАССКАЗ РОМАН

ТО, ЧТО КАК БЫ СЛУЧИЛОСЬ

ПРОПАГАНДА

ЛОЖЬ, ШУТКИ

ПОВЕСТВОВАТЕЛЬНЫЕ ЖАНРЫ ДОЛИНЫ

и, если угодно, они могут быть снова переведены с письменного языка в «слова-дыхание» — ваше дыхание, читатели.

Итак, у Кеш строго противопоставлены письменная и устная речь, написанное и сказанное слово: это не две версии одного и того же, но различные виды деятельности как бы на одной территории; различные языки, имеющие высокий уровень общности, но не всегда общий уровень переводимости. Кеш усматривают первостепенное различие между устным и письменным текстом именно в том, «какого качества отношения» установились между ними.

Без сомнения, кто-то может и сказать (и скорее всего скажет) то, чего никогда не напишет. (А может, и не скажет, понимая, что это будет записано на пленку.) Одиночество писателя может представляться максимальной свободой творчества, однако мгновенно завязывающиеся отношения между рассказчиком и слушателями могут эту свободу значительно расширить, увеличивая и доверие к автору. (Писатель, разумеется, может оставаться анонимным, тогда как рассказчик не может, однако анонимность или использование псевдонима, как бы отрицая авторство, отрицают также и возможность полного доверия.)

Между писателем и читателем посредником является текст. Может быть, правильнее было бы рассматривать эти отношения как некую коммуникативную связь, а не общение. Если пользоваться понятиями Кеш, связь между писателем и читателем совершается не в настоящем времени: она осуществляется именно в ненастоящем, в Домах Неба, на Небесном языке, и, таким образом, вся письменная повествовательная традиция основана на использовании Небесной Речи. Однако пересказ текста, специально подготовленный или импровизированный, перед аудиторией порождает отношения между людьми в рамках Пяти Домов, некую мгновенно возникшую связь современников, «которые дышат вместе».

Написанное слово находится *там*, оно существует всегда, для любого человека и в любое время. Таковы его постоянные характеристики. Слово сказанное находится *здесь*, оно принадлежит тебе только в данный момент. Оно эфемерно и невоспроизводимо. (Можно, конечно, поставить под вопрос последнее определение; однако механическое воспроизведение, даже в звуковом кино, разумеется, напоминает о чем-то, но не восстанавливает саму ситуацию, время, место или тогдашних людей.)

Доверие, которое может возникнуть между писателем и читателем, вполне реально, хотя существует исключительно в пределах общего менталитета; с обеих сторон оно основано на желании оживить, спроецировать свои собственные мысли и чувства на некое единство с будущим или возможным читателем или с писателем, который, может быть, давно уже умер. Это чудесное и совершенно символическое явление — подмена лиц во времени и пространстве.

Когда исполнитель (артист) и его аудитория собираются вместе, их сотрудничество носит совершенно реальный и светский характер; оно обретает форму благодаря голосу рассказчика и реакции слушателей. Подобное сотрудничество, а в политике так часто и происходит, может быть извращено в том случае, если говорящий (исполнитель, артист) присвоит себе всю власть, подчинив себе аудиторию и эксплуатируя ее. Когда же сила подобных отношений используется правильно, когда доверие является взаимным — например, когда кто-то из родителей рассказывает сказку своему малышу, или учитель открывает сокровищницу человеческого разума перед своими учениками, или поэт читает свои стихи одновременно для слушателей и вместе с ними, от их имени тоже, — вот тогда достигается истинная общность, и каждый случай такого единения поистине священен.

Однако возникнет некоторая путаница, если начать соотносить устную литературу Долины с литературой сакральной, а письменную — со светской: бинарного противопоставления сакральная/светская для них как раз в литературе и нет. Да, действительно существуют некоторые песни, драмы, наставления и другие устные тексты, связанные с большими праздниками, а также со священными местами и ситуациями; эти тексты у Кеш записи не подлежат — ни с помощью пера, ни с помощью магнитофона. Например, Свадебная Песня, исполняемая каждый год во время Танца Вселенной, известная каждому взрослому в Долине, никогда в записи не существовала; по их словам, «она принадлежит дыханию», и воспроизвести ее письменно было бы в высшей степени нехорошо. И не потому, что текст ее так уж сакрален, но потому, что сама его суть — устное/временное/совместное исполнение. (Когда мне мягко намекнули, что записывать эту песню неуместно, я отнеслась к подобной вежливой просьбе с большим уважением. Специальное и очень ценное исключение было сделано для меня по поводу записи песен смерти, Песен Ухода На Запад До Самого Восхода, приведенных в главе «Как умирают в Долине» и упоминаемых далее.)

Нам обычно кажется, что не только хорошо, но и желательно, чтобы все слова, даже служебные записки, даже записи частных разговоров, даже бабушкины сказки были непременно записаны, напечатаны, остались на пленке магнитофона, в компьютере, хранились бы в библиотеках... Вряд ли кто-то из нас может сказать, зачем мы храним такое безумное количество слов, почему уничтожаем наши леса, изготавливая бумагу, почему перегораживаем плотинами и губим наши реки, чтобы электростанции давали электричество, способное питать наши компьютеры с их памятью; однако мы делаем это, словно одержимые навязчивой идеей, словно в страхе перед чем-то, словно отдавая кому-то несчетные долги. Может быть, мы боимся смерти, боимся того, что наши слова, сказанные лишь однажды, тут же умрут, оставив для рождения новых слов молчание и тишину? А может, мы ищем пути общения, утраченные и невосстановимые?

Поэзия Кеш существует как в письменном виде, так и в устном. Стихи можно импровизировать, декламировать наизусть перед аудиторией или в одиночку, читать вслух с листа, но даже если читающий стихи находится в комнате совершенно один, он должен читать их вслух. Значительная часть стихотворений и песен, приведенных в этой книге, не была даже записана их авторами или исполнителями, однако им доставило удовольствие, когда это сделали мы. Если то или иное поэтическое произведение представляет собой некую разновидность диалога, вы можете даже не пытаться записать его целиком, однако действительно оцените потом те наиболее яркие отрывки, которые сумели записать. Некоторые приведенные здесь стихотворения были записаны самими авторами и переданы затем в хеймас. Там все подобные дары хранят в «сокровищнице» или в библиотеке, а через некоторое время подвергают разборке и сортировке: бумага идет на макулатуру, а сам текст кто-нибудь из желающих переписывает и забирает к себе домой, если он ему нравится. Позже он может любым способом распространить его. Другие литературные произведения читались вслух на занятиях в Обществах или на церемониях в хеймас; некоторые из них считаются общественной собственностью, иные были переданы «с дыханием» кем-то одним (автором или владельцем текста) кому-то одному: такие произведения — личная собственность и воспринимаются как подарок частного лица частному лицу.

Я даже не пыталась отличить лирические стихотворения от песенной лирики. Когда я просила записать мне слова какой-нибудь импровизации или песни, певец обычно охотно соглашался, хотя и не всегда. Как сказал мне четырнадцатилетний мальчик, когда я попросила его повторить одну импровизацию, чтобы записать ее на магнитофон: «Это была песня стрекозы, а стрекозу нельзя заставить вернуться».

Когда Кеш записывают песни с некими «матричными» словами, они обычно фиксируют только синтаксически значимые слева и опускают «матричные», которые зачастую представляют основной текст песни и наиболее глубоко «прочувствованную» ее часть. Однако, с их точки зрения, значимость привносится в песню «музыкой и дыханием», а при письменной фиксации такая песня только «портится». Я думаю, что они правы.

Наставления и описания ритуалов и порядка проведения церемоний существуют как в письменном виде, так и в устном. Мне не приходилось встречаться со сколько-нибудь определенными правилами на этот счет. Герметическая литературная традиция, с одной стороны, и сильное сопротивление герметической и эзотерической практике, с другой, в Долине развивались параллельно. Перевернутая ситуация с «доверием» (между автором и читателем или слушателем), о которой я говорила выше, сводится в конце концов к тому убеждению, что тайна лучше всего хранится «вместе с дыханием»; записать слово — значит опубликовать его, предать публичной огла-

640

ске. В своей истории Говорящий Камень упоминает о некоторых культовых таинствах Союза Ягнят и Общества Воителей; несмотря на то что все это давно уже было обнародовано и обсуждалось открыто, она все еще не могла заставить себя *написать* об этом.

Песни и наставления Ухода На Запад являются как эзотерическими, так и общеизвестными, существуют как в письменном виде, так и только в устном. Эти песни, которые люди поют для умирающего и вместе с ним, весьма ими почитаются. Учат этим песням строго отобранные наставники, члены Общества Черного Кирпича; и обучение такого рода происходит в строго определенное время года, в строго определенном месте, обязательно вдали от города, в специально для этих занятий построенном доме. И тем не менее вокруг самих этих песен никакой тайны не существует. Все взрослые рано или поздно выучивают их, дети слышат, как их поют в Первую Ночь Танца Вселенной. Эти песни в самом полном значении этого слова общественное достояние. И все-таки хотя и можно записать их слова во время занятий, чтобы лучше запомнить, а порой даже сам наставник пишет их для своего ученика, который, например, плохо слышит, но такие записи всегда сжигаются в последнюю ночь обучения. Тексты этих песен никогда не размножались ни от руки, ни на станке. То, что они опубликованы в моей книге, — огромная привилегия, дарованная мне моей наставницей, Слюдой из Синшана, с разрешения членов Общества Черного Кирпича после длительных переговоров.

Что же касается художественной прозы, то она может существовать в обоих видах — как устном, так и письменном. Это могут быть пересказы или импровизации профессиональных рассказчиков или же читка вслух с листа — этим способом чаще всего пользуются ученые-библиотекари и более или менее профессиональные исполнители прозы и стихов. Некоторые повествовательные жанры имеют исключительно письменную форму и никогда не исполняются вслух: биографии, автобиографии, романтические истории (сказки) — все это передается «с помощью руки», а не «дыхания» и появляется на свет в виде манускриптов или печатных изданий. Их суть — быть доступными для всех и в любую минуту. То же самое можно сказать и о крупных формах — романах, написанных такими писателями, как Топь, Трусливая Собака и Пылинка. Увы, романы эти слишком велики, чтобы включить хотя бы отрывок из них в эту книгу, хотя я все-таки всунула сюда целую главу из романа Словоплета «Опасные люди».

Практически все сказанное мной относительно письменного и устного литературного творчества относится в целом и к творчеству музыкальному. У Кеш есть собственная система нотной записи музыкальных произведений, однако они пользуются ею главным образом при занятиях с учениками и предпочитают не записывать на бумаге ту или иную композицию, хотя могут иногда сделать пометки относительно основной мелодии, или же определенных созвучий, или таких технических моментов, как «стержневое дыхание» — исключительно «для памяти». Музыка исполняется как спектакль. Но вот что удивительно: они никогда не делают даже попытки записать такой спектакль! Они разрешают компьютерам на ПОИ записывать и хранить подобные вещи в своей электронной памяти, когда их об этом просят из Столицы Разума, да и нам удалось записать некоторое количество песен и музыкальных представлений, однако сами они не делают этого никогда и частенько намекали нам тактично и вежливо, что копирование данного музыкального произведения и вообще любой музыки — это вредное заблуждение, возможно, затрагивающее природу самого Времени.

Или же, иными словами, то, что нам казалось желательным и совершенно необходимым, они, по всей вероятности, считали слабостью и ненужным риском, способным привести к нарушению Равновесия: всякое повторение, размножение копий:

«Одна нота в диком краю звучит лишь однажды...»

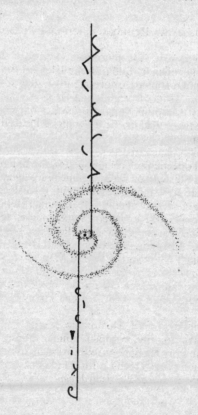

ПАНДОРА БОЛЬШЕ НЕ БЕСПОКОИТСЯ

И вот, когда церемония подходит к концу и открывается хейийя-иф, Пандора берет за руки своих друзей и танцует с ними вместе, и среди тех, кто кружится в этом прекрасном танце:

Барт Джонс, который первым услышал песни про перепелку и про ручей и спел их мне, чтобы я смогла услышать голос своего любимого народа;

Джадд Бойнтон, который рассказал мне, как делается резина из сока молочая, и как можно потом пустить в дело всякие старые вещи, и как привести в действие стиральную машину, и именно он показал мне, как, умирая, может танцевать человек — именно так, как нам о том поведал Йейтс:

> Душа хлопает в ладоши и поет, поет тем громче,
> Чем больше ветшает ее смертное тело!
>
> («Плавание в Византию»)

И другие Обладатели Ценностей, которые подарили нам эти четыре месяца.

Джим Биттнер, который исполнил «Генриха Оффердингена». Джин Нордхаус, которая в «Библиотеке Шекспира» позволила мне визжать от восторга и ворчать от огорчения.

Миссис Клара Пирсон из народа Нехалем Тиламук, которая рассказала мне ту историю, украденную Королевским Питоном, а также И. Д. и Мелвилл Джейкобс и Джаролд Рамсей, которые записали и перепечатали ее.

И все те, кто создавал музыку для танцев: например Грегори К. Хейс, который обеспечил нам время и место для праздника.

Мастера Цеха Мельников, работающие под эгидой Четырех Небесных Домов, Дуглас К. Фарбер, сам Мибби, и Кимберли Барри, кого я называю *Новелемаха*, что значит «Прекрасная Неподвижность».

И певцы, послушайте-ка имена этих певцов: Анна Ходгкинсон *Бейюнахео*, и Томас Вагнер *Томхойя*, и Ребекка Уорнер *Одбахо Хандуше*, Женщина, Которая Восхищается Птицами, и Патриция О'Сканнелл, Дэвид Марстон, Сьюзен Марстон, Малколм Лоув и Мередит Бек. *Хио дадмнес ханойя донхайю коумушуде!*

А те Трое, Кто Заботился О Корове: моя Вирджиния, Валери и Джейн, они, разумеется в центре, без них никаких танцев просто не было бы!

И берегитесь Гадателя С Помощью Земли, Геоманта, который способен измерить Долину, который придал форму холмам и помог мне утопить половину Калифорнии, который ходил в Путешествия За Солью, останавливал Поезд и ни на шаг не отставал от Серого Быка — *Хейя Хеггайя, хан ес им! Амоуд геваквасур, йешоу геваквасур.*

ГЛОССАРИЙ

В мои намерения входило составить этот глоссарий, чтобы включить в него все слова языка кеш, которые встречаются в самом тексте книги или в песнях и стихах на тех пластинках, которые к ней прилагаются. Некоторое количество других слов были включены сюда исключительно для удовольствия моих приятелей, больших любителей всяких словарей и адептов того, что один наш знаменитый предшественник называл Тайным Пороком.

Числительные кеш

ап...	0	чемчемдаи...	26
даи...	1	дидечем...	30
ху...	2	дусечем...	35
иде...	3	бекельчем...	40
кле...	4	гахочем...	45
чем...	5	чумчем...	50
диде...	6	чумчемдаи...	51
дузе...	7	чумчемчем...	55
бекель...	8	чумдиде...	60
гахо...	9	чумдузе...	70
чум...	10	чумбекель...	80
хучемдаи...	11	чумгахо...	90
хучемху...	12	чумчум...	100
хучемиде...	13	чумчумвайху...	200
хучемкле...	14	чумчумвайде...	300
идечем...	15	чумчумвайчум...	1000
идечемдаи...	16		
идечему...	17	ведай: первый	
идечемиде...	18	веху: второй, и т. д.	
идечемкле...	19		
клечем...	20	вайдаи: единожды	
клечемдаи...	21	вайху: дважды	
чемчем...	25	вайде: трижды, и т. д.	

а 1. (префикс или суффикс, обозначающий мужской род. См. также «та», «пеке»).

2. (междометие, обозначающее звательный падеж).

ач красное дерево (секвойя) как растение, так и древесина.

 адре луна. Светить (подобно луне).

адре ваква Танец Луны. Танцевать Танец Луны.

адселон пума, горный лев (Felis concolor).

адсевин Венера (планета), утренняя или вечерняя звезда.

адги (или) **агги** дикая собака (feral Canis domesticus).

айбре пурпурный, фиолетовый цвет.

айха молодой, новый.

айо вечность, бесконечность, открытость. Вечный, бесконечный, открытый.

аль енот (Bassariscus astutus).

ам (обычно перед объектом) рядом, возле, при ком-то, вместе с, сразу перед или после чего-либо, почти в то же время.

амабабушка, любая родственница по линии матери и старше ее.

амаб принятие, признание. Принимать, признавать.

амакеш Долина Реки На.

амавтат дедушка (с материнской стороны).

амбад дарение, акт дарения (отдачи); щедрость, благополучие. Давать, дарить, быть богатым, быть щедрым.

амбадуш даритель, богатый человек, щедрый человек.

амху (обычно перед объектом) между, посредине (как существительное), кожа, поверхность, прокладка; (как глагол) быть между, быть тем, что разделяет или противопоставляет.

амхудаде водомерка (насекомое; см. также «тайдагам»).

амоуд (обычно перед объектом) вместе, вместе с, одновременно или в одном ритме с кем-то.

 амоуд манхов (быть) членом (одной) семьи, жить вместе.

ан (после объекта) в, внутри, в середине.

анан (после объекта) внутрь.

анасайю земляничное дерево (Arbutus menziesii) как растение, так и древесина.

ансай радуга, спектр.

аисаивше Люди Радуги.

анйябад обучение (скорее «тому, что необходимо или следует знать», чем «тому, что просто нужно знать»). Учить(ся).

ао голос. Выражать словами, звучать, говорить, сказать.

ап ноль, пустота.

апап игра в кости.

арба рука, обхождение, обращение. Брать руками, работать руками, управлять.

арбан работа, ответственность. Заботиться о ком-то, работать с кем-то вместе.

  арбан хануврон обращаться бережно, работать тщательно.

арбайяйи физический труд, осуществляемый с помощью ума и образования, «рука и разум», или результаты такого труда.

арегин побережье, берег, пляж, край, поле, кромка.

арегиноунхов «жить на побережье», т. е. соблюдать половое воздержание.

аррв слово. Говорить (на таком языке, в котором есть слова).

арракоу (или) **арракоум** стихотворение, поэзия, поэма. Создавать или писать стихи.

арракуш поэт.

арш (прил., относ. мест., субъект сложн. глаг., агенс) который, кто, тот(те), который(ые), он/она, который.

асаи (или) **асай** пересечение. Пересекать.

асаика прохождение(проходить) через все Пять Домов к Четырем Домам или наоборот; иначе говоря, умирать или рождаться.

аше мужчина, существо мужского пола. Мужской, мужественный.

асоле опал.

аст ломаться, распадаться на части.

айя учение, обучение, игра, имитация, подражание. Учиться, учить, играть, подражать, участвовать.

айяче дикая вишня манзанита (Arctostaphylos spp.), отдельное дерево, кустик, заросли.

айяш ученый, учащийся, учитель.

айеша действительно, верно, точно.

Б

бадап дар (в значении «талант», «способности»).

бахо удовольствие, радость. Доставлять удовольствие, радовать.

банхе принятие, включение в себя, внутреннее видение, понимание; оргазм у женщины. Включать в себя, понимать, оргазмировать (о женщине).

барои (или) **барой** добрый, доброжелательно. Быть добрым.

бата (или) **та** (или) **тат** отец (биологический).

белай кабачок, тыква.

беш стена, убежище. Стоять между, служить убежищем.

  бешан внутри (дома).

  бешвоу снаружи.

бейюнахе выдра.

би (суффикс, выражение нежности) дорогой.

  бинье (суффикс) дорогой малыш.

биби дорогой(ая), любимый(ая).

бинбин котенок, детеныш любого вида кошачьих.

бит лисица.

  битбин лисенок.

бод глиняный горшок, кувшин.

болед (предшествует объекту) вокруг, поблизости (в пространственном и временном отношении).

болека возврат. Возвращаться, приходить назад, поворачивать назад.

босо дубовый (большой пестрый) дятел.

боу (суффикс) вне, извне, наружу (см. «воу»).

брай вино.

  хван (или) **сухван** белое вино.

  уйюма розовое вино. (В Долине производилось около тридцати сортов вина. Наиболее знаменитыми были красные вина Ганаис, Беррена, Томехей и Шипа, розовое вино Текаге из Унмалина и белое Текаге из предгорий Горы-Прародительницы.)

бу большая ушастая сова (филин) (Бубо).

буребуре (множ. число) много, великое множество.

бута рог.

буйе (может как предшествовать объекту, так и следовать за ним) рядом, возле, близко к, рядышком, поблизости, вскоре, незадолго.

В

в, ив (суффикс с посессивным значением; может иметь значения «от», «принадлежащий к», а также «сделанный из, состоящий из» и т. д. Таким образом, «нахевна» — река воды; «навнахе» — вода реки, речная вода).

вахеб соль.

  вахевха Путешествие за солью.

  вахевхедом Общество Соли.

вана еще не, почти, не совсем, чуть не.

ваве облако, прежде всего кучевые и перисто-кучевые облака.

вед сидение. Садиться, сесть.

  гевед ханойя сидеть вольно, т. е. размышляя или будучи погруженным в медитацию.

ведет тяжелое врожденное заболевание.

вен (суффикс) к (прежде всего, к какому-то месту).

вероу кварц.

вешеве туман, дымка, низкая облачность, густая облачность. Закрывать облаками, туманом, быть туманным, промозглым.

ветулоу игра вроде поло, в которую играют верхом на лошадях с помощью клюшек и мяча.

вейя (множ. число) несколько, парочка, больше одного, но не очень много.

видди слабость. Быть слабым.

водам внутренние районы страны.

каводам переселяться во внутренние районы страны, т. е. прекращать половое воздержание.

вон тень. Отбрасывать тень, затенять.

воу (суффикс) вне, за пределами, снаружи, вовне чего-либо.

вуре песок, пески.

ваква водный источник, родник; церемония, праздник, обряд, ритуал, соблюдение обычая; танец; тайна. Быть источником, проистекать из источника, выходить на поверхность; проводить (или участвовать) некую церемонию, праздник или ритуал; танцевать; быть загадочным, таинственным, участвовать в таинстве.

ваквана водный источник, истоки реки, родник.

ви (префикс, обозначающий использование данного слова в качестве прилагательного; может переводиться в значении «водянистый», «водный», «водяной» и т. п.).

венха обнаружить, открыть.

венхаш открыватель, искатель. Искатель (множ. число: вехауде).

венхав хедом Общество Искателей.

венун желание, жажда, нужда. Хотеть, желать, жаждать, домогаться, испытывать приязнь, любить.

вешоле злой, бедный, скупой, жалкий, несчастный.

вейвсе (весь), целый, целостность, полностью, полнота, цельность.

вейевей все на свете, все времена и страны.

визуйю ива (Salix), растение и древесина.

во семя. Быть семенем, обсеменять.

вои, вой (суффикс) к, по направлению (см. «об»).

вон яйцо. Быть яйцом.

вотун увеличение, созревание. Расти, созревать, увеличиваться (в размерах при росте) (см. «хоудада»).

ву, вуд (префикс повторяющихся действий) снова.

вудун обмен, передача, некоторые формы бартерной торговли. Обмениваться. ПОИ (компьютерные терминалы) Столицы Разума.

вукаийя возврат, повторение. Вернуться, повторить.

вуррай история, художественная литература, выдумка, изобретение, рассказывание историй. Рассказывать, рассказывать истории, собирать, изобретать.

вуррарап пересказ, сообщение, рапорт, рассказ. Рассказать, повторить, отрапортовать, сообщить, пересказать.

вуйяй рефлексия, размышление. Размышлять, представлять себе в образах, мечтать.

ва солнце.

В последующих словах начальный звук произносится как немое «w»:

вадьюоха юг.

ваха юго-запад.

вай время (время дня, когда случается то или иное событие, некая временная точка, отрезок времени). Выбирать время, назначать время, измерять время.

ван желтый, золотистый.

вапевейо сухой сезон (примерно май — октябрь).

вавгедью утро, время до полудня.

    вавгодью полдень.

    вавгемало время после полудня.

    вавгомало закат, вечер.

ве   1. (перед объектом) напротив чего-либо, перед, прежде.

    2. (после глагола) вперед; правда.

вефезент поезд, Поезд.

верин лошадь.

    оверин кобыла.

    таверин, верина жеребец.

    певерин мерин.

    клин жеребенок.

ветте карликовый дуб. (В качестве имени произносится как Уэтт, чтобы лучше соответствовать нашим меркам.)

вик половина. Разделять пополам.

виконой мул (самка).

    тавик мул-самец.

во дуб (дерево и древесина).

воввон желудь.

вой помощь, поддержка. Помогать, поддерживать.

вол выдох. Дуть, отдуваться.

вотс игра в кости.

ву индустриальные отходы, попадающиеся в виде отдельных кусочков или волокон главным образом в земле, а также — в воде.

вун олива, дерево и плоды.

вья   1. (после объекта) за, позади.

    2. (после глагола) назад, в обратном направлении.

вьяве перемена, перестановка. Изменять, совершать перемены.

    вевьяве обращенный назад.

Г

галик олень, косуля (Odocoileus или сходные, чуть более крупные виды).

    огалик олениха.

    галика самец оленя.

    галикайха молодой олень.

гай 1. готовый (**к**), подготовленный, решившийся, решительный, целеустремленный.

2. соединенный прочно, закрепленный, решенный, сжатый.

гамканюк индюковый гриф (Cathartes).

ганай родник, ручей, поток. Бежать, течь, струиться (о ручейке или ином небольшом водном источнике).

гат ударить, потрясти. Удар.

гаватсе жаба.

гебайю Юпитер (планета).

гедахха направление.

гедвеан см. медицинское лечение, описанное в главе «Некоторые замечания по медицинской практике кеш».

геле бег. Бежать на двух ногах. (Бежать на четырех ногах — **йяклегеле, йяклеле, лесте**.)

геттоп скунс.

геттоп вевеве облачный скунс (по описанию похож на Западного Пятнистого скунса, Spilogale, однако кеш настаивают на том, что этот зверек танцует на передних лапах, испуская сладкий аромат, который привлекает собак, диких собак и койотов и заставляет их танцевать тоже, пока они не упадут и не умрут от истощения; таким образом, это, вполне возможно, животное мифическое).

гевед ханойя медитация. Медитировать.

гевотун арбан сажать, сажать сад.

говотун *(или)* **мане дам говотунсад** возделанный и засаженный участок земли.

гей огонь. Обжигать.

хоумгей лесной пожар.

гейи тон (музыкальный).

терпеливый, внимательный, выжидающий; терпение, терпеливый человек.

гошей разделенный, общий, тот, которым владеют сообща, сообща используемый.

голи большой дуб (quercus agrifolia), растение и древесина.

гора еда, питье. Есть, пить, поглощать пищу через рот.

гоу темный, темнота. Быть темным, темнеть, затемнять.

гоутун (или) **гедагоутун** утренние сумерки.

гоувоу (или) **гедагоувоу** вечерние сумерки.

грут слизень.

гунью дикая свинья (одичавшая домашняя свинья).

Д

д, ду (префикс, обозначающий употребление слова в функции прямого дополнения).

дад уход, хождение. Идти.

дадам движение. Двигаться.

даде касание, прикосновение. Ощущать (прикосновение), прикасаться, едва заметно касаться, задевать.

дагга нога; средство передвижения по земле (см. хурга).

дахайхай большой американский кролик (Lepus califomicus).

дай один, единственный, единственно, в одиночестве.

дайхуда хождение. Ходить (на двух ногах; применяется к человеческим существам, животным, когда они стоят на задних ногах, и к птицам — таким, как голуби, которые много ходят по земле).

хайда прыгать на двух ногах.

йякледа ходить на четвереньках.

хандесддаде ползать.

дадам ходить или идти на более чем четырех ногах или на бесконечно большом количестве ног.

дам земля, почва, грязь; Земля.

дамше Земной Народ.

дамса Вселенная, мир, космос; Девять Домов.

дао движение, действие, активность, деяние. Двигаться, двигаться по кругу, быть активным.

делуп сердце (орган). Пульсировать, колотиться, стучать (как сердце).

дем ширина, широта. Расширять. Широкий, обширный.

депемехаи (обычно перед объектом) далеко, далеко от, на расстоянии от, в другие времена, далеко от, задолго от.

дест змея.

дейон дикая роза (Photinia arbutifolia).

дидуми избыток, обилие, чрезмерность. Быть избыточным, чрезмерным.

дифту маленький, низенький (но не короткий; см. «инийе». Камешек бывает «дифту», а не «инийе»).

диратс кровь. Кровоточить.

диу подъем, вставание. Вставать, подниматься, идти в гору.

диуха юго-восток.

диухафар восток.

додук скала, камень, но скала такого размера, что ее не слишком трудно поднять или сдвинуть с места.

дон пестрый, полосатый, муаровый.

дот овца.

дото ярка.

дота баран.

педота валух.

меби, омеби, амеби ягненок.

доу (обычно перед объектом) на, сверху, через (см. также стоу, таи, оун).

доубуре (множ. число) много, великое множество.

доум коричневый или смешанных темных и теплых тонов.

доумиаду охве искусственный «дракон», в котором прячутся несколько танцоров; появляется во время Танца Вина. Также называется «дамив ходест», что значит Старая Земляная Змея. Землетрясения, как и человеческая дрожь или пошатывание, могут приписываться движениям Доумиаду Охве, который простирается подо всеми горными хребтами побережья.

древи зеленый или желто-зеленый.

ду (может предшествовать или следовать за объектом) сквозь, насквозь (пройти насквозь некое пространство).

дуча сын.

дучатат сводный брат, сын отца.

дудам помещение, убежище, ячейка, комната (обычно под землей). Давать убежище, окружать, содержать.

дуеде ясность, прозрачность. Быть прозрачным, ясным.

дуи порода пастушьих собак с очень короткой вьющейся шерстью.

дукаб (или) **берка** (или) **тук** домашняя птица, куры.

думе рассчитывать, подсчитывать.

думи наполнять до краев, достигать пределов, достигать цели, выигрывать в игре или скачках.

дур красный.

дут (местоим., относит. местоим. или прил., объект сложн., глаг.) который, кого, того/тех которые, кто.

две приношение, привод. Приносить, приводить.

Е

ед зрение, способность видеть. Видеть.

ем протяженность/продолжительность; пространство/время.

емвей (или) **емвейем** всегда, навечно, вечно, повсюду.

емвоум проявление, манифестация. Проявляться), быть обнародованным.

ене возможно нет. (Часто используется в значении «нет»).

енсе 1. (перед объектом) после. 2. (после объекта) затем, следом, сразу за.

еппе конец, остановка, перерыв. Останавливаться, прекращать, оставлять незаконченным.

еппеше смерть (живого существа), прекращение, разрушение, конец (неживого предмета). Прекращать существование, кончаться, не существовать более.

ер северо-запад.

ерай (или) **фарер** север.

ерваха запад.

еше пока, в то время как, во время чего-либо.

естун выбор, право выбора. Выбирать.

евай Общество: так переведено это слово в данной книге. Группа людей, организованных общими интересами и общей деятельностью, цеховой или культовой. Также место, где они встречаются или работают.

еие (или) **ей** да.

З

з (суффикс, обозначающий, что данное слово употребляется в Земной Речи, используется только в разговорном языке).

И

им здесь.

име губа.

имеху губы.

имхай здесь и немедленно.

рру имхайян на этом самом месте в это же время.

ин (уменьшительный префикс).

инийе маленький, крошечный, коротенький (см. «дифту»). (Большая часть мелких живых существ определяется прилагательным «инийе», а не «дифту», за исключением, возможно, черепахи или еще кого-то небольшого, но известного как долгожитель.)

ирайдом Быть дома. Дома (нар.).

ирайвой дад идти домой.

иривин ястреб Долины На, краснокрылый или с красной спинкой.

вшаво дикий край, дикое место, дикий. Быть диким.

ишаволен дикий кот (домашняя одичавшая кошка).

иситут дикий ирис.

июго зенит, вершины, высоты.

ийя стержень, соединение, круг, источник, исток, центр. Соединять, давать начало, порождать.

ийяквун любовь, взаимная любовь, взаимозависимость, любовь к людям или месту, космическая любовь.

ийе энергия, мощность. Работать.

Й

йа (перед объектом или в качестве префикса) с помощью, благодаря.

йабре вино.

> **брайв йабре** виноградное вино.

> **содев йабре** дикий виноград, используемый как черешки для прививок культурной лозы.

йаи разум, мысль, мышление. Думать, мыслить.

йайвкач (яйвкач) Столица Разума, автономная компьютерная сеть или организация искусственного разума, представленная в человеческих общинах терминалами, которые называются «вудун», ПОИ.

йакле, йакледа ходить или идти на четвереньках.

йаклегеле, йаклеле бежать на четвереньках.

йамбад (буквально) пожалуйста. (Обозначает повелительное наклонение с глаголами, обычно с глаголом «хио».)

йе (префикс наречия)

йебше уступать, обязывать.

йем берег моря, берег реки или ручья.

йи нота(музыкальная).

гейи тон, звук, звучание.

йик лодка. Плыть на лодке, плыть по воде на лодке.

йо, йовут чтобы; так, чтобы.

йовай койот.

> **йовайо** Койотиха.

К

ка приход. Приходить.

кач столица (не употребляется в разговоре о городах кеш).

када волна. Приходить и уходить. Двигаться подобно волнам.

кяйлику перепелка Долины (Lophortyx califomicus).

кайя поворот, разворот. Поворачивать, оборачиваться.

какага сухое русло. (Русло полной реки или ручья — «генакага» или «на-хевха».)

кан акт вхождения, проникновения внутрь. Входить, проникать внутрь.

канадра утка (дикая или домашняя).

каоу уход, выход, исход. Уходить, покидать, выходить.

карай возвращение домой. Возвращаться домой.

ке (обычно в виде префикса) особь женского пола, женщина, женский род (грам.).

кекош сестра (см. «кош»).

кемел Марс (планета).

кеш 1. долина, прежде всего Долина Реки На (варианты: кешхейя, ама-кеш, ррукеш, кешнав.) 2. человек, люди, обитатели Долины На (вариант: кешивше). 3. язык людей, населяющих Долину На (варианты: арракешив, арравекеш).

кеше, кешо женщина, самка.

кевем сандал.

кинта война. Воевать.

    кинташ воин, воитель.

    кинташудте Воители (Общество).

клей, клейи четвероногое существо или человек; животное.

клема Четыре Небесных Дома (употребляется также как прилагательное «Небесный»).

клемахов, клемаше обитатель Четырех Домов. Жить в Четырех Домах, быть обитателем Четырех Домов (а также в некоторых случаях «быть мертвым», «быть еще не рожденным», «быть нереальным», «принадлежать к области мифологии, вымысла, истории или к вечности»). «Клемаше» в данной книге обычно переводится как Небесный Житель.

клилти Adenostoma.

код зерно, кукуруза, маис.

кош родственник. Биологические родственники:

    кекош родная сестра.

    такош родной брат.

    соума сводная сестра, дочь родного отца, но другой матери.

    дучатат сводный брат, сын родного отца, но другой женщины.

    Родственники по Дому (не обязательно кровные):

    макош брат или сестра по Дому.

    макекош сестра по Дому.

    матакош брат по Дому (см. главу «Кровное родство»).

коум ремесло; созидание, изготовление. Делать, создавать, придавать форму.

гокоум (сущ.) форма, очертания.

кулкун гора (Ама Кулкун, Гора-Прародительница — это дремлющий вулкан в самом начале Долины Реки На.)

кваийо сердце в метафорическом смысле; эмоциональное существо; чувствительность, чувство, чувства; тонкость чувств (в смысле интеллекта), познание с помощью органов чувств, чувственное восприятие. Думать, ощущая; познавать чувственно или же «душой и сердцем».

кваийо — вой дад испытывать приязнь, любить.

Л

лахе сон. Спать.

лама половое соитие. Заниматься любовью.

ламавенун половое желание, страсть, любовь. Любить, страстно желать, жаждать.

лемаха красота. Быть красивым.

лени кошка домашняя.

    олен пестрая кошка.

    лена кот.

    бинбин котенок.

лесте бежать на четвереньках (особенно о мелких животных).

лим волосы.

лир сон, видение. Спать, видеть сны, иметь видения.

    лирш ясновидящий.

лийи похоже, как будто, вроде бы.

лонел американская рысь.

лоусва затопление. Затоплять, стекать.

люте мыльный корень (Chlorogalum pomeridianum).

М

м, меи, также, так же как.

ма дом (жилище). Дом (социально/космич. принцип).

мачумат зяблик.

мал холм, горка.

малдоу подъем, движение вверх. Подниматься, идти вверх, карабкаться на вершину.

мало спуск, движение вниз. Спускаться, идти вниз.

мамоу мать (биологическая).

мане (обычно как партитивное прилагательное) несколько, не все, частично.

манхов акт или состояние проживания в доме или в Доме. Жить в доме или Доме, населять (дом), проживать.

манховоуд сообщество, комменсалия. Жить вместе, совместно.

мараи домашнее хозяйство, дом (место и люди).

мед камыши, болото, заросшее камышом или тростником.

меддельт левый. Левая Рука (в символе хейийя-иф).

мехой слушать, обращать внимание (на).

мемен семя.

мип мышь (когда вид неизвестен или не поддается определению).

    арегимип болотная мышь (с засоленных болот, Reithrodontomys).

    миби полевая мышь (полевка).

    ути оленья мышь (Peromyscus).

мо корова, рогатый скот.

    амо корова.

    момота бык.

    муди вол, холощеный бык.

    айхамо, айхама теленок.

муддумада бормотание, жужжание. Бормотать, жужжать, гудеть.

мудуп большой американский кролик (Sylvilagus).

мун глина.

    сумун синяя или гончарная глина.

Н

на река, прежде всего Река, текущая через Долину, где проживает народ Кеш. Течь как река или подобно реке.

нахай свобода. Быть свободным.

нахе вода.

нен для.

ноне подвижность, медитация. Быть неподвижным, застывшим, пребывать в покое.

О

о (префикс или суффикс, обозначающий женский род).

о, ок (обычно в виде предлога или префикса перед объектом) под, под поверхностью, ниже, внизу.

об (перед объектом) к, по направлению к (см. «вой»).

ого надир, самый низкий уровень, глубины.

оху (вопросительная частица, обозначающая, что данное заявление является вопросом. Употребляется чаще всего в начале предложения, но может быть и в любом другом его месте.)

охухан сколько? (стоит) сколько? (всего) как? каким образом?

оло цапля.

олун благородный лавр, мирт (Umbellularia califomica), дерево, кустарник, плоды или листья (пряная приправа).

ом там, в том месте.

ррай ом, ррай ом пехайян там-то тогда-то, однажды в одном городе (повествовательная формула зачина).

оне возможно, может быть.

онхайю музыка. Исполнять (творить) музыку.

оикама песня. Петь.

оной осел.

опал лягушка.

осай кость.

оу гончая собака. Выть, лаять.

оуд (обычно прибавляемое в виде суффикса к объекту) с, вместе с.

оудан (обычно прибавляемое в виде суффикса к объекту) с, внутри чего-либо, в среде чего-либо, среди.

оуклалт правый, находящийся на или вне Правой Руки.

оун (прибавляется в виде суффикса или просто следует за объектом) на, на поверхности чего-либо.

ойя покой, досуг. Быть спокойным, наслаждаться отдыхом.

    войо легко, спокойно.

    ханойя вольно, свободно.

    гевед ханойя сидя в вольной позе, т. е. медитируя.

П

п, пе (префикс со значением отрицания или привативности).

пао достижение, посев, эякуляция, оргазм (у мужчины). Достигать, сеять зерно, извергать семя, достигать оргазма (мужского).

парад луг, невозделанное поле, поле, оставленное под паром.

павон держать, нести на руках, в охапку или в объятиях.

пехай тогда (не сейчас, в другое время. При обозначении порядка следования событий употребляется другое «тогда» — **енсе**.)

пехам недышащий, неживой, мертвый.

пеке (обычно как префикс) мужской, мужского рода (грам.).

пекеш иностранец, чужеземец, человек не из Долины.

пекеше мужчина, существо мужского пола.

пема иностранец, чужеземец, человек без Дома.

перру другой, иной, еще один.

перрукеш долина (иная, чем Долина Реки На).

пешай засуха.

певейо кусок, порция, район, территория, место; эпоха, отрезок времени.

    ваквав певейо площадь для танцев, святое место.

    шевейв певейо, гошей певейо городская площадь.

поуд отдельный, отдельно, в стороне, в одиночестве.

пойя трудность, боль.

    шепойя тяжелый, трудный, болезненный.

прагаси лето, жаркая погода.

прагу сияние, ясность. Сверкать, сиять, светиться.

пуч колючий кустарник, чапараль.

пул если не.

Р

рахем души (различные виды души, принадлежащие одному и тому же существу, или же души многих существ).

рава речь, язык, язык (орган). Говорить (как с помощью слов, так и без слов), поговорить с кем-то (см. «арра»).

реча охота (понятие и процесс). Охотиться.

речуде, речудив хедом Общество Охотников.

рейш линия, что-либо очень длинное, тонкое и прямое.

хурейш Рельсовая Дорога, рельс.

рип ребро, балка, перекладина.

ро (возвратное местоимение) себя.

рон забота. Заботиться, любить, быть осторожным.

уврон осторожный.

рой мужество. Быть мужественным, бесстрашным.

оверой бесстрашная (женщина), имя.

ррай (указательные прилагательные или местоим.) тот.

рру (указательные прилагательные или местоимение) этот.

ррутоуйо (или) **рруненьо** потому что, из-за того что, благодаря чему-либо.

ррувей космос, Вселенная.

С

са небо, Небеса.

сахам атмосфера.

сахамдао ветер. Дуть, сдувать подобно ветру.

сахамно безветрие, штиль.

сас (или) **дессас** гремучая змея.

сайя (может предшествовать объекту или следовать за ним) через.

сайятен послать послание, связаться посредством чего-либо.

сайяготен послание.

ше сайягетен, сайятенш посланник.

сей цветок «фонарик» (Calochortus spp.).

сенсе (может предшествовать объекту или следовать за ним) следующий, последующий; после, позади, позднее.

сеппи ящерица (Sceloporus).

сет уровень, ровный, равнина, гладкий. Выглаживать, ровнять, выравнивать.

сетайк (перед объектом) предшествующий, перед чем-то, раньше, прежде чего-то.

сев трава, травы.

севаи 1. щит, ящик, конверт, оболочка. Заключать в оболочку, обволакивать. 2. смертельное дегенеративное заболевание. Заболеть севаи.

сейся глаз.

хусейед глаз.

ситшиду зима, холодная погода.

собе руководство, ведение, поведение. Вести себя.

соде дерево. Расти или быть похожим на дерево по форме.

сосо делес леса, чаща, лесная страна.

соун колибри.

стад опасность, угроза, риск.

станай искусство, умение, мастерство. Делать что-либо мастерски, делать что-либо хорошо.

стечаб предлагать.

> **гостечаб** подношение, подарок.

стик ястреб, острокрылый коршун, сапсан.

инйести ястреб-перепелятник.

стоу, доу (обычно предшествует или употреблять в качестве суффикса при объекте) через, через верх, поверх.

стре, сустре калифорнийская сойка.

су белый, бесцветный. Белизна. Быть белым.

су голубой, сиреневый. Голубизна. Быть голубым.

судревидо змеевик (камень).

> **судревидовма** Дом Змеевика.

сум голова, макушка, вершина.

сумун синяя глина, гончарная глина.

> **сумунивма** Дом Синей Глины.

суша серый или смешанных светлых или холодных тонов, палевый, бледный.

Т

та (префикс или суффикс) мужской, мужского рода (грам.), мужчина.

табетупа миниатюрная драма (жанр устной литературы).

тай (префикс или суффикс) над, на поверхности.

тайдагам водомерка (насекомое).

тайк (перед объектом) перед, предшествуя, напротив.

тар конец, окончание. Кончить, завершить, прийти к концу (к заключению).

тат (или) **бада** отец (биологический).

тавкач Столица Человека, то есть цивилизация.

тен послать.

тетисвоу летучая мышь.

тибро королевский питон.

тиодва сине-зеленый, бирюзовый цвет.

тис мед.

то круг, колесо. Образовывать круг, вращаться по кругу, окружать, катить, вертеться колесом. (Если круг или движение по кругу нарушено или представляет собой спираль, то употребляется слово «тоудоу» или «хейийя».)

ТОК (слово не принадлежит языку кеш) компьютерный язык, которому обучают всех программистов по сети Обмена Информацией из Столицы Разума и который используется также в своей устной или письменной форме как «лингва франка» среди людей, говорящих на разных языках.

том шар, сфера, округлость, круглый.

томхой завершение, исполнение, удовлетворение. Завершать, доводить до конца, удовлетворять. Завершенный, полный.

топ хранить.

> **топуш** хранитель.

тотоп запас, сокровище. Накапливать.

тоу (префикс, обозначающий, что данное существительное является в предложении подлежащим, а также обозначающий деятеля в пассивной конструкции).

тоудоу открытый или сломанный круг или кольцо, круговое движение, которое не доводится до конца. Движение мельничного колеса описывается словом «то» (см.); однако движение воды в колесе и сквозь него описывается словом «тоудоу».

трамад смерть, убийство. Умирать, быть причиной смерти, убивать.

трегай гусь.

трегайаварра стая диких гусей в полете.

трум медведь. (Судя по изображениям и описаниям, это животное больше американского медведя, но это, возможно, простое преувеличение. По рассказам, он всегда черного или темного цвета, однако с белым или серым брюхом и прочими внутренними сторонами тела).

трунед субстанция, остающаяся от живого существа после его смерти, — плоть, труп, дерево, солома и т. п. Тело — в значении «мертвое тело». (Тело живого существа называется «чуну».)

ту сквозь (вещество, дыру, проход. См. «ду»).

тун (суффикс) из.

тупуде (множ. число) несколько, некоторое количество, довольно много.

У

уббу середина, средний. Быть посредине.

убиу сова (обычно, сова-сипуха).

> **убиши** сипуха.

уд, удде (префикс, обозначающий косвенное дополнение).

уддам чрево. Быть беременной.

уддамтен, уддамтунтен роды. Носить дитя, рожать.

> **уддамготен** рожденный, быть рожденным.

> **уддамготенше** тот, кто был рожден, иначе говоря, существует (только о животных).

уде 1. (мн. ч.) группа, опред. к-во. 2. (аффикс, обозн. группу, группирование, стадо и т. п.).

> **кинташуде** Общество Воителей

> **галикуде** стадо коз.

удин Сатурн (планета).

удоу открытый, отверстие. Открывать.

ул если.

ум пустой, пустотелый, пустота, пропасть. Опустошать.

уми пчела.

унне любовь, доверие, дружба, привязанность, любовно доброе отношение. Любить, доверять, быть другом.

урлеле стрекоза.

ушуд убийство. Неоправданно убивать, убивать без причины, неправильно, в недозволенном месте, в неподходящее время, совершать убийство.

ути мышь (см. «мип»).

ув (префикс, обозначающий использование слова как прилагательного).

увлемаха прекрасный.

увьяй благоразумный, заботливый.

уйюма роза.

Ф

фарки земляная белка, бурундук.

фас суп, бульон, сок.

фат клоун.

   суфат Белый Клоун.

   древифат Зеленый Клоун.

   ведиратсфат Кровавый Клоун.

фефинум кедр.

феге тик, тиковое дерево.

фехоч поле, возделанная земля, пашня.

   фехочовоуд Возделывать, обрабатывать землю.

фейтули ядовитый гриб.

фен веревка, бечевка.

фесент движение чередой, вереницей, друг за другом. Двигаться или идти чередой, следовать один за другим.

фиа испарение. Испарять(ся), уходить в небеса, становиться частью атмосферы (о воде, дыме, дыхании и т. п.).

фини поэтическое состязание в шуточных оскорблениях.

фийойю конский каштан, который цветет в мае и сбрасывает листву в конце лета.

фоуре начало, старт. Начинать, стартовать.

фумо вещество, явно продукт разложения технических продуктов или отходов промышленности, возможно, изготавливавшихся из нефти, пластических материалов, встречается в виде мелких беловатых зерен или более крупных частиц, покрывающих огромные участки морской поверхности, а также пляжи, полосы прибоя иногда на глубину в несколько футов. Вещество это совершенно бесполезно, не поддается разрушению, а при горении выделяет ядовитые вещества.

фун крот.

Х

ха путь, прокладывание пути, путешествие. Путешествовать, направляться куда-то или в ту же сторону.

хай сейчас.

хайп укус. Кусать.

хайтроу страх. Бояться, опасаться.

хам дыхание, воздух. Дышать.

хамдуше птица.

хан 1. подражая кому-либо, похоже, напоминая кого-либо 2. (суфф. наречия). 3. итак, а вот. Хан (ее) им — А вот и вы! (т. е. «здравствуйте!»).

ханнахеда ручей, поток, течение, постоянное непрерывное движение в одну сторону. Бежать, течь, струиться.

ханьо таким образом, что.

хат глина для кирпичей или земля.

   дурхатвма Дом Красного Кирпича.

   хванхатвма Дом Желтого Кирпича.

хечи порода домашних собак, напоминающих чау-чау.

хе действие. Действовать, делать.

хе дом Общество — так это слово переводится в данной книге. Организованная группа людей, занимающихся обучением, учащихся, упражняющихся в определенных ремеслах, умениях, ритуальных действиях, знаниях и так далее, а также практические действия, деятельность такой группы и то место или здание, где эти люди встречаются и работают.

хедоу 1. великий, главный, важный, замечательный. 2. Калифорнийский кондор или другие весьма близкие виды птиц, однако распространившиеся несколько дальше к северу и значительно шире, чем теперь.

хеггай домашняя собака (слово употребляется, если порода или вид не определены).

хебби (или) **ви** щенок.

хегоу черный.

хегоудо обсидиан (вулканическое стекло).

хегоудовма Дом Обсидиана.

хехоле подарок на память, сокровище, предмет, который считают прекрасным или священным.

хехоле-но — предмет такого размера, чтобы можно было легко держать его в руке или носить в сумочке или в кармане, используется обычно как «помощник» при медитации или при сидении в спокойной позе.

хем, хелм (архаич.) душа.

хемхам душа-дыхание (один из видов души).

хенни (вопросит.) что? что такое?

херш 2 фута 9,2 дюйма — основная мера линейного измерения в Долине и во всех культурах этого региона, за исключением северного Побережья, где проживает народ Красного Дерева. Херш подразделяется на четверти, на пять частей, на десять, на двенадцать и на двадцать четыре, и каждая из этих единиц употребляется преимущественно какой-либо одной профессией (так, для измерения бумаги используется «кекель», для пиломатериалов — «ейяй», для шерстяной пряжи — «отоне-хоу», для х/б тканей — «кумпету»).

хестанай Цех — так это переведено в данной книге. Гильдия или сообщество людей, занимающихся обучением и повышением своего мастерства в каком-либо мастерстве, ремесле или профессии, а также само занятие этим ремеслом.

хеве (или) **хевевахо** душа (используется как общий термин).

хейимас строение (обычно разнообразные вариации пятистенного подземного помещения под четырехскатной пирамидальной крышей), где ведется основная деятельность одного из Пяти Земных Домов. «Правая Рука» любого из городов Долины состоит из пяти хейимас, построенных вокруг площади для танцев.

хейийя священная, святая или очень важная вещь, место, время или событие; соединение; спираль, круг, завиток; стержень; центр; перемена. Быть священным, святым, чрезвычайно важным; двигаться по спирали, кружиться, описывать круги; быть центром или быть в центре; меняться; становиться, превращаться. Хвала; хвалить, возвеличивать.

хейийя-иф рисунок или образ «хейийи».

хилла достаточно, достаточный (сущ. и прил.). Удовлетворять, быть достаточным.

химпи маленький зверек, напоминающий крупную морскую свинку, в Долине одомашнен; по слухам встречается в диком состоянии в Горах Света.

хио (неизменяющаяся глагольная форма, используется для образ. императива и оптатива).

хио войя (ее) **ханойя** Ступайте с миром, т. е. «до свидания!».

хирай тоска по дому, ностальгия. Скучать, тосковать по дому.

хиш ласточка.

хо возраст, старость, старый. Быть старым.

хоо старуха.

ахо, хота старик.

хохевоун дух, божество, сверхъестественный или неестественный объект. Бог. Быть чудесным, необычным, одухотворенным, сверхъестественным.

хонне корешок, тонкое волокно.

хосо древесина, пиломатериалы.

хоудада рост, величина, увеличение. Расти (в размерах), увеличиваться, разрастаться, раздуваться, становиться большим.

хоухво большой дуб Долины.

хоум большой, обширный, длинный и широкий, долговременный.

хов проживание, жизнь, обитание (в некоем месте). Оставаться, обитать, проживать.

маянхов жить в доме или в Доме (т. е. существовать).

ховинье приходить в гости, оставаться ненадолго, быть гостем или посетителем.

хойфит енот.

ху два.

хуге разделение, отделение, расставание, трещина. Расставаться, разделяться, отделять одну вещь от другой, раскалываться надвое.

хугеле бежать (на двух ногах).

хуи двуногое существо или человек, люди. Быть человеком.

хуппайда прыгать, подпрыгивать на обеих ногах.

хур поддержка, основание, повозка. Поддерживать, везти, нести, подпирать.

хурга ножка (стула, стола и т.п.), пьедестал, суппорт.

Ш

ш (суффикс, обозначающий агента).

ша серый или смешанных темных холодных тонов.

шашу океан.

     малов шашу Тихий океан.

шай дождь. Выпадать в виде дождя, быть дождливым.

шайпевейо дождливый сезон (примерно ноябрь — апрель).

шанса (множ. число) несколько, немного.

шасоде сосна.

ше личность, люди, существо, собственное «я». Быть личностью, существовать (как личность или живое существо).

шейе работа, бизнес, делание чего-то, промышленность. Работать, делать, действовать, быть активным.

шестанай мастер, мастеровой, создатель.

шевей все, каждый, все (на свете), каждый, всякий.

шо как.

шоко 1. дятел (большой пестрый). 2. повторяющиеся множественные движения, мелькание, сверкание, сияние. Двигаться или танцевать (о большом количестве людей или объектов), сверкать, мерцать или мелькать.

шоу обширный, большой. (Но не обязательно прочный, долговечный — см. «хоум». Гора будет «хоум», а большое облако — «шоу». Большая часть живых существ будет «шоу», а не «хоум».)

шун (суффикс) на.

ПЬЯНАЯ ПЕСНЯ

(Из библиотеки Ваквахи)

Путь иной у меня теперь и желанья,
И что-то другое хочу я сказать.
Я возвращаюсь назад по дальней дороге
Вкруг того же холма, да с другого конца.

Здесь долина раскинулась — гор не видать.
Здесь река протекает, подобная морю.
Здесь есть люди, но бесплотны они
И танцуют у реки той безбрежной,
Текущей в долине.

Я пила эту воду речную допьяна,
До того, что язык стал неповоротлив,
А танцуя, спотыкаюсь и падаю я бесконечно.
Когда же умру, то вернусь я по внешней дороге,
И выпью воды из реки, и вмиг стану трезвой.

Есть такая долина, и высокие горы ее окружают.
Есть такая река, и на берегах ее пышные ивы.
И есть люди там — легконоги, прекрасны, —
И танцуют они у реки той в долине.

СОДЕРЖАНИЕ

Литературно-художественное издание

Урсула Ле Гуин
ВСЕГДА ВОЗВРАЩАЯСЬ ДОМОЙ

Ответственный редактор *Д. Малкин*
Художественный редактор *А. Мащуков*
Технический редактор *Н. Носова*
Компьютерная верстка *Л. Панина*
Корректор *Л. Перовская*

В оформлении переплета использован рисунок
художника *M. Whelan*

Подписано в печать с готовых диапозитивов 26.01.2005.
Формат 84х108 $^1/_{32}$. Гарнитура «Таймс».
Печать офсетная. Бум. тип. Усл. печ. л. 35,28. Уч.-изд. л. 32,7.
Тираж 5000 экз. Заказ № 4502081.

Отпечатано с готовых монтажей
на ФГУИПП «Нижполиграф».
603006, Нижний Новгород, ул. Варварская, 32.

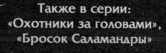

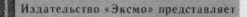